LIVIU CONSTANTINESCU-SIMON (Hrsg.)

HANDBUCH ELEKTRISCHE ENERGIETECHNIK

HANDBUCH ELEKTRISCHE ENERGIETECHNIK

Verzeichnis der Autoren

Alfred Böge [Kap. 4]
Autor anerkannter und bewährter Fachbücher und PC-Studienprogrammen.

Prof. Dr.-Ing. **Peter F. Brosch** [Kap. 8.3 bis 8.12 und Kap. 9 außer 9.6.4]
lehrt an der FH Hannover und steht dem Fachgebiet Antriebe und Automatisierungstechnik vor.

Prof. Dipl.-Ing. **Egon Döring** [Kap. 3]
lehrt an der FH Hannover in den Fachgebieten HF-Technik, Mikrowellentechnik und Werkstoffkunde.

Dr.-Ing. **Karsten Dünte** [Kap. 12.1]
ist in der Industrie tätig und ist Leiter kundenorientierter Trainingsseminare im Bereich Automatisierungstechnik. Er ist Lehrbeauftragter im Fachgebiet Antriebe und Automatisierungstechnik.

Prof. Dipl.-Ing. **Hartmund Friedrich** [Kap. 6]
lehrt an der FH Hannover in den Fachgebieten Datenverarbeitung, Prozeßinformatik und Automatisierungstechnik.

Prof. Dr. sc. techn. **Klaus Hammer** [Kap. 10, außer 10.4.2]
lehrt an der FH Kaiserslautern in den Fachgebieten Elektrische Energieversorgung und Hochspannungstechnik.

Prof. Dr.-Ing. **Walter Heinecke** [Kap. 7]
lehrt an der FH Braunschweig/Wolfenbüttel in den Fachgebieten Elektrische Meßtechnik und Elektronische Schaltungstechnik, Industrieelektronik und Digitaltechnik.

Prof. Dr. rer. nat. **Ghassem Khoramnia** [Kap. 1, Kap. 13]
lehrt an der FH Hannover im Fachgebiet Hochspannungstechnik.

Dr.-Ing. **Tamás Ónodi** [Kap. 11]
ist Leiter der Entwicklung und Qualitätssicherung im Bereich Energietechnik der Dätwyler AG.

Prof. Dr.-Ing. **Wilfried Plaßmann** [Kap. 8.1, Kap. 8.2]
lehrt an der FH Hannover im Fachgebiet Elektrische Meßtechnik.

Prof. **Eugen Schäfer** [Kap. 5]
lehrte an der FH Hannover im Fachbereich Elektrotechnik.

Prof. Dipl.-Ing. **Hermann Sehy** [Kap. 12.2]
lehrt an der FH Hannover im Fachgebiet Regelungstechnik und Prozeßautomatisierung.

Prof. Dr. **Liviu Constantinescu-Simon** [Kap. 9.6.4]
lehrt an der FH Frankfurt im Fachgebiet Elektrische Maschinen und Antriebe.

Dr.-Ing. habil. **Christian Tuttas** [Kap. 10 außer Kap. 10.4.2]
ist Privatdozent im Fachgebiet Elektrische Energieversorgung an der Universität Kaiserslautern.

Prof. Dr.-Ing. **Fred Wiznerowicz** [Kap. 2, Kap. 10.4.2]
lehrt an der FH Hannover im Fachgebiet Technische Elektrizitätslehre.

Verlagsredaktion: Alfred Schubert

Ursprünglich erschienen bei Friedr. Vieweg & Sohn Verlagsgesellschaft mbH, Braunschweig/Wiesbaden, 1996
Softcover reprint of the hardcover 1st edition 1996

Der Verlag Vieweg ist ein Unternehmen der Bertelsmann Fachinformation.

Satz: Lichtsatzzentrum GmbH, Budapest / Ungarn

Gedruckt auf säurefreiem Papier

ISBN 978-3-528-06367-2 ISBN 978-3-322-91107-0 (eBook)
DOI 10.1007/978-3-322-91107-0

LIVIU CONSTANTINESCU-SIMON (Hrsg.)

HANDBUCH ELEKTRISCHE ENERGIETECHNIK

GRUNDLAGEN · ANWENDUNGEN

Mit 1272 Bildern und 131 Tabellen

vieweg

Vorwort

Die Idee zu diesem Buch entstand vor ein paar Jahren in einem Gespräch, das ich mit dem Cheflektor des Vieweg-Verlages, Dipl.-Ing. Ewald Schmitt führte. Damals äußerte ich den Wunsch, ein Handbuch über Elektrische Maschinen und Antriebe schreiben zu wollen, das gleichzeitig ein komprimiertes Kompendium mit allen notwendigen Grenzbereichen wie z. B. spezielle Kapitel der Mathematik, Elektrotechnik, Werkstoffe, Meßtechnik, Leistungselektronik, Regelungstechnik u. a. beinhalten sollte. Während meiner beruflichen Laufbahn hatte ich ein solches Buch beim Studium oder bei Auseinandersetzungen mit Problemen der elektrischen Maschinen vermißt.

Der VIEWEG-Verlag schlug mir indes ein wesentlich komplexeres Projekt mit der Herausgabe des vorliegenden Handbuches der Elektrischen Energietechnik vor. Mein besonderer Dank gilt meinen distinguierten Kollegen der FH Hannover, FH Kaiserslautern, U Kaiserslautern, FH Wolfenbüttel und der Elektroindustrie, deren Mitarbeit dieses schöne, schwierige und komplexe Werk mit dem Charakter eines Handbuches für Lehre und Praxis entstehen ließ.

Die technologische Entwicklung dieses Jahrhunderts ist beispiellos. Die Fachliteratur und die Publikationen im Bereich der Elektrischen Energie erscheint täglich weltweit auf Tausenden von Seiten. Es ist dem Leser unmöglich, dieser Informationsflut erfolgreich nachzukommen und für jede Fragestellung die Antwort zu finden. Dieser Anspruch kann auch mit diesem Buch nicht erhoben werden.

Das enorm reduzierte Volumen für ein solches Vorhaben hat von den Autoren immer wieder Verzicht auf wichtiges Material abverlangt. Der Grundsatz, nur das zum Verständnis der übrigen Abschnitte unbedingt Erforderliche zusammenzustellen, wurde dabei befolgt. Das vorliegende Werk enthält in komprimierter Form das Grundlagenwissen der Ingenieurdisziplinen der elektrischen Energietechnik. Es soll sowohl ein Kompendium für Studenten, als auch eine fundierte Arbeitsunterlage und ein umfassendes Nachschlagewerk für alle Elektroingenieure sein.

Die Bedeutung des Versuches, ein Lehrbuch, Nachschlagewerk und Handbuch in ein und demselben Werk zu vereinigen, wird in einem Brief meines verehrten Kollegen Prof. Dr. Fred Wiznerowicz 1991 trefflich charakterisiert: „... Meines Wissens ist es das erste Mal, daß ein solches Vorhaben realisiert wird. Es war nur möglich durch intensive Diskussion im Kreis der Professoren. Inhalte und Umfänge waren in bisher nicht gekannter Weise abzustimmen“.

Ich möchte die Wichtigkeit und gleichzeitig die Seltenheit eines solchen Gesamtwerkes hervorheben und dem VIEWEG-Verlag an dieser Stelle zu der Entscheidung und zu der Durchführung dieses Projektes gratulieren.

Die Entstehung des Buches erfolgte über mehrere Jahre. Räumliche Entfernungen der Autoren mußten überwunden werden und das Bemühen um eine einheitliche Darstellung und eine optimale Gewichtung der verschiedenen Kapitel war durch die hohe Zahl der beteiligten Autoren und deren ausgeprägte Persönlichkeit keine leichte Aufgabe. Dem Leser soll dies jedoch nicht zum Nachteil werden; im Gegenteil. Die eventuelle Monotonie des Stils ist damit gebrochen, so daß die Vielfalt der sprachlichen Struktur zum Spiegel verschiedener Temperamente und Denkweisen wird und das Lesen des Buches interessant und lebendig bleibt.

Am Schluß jedes Kapitels befinden sich Übungsteile, sowie Literaturhinweise zur weiteren inhaltlichen Vertiefung. Ein alphabetisches Sachverzeichnis und eine ausführliche Inhaltsübersicht soll das Aufsuchen der Kapitel erleichtern.

Die Mehrheit der Autoren sind Professoren der Fachhochschule Hannover, die mit diesem Buch würdig repräsentiert wird.

Die Kollegen Prof. Dr. Peter F. Brosch und Prof. Dr. Fred Wiznerowicz haben mich in meinen Bemühungen als Herausgeber in besonderer Weise unterstützt. Ihnen, sowie allen anderen Kollegen und Autoren möchte ich an dieser Stelle für ihre Mitarbeit nochmals danken.

Mein besonderer Dank gilt meiner Ehefrau Brigitte, die mich viele Jahre verständnisvoll unterstützt und meine zeitaufwendigen Aktivitäten mitgetragen und akzeptiert hat.

Das Urteil der Fachwelt bedeutet für dieses Werk Weiterentwicklung. Ich bitte die Professoren anderer Hochschulen und Ingenieure aus der Praxis und Forschung um ihre Stellungnahme.

Darmstadt, im August 1995 *Prof. Dr. Liviu Constantinescu-Simon*

Inhaltsverzeichnis

5 Lichttechnik 161

6 Datenverarbeitung 181

11 Hochspannungstechnik ... 600

Formelzeichenverzeichnis

I Kleinbuchstaben

a	1	Absorptionagrad
a	m, mm	Abstand
a	m	Anschlußlänge
a	Blitze/km^2 · a	Anzahl der Erdblitze
a	1	Anzahl der parallelen Ankerzweigpaare
a	m/s^2	Beschleunigung
a	1	Gitterkonstante
a	1	Lastfaktor, $a = l/l_N$
a	m	Objektweite
a	m	Stricklänge für Dimensionierung
a	1	Stromzweigpaarzahl
a	m^2/s	Temperaturleitfähigkeit
a	1	Verlustfaktor
a	m	Bildweite
a_n	m/s^2	Normalbeschleunigung
a_T	m/s^2	Tangentialbeschleunigung
a_0	1	Anstrengungsverhältnis
b	s^{-1}	Bandbreite
b	m, mm	Breite
b	1	Gitterkonstante
b	K	Materialkonstante
b	m	Objekt-Bild-Abstand
b	1	Sicherheitsfaktor
b	m, mm	Stabbreite
b	1	Verlustverhältnis
$b_{bü}$	m	Bürstenbreite
c	1	Federkonstante
c	1	Gitterkonstante
c	m/s	Lichtgeschwindigkeit
c	1	Pegelsicherheit
c	J/kgK	spezifische Wärmekapazität
c_B	1	Pegelsicherheit bei Blitzstoßspannung
c_i	1	Federkonstante
c_S	1	Pegelsicherheit bei Schaltspannung
c_W	1	Widerstandsbeiwert
c_0	m/s	Lichtgeschwindigkeit, $c_0 = 2{,}9979 \cdot 10^8$ m/s
d	m	Abstand, Dicke
d	1	bezogene Gleichspannungsänderung
d	1	Dämpfung
d	m, mm	Durchmesser (allgemein)
d	As/N	piezoelektrische Zahl
d	1	relative Dichte
d	m, mm	Stabdurchmesser
Σd	%	Summe der prozentualen Spannungsänderungen
d_i	1	Federdämpfung bezogen auf die Achse i
d_m	m	geometrisches Mittel der Leiterabstände
d_{rDM}	1	relative ohmache Gleichspannung in der Drossel
d_{rSN}	1	relative ohmsche Gleichspannung im Stromrichter
d_{rtN}	1	relative ohmsche Gleichspannungsänderung
d_x	1	relative Gleichspannungsänderung
d_{xL}	1	netzseitige Spannungsänderung
d_{xtN}	1	relativer induktiver Gleichspannungsabfall des Transformators bei Nennstrom (Bemessungsstrom)
e	–	Basis der natürlichen Logarithmen, e = 2,718 28...
e	As	Elektronenladung, $e = 1{,}602 \cdot 10^{-19}$ As
e	C = As	Elementarladung, $e = 1{,}602 \cdot 10^{-19}$ C
e	1	Eulersche Zahl
e	m	Hauptebenenabstand der Einzellinsen
e	1	Regeldifferenz, bleibende Regeldifferenz
e_0	As	Teilchenladung
$e(t)$	1	Regeldifferenz
f	1	Formfaktor
f	N	Coriolis- und Zentrifugalkraft
f	Hz = s^{-1}	Frequenz
f	1	Inhomogenitätsfaktor
f	1	Meßfehler
f	m	maximaler Seildurchhang
f'	m	bildseitige Brennweite
f	m	objektseitige Brennweite
$f(t)$	–	Treppenfunktion

$f^*(t)$	–	Impulsfunktion
f_B	$Hz - s^{-1}$	Betriebsfrequenz
f_B	1	Getriebefaktor
f_D	$Hz = s^{-1}$	Frequenz der Dauerschwingung
f_e	$Hz = s^{-1}$	Eigenfrequenz
f_{eW}	$Hz = s^{-1}$	Einschwingfrequenz der Wiederkehrspannung
f_{Ee}	$Hz = s^{-1}$	Einschwingfrequenz der Erdschlußüberspannung
f_F	N	Corioliskomponente im Filter
f_L	s	Lückfaktor
f_{LE}	$Hz = s^{-1}$	Einschwingfrequenz mit Erdschlußlöschspule
f_N	$Hz = s^{-1}$	Frequenz der Netzseite
f_p	$Hz = s^{-1}$	Pulsfrequenz
f_S	$Hz = s^{-1}$	Statorfrequenz
f_{St}	$Hz = s^{-1}$	Steuerfrequenz
f_{Sy}	–	Stellgröße der Frequenz
f_w	$Hz = s^{-1}$	Sollwert
f_x	$Hz = s^{-1}$	Istfrequenz
f_z	$Hz = s^{-1}$	Zwischenfrequenz
$f_ö$	$Hz = s^{-1}$	Dämpfungsfrequenz
f_0	$Hz = s^{-1}$	Eigenfrequenz
$f_{10°}$	m	Durchhang bei 10 °C
g	m/s^2	Fallbeschleunigung
g	$N = kgm/s^2$	Gravitationskraft
g	1	Grundschwingungsgehalt
g	1	parallelgeschaltete Kommutierungsgruppen, auf die sich der Gleichstrom aufteilt
$g(k)$	–	Gewichtsfolge
g_F	N	Gravitationskraftkomponente im Filter
g_I	1	Grundschwingungsgehalt des Stromes I
g_n	m/s^2	Normfallveschleunigung
h	m	Abstand des Auftreffpunktes von der optischen Achse
h	m, mm	Höhe (allgemein), Fallhöhe
h	m	Leuchtenhöhe
h	Ws^2	Plancksches Wirkungsquantum, $h = 6{,}6262 \cdot 10^{-24}\ Ws^2$
h	J/kg	spezifische Enthalpie
h_{fe}	1	Kleinsignalstromverstärkung
h_{fe}	1	statische Stromverstärkung (Bipolartransistor)
h_m	%	Überschwingweite
$h_m(t)$	–	Modellübergangsfunktion
$h_S(t)$	–	Übertragungsfunktion bei linearen Strecken
$h_w(t)$	–	Führungsübergangsfunktion

i	A	Momentanwert des Wechselstromes
i	m, mm	Trägheitsradius, $i = D_i/2$
i	1	Übersetzungsverhältnis, Übersetzung
i	A	Scheitelwert des Stromes
$(di/dt)_c$	A/s	kritische Stromsteilheit (Thyristor)
i_A	A	Ankerstrom
i_{Ax}	A	Istwert des Ankerstromes
i_{Blitz}	A	Scheitelwert der Blitzstromstärke
i_{dw}	A	Führungsgröße des geregelten Gleichstromes i_d
i_{dy}	A	Stellgröße des Zwischenkreisstromes
i_D	A	Drainstrom
i_{DC}	A	abklingende Gleichstromkomponente des Kurzschlußstromes
i_F	A	Feldkreisstromstärke
i_F	A	Momentanwert des Freilaufstromes
i_F	A	Strom durch die Diode in Vorwärtsrichtung
i_{FM}	A	Scheitelwert des Diodenstromes in Vorwärtsrichtung
i_{Fw}	A	Feldstromsollwert
i_G	A	Gatestrom
i_{GD}	A	Dauer-Gatestrom
i_{Gm}	A	erhöhter Gatestrom
i_{GT}	A	Gatestrom, oberer Sollwert
i_k	A	Momentanwert des Kurzschlußstromes
i_{kD}	A	Dauerkurzschlußstrom beim Spartransformator
i_{kT}	A	Dauerkurzschlußstrom beim „Normal"-Transformator
i_K	A	Halbleiterstrom im Überlastfall
i_{KR}	A	Momentanwert des Kreisstromes
i_L	A	Momentanwert des Laststromes
Δi_L	A	Stromrippel
i_{Last}	A	Laststrom
i_{LB}	A	Lichtbogenstrom
i_{mR}	A	Magnetisierung des Rotors
i_p	A	Stoßkurzschlußstrom
i_R	A	Strom durch die Diode in Rückwärtsrichtung
i_{RM}	A	Scheitelwert des Diodenstromes in Rückwärtsrichtung

i_s	A	Ständerstrom
i_s	A	Steuerstrom
i_{sa}	A	flußbildende Stromkomponente
i_{sb}	A	momentenbildende Stromkomponente
i_{sd}	A	Direktkoordinate der Ständerstromstärke
i_{sq}	A	Querkoordinate der Ständerstromstärke
i_{Smw}	A	Sollwert des Wirkstromes, Stator
i_{Smx}	A	Istwert des Wirkstromes, Stator
i_{Smy}	A	Stellgröße des Wirkstromreglers
$i_{S\alpha}$	A	transformierter Statorstrom
$i_{S\alpha y}$	A	transformierte Stellgröße des Magnetisierungsstromreglers
$i_{S\beta}$	A	transformierter Statorstrom
$i_{S\beta y}$	A	transformierte Stellgröße des Wirkstromreglers
$i_{S\psi w}$	A	Sollwert des Magnetisierungsstromes, Stator
$i_{S\psi x}$	A	Istwert des Magnetisierungsstromes, Stator
$i_{S\psi y}$	A	Stellgröße des Magnetisierungsstromreglers
i_T	A	Strom durch den Thyristor
i_v	A	Vormagnetisierungsstrom
i_z	A	Momentanwert des Zwischenkreisstromes
i_0	1	relatives Leerlaufstromverhältnis
i_1	A	Grundschwingungsstrom
i_{1p}	A	Wirkkomponente des Grundschwingungsstromes
i_{1q}	A	Blindkomponente des Grundschwingungsstromes
k	1	beliebige ganze Zahl
k	Ws/K	Boltzmann-Konstante, $k = 1{,}386 \cdot 10^{-23}$ Ws/K
k	1	induktiver Kopplungsgrad
k	1	Klirrfaktor, Oberschwingungsgehalt
k	1	Kopplungsfaktor, Kopplungsgrad
k	1	Korrekturfaktor
k	$\Omega = V/A$	Maschinenkonstante, $k = (2\,N_A/2\,N_E)X_E$
k	1	materialabhängige Konstante
k	1	Meßkettenkoeffizient, $k = k_1 + k_2 + k_3 + \ldots + k_n$
k	1	Überspannungsfaktor
k	W/Km	Wärmedurchgangskoeffizient
k	1	Wicklungskoeffizient bei mehrgängigen Gleichstromwicklungen, $k = y_1 - y_2$
k_a	1	geometrischer Ausnutzungsfaktor
k_D	1	Konstante aus Federkonstante und wirksamer Drehspulfläche
k_{di}	1	Motordämpfung bezogen auf die Achse i
k_E	1	Spannungsüberhöhung am Maschinentransformator
k_{Fe}	1	Eisenfüllfaktor
k_g	1	Belastungsfaktor bei Anlauf gegen ein Lastmoment
k_H	1	Konstante für Hystereseverluste
k_i	1	Stromübersetzung
k_{IN}	1	Nennübersetzung (Bemessungsübersetzung) des Stromwandlers
k_J	1	Massenträgheitsfaktor
k_L	1	Belastungsfaktor infolge einer Last
k_n	z. B. N/mV	Meßgliedkoeffizient
k_{opt}	1	optimales Verhältnis
k_S	1	Anzahl der Schichten pro Nut é, $\supseteq_S = 1$: Einschichtwicklung, $k_S = 2$: Zweischichtwicklung
k_S	1	Konstante, $k_S = \mathrm{d}lB/c$
k_S	1	Zählerkonstante
k_{uN}	1	Nennübersetzung (Bemessungsübersetzung) des Spannungswandlers
k_W	1	Konstante für Wirbelstromverluste
$k_1, k_2 \ldots$	1	schaltungsabhängige Faktoren
l	m, mm	Länge (allgemein)
l	m	Mastabstand
l	m	Schutzbereich
Δl	mm	Längenzunahme, Längenabnahme
Δl_B	1	Bruchdehnung

Δl_{dyn}	m, mm	Länge bei dynamischer Belastung
l_r	km	Reißlänge
l_w	m	Windungslänge
m	1	bezogenes Lastmoment
m	1	Belastungsgrad
m	1	Benutzungsgrad
m	1	Brechzahlverhältnis, $m=n/n'$
m	1	Erdungszahl
m	–	Mantisse
m	kg, g	Masse
m	1	Phasenzahl
m	1	Sicherheitsfaktor
m	1	Strangzahl
m	g/m	Masse je Längeneinheit
m_B	Nm	Beschleunigungsmoment (Zeitfunktion)
m_B	A/m^2	magnetisches (Dipol-) Moment
m_{li}	kg	innere Motormasse bezüglich der Achse i
m_L	Nm	Lastmoment (Zeitfunktion)
m_M	Nm	Motormoment (Zeitfunktion)
m_{red}	kg	reduzierte Masse
n	1	Anzahl der parallelen Ventile
n	1	Anzahl der verfügbaren elektrischen Teilchen (Elektronen)
n	1	beliebige ganze Zahl
n	1	Brechzahl des Stoffes vor der Grenzfläche
n	s^{-1}, min^{-1}	Drehzahl
n	m^{-3}	Ionenkonzentration
n'	1	Brechzahl des Stoffes hinter der Grenzfläche
n^0	1	Normaleneinheitsvektor
n_{ab}	s^{-1}	Abtriebsdrehzahl
n_{an}	s^{-1}	Antriebsdrehzahl
n_d	s^{-1}	synchrone Drehzahl
n_{eck}	s^{-1}	Eckdrehzahl
n_{el}	s^{-1}	Anzahl de pro Zeit zugeführten Elektronen
n_G	s^{-1}	Getriebedrehzahl
n_i	cm^{-3}	Intrinsicdichte, Intrinsiczahl
n_L	1	Brechzahl der Linse
n_L	s^{-1}	Drehzahl der Arbeitsmaschine
n_L	s^{-1}	Leitdrehzahlvorgabe
n_M	s^{-1}	Motordrehzahl
n_N	s^{-1}	Nenndrehzahl, Bemessungsdrehzahl
n_{ph}	s^{-1}	Anzahl der pro Zeit austretenden Photonen

n_q	min^{-1}	kinetische spezifische Drehzahl
$n_{Rück}$	s^{-1}	Drehzahl in Rückwärtsrichtung
n_s	1	Anzahl der in Reihe geschalteten Ventile
n_s	min^{-1}	dynamische spezifische Drehzahl
n_T	s^{-1}	Drehtischdrehzahl
n_{Vak}	1	Brechzahl im Vakuum
n_{Vor}	s^{-1}	Drehzahl in Vorwärtsrichtung
n_w	s^{-1}	Solldrehzahl
n_{wG}	s^{-1}	Drehzahlgrundsollwert
n_{wz}	s^{-1}	Zusatzsollwert der Drehzahl
n_x	s^{-1}	Istdrehzahl
n_y	1	Stellgröße des Drehzahlreglers
n_z	1	Umdrehungszahl
p	1	Annuität
p	1	Defektelektronen (Löcher)
p	bar	Druck
p	N/mm^2	Flächenpressung
p	–	halbe Breite des Toleranzbandes
p	W/m^3	Leistung je Volumeneinheit
p	W = VA	Momentanwert der Leistung
p	1	Parameter
p	1	Polpaarzahl
p	1	Pulszahl der Schaltung während einer Periode
p	$Pa=N/m^2$	Schalldruck
p	m	Scheitelabstand des Auftreffpunktes
q	C = As	Ionenladung
q	1	Kommutierungszahl in einer Kommutierungsgruppe
q	$cd/m^2 \cdot lx$	Leuchtdichtekoeffizient
q	C = As	Momentanwert der Ladung
q	1	Nutzahl pro Pol und Strang, Nutzahl pro Polzone
q	1	parallel geschaltete Kommutierungsgruppen (Saugdrossel)
q	1	Parameter
q	C = As	Punktladung
q	m^2	Querschnitt
q_T	J/kg	spezifische Wärmemenge
$\dot{q}_T$	–	Geschwindigkeitsvektor
$\vec{q}$	–	Achsvektor

q_{ab}	J/kg	abgeführte spezifische Wärmemenge
q_{Cu}	cm^2	Kupferquerschnitt
q_{li}	–	Istposition der inneren *i*-ten Masse
q_{li}	m/s	Istgeschwindigkeit der inneren *i*-ten Masse
q_{ri}	–	äußere Referenzposition der Masse
q_{SL}	cm^2	Supraleiterquerschnitt
$\dot{q}_{wi}$	m/s	Führungsgeschwindigkeit
$\ddot{q}_{wi}$	m/s^2	Führungsbeschleunigung
q_{zu}	J/kg	zugeführte spezifische Wärmemenge
r	1	Koeffizient, $r = T_t/T$
r	m, mm	Radius
r	1	Reduktionsfaktor
r	1	Reflexionsfaktor, Reflexionsgrad
$\vec{r}^{T}$	–	Reglervektor
r_a	mm	Radius der Abschirmung
r_B	mm	Ersatzradius für Bündelleiter
r_F	$\Omega = V/A$	Widerstand der Diode in Durchlaßrichtung, ergibt sich aus dem Quotienten u_F/i_F im aktuellen Arbeitspunkt, stromabhängig, häufig durch einen konstanten Wert angenähert
r_i	mm	Leiterradius
r_R	$\Omega = V/A$	Widerstand der Diode in Sperrichtung, ergibt sich aus dem Quotienten u_R/i_R im aktuellen Arbeitspunkt, in erster Näherung nahe zu unabhängig von der angelegten Spannung
r_2	$\Omega = V/A$	ohmscher Widerstand eines ventilseitigen Wicklungsstranges des Stromrichter-Transformators
s	m	Abstand vom Fußpunkt der Leuchte
s	1	Anzahl der in Reihe geschalteten Kommutierungsgruppen (Brückenschaltung)
s	m	Objektschnittweite
s	1	relative spektrale Empfindlichkeit
s	1	Schlupf
s	1	Sehnung
s	J/(kg · K)	spezifische Entropie
s	mm	Stabdicke, Blechdicke
s	–	Standardabweichung
s	Hz/W	Statik des elektrischen Netzes
s	m, mm	Wanddicke
s	m, mm	Weglänge
s'	m	Bildschnittweite
$\vec{s}^{\,0}$	1	Strahleneinheitsvektor vor der Grenzfläche
$\vec{s}^{\,0'}$	1	Strahleneinheitsvektor hinter der Grenzfläche
s_{dyn}	Ω/lx	dynamische Empfindlichkeit
s_e	$A/W \cdot m^{-2}$	absolute strahlungsphysikalische Empfindlichkeit
$s_e(\lambda)$	A/W	wellenlängenabhängige Empfindlichkeit
s_i	s	Abtastzeitpunkt
s_i	–	Polstellen von $G(s)$
s_k	1	Kippschlupf
s_N	–	Nennpunkt, Bemessungspunkt
s_{N1}	Hz/W	Statik des Netzes 1
s_r	1	Schlupf bei Nennlast (Bemessungslast), Nennschlupf (Bemessungsschlupf)
s_r^0	1	Strahleneinheitsvektor des reflektierten Strahles
$s_{rel}(\lambda)$	1	relative wellenlängenabhängige Empfindlichkeit
s_v	A/lx	absolute lichttechnische Empfindlichkeit
$s_{1(F)}$	m	objektseitige Brennpunktsschnittweite
$s'_{2(F')}$	m	bildseitige Brennpunktsschnittweite
t	s, min, h	Zeit
t_a	s	Anregelzeit
t_a	1	Pulspausendauer
t_{aus}	s	Ausregelzeit
t_A	s	Abschaltzeit der Sicherung
t_A	s	Anlaufzeit
t_B	s	Belastungszeit
t_{Br}	s	Bremszeit
t_c	s	kritische Kurzschlußzeit
t_d	s	Verzögerungszeit (Bipolartransistor)
t_d	s	Zündverzögerungszeit (Thyristor)
$t_{d(off)}$	s	Ausschaltverzögerungszeit
$t_{d(on)}$	s	Einschaltverzögerungszeit (FET)

t_e	s	Pulsdauer
t_{ep}	s	Einschwingzeit in das Toleranzband
t_f	s	Abfallzeit (Bipolartransformator)
t_f	s	Ausschaltzeit
t_{fr}	s	Durchlaßverzögerungszeit
t_F	s	Stromflußzeit, $t_F = T/q$
t_{Ho}	s	Hochlaufzeit
t_k	s	Abtastzeitpunkt
t_k	s	Kurzschlußdauer
t_L	s	Leerlaufzeit
t_L	s	Lückzeit (wenn t_F kleiner als die ideale Stromflußzeit)
t_m	s	Zeitdauer bis zum ersten Spannungsmaximum
$t_{(off)}$	s	Ausschaltzeit
$t_{(on)}$	s	Einschaltzeit
t_p	1	Polteilung
t_p	s	Pulsdauer
t_p/T	1	Tastgrad
t_q	s	Freiwerdezeit (Thyristor)
t_r	s	Anstiegszeit (Bipolartransistor)
t_r	s	Durchschaltzeit (Thyristor)
t_r	s	relative Einschaltdauer
t_r	1	Transmissionsgrad
t_{rr}	s	Ausräumzeit (Thyristor)
t_{rr}	s	Sperrverzögerungszeit (Diode)
t_{rr}	s	Sperrverzögerungszeit in Rückwärtsrichtung
t_s	s	Speicherzeit (Bipolartransistor)
t_s	s	Zeit zwischen Abtastungen
t_S	s	Spieldauer
t_{St}	s	Stillstandszeit
t_u	s	Kommutierungszeit
t_u	s	Umschaltzeit
t_u	s	Umsetzzeit
t_v	s	Verzögerungszeit
u	m/s	Geschwindigkeit
u	V	Momentanwert der Wechselspannung
u	J/kg	spezifische innere Energie
u	rad, °	Überlappung
$ü$	1	Übersetzungsverhältnis (Transformator)
$\hat{u}$	V	Scheitelwert der Spannung
$\hat{u}_-$	V	negativer Spitzenwert einer Spannung (Scheitelwert, Amplitudenwert)
u_{-max}	V	negativer Spitzenwert einer Spannung (Scheitelwert, Amplitudenwert)
$\hat{u}_+$	V	positiver Spitzenwert einer Spannung (Scheitelwert, Amplitudenwert)
u_{+max}	V	positiver Spitzenwert einer Spannung (Scheitelwert, Amplitudenwert)
$u_\sim$	V	Wechselanteil einer Mischgröße
$u(t)$	–	Eingangsgröße
du/dt	V/s	Spannungssteilheit
$(du/dt)_c$	V/s	kritische Spannungssteilheit (Thyristor)
u_{aw}	V	Sollwert der Ausgangsspannung
u_A	V	Spannung im Ankerkreis
u_{Aw}	V	Sollwert der Spannung im Ankerkreis
u_{Ax}	V	Istwert der Spannung im Ankerkreis
u_{Ay}	V	Stellgröße der Ankerspannung
u_{Blitz}	V	Scheitelwert der Blitzüberspannung
u_C	V	Kondensatorspannung
Δu_C	V	Spannungsrippel
u_{Chop}	V	Chopperspannung
u_{eL}	V	Einschwingspannung auf der Leitung
u_{eN}	V	Einschwingspannung auf der Netzseite
u_F	V	Feldkreisspannung
u_F	V	Spannung an der Diode in Vorwärtsrichtung
u_{FM}	V	Scheitelwert der Spannung im Sperrzustand in Vorwärtsrichtung
u_{Fy}	V	Spannungssignal zur Feldansteuerung
u_{Fy}	V	Stellgröße der Feldspannung
u_G	V	Gatespannung
u_G	V	Scheitelwert der Spannungsanhebung am Gittermast
u_{GS}	V	Gate-Source-Spannung
$ü_i$	1	Übersetzung bezogen auf die Achse *i*
u_I	V	induzierte Spannung
u_{Ix}	V	Istwert der induzierten Spannung
u_k	%	bezogene Kurzschlußspannung
u_k	V	Kurzschlußspannung
u_k	1	relative Kurzschlußspannung

u_{kD}	%	bezogene Kurzschluß-spannung der Drossel
u_L	V	die den Lastkreis mit Thyristor speisende Spannung
u_L	V	Momentanwert der Lastspannung
u_{LB}	V	Lichtbogenspannung
u_M	V	Meßspannung
u_{pp}	V	Schwingweite der Spannung, peak to peak
u_R	V	Spannung an der Diode in Rückwärtsrichtung
u_{RM}	V	Scheitelwert der Spannung im Sperrzustand in Rückwärtsrichtung
u_s	V	Sägezahnspannung
u_s	V	Signalspannung
u_s	V	Steuerspannung
u_{ss}	V	Schwingweite der Spannung, Spitze-Spitze-Wert
u_S	V	Stegspannung
u_{Sw}	V	Statorspannung
u_{Sx}	V	Statoristspannung
u_{S1}	V	Strangspannung im Ständer
u_t	V	transformatorische Spannung
u_T	V	Spannung am Thyristor
u_T	V	Spannung am Transformator
$u_ü$	V	Scheitelwert der Überspannung
$u_{üE}$	V	transiente Erdschluß-überspannung
u_W	V	Wiederkehrspannung
$\hat{u}_W$	V	Scheitelwert der Wiederkehrspannung
u_{xTN}	V	induktiver Anteil der Kurzschlußspannung des Transformators ($-u_k$)
u_z	V	Zündspannung
v	m/s, km/h, m/min	Geschwindigkeit, Ausbreitungsgeschwindigkeit
v	m³/kg	spezifisches Volumen
v	1	Verlustverhältnis
v	1	Verstärkung
v_e	m/s	Elektronengeschwindigkeit
v_{Fe}	W/kg	Eisenverluste
v_H	W/kg	Hysterese-Verlust-Leistung
v_k	m/s	Umfangsgeschwindigkeit des Stromwenders
v_w	W/kg	Wirbelstromverluste
v_z	W/kg	Zusatzverluste
$v_{1.0}$	W/kg	Verlustkennziffer

w	J/m³	Energiedichte
w	J/kg	spezifische Arbeit
w	1	Welligkeit
$w(t)$	–	Führungsgröße
w_t	J/kg	spezifische technische Arbeit
w_{tab}	J/kg	abgeführte spezifische technische Arbeit
w_{tzu}	J/kg	zugeführte spezifische technische Arbeit
w_u	1	Spannungswelligkeit
$w_0\sigma(t)$	–	Einheitssprung $\sigma(t)$ mit der Amplitude w_0
x	–	Variable
x	m, mm	Wirkabstand der Einzelkräfte (-flächen und -ebenen)
$\bar{x}$	–	Mittelwert von n Einzelwerten
$\lvert\bar{x}\rvert$	–	Gleichrichtwert
$x(t)$	–	Regelgröße
x_A	–	angezeigter, abgeschätzter oder näherungsweise berechneter Istwert
x_B	–	Bezugswert
x_d	–	Regeldifferenz
x_d	–	bleibende Regeldifferenz
x'_d	Ω	bezogene transiente Streureaktanz
x_{dh}	–	Stellbereich der Regeldifferenz
x_d	%	bleibende Regeldifferenz
x_D	m	Amplitude der Dauerschwingung
$x_e(t)$	–	die der Regeldifferenz $e(t)$ zugeordnete Schwingung am Eingang der Nichtlinearität $F(e, e)$
x_{eff}	–	quadratischer Mittelwert (Effektivwert)
x_i	–	Zustandsgröße
x_L	–	halbe Hysteresebreite
$x_m(t)$	–	Modellausgangssignal
x_p	–	Proportionalbereich
x_T	m	tote Zone
x'_T	Ω	bezogene Streureaktanz bei Maschinentransformatoren
x_0	m, mm	Schwerpunktabstand
y	m	Objektgröße
y	–	Variable
y	m, mm	Wirkabstand der Einzelkräfte (-flächen oder -linien)
y	1	Wicklungsschritt
y'	m	Bildgröße
$y(t)$	–	Ausgangsgröße

$y(t)$	–	Stellgröße
y_M	–	maximale Amplitude der Stellgröße $y_M > 0$
$-y_M$	–	negative Amplitude der Stellgröße
y_N	–	Betrag der maximalen Amplitude der Stellgröße $y_N < 0$
y_N	1	Nutschritt
y_R	–	Stellgröße
$y_R(t)$	–	Stellgröße
y_{Rh}	–	Stellgrößenbereich
y_{St}	–	Stellgröße
y_0	m, mm	Schwerpunktabstand
y_1	1	Spulenweite, Spulenschritt, Sektionsschritt
y_{1D}	1	Durchmesserschritt
y_{1S}	1	Wickelschritt
y_2	1	Schaltschritt
z	1	Anzahl der aktiven Ankerleiter
z	1	Anzahl der Umdrehungen
z	–	Variable
$z(t)$	–	Störgröße
z_i	1	Ziffernwert
z_{zul}	1	zulässige Schalthäufigkeit
z_0	h^{-1}	Leerschalthäufigkeit (Umschaltungen/Stunde)
z_0	m, mm	Schwerpunktabstand

2 Großbuchstaben

A	1	Amplitudenfaktor
A	1	Amplitudenfehler
A	A	Anfangswert der Gleichstromkomponente i_{DC}
A	–	Arbeitspunkt
A	m^2, mm^2	Fläche
A	A/m	Strombelag
$\boldsymbol{A}$	–	Systemmatrix
A_a	m^2	geometrische Fläche
A_{Cu}	m^2	Kupferquerfläche
A_E	m^2	Empfängerfläche
A_M	m^2, mm^2	Momentenfläche
A_{Fe}	m^2	Eisenfläche
A_R	m	Amplitudenreserve
A_S	m^2	Senderfläche
Ar	1	Archimedes-Zahl
B	h	Benutzungsstunden
B	$S = 1/\Omega = A/V$	Blindleitwert, Suszeptanz
B	m	Blitzkopfhöhe
B	1	Großsignal-Stromverstärkung (Bipolartransistor)
B	$T = Vs/m^2$	magnetische Flußdichte
$\boldsymbol{B}$	–	Eingangsmatrix
B	1	Stellenwert der i-ten Stelle einer Zahl
B_A	$T = Vs/m^2$	Ankerfeld
B_d	$T = Vs/m^2$	Feld in d-Richtung
B_F	$T = Vs/m^2$	Erregerfeld
B_F	$T = Vs/m^2$	magnetische Flußdichte, Hilfsfeld für Hallsonde
B_q	$T = Vs/m^2$	Ankerquerfeld (q-Richtung)
B_r	$T = Vs/m^2$	remanente Induktion
B_s	$T = Vs/m^2$	Sättigungsinduktion
B_S	$T = Vs/m^2$	Flußdichte einer Spule, $B_S = N_{WS} \cdot B_W$
B_W	$T = Vs/m^2$	Flußdichte einer Windung, Elementarflußdichte
BA	eV	Bandabstand
C	$F = As/V$	Kapazität, Kondensator
C	1	Konstante
C	$J/K = Ws/K$	Wärmekapazität
C'	$F/m = As/Vm$	Kapazitätsbelag
$\boldsymbol{C}$	–	Ausgangsmatrix
C_A	$F = As/V$	Anlaufkondensator
C_b	$F = As/V$	Kapazität des Belastungskondensators
C_B	$F = As/V$	Betriebskondensator, Betriebskapazität
C'_B	nF/km	längenbezogene Betriebskapazität
C_d	$F = As/V$	Induktivität des Kondensators im Gleichspannungszwischenkreis
C_D	1	Dämpfungskonstante
C_{DS}	$F = As/V$	Drain-Source-Kapazität
C_E	$F = As/V$	Erdkapazität
C'_E	nF/km	längenbezogene Erdkapazität
C_{ET}	$F = As/V$	Transformator- und Netzkapazität
C_g	$F = As/V$	Gegenkapazität
C_{GS}	$F = As/V$	Gate-Source-Kapazität
C_K	$F = As/V$	Koppelkapazität
C_m	$F = As/V$	Mitkapazität
C_N	$F = As/V$	Netzkapazität
C_p	$F = As/V$	parallelgeschalteter Kondensator
C_R	$F = As/V$	Kapazität des p-n-Überganges, hier speziell in Sperrichtung, abhängig von u_R, häufig durch einen konstanten Wert angenähert
C_R	$F = As/V$	Reihenkondensator
C_s	W/m^2K^4	Strahlungskonstante, $C_s = 5{,}67\ W/m^2K^4$
C_{th}	Ws/K, Ws/°C	Wärmekapazität

C_{thGK}	Ws/K, Ws/°C	Wärmekapazität Gehäuse – Kühlkörper
C_{thJG}	Ws/K, Ws/°C	Wärmekapazität Sperrschicht – Gehäuse
C_{thKU}	Ws/K, Ws/°C	Wärmekapazität Kühlkörper – Umgebung
C_0	F = As/V	Nullpunktskapazität
D	m	Durchmesser
D	C/m = As/m^2	elektrische Flußdichte, Verschiebungsdichte
D	V	Gleichspannungsänderung
D	W = VA = var	Verzerrungsblindleistung
D_A	m	Ankerdurchmesser
D_i	m, mm	Trägheitsdurchmesser, $D_i = 2i$
D_{Si}	m	Innendurchmesser des Ständers
D_x	V	resultierende Gleichspannungsänderung
E	lx	Beleuchtungsstärke
E	N/m^2	Elastizitätsmodul
E	V/m	elektrische Feldstärke
E	J = Nm	Energie
$E(s)$	–	Regeldifferenz
E_{ab}	J = Nm	abgeführte Energie
E_A	J = Nm	Energie am Anfang eines Vorgangs
E_b	lx	Beleuchtungsstärke beim Bezugswiderstand R_b
E_D	V/m	Durchschlagsfeldstärke
E_e	W/m^2	Bestrahlungsstärke
E_{kin}	J = Nm	kinetische Energie
E_{pot}	J = Nm	potentielle Energie
E_E	J = Nm	Energie am Ende eines Vorgangs
E_r	kV/cm	Randfeldstärke
E_{rot}	J = Nm	Rotationsenergie
E_v	lx	Beleuchtungsstärke
E_{zu}	J	zugeführte Energie
E_Z	V/m	zugelassene Feldstärke
E_λ	W/m^{2}µm	Energiedichte der Sonnenstrahlung
F	1	Formfaktor
F	N = kg/s^2	Kraft
F	–	Starrkörpermodell
F	1	Wahrscheinlichkeit
F'	–	bildseitiger Brennpunkt
F	–	objektseitiger Brennpunkt
F	N = kg/s^2	Lorentzkraft
$F(e, e)$	–	nichtlinearer Regler
$F(j\omega)$	1	Frequenzgang
$F(s)$	–	Bildfunktion der Treppenfunktion

$F^*(s)$	–	Bildfunktion der Impulsfolgefunktion
F_A	N = kg/s^2	Stützkraft im Lagerpunkt A
F_{fi}	N = kg/s^2	Reibungskraft bezogen auf die Achse i
F_G	N = kg/s^2	Gewichtskraft
F_{Gn}	N = kg/s^2	Normgewichtskraft
F_i	%	Fehlergröße des Stromwandlers (Betragsfehler)
F_i	N = kg/s^2	Kraft bezogen auf die Achse i
$F_{i\,ges}$	%	Gesamtfehlergröße des Stromwandlers
F_N	N = kg/s^2	Normalkraft
F_p	N = kg/s^2	auf den Handvektor p bezogene Kraft
F_q	N = kg/s^2	Querkraft
F_r	N = kg/s^2	resultierende Kraft, Resultierende
F_R	N = kg/s^2	Reibungskraft, Reibkraft
F_T	N = kg/s^2	Tangentialkraft
F_u	%	Spannungsfehler eines Spannungswandlers
$F_{u\,ges}$	%	Gesamtfehlergröße des Spannungswandlers
F_z	N = kg/s^2	Fliehkraft, Zentrifugalkraft
F_z	N = kg/s^2	Zugkraft
$F_z(z)$	–	z-Transformierte der Impulsfolgefunktion
F_ψ	–	Funktionsgeber zur Ermittlung des Rotorflußsollwertes
FI	1	Trägheisfaktor (Factor of Inertia)
FF	1	Füllfaktor
G	S = 1/Ω = A/V	elektrischer Leitwert, Wirkleitwert, Konduktanz
G	1	Gütezahl
G	N/mm^2	Schubmodul
G'	kg/m	Seilgewicht pro Längeneinheit
$G(j\omega)$	–	Frequenzgang
$G(s)$	–	Übertragungsfunktion
$G_{AH}(j\omega)$	–	Frequenzgang des Abtasthaltegliedes
$G_{AR}(j\omega)$	–	Frequenzgang des um G_{AH} erweiterten Abtastgliedes
$G_d(e^{Ts})$	–	Differenzgleichungsglied
G_{gi}	–	Stromglättungsglied
G_{gn}	–	Drehzahlglättungsglied
$G_H(s)$	–	Übetragungsfunktion des Haltegliedes
$G_k(j\omega)$	–	Kompensationsglied
$G_m(s)$	–	Modellübertragungsfunktion

$G_m^*(s)$	–	konstanter Anteil von $G_m(s)$
$G_M(s)$	–	Übetragungsfunktion des Stellmotors
G_p	S = 1/Ω = A/V	Leitwert des eingeschalteten Widerstandes
$G_r(s)$	–	Übertragungsfunktion einer Rückführung
$G_R(j\omega)$	–	Frequenzgang des kontinuierlichen Reglers
$G_R(s)$	–	Übetragungsfunktion des Reglers
G_{RF}	–	Feldstromregler
G_{Ri}	–	Stromregler
$G_{Ri}(s)$	–	Stromregler
G_{Rid}	–	Regler des Zwischenkreisstromes I_d
G_{Rim}	–	Wirkstromregler
$G_{Ri\psi}$	–	Magnetisierungsstromregler
G_{Rn}	–	Drehzahlregler
$G_{Rp}(s)$	–	Regler für äußere Massengeschwindigkeit
G_{Ru}	–	u_A-Regler
$G_{Rv}(s)$	–	Regler für innere Massengeschwindigkeit
$G_{Rz}(z)$	–	Übetragungsfunktion des Regelalgorithmus
$G_{R\psi}$	–	Flußregler
$G_S(j\omega)$	–	Frequenzgang bei linearen Strecken
$G_S(s)$	–	Übertragungsfunktion bei linearen Strecken
$G_S^*(s)$	–	konstanter Anteil von $G_S(s)$
$G_{Si}(s)$	–	Teilübertragungsfunktion bei nichtlinearen Strecken
$G_{St}(s)$	–	Übertragungsfunktion der Stellgröße
$G_{Sz}(s)$	–	z-Übertragungsfunktion bei nichtlinearen Strekken
$G_w(s)$	–	Führungsübertragungsfunktion
$G_{wz}(z)$	–	z-Führungsübertragungsfunktion
$G_z(s)$	–	Störungsübertragungsfunktion
$G_z(z)$	–	z-Übertragungsfunktion
$G_{zz}(z)$	–	z-Störungsübertragungsfunktion
$G_0(s)$	–	Übertragungsfunktion des offenen Regelkreises
Gr	1	Grashof-Zahl
H	N	Horizontalkraft
H	A/m	magnetische Feldstärke
H	m	Masthöhe
$\boldsymbol{H}$	–	n,n-Diagonalmatrix

H	Nm	gespiegelter Momentenverlauf des Hubantriebs
H_c	A/m	Koerzitivfeldstärke
H_c	A/m	kritische magnetische Feldstärke
H_e	Ws/m²	Bestrahlung
$H_{entmagn}$	A/m	entmagnetisierende Feldstärke
$\boldsymbol{H}_F$	–	Reibungsmatrix des Filters
H_m	A/m	resultierende magnetische Feldstärke
H_s	A/m	magnetische Feldstärke der Sonde
H_{si}	A/m	induzierte magnetische Feldstärke der Sonde
H_v	lx s	Belichtung
H_v	A/m	Vormagnetisierungsfeld
H_{vi}	A/m	induziertes Vormagnetisierungsfeld
$\overline{HH'}$	m	Hauptebenenabstand des Gesamtsystems
$\overline{H_1F}$	m	Lage des Brennpunktes F
$\overline{H_1H}$	m	Lage des Hauptpunktes H
$\overline{H'_2F'}$	m	Lage des Brennpunktes F'
$\overline{H'_2H'}$	m	Lage des Hauptpunktes H'
I	A	feldaufbauender Strom
I	mm⁴, cm⁴	axiales Flächenmoment 2. Grades
I	cd	Lichtstärke
I	A	Stromstärke
I_a	mm⁴	auf die Achse a bezogenes Flächenmoment 2. Grades
I_a	A	Ausschaltwechselstrom
I_a	A	Stromstärke am Anfang der Leitung
I_a	A	tatsächlich durch den Ankerdraht fließender Strom
I_A	A	Anzugsstrom
I_A	A	Strom durch das Amperemeter
$I_A(s)$	A	Ankerstrom
I_{AN}	A	Nennstromstärke (Bemessungsstromstärke) im Ankerkreis
I_{AVM}	A	Dauergrenzstrom, höchstzulässiger Mittelwert des Durchlaßstromes (sinusförmige Halbschwingung bei 50 Hz, definierte Kühlbedingung)
I_b	A	Blindleistungskomponente des Stromes

Zeichen	Einheit	Bedeutung
I_B	A	Basisstrom
$I_{B(on)}$	A	Basisstrom im eingeschalteten Zustand
I_C	A	Kollektorstrom
I_{Ca}	A	Ladestrom am Anfang der Leitung
I_{Ce}	A	Ladestrom am Ende der Leitung
I_{CE}	A	kapazitiver Erdschlußstrom
I_{CEV}	A	Kollektor-Reststrom (Bipolartransistor)
I_{CM}	A	höchstzulässiger Mittelwert des Kollektorstromes (Bipolartransistor)
I_{CO}	A	kapazitive Stromkomponente
I_{Cp}	A	kapazitiver Strom durch den parallelgeschalteten Kondensator
I_{CP}	A	kapazitive Stromkomponente durch Polarisation
I_{CPM}	A	höchstzulässiger Mittelwert des Kollektorstromes bei Pulsbetrieb mit definiertem Tastgrad (Bipolartransistor)
I_d	A	Dauerstrombelastbarkeit
I_d	A	Gleichstrom, arithmetischer Mittelwert
I_d	A/mm^2	Stromdichte
I_d	A	Zwischenkreisstrom
I_{di}	A	ideeller Gleichstrom
I_{dr}	A	Anlagennenngleichstrom, Anlagenbemessungsgleichstrom
I_{dN}	A	Maschinen-Nenngleichstrom, Maschinen-Bemessungsgleichstrom
I_{DM}	A	höchstzulässiger Mittelwert des Drainstromes (FET)
I_{DPM}	A	höchstzulässiger Augenblickswert des Drainstromes bei Pulsbetrieb mit definiertem Tastgrad (FET)
I_{DSS}	A	Drainreststrom
I_e	A	Erregerstrom
I_e	W/m	Strahlstärke
I_e	A	Stromstärke am Ende der Leitung
I_E	A	Emitterstrom
I_E	A	Erdschlußstrom
I_F	A	Feldstromregler
$I_{FAV(1)}$	A	Dauergrenzstrom, höchstzulässiger Mittelwert des Durchlaßstromes (sinusförmige Halbschwingung bei 50 Hz, definierte Gehäusetemperatur) (Thyristor)
I_{Fe}	A	Strom durch den Verlustwiderstand
I_{FRMS}	A	Grenzeffektivstrom, höchstzulässiger Effektivwert des Durchlaßstromes bei definierter Gehäusetemperatur (Diode)
$I_{FSM(1)}$	A	Stoßstromgrenzwert, höchstzulässiger, nichtperiodisch auftretender Augenblickswert eines einzelnen Stromimpulses (bestimmte Bedingungen) (Diode)
I_G	A	Gatestrom
I_{GD}	A	unterer Schwellwert des Gatestromes
I_{GT}	A	oberer Schwellwert des Gatestromes
I_h	A	Leerlaufstrom des Transformators
I_{ha}	A	Strom in der Hauptwicklung
I_{hi}	A	Strom in der Hilfswicklung
I_H	A	Haltestrom
I_i	A	Stromstärke im Gegensystem
I_k	A	Dauerkurzschlußstrom
I_k	A	Stoßkurzschlußstrom
I'_k	A	transienter Anteil des Kurzschlußstromes
I''_k	A	Anfangs-Kurzschlußstrom
I''_k	A	Anfangs-Kurzschlußwechselstrom, subtransienter Kurzschlußstrom
I_{ki}	A	ideeller Kurzschlußstrom
$I_{k\,max}$	A	oberer Grenzwert des Kurzschlußstromes
$I_{k\,min}$	A	unterer Grenzwert des Kurzschlußstromes
I_{KR}	A	Kreisstrom
I_L	A	Leitungsstromstärke
I_L	A	Spulenstrom
I_L	A	Strangstrom
I_{Li}	A	ideeller, netzseitiger Leiterstrom, Effektivwert
I_m	A	Stromstärke im Mitsystem

I_{mittl}	A	mittlerer Strom
I_{MPP}	A	Stromstärke am Maximum, Power Point
I_n	–	$(b \times n)$-Einheitsmatrix
I_{nat}	A	natürlicher Leitungsstrom
I_N	A	Nennstrom, Bemessungsstrom
I_N	A	Stromstärke im Nebenwiderstand
I_o	A	Oberschwingungsstrom
I_{op}	A	quadratische Regelfläche
I_p	mm^4	polares Trägheitsmoment 2. Grades
$I_{p\,eff}$	A	Zweigstrom, Effektivwert
I_{ph}	A	Photostrom
$I_{p\,mittel}$	A	Zweigstrom, Mittelwert
I_R	A	Leitungsstrom
I_R	A	Stromstärke der Phase R
I_s	A	Stoßkurzschlußstrom
DI_s	A	Schrägspannungsabfall
I_{sc}	A	Kurzschlußstrom
I_S	A	Statorstrom
I_S	A	Stromstärke der Phase S
I_{Sp}	A	Spulenstrom
I_{St}	A	Steuerstrom
$I_{S\,stör}$	A	Störstrom
I_{SU}	A	Statorstrangstrom, Phase U
I_{SV}	A	Statorstrangstrom, Phase V
I_{SW}	A	Statorstrangstrom, Phase W
I_T	A	Stromstärke der Phase T
$I_{TAV(1)}$	A	Dauergrenzstrom, höchstzulässiger Mittelwert des Durchlaßstromes (sinusförmige Halbschwingung bei 50 Hz) definierte Gehäusetemperatur (Thyristor)
$I_{TRMS(1)}$	A	Grenzeffektivstrom, höchstzulässiger Effektivwert des Durchlaßstromes bei definierter Gehäusetemperatur (Thyristor)
$I_{TSM(1)}$	A	Stoßstromgrenzwert, höchstzulässiger, nicht periodisch auftretender Augenblickswert eines einzelnen Strompulses (bestimmte Bedingungen) (Thyristor)
i_v	cd	Lichtstärke
I_v	A	ventilseitiger Leiterstrom (evtl. auftretende Kreisströme nicht berücksichtigt)
I_V	A	Strom durch das Voltmeter
I_W	A	Wirkkomponente des Stromes
I_{wi}	A/mm^2	wirtschaftöiche Stromdichte
I_W	A	ohmsche Stromkomponente infolge Polarisation
I_{WR}		Strom im Wechselrichter
I_x	mm^4	auf die Achse x bezogenes Flächenmoment 2. Grades
I_y	mm^4	auf die Achse y bezogenes Flächenmoment 2. Grades
I_z	A	Mittelwert des Zwischenkreisstromes
I_{zul}	A	zulässige Strombelastbarkeit
I_μ	A	Magnetisierungsstrom
I_ν	A	Oberschwingungsstrom
I_ν	A	Teilstrom
$I_{\nu\,zul}$	A	zulässiger Oberschwingungsstrom
I_Σ	A	Summenstrom
I_0	A	Sperrstrom
I_0	A	Stromstärke im Nullsystem
I_{0c}	S	Leerlaufstrom
I_{2r}	A	Läufernennstrom
IP	Gewittertage/a	isokeraunischer Pegel
J	A/m^2	elektrische Stromdichte
J	Vs/m^2	magnetische Polarisation
J	$kg\,m^2$	Trägheitsmoment
J^*	$kg\,m^2$	äquivalentes Trägheitsmoment
J_G	$kg\,m^2$	Trägheitsmoment des Getriebes
J_L	$kg\,m^2$	Lastträgheitsmoment
J_m	$kg\,m^2$	Trägheitsmoment der Masse m
J_M	$kg\,m^2$	Motorträgheitsmoment
J_{M+G}	$kg\,m^2$	Trägheitsmoment des Systems Motor + Getriebe
J_{red}	$kg\,m^2$	reduziertes Trägheitsmoment
J_R	$kg\,m^2$	Trägheitsmoment der Rolle
J_s	$T = Vs/m^2$	Sättigungspolarisation

J_T^*	kg m²	Massenträgheitsmoment des Drehtisches
J_z	kg m²	Zentrifugalmoment
J_{zus}	kg m²	angekoppelte Drehmasse
K	lm/W	fotometrisches Strahlungsäquivalent
K	1	K-Faktor, Dehnungsempfindlichkeit
K	DM	Kosten
K	1	Maschinenkonstanten, $K = Z \cdot p/(2\pi \cdot a)$
K	1	Reglerkonstante
K	1	Verstärkung
K^*	1	konstante Verstärkung
K_A	1	Verstärkung im Ankerkreis
K_{Ai}	1	Motorverstätkung bezogen auf die Achse i
K_g	DM	Gesamtkosten
K_g	1	Verstärkung der Glättung
K_I	DM/kWh	Investitionskosten
K_L	1	Verstärkung im Lückbereich
K_m	lm/W	Maximalwert des fotometrischen Strahlungsäquivalents
K_m	1	Modellverstärkung
K_m	1	variable Verstärkung von $G_m(s)$
K_N	1	Nachstell-Reglerkonstante
K_P	1	Reglerkonstante der Verstärkung
K_r	1	Verstärkung der PT_1-Rückführung
K_R	–	(Proportional)-Verstärkung
K_{RF}	1	Verstärkung des Feldstromreglers
K_{Ri}	1	Verstärkung des Stromreglers
K_{Rim}	1	Verstärkung des Wirkstromreglers G_{Rim}
K_{Riy}	1	Verstärkung des Magnetisierungsstromreglers $G_{Ri\psi}$
$K_{R\,krit}$	1	kritische Reglerverstärkung
K_{Rn}	1	Verstärkung des Drehzahlreglers
K_{Rp}	1	Proportionalitätsverstärkung
K_{Ru}	1	Verstärkung des u_A-Reglers im Feldschwächkreis
$K_{R\psi}$	1	Verstärkung des Flußreglers $G_{R\psi}$
K_S	1	Streckenverstärkung

K_{SF}	1	Verstärkung in der Feldstromregelstrecke
K_{Si}	1	Verstärkung der Stromregelstrecke
K_{Sz}	1	Verstärkung der z-Übertragungsfunktion bei nichtlinearen Strecken
$K_{S\psi}$	1	Verstärkung der Flußregelstrecke
K_{tA}	1	Verstärkung des Totzeitgliedes im Ankerstromkreis (Stromrichterverstärkung)
K_0	V/AT	Leerlaufempfindlichkeit
K_0	1	Verstärkung des offenen Kreises
L	m	Länge, Weg
L	cd/m²	Leuchtdichte
L	H = Vs/A	Induktivität, Selbstinduktivität
L'	H/m	Induktivitätsbelag
L_a	H = Vs/A	äußere Induktivität
L'_a	H/km	längenbezogene äußere Induktivität
L_A	H = Vs/A	Ankerkreisinduktivität
L_B	H = Vs/A	Betriebsinduktivität
L'_B	H/km	längenbezogene Betriebsinduktivität
L_{diff}	H = Vs/A	differentielle Induktivität
L_D	H = Vs/A	Induktivität der Drosselspule
L_e	W/m²sr	Strahldichte
L_{es}	W/m²sr	Strahldichte eines schwarzen Strahlers
$L_{es\lambda}$	W/m²sr µm	spektrale Strahldichte des schwarzen Strahlers
$L_{es\upsilon}$	W/m²sr Hz	spektrale Strahldichte des schwarzen Strahlers
L_E	H = Vs/A	Induktivität der Erdschlußlöschspule
L'_E	H/km	längenbezogene Induktivität einer Leiter-Erde-Schleife
L_{ges}	H = Vs/A	Gesamtglättungsinduktivität
L_G	H = Vs/A	Induktivität der Gegenreihenschaltung
L_h	H = Vs/A	Hauptinduktivität
L_H	H = Vs/A	Hauptinduktivität eines Zündimpulsüber tragers bei Thyristorschaltung
L_i	H = Vs/A	innere Induktivität
L'_i	H/km	längenbezogene innere Induktivität
L_k	H = Vs/A	Induktivität der Kommutierungsdrossel
L_L	H = Vs/A	Lückdrossel-Induktivität
L_L	H = Vs/A	eingestellte Induktivität

L_{Last}	H = Vs/A	Lastinduktivität
L_N	H = Vs/A	Netzinduktivität
L_p	dB	Schalldruckpegel
L_Q	H = Vs/A	Induktivität des Netzes
L_R	H = Vs/A	Induktivität der Reihenschaltung
L_v	Cd/m²	Leuchtdichte
L_x	H = Vs/A	Streuinduktivität, die Kommutierung beeinflussend
L_σ	H = Vs/A	Streuinduktivität eines Zündimpulsübertragers für Thyristorsteuerung
L_{12}	H = Vs/A	Gegeninduktivität, gegenseitige Induktivität
M	Nm	Drehmoment, Moment einer Kraft oder eines Kräftepaares (Kraftmoment)
M	H = Vs/A	Gegeninduktivität
M	A/m	Magnetisierung
M	W/m²	spezifische Ausstrahlung
$\boldsymbol{M}$(q)	–	n, n-Massenmatrix
$M(z)$	–	Zählerpolynom von $G_z(z)$
M_{ab}	Nm	Abtriebsmoment
M_{an}	Nm	Antriebsmoment
M_A	Nm	Anzugsmoment
M_b	Nm	beschleunigendes Drehmoment
M_b	Nm, Nmm	Biegemoment
$M_{b\,max}$	Nm, Nmm	maximales Biegemoment
M_B	Nm	Betriebsmoment
M_e	Nm	elektrisches Drehmoment
M_e	W/m²	spezifische Ausstrahlung
M_{eck}	Nm	Drehmoment bei der Eckdrehzahl n_{eck}
M_{el}	Nm	elektrisches Drehmoment
M_{es}	W/m²	spezifische Ausstrahlung eines schwarzen Strahlers
$M_{es\lambda}$	W/m² µm	spektrale spezifische Ausstrahlung eines schwarzen Strahlers
$\boldsymbol{M}_F$(q)	–	Maskenmatrix des Filters
M_g	Nm	Gegenmoment
M'_g	Nm	an der n-Achse gespiegeltes Gegenmoment
M_{Ho}	Nm	Hochlaufmoment
M_i	Nm	ideelles, inneres Drehmoment
M_i	Nm	Moment bezogen auf die Achse i
M_K	Nm	Kippmoment
M_{KG}	Nm	Kippmoment bei Generatorbetrieb
M_{KM}	Nm	Kippmoment ber Motorbetrieb
M_L	Nm	Lastdrehmoment
$M_L(s)$	Nm	Lastmoment (Bildfunktion)
M_M	Nm	Maschinendrehmoment
$M_M(s)$	Nm	Motormoment (Bildfunktion)
M_{Mr}	Nm	Maschinendrehmoment
M_N	Nm	Nenndrehmoment, Bemessungsdrehmoment
M_P	Nm	Drehmoment auf eine Einzelspule des Kreuzspulmeßwerks
M_Q	Nm	Drehmoment auf eine Einzelspule des Kreuzspulmeßwerks
M_r	Nm	resultierendes Beschleunigungsmoment
M_R	Nm	Reluktanzmoment
M_S	Nm	Sattelmoment
M_S	Nm	Schenkelpolmoment
M_T	Nm, Nmm	Torsionsmoment
M_v	lm/m²	spezifische Lichtausstrahlung
M_v	Nm, Nmm	Vergleichsmoment
M_V	Nm	Vollpolmoment
N	1	Gesamtzahl der Leiterstäbe (Asynchron- und Synchronmaschine), $N = 2\,N_W$
N	1	Ladungsträgerdichte, Ladungsdichte
N	1	natürliche ganze Zahl
N	1	Windungszahl
N	1	Zählerstand
N'	–	Knotenpunkt
N'	–	Neutralleiter
$\mathbb{N}$	1	Menge der natürlichen Zahlen
$N(s)$	s⁻¹	Drehzahl des Motors
$N(x_e)$	–	Beschreibungsfunktion, Ersatzfrequenzgang
$N(z)$	–	Nennerpolynom von $G_z(z)$
N_A	1	Ankerwindungszahl
N_A	1	Gesamtzahl der Leiterstäbe am Ankerumfang (Gleichstrommaschine), $N_A = 2\,N_W$
N_{Aa}	1	Gesamtzahl der aktiven Ankerleiterstäbe. $N_{Aa} = N_A - N_K$
N_E	1	Erregerwindungszahl
N_{ha}	1	Windungszahl der Hauptwicklung
N_{hi}	1	Windungszahl der Hilfswicklung

$N_J(x_e)$	–	Ortskurve des nichtlinearen Übertragungsgliedes $N(x_e)$
N_K	1	augenblickliche Gesamtzahl der im Kommutierungsprozeß kurzgeschlossenen Leiterstäbe
N_L	1	Lamellenzahl
N_S	1	Gesamtspulenzahl, $N_S = m \cdot N_{Sg}$
N_{Sa}	1	Anzahl der aktiven Spulen pro Stromweg, $N_{Sa} = N_{Aa}/2\,N_{WS}$
N_{Sg}	1	Spulenzahl pro Strang, $N_{Sg} = p \cdot N_{Sp}$
N_{Sk}	1	Anzahl der Spulen im Kommutierungsprozeß $N_{Sk} = N_S - 2\,a \cdot N_{Sa} = N_K/2\,W_S$
N_{Sp}	1	Spulenzahl pro Polpaar und Strang, $N_{Sp} = k_S \cdot q$
N_W	1	Gesamtwindungszahl, $N_W = (Z/2) \cdot N_{WN} = m \cdot p \cdot N_{Wp}$
N_{Wa}	1	Windungszahl pro Stromweg, $N_{Wa} = N_A/2$
N_{Wg}	1	Windungszahl pro Strang, $N_{Wg} = Z_S \cdot N_{WN} = p \cdot N_{Wp}$
N_{WN}	1	Windungszahl pro Nut, $N_{WN} = k_S \cdot N_{WS}$
N_{Wp}	1	Windungszahl pro Polpaar, $N_{Wp} = q \cdot N_{WN}$
N_{WS}	1	Windungszahl pro Spule bzw. Schicht
N_0	s^{-1}	Leerlaufdrehzahl
Nu	1	Nußelt-Zahl
O	–	Objektebene
O'	–	Bildebene
P	–	Auftreffpunkt des Lichtstrahles
P	W, kW	Leistung, Wirkleistung
P	W	Wärmestrom
P'	W	transiente elektrische Abgabeleistung
P'	W/m^2	Wärmefluß, $P' = P/A$
$P(U)$	W = VA	Verlustleistung
P_{ab}	W = Nm/s	Abtriebsleistung
P_{ab}	W = VA	Wärmeabgabe des Isolierstoffes
P_A	W	Antriebsleistung
P_{Cu}	W = VA	Kupferverluste
P_d	W = VA	Drehfeldleistung
P_{di}	W = VA	ideelle Gleichstromleistung, U_{di}/I_{di}
P_{di0}	W = VA	Gleichstromleistung

$P_{dyn(f)}$	W = VA	Verlustleistung beim periodischen Ein- und Ausschalten mit der Wiederholfrequenz f
P_D	W = VA	Diodenverlustleistung
P_D	W = VA	Wirkleistungsverlust im Dielektrikum
P_{ein}	W = VA	eingestrahlte Lichtleistung
P_{el}	W = VA	elektrische Leistung
P_{Fe}	W = VA	Eisenverluste
P_{GR}	W = VA	Grenzleistung
P_k	W = VA	Kurzschlußleistung
P_{kGt}	W = VA	Wicklungsverluste des Gleichstromanteils
P_{kZt}	W = VA	Zusatzverluste bei beliebiger Wicklungstemperatur
$P_{kG\,75}$	W = VA	Wicklungsverluste des Gleichstromanteils bei einer Wicklungstemperatur von 75 °C
$P_{kZ\,75}$	W = VA	Zusatverluste bei einer Wicklungstemperatur von 75 °C
P_L	W = VA	Netzlast
P_{LB}	W = VA	Lichtbogenleistung
P_{LN}	W = VA	Netzentnahmeleistung
P_{mech}	W	mechanische Leistung
P_M	W = VA	Mantelverlust
P_n	W, kW	Nutzleistung
P_{nat}	W = VA	natürliche Leistung
P_N	W = VA	Nennleistung, Bemessungsleistung
P_{nN}	W = VA	Nennkurzschlußverluste (Bemessungskurzschlußverluste) des Stromrichters
P_{Ph}	W = VA	Wirkleistung einer Phase
P_{PS}	VA	Primär-Scheinleistung
P_R	W = VA	Stromverlust
P_{sin}	W = VA	Leistung bei sinusförmigem Verlauf von Strom und Spannung
P_{st}	W = VA	Verlustleistung im statischen Zustand
P_S	VA	Scheinleistung
$P_{Schlupf}$	W = VA	Schlupfleistung
P_{SS}	VA	Sekundär-Scheinleistung
P_{TLN}	W = VA	Primärleistung des Transformators bei Nennstrom (Bemessungsstrom) und Nennspannung (Bemessungsspannung)
P_{TN}	W = VA	Transformator-Typenleistung, mittlere Nennleistung

P_{TvN}	W = VA	Sekundärleistung des Transformators bei Nennstrom (Bemessungsstrom) und Nennleistung (Bemessungsleistung)
P_v	W = VA	läuferseitige Leistung
P_v	W = VA	Leistungsverlust (elektrisch)
P_v	W	Leistungsverlust (mechanisch)
P_v	W = VA	Wärmestrom, Wärmeverlustleistung
$P_v(s)$	–	Polynom
P_V	W = VA	Läuferverluste
P_V	W = VA	Netzverlust
P_{VN}	W = VA	Nennwert (Bemessungswert) der Läuferverluste
P_w	W = VA	Wirkleistung
P_W	W = VA	Bewehrungsverlust
P_W	W = VA	Übertragungsverlust
P_W	W	Windleistung
P_z	W, kW	zugeführte Leistung
Pr	1	Prandtl-Zahl
Q	W = VA, var	Blindleistung
Q	m^3/s	Durchfluß
Q	C = As	Ladung
Q	V	Quantelung
Q	J = Ws	Wärme, Wärmemenge
Q_{ab}	J = Ws	abgeführte Wärmemenge
Q_C	W = VA, var	Blimdleistung
Q_C	W = VA	kapazitive Ladeleistung
Q_e	J = Ws	Strahlungsenergie
$Q_{e\lambda}$	J/m = Ws/m	spaktrale Dichte der Strahlungsenergie
Q_L	W = VA, var	kapazitive Blindleistung
Q_L	W = VA, var	Blindleistung der Spule
Q_v	lm s	Lichtmenge
Q_W	J	Abwärme
Q_{zu}	J	zugeführte Wärmemenge
Q_1	W = VA, var	Grundschwingungsblindleistung
R	J/(mol · K)	Allgemeine Gaskonstante $R = 8{,}314$ J/(mol · K)
R	m	Radius
R	Ω = V/A	elektrischer Widerstand, Wirkwiderstand, Resistanz
$\boldsymbol{R}$	–	Reglermatrix
R'	Ω/km	längenbezogener Widerstand
ΔR	Ω = V/A	Zusatzwiderstand
$R(s)$	–	Regelfaktor
R_A	Ω = V/A	Ankerkreiswiderstand der Gleichstrommaschine
R_b	Ω = V/A	Bezugswiderstand

R_B	Ω = V/A	Basiswiderstand
R_B	Ω = V/A	Betriebswiderstand
R'_B	Ω/km	längenbezogener Betriebswiderstand
R_d	Ω = V/A	Dämpfungswiderstand
R_D	Ω = V/A	Drossel-Wirkwiderstand
R_D	K/W	Wärmedurchgangswiderstand
$R_{DS(on)}$	Ω = V/A	Drain-Source-Widerstand im stromführenden Zustand
R_e	Ω = V/A	Entladungswiderstand
$R_e(\sigma_S)$	N/mm^2	Streckgrenze
R_E	Ω = V/A	Emitterwiderstand
R_E	Ω = V/A	Widerstand der Erdrückleitung
R'_E	Ω/km	längenbezogener Widerstand der Erdrückleitung
R_f	Ω = V/A	Feldwicklungswiderstand
R_f	Ω = V/A	Widerstandskennlinie des Erregerkreises
R_F	Ω = V/A	Feldkreiswiderstand
R_{Fe}	Ω = V/A	Eisenverlustwiderstand
R_G	Ω = V/A	Generatorwiderstand, innerer Widerstand
R_G	Ω = V/A	Geichstromwiderstand
R_H	m^2/As	Hallkonstante
$R_{i\,Batt}$	Ω = V/A	Innenwiderstand der Batterie
R_k	Ω = V/A	Kaltwiderstand
R_k	Ω = V/A	Wicklungswirkwiderstand
R_{krit}	Ω = V/A	kritischer Widerstand des Erregerkreises (Grenzwert für die Erregung)
R_L	Ω = V/A	Lastwiderstand
R_L	Ω = V/A	Widerstand von Freileitungsseilen
R'_L	Ω/m	längenbezogener Widerstand von Freileitungsseilen
R_{LB}	Ω = V/A	Lichtbogenwiderstand
R_m	H^{-1} = A/Vs	magnetischer Widerstand, Reaktanz
$R_m(s_B)$	N/mm^2	Zugfestigkeit
R_{mi}	Ω = V/A	Innenwiderstand eines Strommeßgerätes
R_{MW}	Ω = V/A	Meßwerkinnenwiderstand
R_N	Ω = V/A	Nebenwiderstand
R_N	Ω = V/A	Nennwiderstand, Bemessungswiderstand
R_p	Ω = V/A	Pulswiderstand
$R_{p\,0,2}$	N/mm^2	0,2-Dehngrenze
R_Q	Ω = V/A	Widerstand des Netzes
R_s	Ω = V/A	eingeschalteter Widerstand
R_S	Ω = V/A	ohmscher Widerstand der einfachen Länge

R_{th}	K/W, °C/W	Wärmewiderstand
$R_{th\ GK}$	K/W, °C/W	Wärmewiderstand Gehäuse – Kühlkörper
$R_{th\ GU}$	K/W, °C/W	Wärmewiderstand Gehäuse – Umgebung
$R_{th\ JG}$	K/W, °C/W	Wärmewiderstand Sperrschicht – Gehäuse
$R_{th\ KU}$	K/W, °C/W	Wärmewiderstand Kühlkörper – Umgebung
R_T	Ω = V/A	Transformatorwiderstand
R_v	Ω = V/A	Vorwiderstand
R_V	Ω = V/A	Vorwiderstand
R_w	K/W	Wärmewiderstand
R_w	Ω = V/A	Wärmewiderstand
R_w	Ω = V/A	Wicklungswiderstand
R_ϑ	Ω = V/A	Widerstand von Freileitungsseilen bei der Temperatur ϑ
RC	MW mF	Isolationszeitkonstante, Isolationsgüte
Re	1	Reynoldssche-Zahl
S	m^2, mm^2	Querschnitt, Querschnittsfläche
S	W = VA	Scheinleistung
S	–	Scheitelpunkt
S	–	Schwingungsgerade
S	1	Spannungssicherheitsreserve (prozentual)
S	V/s	Steilheit
S_c	A/m^2	kritische Stromdichte
S_d	W	thermische Grenzleistung
S_D	W = VA	Durchgangsleistung
S_{erf}	m^2, mm^2	erforderlicher Querschnitt
S_k	W = VA	Kurzschlußscheinleistung
S_k	W = VA	Netzkurzschlußleistung bei Nennspannung (Bemessungsspannung)
S_{Li}	W = VA	ideelle netzseitige Scheinleistung
S_{sin}	W = VA	Scheinleistung bei sinusförmigem Verlauf von Strom und Spannung
S_T	W = VA	Transformatorbauleistung
S_{TN}	W = VA	Nennleistung (Bemessungsleistung) des Stromrichtertransformators
S_λ	1	Strahlungsfunktion
$S_{\lambda NLA}$	1	Strahlungsfunktion einer Normlicht-A-Strahlung
S_1	W = VA	Grundschwingungs-Scheinleistung

T	K	absolute Temperatur
T	s	Abtastzeit
T	s	Periodendauer, Schwingungsdauer
T	N	Trägheitskraft
T_a	s	Zeitkonstante des Gleichstromgliedes
$T_{a\,50}$	s	Zeitkonstante, bei der $h_w(t)$ 50% des Sollwertes erreicht hat
T_A	1	Anlaufkonstante
T_A	s	Zeitkonstante, $T_A = L_A/R_A$
T_A	s	Zeitkonstante des Ankerkreises
T_{Ai}	s	Motorzeitkonstante bezogen auf die Achse i
T_{An}	s	Anlaufzeit
T_c	K	Sprungtemperatur
T_{cr}	s	Schaltspannung-Scheitelwert
T_{cr}	µs	Scheitelzeit der Prüfschaltstoßspannung
T_d	s	Dämpfungszeit
T_d	s	Zeitdauer-Spannung über 0,9 u
T_d	s	Zeitkonstante für das rasche Abklingen des Kurzschlußstromes des transienten Zeitabschnitts
T'_d	s	Zeitkonstante für das rasche Abklingen des Kurzschlußstromes des subtransienten Zeitabschnitts
T_D	s	Differenzierzeit
T_D	s	Durchschlagszeit
T_e	s	Anstiegszeit
T_{esF}	s	Ersatzzeitkonstante des Feldstromregelkreises
T_{esi}	s	Ersatzzeitkonstante des geschlossenen Stromregelkreises
T_F	s	Verzögerungszeit im Feldstromkreis
T_g	s	Ausgleichszeit
T_g	s	Zeitkonstante der Glättung
T_{gi}	s	Glättungszeitkonstante des Stromregelkreises
T_{gn}	s	Glättungszeitkonstante der Drehzahlistwerterfassung
T_{gwi}	s	Glättungszeitkonstante im Führungszweig des Stromregelkreises
T_h	s	Schaltspannung-Halbwertzeit
T_H	s	Hochlaufzeit

T_{Ho}	s	Hochlaufzeitkonstante
T_{I}	s	Integrationszeit
T_{Im}	s	Modellintegrationszeitkonstante
T_{k}	s	Kommutierungszeit
T_{krit}	s	kritische Periodendauer
T_{krit}	s	kritische Zeitkonstante
T_{M}	s	mechanische Zeitkonstante
T_{M}	s	Modellzeitkonstante
T_{M}	s	Zeitkonstante des Stellmotors
T_{N}	s	Nachstellzeit
T_{Ni}	s	Nachstellzeit des Stromreglers (Regelzeitkonstant)
T_{Nim}	s	Nachstellzeit des Wirkstromreglers G_{Rim}
$T_{Ni\psi}$	s	Nachstellzeit des Magnetisierungsstromreglers $G_{Ri\psi}$
T_{Nn}	s	Nachstellzeit des Drehzahlreglers
T_{Np}	s	Nachstellzeit in Produktform
T_{Nu}	s	Nachstellzeit des u_A-Reglers im Feldschwächkreis
T_{Ny}	s	Nachstellzeit des Flußreglers G_{Ry}
T_{p}	s	Prozeßzeit
T_{r}	s	Zeitkonstante der PT_1-Rückführung
T_{rl}	s	Halbwertzeit
T_{Rn}	s	Nachstellzeit des Drehzahlreglers
T_{s}	K, °C	Schmelztemperatur
T_{s}	s	Stirnzeit
T_{S}	s	Streckenzeitkonstante
T_{Si}	s	Summe der kleinen Zeitkonstanten in der Stromregelstrecke
T_{Si}	s	Zeitkonstante des Regelkreises
T_{Sn}	s	Summe der kleinen Zeitkonstanten in der Drehzahlregelstrecke
$T_{S\psi}$	s	Zeitkonstante der Flußregelstrecke
T_{t}	s	Totzeit
T_{tA}	s	Totzeit des Ankerstromkreises (Stromrichtertotzeit)
T_{tF}	s	Totzeit im Feldstromkreis (Stromrichtertotzeit)
T_{tm}	s	Modelltotzeit
$T_{ü}$	K, °C	Übertemperatur
$T_{üe}$	K, °C	Endübertemperatur
T_{u}	s	Verzugszeit
T_{U}	K, °C	Temperatur der Umgebung
T_{V}	s	Verzögerungszeit
T_{V}	s	Vorhaltezeit
T_{Vp}	s	Vorhaltezeit in Produktform
T_{w}	s	Wartezeit
U	V	Spannung
$U_{=}$	V	Gleichspannung
U_{-}	V	Gleichanteil der Spannung (linearer Mittelwert)
$U_{ß}$	V	Wechselspannung
$\hat{U}$	V	Scheitelwert der Spannung
ΔU	V	Spannungseinbruch, Spannungsabfall
U_{a}	V	Abgriffsspannung
U_{a}	V	Ausgangsspannung
U_{a}	V	Spannung am Anfang der Leitung
U_{A}	V	Ankerspannung
U_{A}	V	Ansprechspannung
U_{A}	V	Maschinenankerspannung
U_{A}	V	Motorspannung bei maximaler (Grund-)-Drehzahl
U_{A}	V	Spannungsabfall am Amperemeter
U_{AK}	V	Potential der Anode gegenüber der Kathode
U_{An}	V	Spannung am Anlaufpunkt
U_{Ar}	V	Ankerkreisnennspannung
$U_{bü}$	V	Bürstenspannung
U_{B}	V	Berührungsspannung
U_{B}	V	Betriebsspannung
$U_{(BO)0}$	V	Nullkippspannung (Thyristor)
$U_{(BR)}$	V	Durchbruchspannung in Rückwärtsrichtung (Thyristor)
$U_{(BR)DSS}$	V	Drain-Source-Durchbruchspannung (FET)
$U_{BÜ}$	V	Bürstenspannung
U_{CE}	V	Spannung zwischen Kollektor und Emitter
U_{CEO}	V	höchstzulässige Vorwärtssperrspannung bei offenem Steueranschluß (Bipolartransistor)
$U_{CE\,sat}$	V	Kollektor-Emitter-Restspannung (Bipolartransistor)
U_{CEV}	V	höchstzulässige Vorwärtssperrspannung bei gesperrter Emitterdiode (Bipolartransistor)

Zeichen	Einheit	Bedeutung
ΔU_{Cp}	V	Spannungsabfall am parallel geschalteten Kondensator
U_d	V	Brückendiagonalspannung
U_d	V	empfohlene Leiterspannung
U_d	V	Spannung des Längsfeldes
U_d	V	Zwischenkreisgleichspannung
U_{di}	V	ideelle Gleichspannung
U_{di}	V	induktive Gleichspannung bei Vollaussteuerung
U_{di0}	V	Leerlaufspannung bei Steuerwinkel 0
$U_{di\alpha}$	V	Leerlaufspannung bei Steuerwinkel α
U_{d10}	V	Stehspannung, die 10% Durchschlagwahrscheinlichkeit entspricht
U_D	V	Abtast-Dreieckspannung
U_D	V	Durchschlagspannung
U_D	V	Scheitelwert der Durchlaßspannung
ΔU_D	V	Spannungsabfall über der Reihendrosselspule
U_{DRM}	V	Spitzensperrspannung, höchstzulässiger Augenblickswert der auftretenden Spannung im Sperrzustand in Vorwärtsrichtung (Diode und Thyristor)
U_e	V	Einsatzspannung
U_e	V	Spannung am Ende der Leitung
U_E	V	höchste betriebsfrequente Erdschlußüberspannung
U_F	V	Diodenspannung in Vorwärtsrichtung
U_{FM}	V	Maximalwert der Spannung in Vorwärtsrichtung
U_G	V	Betriebsspannung
U_G	V	Generatorspannung
U_G	V	Gate-Kathoden-Spannung
U_{GD}	V	unterer Schwellwert der Gatespannung
U_{GS}	V	Gate-Source-Spannung
U_{GSM}	V	höchstzulässige Gate-Source-Spannung (FET)
U_{GT}	V	oberer Schwellwert der Gatespannung
U_H	V	Hallspannung
U_H	V	Spannung der Hilfsquelle
U_i	V	induzierte Ankerspannung
U_i	V	induzierte Spannung
U_i	V	Spannung im Gegensystem
U_i	V	Vorentladungseinsatzspannung
ΔU_i	V	Amplitudenunsicherheit
U_{im}	V	ideelle Scheitelspannung (ideeller Maximalwert)
U_k	V	Kurzschlußspannung
U_K	V	im Kurzschlußversuch ermittelte Spannung
U_{KR}	V	Kreisspannung
U_L	V	Leiterspannung, verkettete Spannung
U_L	V	Löschspannung
U_L	V	Nenn-Netzspannung, Bemessungs-Netzspannung
U_L	V	Spannung am Lastwiderstand
ΔU_L	V	Längsspannungsabfall
U_{LE}	V	kapazitive Erdschlußspannung
U_{LE}	V	Spannung zwischen Leiter und Erde
U_{LN}	V	netzseitige Nenn-Leiterspannung (Bemessungs-Leiterspannung)
U_m	V	Isolationsspannung
U_m	V	imittiere Spannung
U_m	V	Spannung im Mitsystem
U_{MPP}	V	Spannung am Maximum Power Point
U_{NB}	V	Nenn-Blitzspannung, Bemessungs-Blitzspannung
U_{NS}	V	Nenn-Schaltspannung, Bemessungs-Schaltspannung
$U_{NN'}$	V	Knotenpunktsspannung
U_p	V	Polradspannung
U_q	V	Leerlaufspannung
U_q	V	Spannung des Querfeldes
ΔU_q	V	Querspannungsabfall
$U_{q(n\ krit)}$	V	Leerlaufspannung bei kritischer Drehzahl (Grenzwert für die Erregung)
U_R	V	Diodenspannung in Rückwärtsrichtung
U_R	V	Remanenzspannung
U_R	V	Restspannung
U_R	V	Spannung der Phase R

U_{Rk}	V	Spannungsfall am Wicklungswirkwiderstand
U_{RM}	V	Maximalwert der Spannung in Rückwärtsrichtung
U_{RRM}	V	Spitzensperrspannung, höchstzulässiger Augenblickswert der auftretenden Spannung im Sperrzustand in Rückwärtsrichtung (Diode und Thyristor)
ΔU_s	V	Schrägspannungsabfall
U_{s0}	V	Strangspannung
U_S	V	Schleusenspannung (Halbleiterdiode)
U_S	V	Spannung der Phase S
U_S	V	Statorspannung
U_{Sp}	V	Speisespannung
U_{SU}	V	Statorstrangspannung Phase U
U_{SV}	V	Statorstrangspannung Phase V
U_{SW}	V	Statorstrangspannung Phase W
U_{SyU}	V	Stellgröße der Statorspannung Phase U
U_{SyV}	V	Stellgröße der Statorspannung Phase V
U_{SyW}	V	Stellgröße der Statorspannung Phase W
U_T	V	Spannung der Phase T
U_T	V	Statorspannung
U_{Tr}	V	Triggerspannung
U_u	V	Gesamteffektivwert der Oberschwingungsspannungen
U_{UN}	V	Strangspannung
U_{UV}	V	Leiterspannung
U_v	V	Effektivwert der ventilseitigen Leerlaufspannung des Transformators: bei Brückenschaltung: verkettete Spannung, bei Mittelpunktsschaltung: Strangspannung
U_v	V	Vergleichspannung
U_{v0}	V	ventilseitige Leerlaufspannung zwischen den Wechselatromanschlüssen zweier kommutierender Stromrichterhauptzweige
U_V	V	Spannungsabfall am Voltmeter
U_{WR}	V	Wechselrichterspannung
U_{WRS0}	V	Wechselrichterleerlaufspannung

U_z	V	Speisegleichspannung des Zwischenkreises
$U_{\mu N}$	V	Strangspannung
U_v	V	Oberschwingungsspannung
U_0	V	Spannung im Nullsystem
U_{0c}	V	Leerlaufspannung
U_{20}	V	Leiterspannung
U_{2S0}	V	Stillstandsspannung
V	m^3, mm^3	Volumen, Rauminhalt
$\boldsymbol{V}$	–	Vorfiltermatrix
$V(s)$	–	Vorfilter
$V(\lambda)$	1	Kennlinie
V_m	A	magnetische Spannung
V_{St}	s	Impulszeit des Steuerteils
V_{15}	W/kg	Verlustziffer bei $B = 1{,}5\ T$
W	J = Nm	Arbeit, Formänderungsarbeit
W	mm^3	axiales Widerstandsmoment
W	eV	Energie
W	J = Nm	potentielle Energie
W	–	Wahrscheinlichkeit
W	–	Einzugswahrscheinlichkeit
W_{ab}	J = Nm	abgeführte Arbeit
$W(s)$	–	Hauptführungsgröße im Bildbereich
W_A	eV	Akzeptorniveau
ΔW_A	eV	Akzeptorabstand
W_b	J = Ws	Energie für die Beschleunigung der Schwungmasse
ΔW_B	eV	Bandabstand
W_C	J = Ws	Energie der Kapazität
W_{dyn}	J = Nm	Verlustenergie beim periodischen Ein- und Ausschalten des Transformators
W_D	eV	Donatorniveau
ΔW_D	eV	Donatorabstand
W_{erf}	m^2, mm^2	erforderlicher Querschnitt
W_F	eV	Fermi-Niveau
W_{Ho}	J = Ws	Hochlaufenergie
W_L	J = Ws	Energie der Induktivität
W_L	eV	Leitungsbandabstand
W_n	J = Nm	Nutzarbeit
W_p	mm^3	polares Widerstandsmoment für Kreis- und Kreisringquerschnitt
W_t	J = Ws	technische Arbeit
W_v	J = Ws = VAs	Verlustenergie
W_V	eV	Valenzbandkante

Zeichen	Einheit	Bedeutung
W_x	mm^3	auf die x-Achse bezogenes Widerstandsmoment
W_y	mm^3	auf die y-Achse bezogenes Widerstandsmoment
W_{zu}	J = Nm	zugeführte Arbeit
W_{zu}	J = Ws = VAs	zugeführte Energie
$W_1(s)$	–	Hilfführungsgröße im Bildbereich
X	Ω = V/A	Blindwiderstand, Reaktanz
X	1	quadratischer Mittelwert (Effektivwert)
$X_a(j\omega)$	–	Fouriertransformierte der Ausgangsfunktion $x_a(t)$
X'_B	Ω/km	längenbezogene Betriebsreaktanz
X_d	Ω = V/A	Reaktanz in der d-Achse
X'_d	Ω = V/A	transiente Reaktanz
X''_d	Ω = V/A	substransiente Reaktanz
X_D	Ω = V/A	Drosselreaktanz
X_e	–	Symbol für eine strahlungsphysikalische Größe
$X_e(j\omega)$	–	Fouriertransformierte der Eingangsfunktion $x_e(t)$
X'_E	Ω/km	längenbezogene Reaktanz der Erdrückleitung
X_h	Ω = V/A	Hauptreaktanz, Hauptblindwiderstand
X'_I	Ω/km	längenbezogene innere Reaktanz
X_k	Ω = V/A	Streublindwiderstand
X_L	Ω = V/A	Netzimpedanz
X_N	Ω = V/A	Reaktanz des Netzes
X_q	Ω = V/A	Reaktanz in der q-Achse
X_Q	Ω = V/A	Reaktanz des starren Netzes Q
X_S	Ω = V/A	Kommutierungsimpedanz
X_T	Ω = V/A	Streureaktanz der Transformatorwicklungen
X_v	–	Symbol für eine lichttechnische Größe
X_σ	Ω = V/A	Streureaktanz, Streublindwiderstand
X'_0	Ω/km	längenbezogene Nullreaktanz
X''_{0E}	W/km	längenbezogene Nullreaktanz der Erdrückleitung
Y	–	Meßergebnis
Y	S = 1/W	Scheinleitwert, Admittanz
$Y(s)$	–	Mittelwert der Stellgröße im Bildbereich
$Y(\lambda)$	–	Symbol für die Ausgangsgröße eines Fotoempfängers
$Y_e(\lambda)$	–	Eingangsgröße eines Fotoempfängers
Z	1	Gesamtnutzahl, $Z = 2m \cdot Z_S = 2m \cdot p \cdot q$
Z	Ω = V/A	Impedanz
Z	Ω = V/A	Wellenwiderstand
Z	1	Zähnezahl (Getriebe)
$Z(s)$	–	Gesamtstörgröße
$Z_e(s)$	Ω = V/A	Eingangsimpedanz
Z_E	Ω = V/A	Impedanz der Erdungsleitung
Z_E	Ω = V/A	Stoßerdungswiderstand
Z_g	Ω = V/A	Impedanz des Gegensystems
Z'_g	Ω/km	längenbezogene Gegenimpedanz
Z_h	Ω = V/A	Leerlaufimpedanz
Z_i	Ω = V/A	Gegenimpedanz
Z_k	Ω = V/A	Kurzschlußimpedanz
Z_K	Ω = V/A	aus dem Kurzschlußversuch ermittelte Impedanz
Z_m	Ω = V/A	Impedanz des Mitsystems
Z'_m	Ω/km	längenbezogene Mitimpedanz
Z_M	Ω = V/A	Meßimpedanz
Z_p	1	Nutzahl pro Polzone, $Z_p = Z/(2m \cdot p)$
$Z_r(s)$	Ω = V/A	Rückkopplungsimpedanz
Z_S	1	Nutzahl pro Strang, $Z_S = 2p \cdot q$
$Z_{th\ GUt}$	K/W, °C/W	transienter innerer Wärmewiderstand Sperrschicht – Gehäuse
$Z_{th\ JGt}$	K/W, °C/W	transienter innerer Wärmewiderstand Gehäuse – Umgebung
Z_T	Ω = V/A	Impedanz des Transformators
Z_V	Ω = V/A	Lastimpedanz
Z_W	Ω = V/A	Wellenwiderstand
Z_{WG}	Ω = V/A	Wellenwiderstand von Gittermasten
Z_{WL}	Ω = V/A	Wellenwiderstand des Leiterseiles
Z_0	Ω = V/A	Nullimpedanz
Z'_0	W/km	längenbezogene Nullimpedanz
$Z_{0\ ges}$	Ω = V/A	gesamte Nullimpedanz
Z_{0h}	Ω = V/A	Nullimpedanz bei Leerlauf

Z_{0p}	$\Omega = V/A$	primäre Nullimpedanz
Z_{1L}	$\Omega = V/A$	primärer Leerlaufwiderstand
Z_{2L}	$\Omega = V/A$	sekundärer Leerlaufwiderstand

3 Griechische Buchstaben

α	1	Absorptionsgrad
α	rad, °	Abschaltwinkel
α	rad, °	Beobachtungswinkel gegen die Horizontale
α	°	ebener Winkel
α	K^{-1}	Materialkonstante
α	1	Querschnittsverhältnis
α	rad, °	Schutzwinkel
α	rad, °	Steuerwinkel
α	K^{-1}	Temperaturbeiwert, Temperaturkoeffizient
α	1	Vermehrungsfaktor (Anzahl der Ionisationen)
α	$W/K\ m^2$	Wärmeübergangskoeffizient, Wärmeübergangszahl
α	rad, °	Winkel, allgemein
α	rad/s^2	Winkelbeschleunigung, Winkelverzögerung
α_1	1/°C, 1/K	Längenausdehnungskoeffizient
α_N	rad, °	Nut-Zentriwinkel (Winkel zwischen zwei benachbarten Nuten)
α_S	rad, °	Sehnungs-Zentriwinkel
α_ϑ	1	Anstrengungsverhältnis
β	°	ebener Winkel
β	K^{-2}	Materialkonstante
β	1	Stromverstärkung des Transistors
β	rad, °	Voreilwinkel
β	°	Wechselrichterwinkel
β	rad, °	Winkel, allgemein
β	rad, °	Winkel zwischen Einfalls- und Beobachtungsebene
β	1	Abbildungsmaßstab
γ	kg/m^3	Dichte
γ	rad, °	Drehwinkel
γ	°	ebener Winkel
γ	$m/W\ mm^2$	elektrische Leitfähigkeit
γ	rad, °	geometrischer Wicklungswinkel
γ	rad, °	halber Öffnungswinkel des Kreisbogens
γ	rad, °	Kugelkoordinate (Deklination)
γ	S/cm	Leitfähigkeit
γ	rad, °	Löschwinkel
γ	°	Respektabstandswinkel
γ	N/mm^3	spezifisches Gewicht des Seiles mit Zusatzlast
γ	1	Steilheit des Fotowiderstandes
γ	rad, °	Winkel, allgemein
γ_e	rad, °	elektrischer Wicklungswinkel, $\gamma_e = p \cdot q$
γ_i	S/cm	Intrinsicleitfähigkeit, Eigenleitfähigkeit
γ_z	N/mm^3	spezifisches Gewicht der Zusatzlast
γ_0	N/mm^3	spezifisches Gewicht des Seiles
δ	1	Dämpfung, Dämpfungsgrad
δ	%	Bruchdehnung
δ	m	Eindringmaß des elektrischen Stromes
δ	1	Erdfehlerfaktor
δ	rad, °	Kugelkoordinate (Azimut)
δ	rad	Lastwinkel
δ	mm	Luftspalt
δ	°	Polradwinkel im Modell
δ	1	Verlustwinkel
$\tan\delta$	1	Verlustfaktor
δ_E	mm	Radius des Erdrückleiters
δ_q	°	Polargrenzwinkel
δ_i	rad, °	Winkelfehler eines Stromwandlers
δ_k	°	Polradwinkel bei Kurzschluß
δ_u	rad, °	Winkelfehler eines Spannungswandlers
ε	F/m = A/V m	(absolute) Permittivität, Dielektrizitätskonstante
ε	1	Dehnungen, relative Längenänderung, Stauchung, $\varepsilon = \Delta l/l_0$
ε	rad, °	Einfallswinkel
ε	1	Emissionsgrad
ε	1	Spannungsänderung
ε'	rad, °	Brechungswinkel
ε''	1	Verlustzahl, Verlustziffer
$\varepsilon(t)$	–	Modellabweichung
ε_{dyn}	1	dynamische Dehnung
ε_E	rad, °	Einfallwinkel auf der Empfängerseite
ε_G	rad, °	Grenzwinkel
ε_q	1	Querdehnung, $\varepsilon_q = \Delta d/d_0$
ε_r	1	Permittivitätszahl, Dielektrizitätszahl
ε_r	rad, °	Reflexionswinkel
ε''_r	1	dielektrische Verlustzahl
ε_S	rad, °	Abstrahlwinkel von der Senderfläche

ε_y	–	Stellgröße des Winkels ε zwischen l_S und I_F
ε_0	F/m	elektrische Feldkonstante, Permittivitätszahl des Vakuums
ζ	1	Wickelfaktor
η	1	F/F_0
η	Pa s	kinematische Viskosität
η	lm/W	Lichtausbeute
η	–	Parameteränderung
η	1	Wirkungsgrad
η_A	1	Arbeiswirkungsgrad
η_D	1	Quantenausbeute einer Diode
η_{el}	1	elektrischer Wirkungsgrad
η_{EM}	1	Wirkungsgrad der elektrischen Maschine
η_{ges}	1	Gesamtwirkungsgrad
η_G	1	Getriebewirkungsgrad
η_{LE}	1	Quantenausbeute einer Lumineszenzdiode
η_P	1	praktischer Wirkungsgrad
η_s	1	Wirkungsgrad der Solarzelle
η_T	1	theoretischer Wirkungsgrad
η_W	1	Wärmewirkungsgrad
$\eta_{W\,max}$	1	maximaler aerodynamischer Wirkungsgrad
$\eta_{W\,real}$	1	realer aerodynamischer Wirkungsgrad
η_{WRM}	1	Wirkungsgrad der Wärmekraftmaschine
ϑ	°	Polradwinkel
ϑ	K, °C	Temperatur
ϑ	K, °C	Wicklungsübertemperatur
$\Delta\vartheta$	K, °C	Temperaturänderung
ϑ_e	K, °C	Wicklungstemperatur am Ende des Erwärmungsvorgangs
ϑ_F	K, °C	Fluidtemperatur
ϑ_G	K, °C	Gehäusetemperatur
ϑ_J	K, °C	Sperrschichttemperatur eines Leistungshalbleiters, Kristalltemperatur
$\Delta\vartheta_{J\,Gst}$	K, °C	statische Temperaturänderung zwischen Kristall und Gehäuse
$\vartheta_{J\,max}$	K, °C	maximal zulässige Sperrschichttemperatur
ϑ_k	K, °C	Wärmeübergangstemperatur am Anfang des Erwätmumgsvorgangs

$\vartheta_{kü}$	K, °C	Kühlmitteltemperatur
ϑ_K	K, °C	Kühlkörpertemperatur
ϑ_{lab}	K, °C	Labilitätstemperatur
ϑ_R	–	Reglerparameter
ϑ_S	K, °C	Solidtemperatur
ϑ_U	K, °C	Umgebungstemperatur
$\vartheta_{U\,max}$	K, °C	maximale Umgebungstemperatur
Θ	A	Durchflutung
Θ	1	Hallwinkel
Θ_A	A	elektrische Durchflutung der Ankerwicklung
Θ_{ha}	A	elektrische Durchflutung der Hauptwicklung
Θ_{hi}	A	elektrische Durchflutung der Hilfswicklung
Θ_K	A	elektrische Durchflutung der Kompensationswicklung
Θ_W	A	elektrische Durchflutung der Wendepolwicklung
ι_{JG}	s	Zeitkonstante Kristall – Gehäuse
ι_{KU}	s	Zeitkonstante Kühlkörper – Umgebung
κ	S/m	Leitfähigkeit
λ	–	Lagrange-Faktor
λ	1	Leistungsfaktor
λ	W/K m	Wärmeleitfähigkeit
λ	m	Wellenlänge, Impulslänge
λ_g	µm	Grenzwellenlänge
λ_{sin}	1	Leistungsfaktor bei sinusförmigen Größen
λ	Vs/A	magnetischer Leitwert
μ	Vs/Am	(absolute) Permeabilität
μ	cm/Vs	Beweglichkeit
μ	1	Poissonzahl, $\mu = \varepsilon_q/\varepsilon$
μ	1	Reibungskoeffizient, Reibungszahl
$\mu_\sim$	Vs/Am	Wechselfeldpermeabilität
μ_B	Am^2	Bohrsches Magneton
μ_i	Vs/Am	Anfangspermeabilität
μ_p	1	Permeabilität des Magnetwerkstoffes im Arbeitspunkt
μ_r	1	Permeabilitätszahl
μ_{rev}	Vs/Am	reversible Permeabilität
μ_0	Vs/Am	magnetische Feldkonstante

ν	$Hz = s^{-1}$	Frequenz
ν	m^2/s	kinematische Viskosität
ν_d	1	Abbesche Zahl
ν_e	1	Abbesche Zahl
ξ	1	Scheitelfaktor (Crestfaktor)
ξ	1	Wicklungskoeffizient (Oberfeld), $\xi = \xi_Z \cdot \xi_S$
ξ_S	1	Sehnungskoeffizient (Oberfeld), $\xi_S = \sin (\pi \cdot \xi_1)/2\,\tau$
ξ_{Sy}	1	Sehnungskoeffizient für die y-te Oberweite
ξ_y	1	Wicklungskoeffizient für die y-te Oberweite
ξ_Z	1	Zonenkoeffizient (Oberfeld)
ξ_{Zy}	1	Zonenkoeffizient für die y-te Oberweite
ϱ	kg/m^3	Dichte, Luftdichte
ϱ	1	Reflexionsgrad
ϱ	°	Reibungswinkel, Reibwinkel
ϱ	$W\,mm^2/m$	spezifischer elektrischer Widerstand
ϱ	As/m^2	Ladungsdichte
σ	1	Blondelscher Streukoeffizient
σ	–	Grenzwert der Standardabweichung der Grundgesamtheit
σ	N/mm^2	Normalspannung, allgemein
σ_b	N/mm^2	Biegespannung
$\sigma_{b\ vorh}$	N/mm^2	vorhandene Biegespannung
$\sigma_{b\ zul}$	N/mm^2	zulässige Biegespannung
σ_d	N/mm^2	Druckspannung
$\sigma_{d\ zul}$	N/mm^2	zulässige Druckspannung
σ_{dyn}	N/mm^2	dynamische Spannung
σ_E	N/mm^2	Elastizitätsgrenze
σ_I	N/mm^2	Lochleibungsdruck
σ_N	N/mm^2	Nennspannung, Bemessungsspannung
σ_P	N/mm^2	Spannung an der Proportionalgrenze
σ_{res}	N/mm^2	resultierende Spannung
σ_v	N/mm^2	Vergleichsspannung
σ_z	N/mm^2	Zugspannung
$\sigma_{z\ zul}$	N/mm^2	zulässige Zugspannung
σ_{zul}	N/mm^2	zulässige Spannung
σ	N/mm^2	Seilzugspannung
σ	W/m^2K^4	Stefan-Boltzmann-Konstante, $\sigma = 5{,}67 \cdot 10^{-8}\ W/m^2K^4$
σ	1	Streufaktor
σ'	rad, °	Neigungswinkel des einfallenden Lichtstrahls
$\sigma(t)$	–	Einheitssprung
σ_Z	N/m^2	Zugspannung
τ	1	Polteilung, $\tau = \pi \cdot D_A/2p$
τ	N/mm^2	Tangentialspannung
τ	1	Transmissionsgrad
τ	s	Verschiebungszeit
τ	s	Zeitkonstante
τ_a	N/mm^2	Abscherspannung, $\tau_a = F/A$
$\tau_{a\ vorth}$	N/mm^2	vorhandene Abscherspannung
τ_a	s	Zeitkonstante
τ_e	s	Einschalt-Zeitkonstante
τ_{JG}	s	Zeitkonstante
τ_N	1	Nutteilung, $\tau = \pi \cdot D_{Si}/Z$
τ_s	N/mm^2	Schubspannung, $\tau_s = cF/A$
τ_t	N/mm^2	Torsionsspannung
τ_{zul}	N/mm^2	zulässige Schub-(Tangential-)spannung
φ	rad, Bogenmaß	Drehwinkel, Verdrehwinkel, Biegewinkel
φ	rad, °	Phasenverschiebungswinkel, Phasenwinkel
φ	V	Potential
$\Delta\varphi$	V	Spannung
$\cos \varphi$	1	Verschiebungsfaktor (Leistungsfaktor)
$\cos \varphi_1$	1	Grundschwingungs-Verschiebungsfaktor
$\sin \varphi$	1	Blindfaktor
$\varphi(t)$	s	Zeitfunktion des Hauptpolflusses bei GSM
$\varphi(\omega)$	–	Phasengang
φ_a	rad, °	Phasenverschiebungswinkel am Anfang der Leitung
φ_e	rad, °	Phasenverschiebungswinkel am Ende der Leitung
φ_{ha}	rad, °	Phasenwinkel der Hauptwicklung
φ_{hi}	rad, °	Phasenwinkel der Hilfswicklung
φ_k	rad, °	Kurzschlußwinkel
φ_L	rad, °	Phasenwinkel des Leitungsstromes
φ_m	rad, °	mittlerer Phasenwinkel
$\cos \varphi_m$	1	Leistungsfaktor bei maximaler Lichtleistung
$\cos \varphi_{max}$	1	maximaler Leistungsfaktor

φ_M	rad, °	Motorkurzschlußwinkel
φ_R	–	Phasenreserve
φ_0	rad, °	Nullphasenwinkel
φ_1	rad, °	Phasenverschiebungswinkel der Grundschwingung
Φ	W = Vs	Hauptpolfluß bei GSM
Φ	W = Vs	magnetischer Fluß
Φ	W	Strahlungsleistung
Φ	W = Vs	Scheitelwert des magnetischen Flusses
$\Phi(t)$	–	Autokorrelationsfunktion
Φ_e	W	Strahlungsleistung
$\Phi_e(\lambda)$	W	Strahlungsleistung einer monochromatischen Strahlung
Φ_F	W = Vs	magnetischer Fluß im Feldkreis
Φ_{FN}	W = Vs	Nennwert (Bemessungswert) des magnetischen Flusses im Feldkreis
Φ_{rem}	W = Vs	Remanenzfluß
Φ_s	W	Strahlungsleistung eines Schwarzen Strahlers
Φ_v	lm	Lichtstrom
Φ_α	W	absorbierte Strahlungsleistung
Φ_ϱ	W	reflektierte Strahlungsleistung
Φ_τ	W	durchgehende Strahlungsleistung
χ_e	1	elektrische Suszeptibilität
χ_m	1	magnetische Suszeptibilität
$\psi(t)$	s	Zeitfunktion des Hauptpolflusses der ASM
ψ_h	C = As	Hauptfluß
ψ_R	C = As	Rotorfluß
ψ_{Rw}	C = As	Rotorflußsollwert
ψ_{Rx}	C = As	Rotorflußbeiwert
Ψ	C = As	Hauptpolfluß der ASM
Ψ	C = As	Verkettungsfluß
ω	1	Knickzahl
ω	Hz = s^{-1}	Kreisfrequenz
ω	sr	Raumwinkel
ω	rad/s, s^{-1}	Winkelgeschwindigkeit
ω_d	Hz = s^{-1}	Drehfeldgeschwindigkeit
ω_D	Hz = s^{-1}	Durchtrittfrequenz
ω_e	Hz = s^{-1}	Eckfrequenz
ω_e	Hz = s^{-1}	Kreisfrequenz der Einschwingspannung
ω_{mx}	Hz = s^{-1}	Drehzahlistwert
ω_N	Hz = s^{-1}	Einschwingvorgang des Netzes
sgn ω_S	rad/s	Signumfunktion für die Winkelfunktion des Statorfeldes
ω_T	Hz = s^{-1}	Abtastfrequenz
ω_v	Hz = s^{-1}	Oberschwingungskreisfrequenz
ω_β	Hz = s^{-1}	Frequenz, bei der die Dämpfung 3 dB beträgt
Ω	rad/s	Winkelgeschwindigkeit

4 Indizes

a	Abgriff
a	Abschirmung
a	Abscher...
a	aktiv
a	Anfang
a	angezeigt
a	Ankerdraht
a	Ausgangs...
a	Ausschalt.., Abfall...
a	Außen...
ab	abgeführt
ab	Abtriebs...
an	Anregel...
aus	Ausregel...
aus	Ausschalt...
A	Abschalt...
A	Abschluß...
A	Akzeptor...
A	Amperemeter
A	Anfang, Anfangs...
A	Anfangswert
A	Ankerumfangs...
A	Anker...
A	Anlauf...
A	Ankerwicklungs...
A	Anoden...
A	Ansprech...
A	Antriebs...
A	Anzugs...
A	Arbeits...
A	Maschinenanker...
An	Anlaufpunkt
AV	average, Mittelwert
b	Belastungs...
b	beschleunigend
b	Bezugs...
b	Biege...
b	Blind...
bü	Bürsten...
B	Band...
B	Basis...
B	Belastungs...
B	Berührungs...

B Betriebs...
B Bewehrungs...
B Bezugs...
B Blitz...
B Blitzstoßspannung
B Bündelleiter...
Batt Batterie...
Br Brems...
BR Durchbruchs...
(BO)0 Nullkipp...
BÜ Bürsten...

c Koerzitiv...
c Kondensations...
c kritisch
C Kapazität, kapazitiv
C Kollektor...
C Kondensator...
Chop Chopper...

d Dämpfungs...
d Dauer...
d Diagonal...
d Dichte...
d Differenz...
d direkt, gleich
d Direktkoordinate
d Drehfeld...
d Gleich...
d Gleichspannungszwischenkreis...
d Längs...
d synchron
d Verzögerungs...
diff differentiell
dio Dioden...
dyn dynamisch (periodisches Ein- und Ausschalten)
D (1. Index) Vorwärtsrichtung (Diode und Thyristor)
D Dämpfungs...
D Dauer...
D Dauerschwingungs...
D Dielektrikum
D Dioden...
D Donator...
D Drain...
D Dreiecks...
D Drossel...
D Durchgangs...
D Durchlaß...
D Durchschlags...
D Durchtritts...
D unterer Schwellwert

e Anstiegs...
e Eck...
e Eigen...
e Einsatz
e Einschalt...
e Einschwing...
e elektrisch
e Elektron
e Ende, End...
e Ende des Erwärmungsvorgangs
e energetische Größe
e Entladungs...
e Erreger...
e Ersatz...
e stationär
ein einschalten
ein eingestrahlt
el elektrisch
entmagn entmagnetisierend
er erforderlich
E Emitter...
E Ende
E Endwert
E Erd...
E Erdrückleitung
E Erdung
E Erreger...
EL Eintrittsluke
EM elektrische Maschine
EP Eintrittspupille

f (1. Index) Vorwärtsrichtung
f Abfall...
f Ausschalt...
f Feldwicklungs...
f flüchtig
f Frequenz...
fe Kleinsignal...
F Dioden...
F feldaufbauend
F Feldkreis...
F Feldlinse
F Filter...
F Fermi...
F Fluid...
F Freilauf...
F Freileitungs...
F Stromfluß...
F Vorwärtsrichtung (Diode)

g Gegen...
g Gegensystem
g Gesamt...
g Gewichts...
g Grenz...
ges Gesamt...
G Gate...
G Gegenreihenschaltung
G Gehäuse...
G Generator..., Generatorbetrieb
G Getriebe...
G Gewichts...
G Gittermast...
G Glas
G Gleichstrom

G	Grenze
G	Grundsollwert
GR	Grenz...
h	Haupt...
h	Hysterese...
h	Leerlauf
ha	Hauptwicklung
hi	Hilfswicklung
H	Hall...
H	Halte...
H	Halteglied
H	Hilfsquelle
H	Hochlauf...
H	Hystereseverluste
Ho	Hochlaul...
HS	Haftstellen
i	ideell
i	initial
i	innen, innere
i	Intrinsic...
i	invers, Gegensystem
i	Vorentladungs-Einsatz...
I	induziert
I	Integations...
I	Investitions...
j	Junction, Kristall
k	Anfang des Erwärmungsvorgangs
k	Kalt...
k	Kommutierungs...
k	Kompensations...
k	konstant
k	kurzgeschlossen
k	Kurzschluß...
k	Zeitpunkte $k \cdot t$
kin	kinetisch
krit	kritisch
kü	Kühlmittel...
K	Kabel...
K	Kathoden...
K	Kipp...
K	Kompensationswicklung
K	Koppel...
K	Kühlkörper...
K	Überlast..., Kurzschluß...
l	Längen...
l	Längs.
l	Lochleibungs...
lab	Labilitäts...
lin	Linearisierung
L	Freileitungsseil
L	im vorgeschalteten Netz
L	induktiv, Induktivität
L	Lamellen...
L	Last...
L	Leerlauf...
L	Leiter...
L	Leitung.
L	Leitungsband
L	Leitungsstrom
L	Linsen.
L	Lösch...
L	Lück...
L	Luft...
LB	Lichtbogen...
LE	Erschlußlöschspule
LN	Leitungsniveau
LN	Nenn-Leiter.., Bemessungs-Leiter...
m	erhöht
m	geometrisches Mittel
m	magnetisch
m	Magnetisierungs...
m	mechanisch
m	Meßgerät
m	Mit...
m	Mitsystem
m	mittel, mittlerer
m	Modell
m	Spannungsmaximum
max	maximal
mech	mechanisch
min	minimal
mittl	mittlere
M	(3. Index) Maximalwert
M	Mantel...
M	Maschinen...
M	Momenten...
M	Meß...
M	Motor, Stellmotor
MPP	Maximum Power Point
MW	Meßwerk...
n	negativ
n	normal, Normal...
n	Nutz...
nat	natürlich
N	Nachstell...
N	Nebenwiderstand
N	Nennwert, Bemessungswert
N	Netz...
N	Netzseite
NLA	Normlicht-A-Strahlung
o	Oberschwingung
(off)	Ausschalt...
(on)	Einschalt...
op	Optimum (Minimum)
opt	optimal
O	offener Basisanschluß
p	parallel
p	Pegel...
p	Platten...

p	Pol...
p	polar
p	Polrad...
p	Polzone
p	positiv
p	primär
p	Proportional...
p	Prozeß...
p	Puls...
p	Stoßkurzschluß
p	Wirkkomponente
perm	permanent
ph	Photo...
pp	peak to peak
pot	potentiell
P	Platten...
P	Polarisations...
P	praktisch
P	Proportional...
P	Puls...
Ph	Phasen...
PS	Primär-Schein...
q	Blindkomponente
q	Freiwerde...
q	kinetisch
q	Quellen...
q	Quer...
q	Querkoordinate
q	spezifisch
Q	starres Netz
r	(1. Index) Rückwärtsrichtung
r	(2. Index) Anstiegs...
r	(2. Index) Durchschalt...
r	Anstiegs...
r	Durchschalt...
r	ohmsch
r	radial
r	Rand...
r	reflektiert
r	Reflexions...
r	relativ
r	Reihen...
r	Remanenz...
r	resultierend
r	Rückführungs...
real	real
red	reduziertes
rem	Remanenz
res	resultierend
rev	reversibel
rot	Rotations...
R	(1. Index) Rückwärtsrichtung (Diode und Thyristor)
R	(2. Index) Sperrzustand (Diode und Thyristor)
R	ohmscher Widerstand
R	Phase im Dreiphasensystem
R	Regler...
R	Reibungs...

R	Reihen...
R	Reihenschaltungs...
R	Reluktanz...
R	Remanenz
R	Reserve
R	Rest...
R	Rollen...
R	Rotor...
R	Rückwärtsrichtung (Diode)
RMS	root mean square, Effektivwert
s	auf den schwarzen Strahler bezogene Größen
s	dynamisch spezifisch
s	Sägezahn...
s	Sättigungs...
s	Schalter...
s	Schmelz...
s	Schräg...
s	Schub...
s	sequentiell geschaltet
s	Signal...
s	Solarzelle
s	Sonden...
s	Speicher...
s	Ständer...
s	Steuer...
s	Stirn...
s	Stoß...
s	Strang...
sat	Sättigung
sc	Kurzschluß
sin	sinusförmige Größe
ss	Spitze-Spitze
st	statischer Zustand
st	Steuer...
st	Strang...
S	Durchbruchs...
S	im Stromrichter, Ventilen, Sicherungen, Leitungen
S	Impuls...
S	Phase im Dreiphasensystem
S	Sattel...
S	Schalt...
S	Schaltspannung
S	Schein...
S	Schenkelpol...
S	Schicht, Spule
S	Schleusen...
S	Sender...
S	Solid...
S	Spiel...
S	Spitzen...
S	Source...
S	Stator...
S	Steg...
S	Strang...
S	Strecken...
S	Stromrichter
S	Summe

Sp	Spulen...
SS	Sekundär-Schein...
St	Steuer...
St	Stillstands...
Stör	Störung
t	tangential
t	technisch
t	Torsions...
t	Tot...
t	transformatorisch, Transformator...
t	transient, Übergangs...
th	thermisch, Wärme...
T	Tangential...
T	Drehtisch...
T	im vorgeschalteten Transformator
T	oberer Schwellwert
T	Phase im Dreiphasensystem
T	Temperatur.., Thermo...
T	theoretisch
T	Torsions...
T	Tot...
T	Thyristor...
T	Transformator...
Tr	Trigger...
ü	Über...
ü	Überspannung
u	Umgebungs...
u	Umschalt...
u	Umsetz...
u	Vorzugs...
U	Umgebungs...
v	ventilseitig
v	Vergleichs...
v	Verlust...
v	Verzögerungs...
v	visuelle Größe
v	Vormagnetisierung
vorh	vorhanden
V	gesperrte Basis-Emitter-Diode
V	Valenzband...
V	Verbraucher...
V	Verlust...
V	Vollpol...
V	Voltmeter
V	Vorhalte...
V	Vorlauf...
V	Vorwiderstand
Vak	Vakuum
VN	Valenzniveau
w	Referenzsollwert
w	wahr
w	Wärme...
w	Warte...
w	Wicklungs...
w	Wirbelstrom...
w	Wirk...
wi	wirtschaftlich
W	Wärme...
W	Wechselspannung
W	Welle, Wellen...
W	Wendepolwicklung
W	Wiederkehr...
W	Wind
W	Windungs...
W	Wirbelstrom...
W	Wirbelstromverluste
WKM	Wärmekraftmaschine
WR	Wechselrichter
WS	Windungen pro Spule
x	induktiver Anteil
z	Flieh.., Zentrifugal...
z	Zahl
z	Zug...
z	Zünd...
z	Zusatz...
z	Zusatzlast
z	Zwischen...
z	Zwischenkreis
zu	zugeführt
zul	zulässig
Z	Zug...
Z	zugelassen
ZG	Zündgenerator
δ	Dämpfung
ν	Oberschwingung
σ	Steuerung
0c	Leerlauf
(1)	definierte Gehäusetemperatur
1	Grundschwingung
2	Läufer

5 Mathematische Zeichen

$+$	plus
$-$	minus
$\pm$	plus oder minus
$\cdot$	mal
$\times$	mal, Malkreuz
$:$	geteilt durch
$/$	geteilt durch
$=$	gleich
$\neq$	ungleich
$\approx$	ungefähr gleich
$\cong$	asymptotisch gleich
$\triangleq$	entspricht
$\equiv$	identisch gleich
$\not\equiv$	nicht identisch gleich
$\Rightarrow$	aus...folgt

$<$	kleiner als
$\leqslant$	kleiner als oder gleich
$>$	größer als
$\geqslant$	größer als oder gleich
$\ll$	klein gegen, von wesentlich kleinerer Größenordnung
$\gg$	groß gegen, von wesentlich größerer Größenordnung
$\sum$	Summe
$\prod$	Produkt
$\sqrt{}$	Wurzel aus
$\lvert\;\rvert$	Betrag von
$f(x)$	Funktion der Veränderlichen x
$g(x)$	Funktion der Veränderlichen x
$\in$	Element von
$\mathbb{R}$	Menge R
$\vec{a}$	Vektor von a
$\lvert\vec{a}\rvert$	Betrag a des Vektors $\vec{a}$
rot $\vec{A}$	Rotor eines Vektorfeldes A
div $\vec{A}$	Divergenz eines Vektorfeldes A
∞	unendlich
e	2,718281...
π	3,141592...
j	$\sqrt{-1}$, lt DIN ist auch i zugelassen
log	Logarithmus mit beliebiger Basis
$\log_a$	Logarithmus zur Basis a
$\lg = \log_{10}$	Logarithmus zur Basis 10, Briggscher Logarithmus
$\ln = \log_e$	Logarithmus zur Basis e, natürlicher Logarithmus
[ ]	geschlossenes Intervall
$\begin{pmatrix} & \end{pmatrix}$	Matrix
a_{jk}	Elemente der Matrix
$\boldsymbol{A}$	Matrix
$\boldsymbol{E}$	Nullmatrix
(m, n)-Matrix	Schema von $m \cdot n$ Zahlen, angeordnet in m Zeilen und n Spalten
$\triangle$	Delta, Differenz
$\triangle x$	Differenz von zwei x-Werten. z. B. $x_2 - x_1$
d	Differentialzeichen
dx	Differential von x, symbolischer Grenzwert von Δx für $\Delta x \to 0$
d$f(x)$	Differential der Funktion $f(x)$
$f'(x)$	Ableitung 1. Ordnung
$f''(x)$	Ableitung 2. Ordnung
$f^n(x)$	Ableitung n. Ordnung
$\frac{dy}{dx}$	erster Differentialquotient von y

$\frac{d^2y}{dx^2}$	zweiter Differentialquotient von y
$\frac{d^ny}{dy^n}$	n-ter Differentialquotient von y
$\frac{\partial f}{\partial x}$	partielle Differentiation, df partiell nach dx
$\rightarrow$	gegen (bei Grenzübergang), zugeordnet
$\int$	Integral
$\int f(x)\,dx$	unbestimmtes Integral f von x dx
$\int_a^b f(x)\,dx$	bestimmtes Integral f von x dx, a und b sind die Grenzen
$\int\int$	Doppelintegral
$\oint$	Randintegral, Hüllintegral
$F(x)$	Stammfunktion (Integralfunktion von $f(x)$)
Re(z)	Realteil von z (auch Re z)
Im(z)	Imaginärteil von z (auch Im z)
$z = a + jb$	komplexe Zahl
z^*	konjugiert komplexe Zahl von z
$\underline{z}$	Zeiger
$\mathscr{L}$	Laplace-Transformationsoperator
○—●	Korrespondenzzeichen, z. B. $f(t)$ ○—● $F(s)$, $f(t)$ ist das Original von $F(s)$
●—○	Korrespondenzzeichen, z. B. $F(s)$ ●—○ $f(t)$, $F(s)$ ist das Bild von $f(t)$
$\sphericalangle$	Winkel
sin	Sinus
cos	Cosinus
tan	Tangens
cot	Cotangens
arcsin	Arcussinus
arccos	Arcuscosinus
arctan	Arcustangens
arccot	Arcuscotangens
Arcsin, Arccos, Arctan, Arccot	Arcusfunktionen im Bereich π, z. B. $0 < y < \pi$ oder $-\pi/2 < x < \pi/2$
sinh	Hyperbelsinus, Sinus hyperbolicus
cosh	Hyperbelcosinus, Cosinus hyperbolicus
tanh	Hyperbeltangens, Tangens hyperbolicus
coth	Hyperbelcotangens, Cotangens hyperbolicus
arsin	Areasinus
arcos	Areacosinus
artan	Areatangens
arcot	Areacotangens

11 Hochspannungstechnik

Die Hochspannungstechnik beschäftigt sich mit der Erzeugung und Messung hoher Spannungen und der Dimensionierung von Isolierungen. Zur Lösung dieser Aufgaben ist es unumgänglich, die Erscheinungen in den Isoliermaterialien sowie deren Grenzschichten unter elektrischen Feldbeanspruchungen zu erforschen und zu beschreiben. Die Beurteilung der Verwendbarkeit, des Zustandes oder der weiteren Betriebstauglichkeit verschiedener Isoliermaterialien oder Isoliersysteme beruht unter anderem auf der Messung der dielektrischen Eigenschaften und deren Änderungen.

11.1 Die elektrischen Feldbeanspruchungen

Für die isoliertechnische Dimensionierung der elektrisch beanspruchten Elemente und Systeme ist die *elektrische Feldbeanspruchung* maßgebend. Eine wichtige Aufgabe ist deshalb die möglichst genaue Bestimmung dieser Beanspruchungen.

Für die Praxis wichtige Fälle sind quasistationär und können mit den Gleichungen der Elektrostatik gut beschrieben werden.

$$\operatorname{rot} \vec{E} = 0, \tag{11.1–1}$$

$$\operatorname{div} \vec{D} = \varrho, \tag{11.1–2}$$

$$\vec{D} = \varepsilon \cdot \vec{E}. \tag{11.1–3}$$

E	D	ϱ	ε
V/m	As/m²	As/m²	As/Vm

$\vec{E}$ ist die Feldstärke, $\vec{D}$ die Verschiebungsdichte, ϱ die räumliche Ladungsdichte und ε die Permittivität.

$$\varepsilon = \varepsilon_0 \cdot \varepsilon_r \tag{11.1–4}$$

ε, ε_0	ε_r
As/Vm	1

mit ε_0 als elektrische Feldkonstante, die auch Dielektrizitätskonstante genannt wird,

$$\varepsilon_0 = 8{,}859 \cdot 10^{-12}\ \text{As/Vm}. \tag{11.1–5}$$

Wenn der Raum mit einem Isolierstoff ausgefüllt ist, kommen auch die Erscheinungen im Innern des Materials zur Wirkung und somit ändert sich die Permittivität. Dies wird mit der relativen Permittivität ε_r berücksichtigt.

Aus der Gl. (11.1–2) folgt mit Hilfe des Gaußschen Satzes:

$$\oint_A \vec{D}\,d\vec{A} = Q \quad \text{und} \tag{11.1–6}$$

$$\vec{E} = \frac{Q}{\varepsilon_0 \varepsilon_r A} \tag{11.1–7}$$

D	A	Q	E	ε_0	ε_r
As/m²	m²	As	V/m	As/Vm	1

mit A als Oberfläche, die die Ladung Q umschließt. Auf eine Ladung im elektrischen Feld wird eine Kraft ausgeübt:

$$\vec{F} = \vec{E} \cdot q. \tag{11.1–8}$$

F	E	q
N	V/m	C = As

Daraus ergibt sich mit der Hilfe von Gl. (11.1–7) das Coulombsche Gesetz:

$$\vec{F} = \frac{1}{4\pi\varepsilon_0 \cdot \varepsilon_r} \cdot \frac{Q_1 \cdot q}{r^2}. \tag{11.1–9}$$

E	ε_0	ε_r	Q_1	q	r
N	As/Vm	1	As	C = As	m

Hier ist gemäß Bild 11.1–1 A eine Kugeloberfläche.

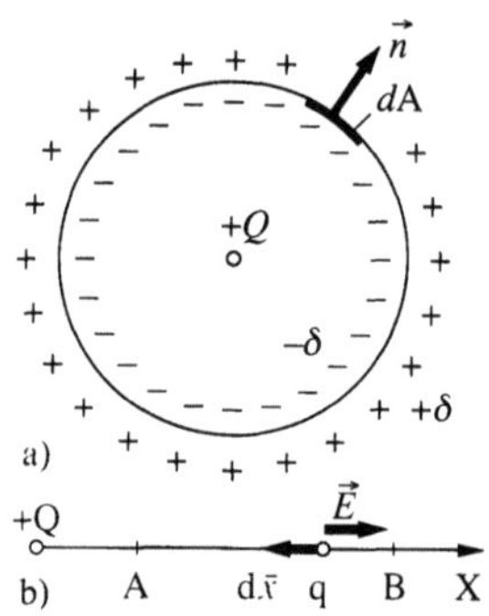

Bild 11.1-1
Bestimmung des elektrostatischen Feldes (a) und des Potentials (b)

Das Potential im elektrostatischen Feld ergibt sich aus den Grundgesetzen und der Arbeitsgleichung als

$$dW = -q \cdot \vec{E}\,d\vec{x}, \tag{11.1–10}$$

die Arbeit in einer Bewegung dx

$$W_{AB} = -q \int_B^A \vec{E}\,d\vec{x} \tag{11.1–11}$$

zwischen den mit A und B gekennzeichneten Orten und so folgt

$$U_{AB} = \frac{W}{q} = -\int_B^A \vec{E}\,d\vec{x}. \tag{11.1–12}$$

W, W_{AB}	q	E	x	U_{AB}
J	C = As	V/m	m	V

Die Feldstärke ergibt sich aus der Potentialgleichung:

$$\vec{E} = -\operatorname{grad} U, \quad (11.1\text{–}13)$$

die Verschiebungsdichte ist

$$\vec{D} = \varepsilon_0\varepsilon_r \cdot \vec{E} = -\varepsilon_0\varepsilon_r \operatorname{grad} U, \quad (11.1\text{–}14)$$

mit Gl. (11.1–1) ergibt sich

$$-\varepsilon_0\varepsilon_r \operatorname{div} \operatorname{grad} U = \varrho \quad (11.1\text{–}15)$$

D	ε_0	ε_r	E	U	ϱ
As/m²	As/Vm	1	Vm	V	As/m²

und daraus:

$$\Delta U = -\frac{\varrho}{\varepsilon_0\varepsilon_r} \quad \textit{(Laplace–Poisson Gleichung).} \quad (11.1\text{–}16)$$

Die Gleichung beschreibt das Potential in einem Raum mit der Raumladungsdichte ϱ. Ohne Raumladungen ist:

$$\Delta U = 0 \quad \textit{(Laplace Gleichung).} \quad (11.1\text{–}17)$$

Mit anderen Formeln im Descartes Koordinatensystem lautet sie:

$$\frac{\partial^2 U}{\partial x^2} + \frac{\partial^2 U}{\partial y^2} + \frac{\partial^2 U}{\partial z^2} = 0. \quad (11.1\text{–}18)$$

Bei der praktischen Anwendung dieser Grundgesetze wird, wenn die Leitfähigkeit der Materialien nicht als 0 angenommen oder vernachlässigt werden kann, die Wirkungen, Leitung, Raumladungsbildung usw. mit

$$\vec{J} = \kappa\vec{E} \quad (11.1\text{–}19)$$

J	κ	E
A/m²	S/m = A/Vm	V/m

berücksichtigt. $\vec{J}$-ist die Stromdichte und κ die spezifische Leitfähigkeit des Materials.

11.2 Berechung elektrostatischer Felder

Die *Lösung der Grundgleichungen* in geschlossener Form ist schon bei den einfacheren Fällen sehr schwierig, wenn sie überhaupt möglich ist. Deshalb existiert eine Vielfalt von Methoden für die Bestimmung der Feldverteilung und der größten Feldstärke. Die hier aufgezählten Methoden sind eine Auswahl verschiedener Lösungsvarianten und gleichzeitige Charakterisierung der am häufigsten vorkommenden Grundanordnungen.

11.2.1 Punktförmige Ladung

Die Ladungen in der Natur entstehen immer paarweise, eine alleinstehende Ladung wäre physikalisch unmöglich. Für die praktischen Fälle ist die Ladung alleinstehend, wenn die andere weit genug entfernt ist. In dem im Bild 11.2–1 gegebenen Fall sind die negativen Ladungen auf einer Kugeloberfläche verteilt, die genügend weit von der in dem Mittelpunkt sitzenden Ladung, *Punktladung*, ist (siehe auch Kap. 2, Grundlagen der Elektrotechnik). Die Ladung

$$Q = D \cdot A \quad (11.2\text{–}1)$$

ergibt sich aus der Verschiebungsdichte auf Grund

$$D = \varepsilon_0\varepsilon_r E \quad (11.2\text{–}2)$$

zu

$$Q = \varepsilon_0\varepsilon_r \cdot E \cdot A. \quad (11.2\text{–}3)$$

Q	D	E	A	ε_0	ε_r
C = As	As/m²	V/m	m²	As/Vm	1

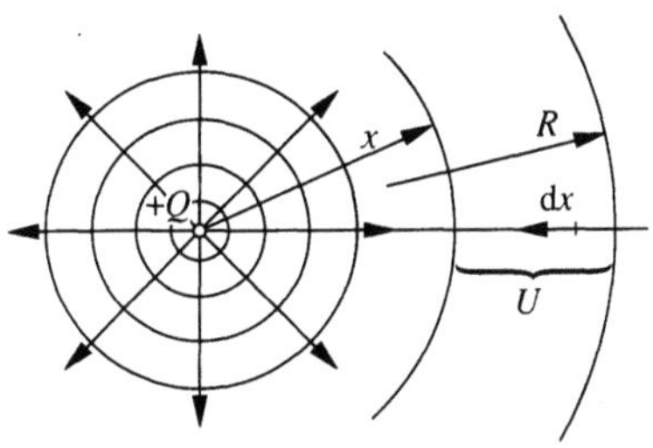

Bild 11.2-1 Das elektrostatische Feld einer punktförmigen Ladung Q

Mit A als Kugeloberfläche folgt

$$E = \frac{Q}{4\pi\varepsilon_0\varepsilon_r} \cdot \frac{1}{x^2} \quad (11.2\text{–}4)$$

und

$$U = -\int_R^x E_x \, dx = \int_x^R E_x \, dx, \quad (11.2\text{–}5)$$

$$U = \frac{Q}{4\pi\varepsilon_0\varepsilon_r} \int_x^R \frac{1}{x^2} dx = \frac{Q}{4\pi\varepsilon_0\varepsilon_r}\left(\frac{1}{x} - \frac{1}{R}\right). \quad (11.2\text{–}6)$$

Geht $R \to \infty$, so ist:

$$U = \frac{Q}{4\pi\varepsilon_0\varepsilon_r} \cdot \frac{1}{x}. \quad (11.2\text{–}7)$$

U	Q	ε_0	ε_r	x, R
V	As	As/Vm	1	m

11.2.2 Mehrere Punktladungen

Bei *mehreren Punktladungen* ist es möglich, die Einzelwirkungen zu summieren. So gilt z. B. bei drei punktförmigen Ladungen in Bild 11.2–2:

$$U_P = \frac{1}{4\pi\varepsilon_0\varepsilon_r}\left(\frac{Q_1}{d_{P1}} + \frac{Q_2}{d_{P2}} + \frac{Q_3}{d_{P3}}\right) \quad (11.2\text{–}8)$$

oder allgemein:

$$U_P = \frac{1}{4\pi\varepsilon_0\varepsilon_r} \sum_{i=1}^{n} \frac{Q_i}{d_{Pi}}. \quad (11.2\text{–}9)$$

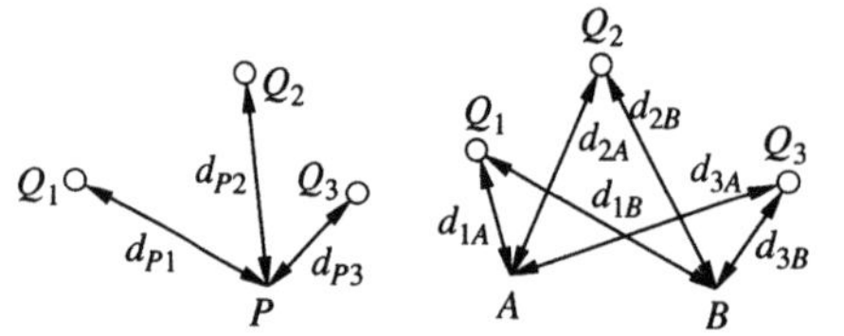

Bild 11.2-2 Feldstärke und Potentialberechnung bei mehreren Punktladungen

In praktischen Fällen ist meistens der Potentialunterschied zwischen zwei Punkten gefragt. Das ergibt unter Verwendung der Grundgleichungen:

$$U_{AB} = \frac{1}{4\pi\varepsilon_0\varepsilon_r} \sum_{i=1}^{n} Q_i \left(\frac{1}{d_{Ai}} - \frac{1}{d_{Bi}}\right). \qquad (11.2\text{–}10)$$

11.2.3 Das elektrostatische Feld unendlich langer gerader Linienladungen

Die *Linienladung* ist eine entlang einer geraden Linie verteilte Ladung mit der Ladungsdichte Q/l. Die gegenüberliegende positive Ladung ist auf einer Zylinderfläche verteilt, deren Achse selbst die Linienladung ist. Die Feldstärke ist überall radial nach außen gerichtet. Die Äquipotentialflächen sind koaxiale Zylinderflächen Bild 11.2–3. Die Feldstärke ist nach Gl. (11.1–7)

$$E_x = \frac{Q}{2\pi\varepsilon_0\varepsilon_r} \cdot \frac{1}{x}. \qquad (11.2\text{–}11)$$

E_x	Q	ε_0	ε_r	x, l, R
V/m	As	As/Vm	1	m

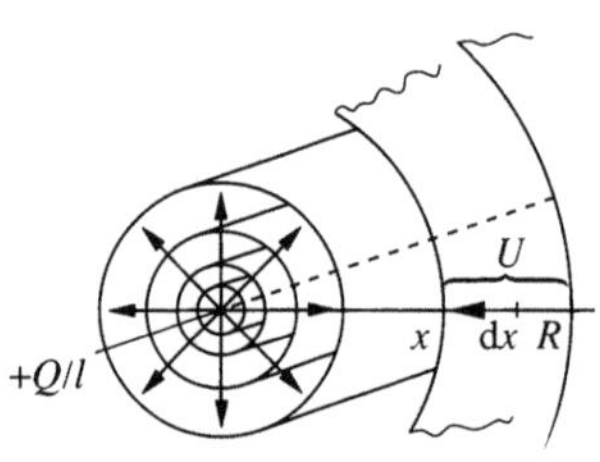

Bild 11.2-3 Das elektrostatische Feld einer Linienladung

Das Potential ergibt sich, wenn der Beziehungspunkt in der Entfernung R ist, zu:

$$U = -\int_R^x E\,\mathrm{d}x = -\frac{Q}{2\pi\varepsilon_0\varepsilon_r l}\int_R^x \frac{\mathrm{d}x}{x} = \frac{Q}{2\pi\varepsilon_0\varepsilon_r l}\ln\frac{R}{x}. \qquad (11.2\text{–}12)$$

In diesem Fall würde $R \to \infty$ nicht zur Lösung führen. In der Praxis besteht aber die Aufgabe, die Potential-Unterschiede zu bestimmen, womit der Bezugspunkt oder -fläche letztlich keine Rolle spielt.

11.2.4 Mehrere Linienladungen

Der Potentialunterschied zwischen zwei Punkten in einem von *mehreren Linienladungen* hervorgerufenen Feld ergibt sich als Resultat der von den einzelnen Ladungen erzeugten Potentialunterschiede.

$$U_{AB} = \frac{1}{2\pi\varepsilon_0\varepsilon_r l}\left[Q_1\left(\ln\frac{R}{d_{1A}} - \ln\frac{R}{d_{1B}}\right) + Q_2\left(\ln\frac{R}{d_{2A}} - \ln\frac{R}{d_{2B}}\right) + Q_3\left(\ln\frac{R}{d_{3A}} - \ln\frac{R}{d_{3B}}\right)\right]. \qquad (11.2\text{–}13)$$

U_{AB}	ε_0	ε_r	R, l, d	Q_1, Q_2, Q_3
V	As/Vm	1	m	As

Ist R die Entfernung von einem weit genug entfernten Bezugspunkt, so gilt

$$U_{AB} = \frac{1}{2\pi\varepsilon_0\varepsilon_r l}\left(Q_1\ln\frac{d_{1B}}{d_{1A}} + Q_2\ln\frac{d_{2B}}{d_{2A}} + Q_3\ln\frac{d_{3B}}{d_{3A}}\right). \qquad (11.2\text{–}14)$$

11.2.5 Plattenkondensator

Bei parallelen unendlichen Ebenen bildet sich ein homogenes elektrisches Feld (Bild 11.2–4):

$$E = \frac{Q}{\varepsilon_0\varepsilon_r A}.$$

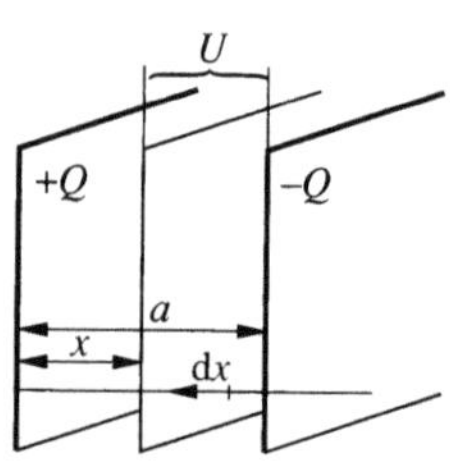

Bild 11.2-4 Plattenkondensator

Die Feldstärke ist ortsunabhängig. Das Potential ist abhängig von x:

$$U = -\int_a^x E\,\mathrm{d}x = \frac{Q}{\varepsilon_0\varepsilon_r A}(a-x). \qquad (11.2\text{–}15)$$

E	Q	A	ε_0	ε_r	U	a, x
V/m	As	m²	As/Vm	1	V	m

11.2.6 Geschichtete Dielektrika

In praktischen Anordnungen sind fast immer mehrere verschiedene Materialien zwischen den Elektroden eingesetzt.

In jedem Dielektrikum ist gültig:

$$D = \varepsilon_0 \varepsilon_r E \qquad (11.2\text{–}16)$$

und unabhängig von den Dielektrika:

$$\oint D\, dA = Q. \qquad (11.2\text{–}17)$$

D	ε_0	ε_r	E	A
As/m^2	As/Vm	1	V/m	m^2

Wenn die Feldstärke senkrecht auf den Schichtgrenzen der verschiedenen Dielektrika steht, und die Grenzfläche ladungsfrei ist, dann gilt mit Bild 11.2–5

$$D_1 = D_2$$

und daraus folgt

$$\frac{E_2}{E_1} = \frac{\varepsilon_1}{\varepsilon_2}. \qquad (11.2\text{–}18)$$

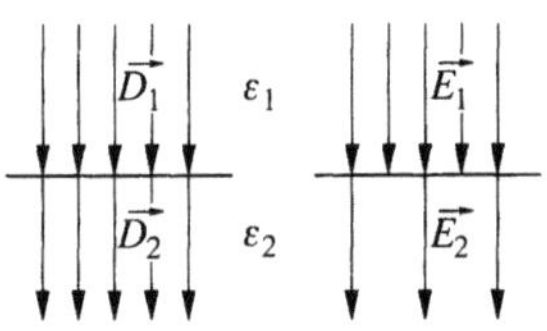

Bild 11.2-5 Feldstärke und Verschiebungsdichte bei senkrecht geschichteten Dielektrika

Die Feldstärke ändert sich sprunghaft und steht mit den Dielektrizitätszahlen in umgekehrtem proportionalem Verhältnis.
Sind Feldstärke und Schichtgrenze parallel, dann wählt man:

$$\oint E\, ds = 0, \qquad (11.2\text{–}19)$$

den Integrationsweg entsprechend Bild 11.2–6, so ist

$$E_1 d_{AB} + 0 - E_2 d_{AB} + 0 = 0 \rightarrow E_1 = E_2. \qquad (11.2\text{–}20)$$

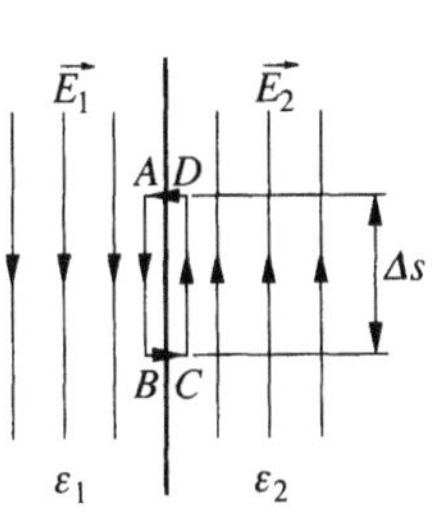

Bild 11.2-6 Parallel geschichtete Dielektrika

Wenn die Schichtgrenze (Grenzfläche) in einem beliebigen Winkel zur Feldstärke verläuft, dann gelten diese Gleichungen für die tangentiale bzw. normale Komponente (Bild 11.2–7):

$$E_{1t} = E_{2t}, \quad \frac{E_{1n}}{E_{2n}} = \frac{\varepsilon_2}{\varepsilon_1},$$

$$\frac{\tan\alpha_1}{\tan\alpha_2} = \frac{E_{1t} \cdot E_{2n}}{E_{1n} \cdot E_{2t}} = \frac{\varepsilon_1}{\varepsilon_2}. \qquad (11.2\text{–}21)$$

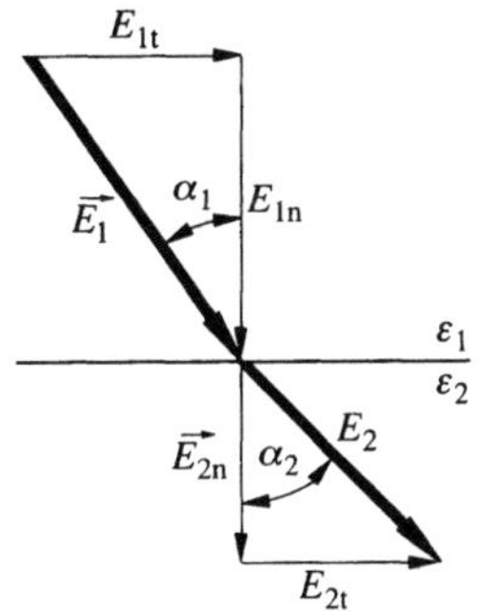

Bild 11.2-7 Feldstärkenänderung an der Schichtgrenze

11.2.7 Zylindrisch geschichtete Dielektrika

In den meisten praktischen Fällen ist die Achse der zylindrischen Grenzflächen gleichzeitig die Elektrodenachse. Die Grenzflächen sind Äquipotentialflächen und so kann die Anordnung durch eine Reihenschaltung von Kondensatoren ersetzt werden (Bild 11.2–8). Die Spannung ist:

$$U = U_1 + U_2 + \ldots + U_n. \qquad (11.2\text{–}22)$$

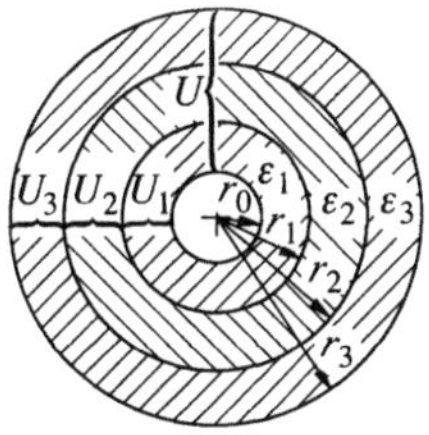

Bild 11.2-8 Zylindrisch geschichtete Dielektrika

Alle Ladungen sind gleich:

$$Q = C_1 U_1 = C_2 U_2 = \ldots = CU \rightarrow$$

$$\rightarrow U_1 = U \frac{C}{C_1}. \qquad (11.2\text{–}23)$$

Die Einzelkapazitäten sind:

$$C_i = \frac{2\pi\varepsilon_0\varepsilon_r l}{\ln \dfrac{r_i}{r_{i-1}}}. \qquad (11.2\text{–}24)$$

Aus der Spannungsgleichung folgt die Schichtspannung:

$$U_i = U \frac{\dfrac{1}{\varepsilon_i} \ln \dfrac{r_i}{r_{i-1}}}{\sum \dfrac{1}{\varepsilon_i} \ln \dfrac{r_i}{r_{i-1}}}, \qquad (11.2\text{–}25)$$

$$E_{max} = \frac{U}{r_i \ln \dfrac{r_i}{r_{i-1}}}. \qquad (11.2\text{–}26)$$

U, U_i, U_n	Q	C, C_i	$\varepsilon_0, \varepsilon_i$	ε_r	l, r_i	E_{max}
V	As	As/V	As/Vm	1	m	V/m

11.2.8 Spiegelung

Es gibt eine Vielzahl von Ladungsanordnungen, für die die Äquipotentialflächen als bestimmte geometrische Formen berechnet werden können. In anderen Fällen sind die geometrischen Formen von Metallelektroden mit Ladungsanordnungen oder mit anderen Elektroden angegeben, woraus die Feldverteilung sowie die größte Feldstärke berechnet werden soll. Bei der Lösung sucht man zu den gegebenen Ladungsanordnungen solche andere Ladungen, so daß im Gesamtfeld die Elektrodenoberflächen Äquipotentialflächen bilden. Die Spannung zwischen den Elektrodenflächen ergibt sich aus dem Potentialbild. Da die gesuchte Ersatzladung auf der anderen Seite der Elektrodenoberfläche liegt – mit bestimmtem Abstand und bestimmter Ladungsgröße – ist dieses Vorgehen als *Spiegelung* mit bestimmten Gesetzmäßigkeiten anzusehen. So können die Felder paralleler zylindrischer Anordnungen sowie von Zylinder-Platte-Anordnungen berechnet werden. Im Fall der parallelen Zylinder werden die elektrischen Achsen gesucht, wo die elektrischen Linienladungen plaziert werden müssen, damit die Zylinderelektroden mit den Äquipotentialflächen übereinstimmen. Die elektrischen Achsen sind gemäß Bild 11.2–9 gegenüber den geometrischen Achsen verschoben. Aufgrund des Bildes 11.2–9 ist in $K_1T_1E_1$

$$r_1^2 = t_1(D-t_2),$$

und in $K_2T_1E_2$

$$r_2^2 = t_2(D-t_1). \qquad \frac{r_1,\, r_2,\, t_1,\, t_2,\, D}{\text{m}} \qquad (11.2\text{–}27)$$

Damit ist

$$U_{AB} = \frac{1}{2\pi\varepsilon_0\varepsilon_r l}\left(Q_1 \ln\frac{d_{1B}}{d_{1A}} - Q_2 \ln\frac{d_{2B}}{d_{2A}}\right). \qquad (11.2\text{–}28)$$

Wenn $Q_1 = Q_2 = Q$, dann gilt

$$U_{AB} = \frac{Q}{2\pi\varepsilon_0\varepsilon_r l}\ln\frac{d_{1B}d_{2A}}{d_{1A}d_{2B}} \qquad (11.2\text{–}29)$$

und

$$Q = Ul\frac{2\pi\varepsilon_0\varepsilon_r}{\ln\dfrac{d_{1B}d_{2A}}{d_{1A}d_{2B}}}. \qquad (11.2\text{–}30)$$

Daraus folgt

$$E_A = \frac{U}{\ln\dfrac{d_{1B}d_{2A}}{d_{1A}d_{2B}}}\left(\frac{1}{d_{1A}} + \frac{1}{d_{2A}}\right);$$

$$E_B = \frac{U}{\ln\dfrac{d_{1B}d_{2A}}{d_{1A}d_{2B}}}\left(\frac{1}{d_{1B}} + \frac{1}{d_{2B}}\right). \qquad (11.2\text{–}31)$$

U, U_{AB}	ε_0	ε_r	l, d	Q	E_A, E_B
V	As/Vm	1	m	As	V/m

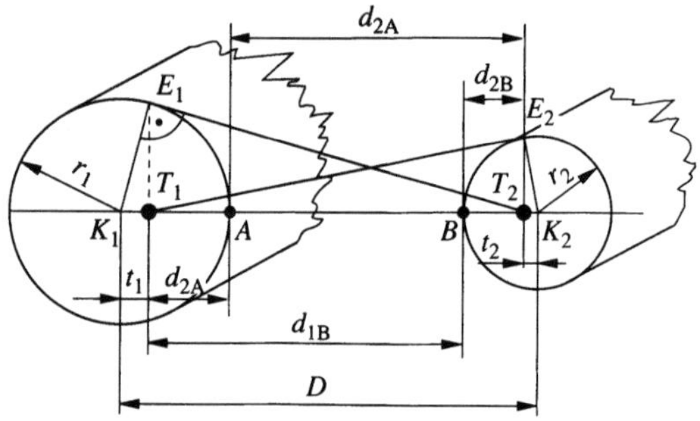

Bild 11.2-9 Das Feld paralleler Zylinderelektroden; Bestimmung der Ersatz-Linienladung

Die Felder Zylinder-Platte oder nicht koaxiale Zylinder lassen sich anhand der Beispiele nach ähnlichen Methoden berechnen.

11.2.9 Numerische Berechnung elektrostatischer Felder

In vielen für die Dimensionierung wichtigen Fällen ist es nicht möglich, die Potentialgleichung in geschlossener Form zu lösen. In solchen Fällen kann man die sich rasch weiterentwickelnden numerischen Näherungsmethoden verwenden. Die bekanntesten Methoden sind das *Differenzenverfahren*, die *Finite-Elemente-Methode* sowie die *Monte-Carlo-Simulation*. Diese Methoden suchen direkt eine Näherungslösung der Potentialgleichungen. Der Feldraum wird in Gitterelemente aufgeteilt und der Potentialverlauf elementweise approximiert, bei der Finite-Elemente-Methode die Energieminimierung gesucht. Um die Genauigkeit zu erhöhen, werden die Gitteraufteilungen weiter verfeinert.
Die *Ersatzladungsmethode* ist eine Superposition von Teillösungen. Das Feldbild ist das Ergebnis der überlagerten Wirkungen einer Vielzahl konzentrierter Ladungen, die die Elektrodenflächen nachbilden.
Durch Vereinfachungen der Elektrodengeometrie läßt sich oft der rechnerische Aufwand wesentlich reduzieren. Wegen Platzmangel müssen wir auf die breite Literaturpalette der numerischen Methoden hinweisen [11.1], [11.4], [11.11], [11.12].

11.2.10 Messung elektrostatischer Felder

Die Bestimmung *elektrostatischer Felder* ist natürlich auch durch Messungen möglich. Die Meßmethoden werden oft angewendet, vor allem bei äußerst komplizierten Elektrodenanordnungen oder bei Feldern, die durch Raumladungen beeinflußt werden. Die Messung kann entweder direkt an den untersuchten Objekten oder an analogen Abbildungen durchgeführt werden.

11.2.10.1 Direkte Messung

Wenn zwischen den Elektroden in das elektrische Feld eine Kapazitätssonde mit leifähiger Verbindung zu einer Elektrode eingesetzt wird, dann fließt durch diese Sonde ein Strom, der zur elektrischen Feldstärke am Einsatzort proportional ist. Durch Kompensation lassen sich die Potentiale in verschiedenen räumlichen Anordnungen sowie an der Oberfläche von Feststoffisolatoren bestimmen. Die Meßsonde nimmt immer das Potential auf, das der Äquipotentialfläche am Ort entspricht. Wenn zwischen Meßelektrode und Kompensationsspannungsquelle ein Nullinstrument eingesetzt wird, kann das Potential jedes Ortes bestimmt werden.

11.2.10.2 Analoge Abbildung

Die Analogien zwischen elektrostatischen Feldern und stationären Strömungsfeldern können zur Bestimmung der entsprechenden Größen benutzt werden.

$$\vec{D} = \vec{E} \cdot \varepsilon, \quad (11.1\text{–}3) \qquad \vec{J} = \vec{E} \cdot \gamma, \quad (11.2\text{–}32)$$

$$\operatorname{div} \vec{D} = 0, \quad (11.1\text{–}2) \qquad \operatorname{div} \vec{J} = 0, \quad (11.2\text{–}33)$$

$$\operatorname{div} \operatorname{grad} U = 0 \quad \text{(allgemein)}. \quad (11.1\text{–}17)$$

D	E	ε	J	U	γ
As/m²	V/m	As/Vm	A/m²	V	A/Vm

Unter gleichen Grenzbedingungen, d. h., bei gleichen Elektrodenanordnungen stimmt die Potentialverteilung im elektrostatischen Feld mit dem des Strömungsfeldes überein. Das Meßverfahren ist einfach, das Strömungsfeld wird entweder auf leitfähigem Papier oder in einem Elektrolyten abgebildet und das Potentialbild mit einer Kompensationsmethode ausgemessen (Bild 11.2–10). Mit dem *elektrolytischen Trog* lassen sich mit der Änderung der Elektrolyttiefe verschiedene Dielektrika (ε) nachbilden.

$$\frac{\varepsilon_1}{\varepsilon_2} = \frac{E_2\gamma}{E_1\gamma} = \frac{J_2}{J_1} = \frac{h_2}{h_1}. \quad (11.2\text{–}34)$$

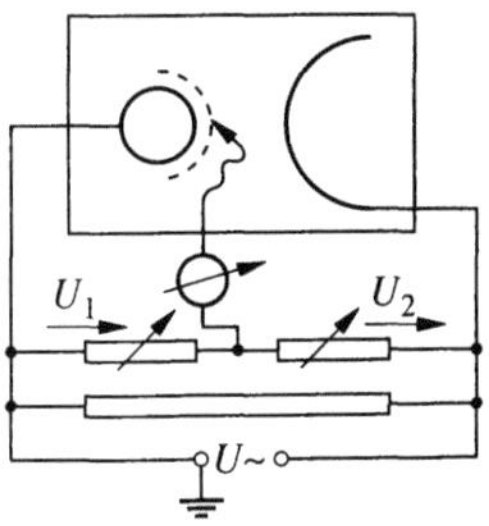

Bild 11.2-10
Prinzipschaltbild des elektrolytischen Troges

Aus den analogen Abbildungen kann man die maximale Feldstärkenerhöhung in bezug auf den minimalen Elektrodenabstand ermitteln. Dieser sogenannte *Inhomogenitätsfaktor* kann dann bei der originalen Elektrodenanordnung für die Berechnung der maximalen Feldstärke benutzt werden (Bild 11.2–11). Aus dem Feldbild folgt

$$E_{max} = \left(\frac{dU}{dx}\right)_{max} \quad (11.2\text{–}35)$$

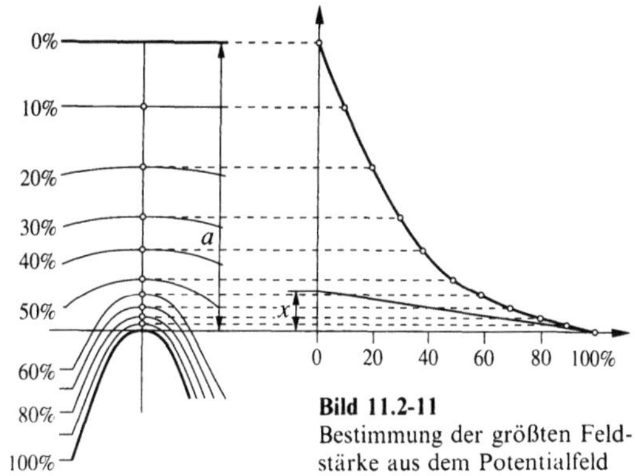

Bild 11.2-11
Bestimmung der größten Feldstärke aus dem Potentialfeld

und der Inhomogenitätsfaktor

$$f = \frac{E_{max}}{E}. \quad (11.2\text{–}36)$$

Damit ist

$$E_{max} = f \frac{U}{a_{min}} \quad (11.2\text{–}37)$$

E, E_{max}	U	x, a_{max}	f
V/m	V	m	1

[11.1], [11.4], [11.7], [11.10].

11.3 Erzeugung hoher Spannungen

Für die Untersuchung der physikalischen Erscheinungen in Hochspannungsfeldern sowie des Verhaltens von Isoliermaterialien und -systemen werden verschiedene Hochspannungsanlagen verwendet. Die zur Prüfung am häufigsten benutzten Spannungsformen sind:

- Wechselspannung,
- Gleichspannung,
- Stoßspannung.

Für spezielle Untersuchungen sind noch einige andere Spannungsformen verbreitet.

11.3.1 Wechselspannung

Mit wachsender Spannung der Energieübertragung wächst gleichzeitig das Prüfspannungsniveau der hierzu verwendeten Anlagen. Solche Anlagen sind vor allem *Prüftransformatoren*. Diese sind meistens einseitig geerdete, speziell dimensionierte Einphasentransformatoren. Neben hoher Spannung (große Übersetzung) werden feine Spannungseinstellung und gute Sinusform bei relativ kleinen Leistungen gefordert.

Die in einer Einheit auch wirtschaftlich verwirklichbaren Spannungen werden durch die verwendeten Isolationssysteme begrenzt (Isolierung der Wicklungen und Durchführungen). Die verschiedenen Varianten unterscheiden sich durch die Bauweise bzw. durch die wirtschaftliche Verwirklichung der Isolationssysteme.

11.3.1.1 Einstufige Schaltungen (nach Fischer)

Die Wicklungen des Transformators werden so hergestellt, daß sie koaxial zylindrisch aufeinander gesetzt werden, wobei jede Lage etwas kürzer als die darunterliegende ist. Die innerste ist auf dem niedrigsten Spannungsniveau und jede weitere Lage hat stufenweise höhere Spannung. Das Wicklungsende liegt immer weiter entfernt vom Eisenkern. Damit ist schon durch den Aufbau ein gleichmäßiger Spannungsanstieg und gute Ausnützung der Isolation möglich (Bild 11.3–1).

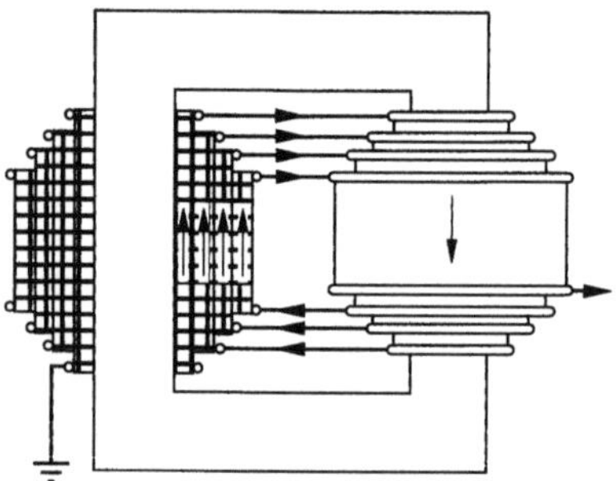

Bild 11.3-1 Hochspannungswicklung nach Fischer

11.3.1.2 Kesselbauweise

Bei der *Kesselbauweise* befinden sich die Wicklungen in einem Stahlkessel. Die Hochspannung wird durch einen Durchführungsisolator herausgeführt (Bild 11.3–2). Eine weitere Möglichkeit zur Spannungserhöhung ist, das Gehäuse auf halbes Potential zu setzen, und die Mitte der Hochspannungswicklung damit zu verbinden. Das Gehäuse muß isoliert aufgestellt sein, die Wicklungsenden sind durch die Durchführungsisolatoren herausgeführt, die aber nur für die halbe Spannung auszulegen sind.

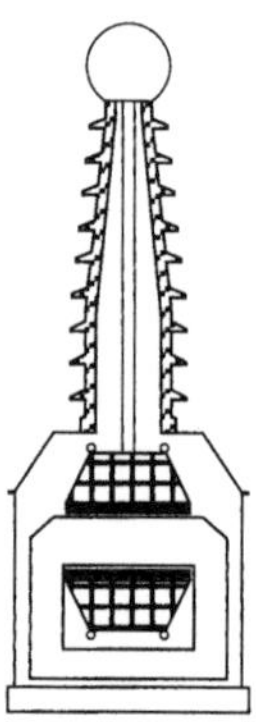

Bild 11.3-2 Hochspannungstransformator in Kesselbauweise

11.3.1.3 Isolierzylinderbauweise

Bei der *Isolierzylinderbauweise* ist das Gehäuse voll aus Isoliermaterial in zylindrischer Form gebaut; die Hochspannungselektrode wird oben durch den Deckel herausgeführt. Somit wird eine zusätzlicher Durchführungsisolator eingespart (Bild 11.3–3).

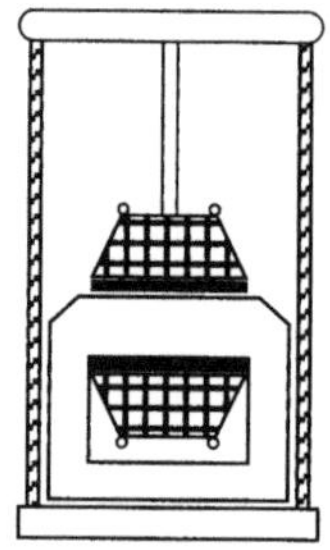

Bild 11.3-3 Hochspannungstransformator in Isolierzylinderbauweise

11.3.1.4 Kaskadenschaltungen

Wegen der wachsenden isoliertechnischen Probleme – insbesondere bei den Durchführungsisolatoren –, werden Prüftransformatoren in einer Einheit meistens nur bis 800 kV gebaut. Höhere Spannungen werden mit mehreren in Serie geschalteten Transformatoren erzeugt, wobei jede Isolierung nur mit der Einheitsspannung beansprucht wird.
Die Erregerwicklungen können durch mehrere Isoliertransformatoren (Dessauer) oder seltener durch isoliert aufgestellte Generatoren (Austin) gespeist werden (Bild 11.3–4).

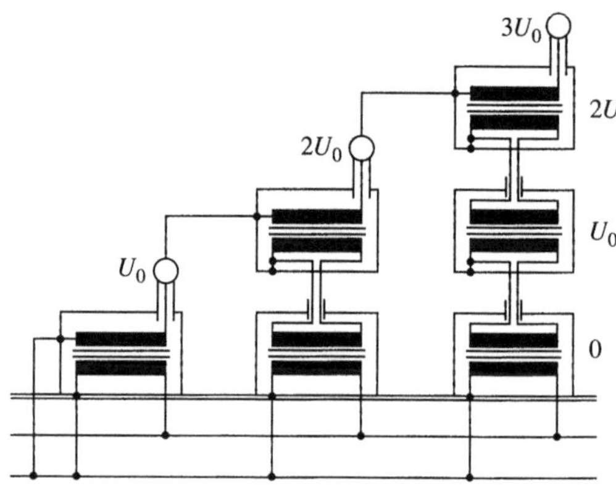

Bild 11.3-4 Kaskadenschaltung (Dessauer)

Die meist verwendete und einfachste Lösung ist die *Kaskadenschaltung,* in der die Hochspannungs-Wicklungen direkt in Reihe geschaltet und die Erregerwicklungen als Folgespule über eine Koppelstufe die nächste Stufe speisen (Bild 11.3–5).

Noch einfacher ist die Ausführung, wenn die einzelnen Stufen als Spartransformatoren gespeist werden und die Einspeisung für die nächste Stufe von dem Ende der vorigen Wicklung abgenommen wird (Bild 11.3–6). Die erste Stufe der Kaskade muß die gesamte Leistung übertragen, die letzte Stufe ist jedoch nur mit einem Bruchteil (abhängig von der Stufenzahl) belastet. Jede einzelne Stufe liegt auf einer höheren Spannung gegen Erde und muß entsprechend isoliert aufgestellt sein. Die in einer Einheit erreichbaren Spannungen lassen sich durch eine einfache Änderung erhöhen, indem man das Gehäuse und den Eisenkern auf halbes Potential legt (Bild 11.3–7). K_1

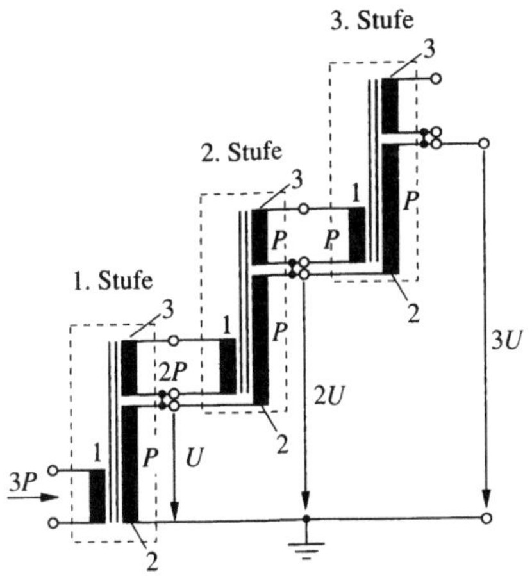

Bild 11.3-5 Kaskadenschaltung mit Koppelstufe

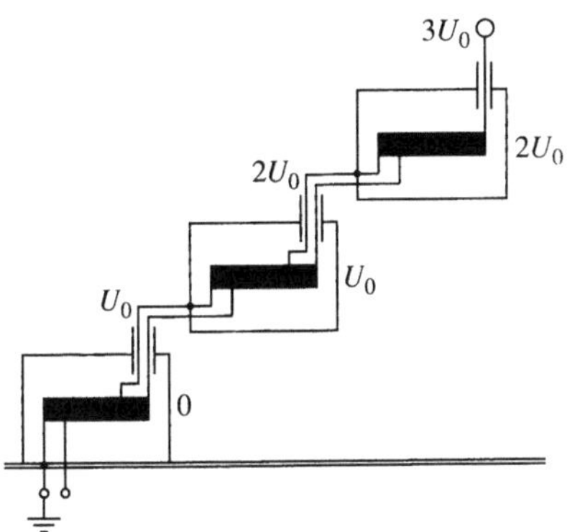

Bild 11.3-6 Kaskandenschaltung mit Spartransformator-Erregerwicklung

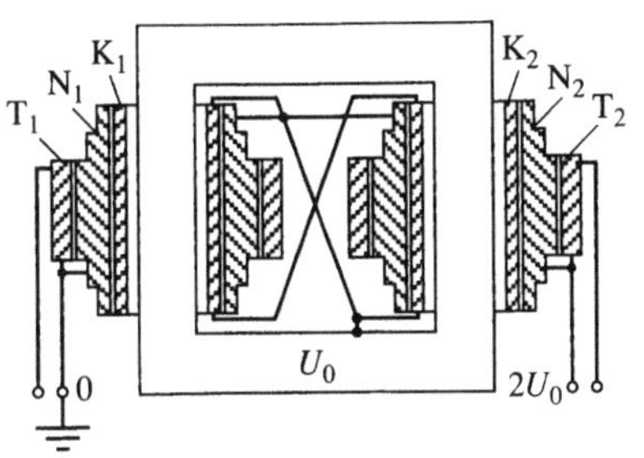

Bild 11.3-7 Transformatorwicklung, Gehäuse und Eisenkern haben das halbe Potential

und K_2 sind in dieser Schaltung Ausgleichwicklungen, die Spannungsunterschiede ausgleichen, die eventuell durch auftretende Streuungsunterschiede verursacht werden. T_1 und T_2 sind die primäre und sekundäre Speisewicklung.

Prüftransformatoren sind häufig kaum belastet, aber der Innenwiderstand des Prüftransformators muß so klein sein, daß Entladungsvorgänge am Prüfling keine starken Spannungseinbrüche am Transformatorausgang verursachen. Bei einigen Prüfkörpern, z. B. bei verschmutzten Isolatoren oder bei Prüfkörpern mit großen Kapazitäten, fließen ohne Durchschlag schon bedeutende Ströme (10...20A). Große Belastungskapazitäten können zu einer Spannungserhöhung führen (Bild 11.3–8).

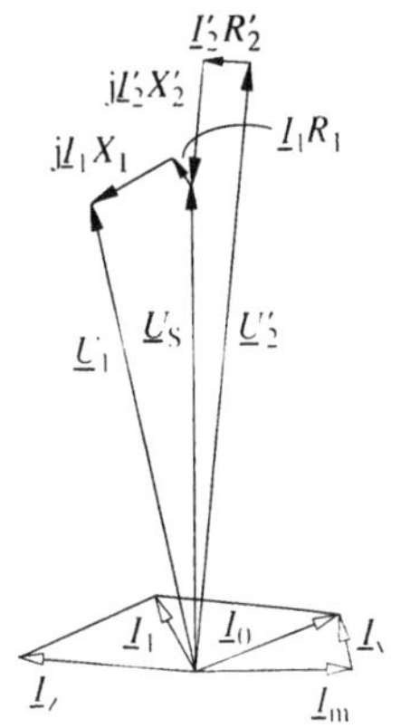

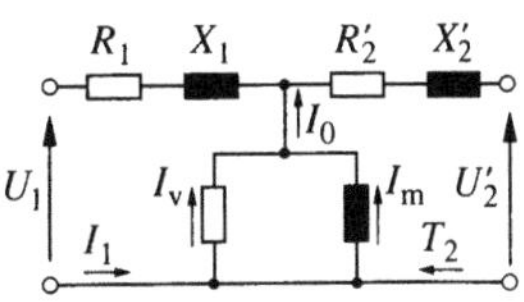

Bild 11.3-8 Zeigerdarstellung eines kapazitiv belasteten Prüftransformators

Die Wechselspannungs-Prüfanlage muß fein einstellbar sein. Dazu sind Stelltransformatoren gut geeignet, wobei für feinere Einstellungen und veränderliche Spannungssteigerungsgeschwindigkeit zwei Stelltransformatoren in Serie geschaltet werden.

11.3.1.5 Resonanzschaltungen

Werden eine Spule (Induktivität) und ein Kondensator (Kapazität) in Reihe geschaltet, so bilden sie bei entsprechenden Verhältnissen einen Resonanzkreis, der bei vergleichsweise niedriger Gesamtspannung zu einer wesentlichen Spannungserhöhung an Spule und Kondensator führen kann. Der *Reihenresonanzkreis* wird durch einen Transformator erregt. Besonders vorteilhaft können solche Prüfkreise bei großen Prüflingskapazitäten angewendet werden (z. B. Kabel). Bei der Ausführung von *Serien-Resonanzanlagen* für die Prüfung verschiedener Isolieranordnungen mit unterschiedlichen Kapazitäten ergeben sich zwei Möglichkeiten. Bei der Einspeisung mit fester Frequenz muß die Induktivität veränderlich sein, um die Resonanzbedingungen einstellen zu können (Bild 11.3–9).

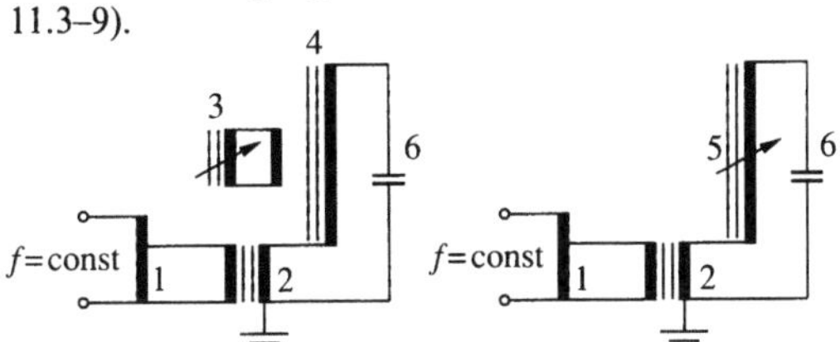

Bild 11.3-9 Resonanzschaltungen mit konstanter Frequenz für Hochspannungserzeugung

1 Stelltransformator,
2 Erregertransformator,
3 Drossel mit variabler Induktivität,
4 Drosselentkopplung,
5 Hochspannungsdrossel mit variabler Induktivität,
6 Prüfkreiskapazität

Bei konstanter Induktivität muß die Erregerfrequenz stufenlos einstellbar sein. Da die Resonanzfrequenz proportional zu $1/\sqrt{C_P}$ ist, ändert sie sich auch bei unterschiedlichen Prüflingskapazitäten verhältnismäßig wenig. Eine weitere Resonanz-Prüfschaltung ist der *Tesla-Transformator* (Bild 11.3–10), der gedämpfte Spannungsschwingungen erzeugt. Die Schaltung besteht aus zwei miteinander magnetisch gekoppelten Schwingkreisen. Im Primärkreis wird ein Kondensator aufgeladen und durch die parallelgeschaltete Funkenstrecke periodisch entladen. Während der Entladung entstehen Schwingungen, die durch Ankoppelung an den anderen, den eigentlichen Prüfkreis übergeben werden. Dort entstehen abklingende Hochfrequenzschwingungen. Abhängig von den Kreisparametern und den Übersetzungsverhältnissen können so Spannungen bis 1 MV mit Frequenzen zwischen 10 kHz und 100 kHz erzeugt werden.

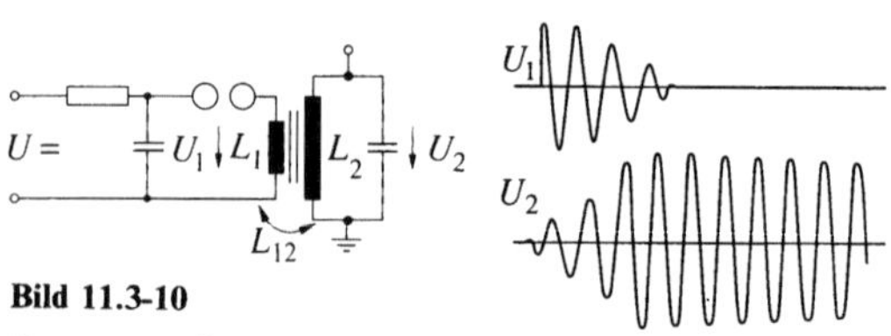

Bild 11.3-10

Resonanzschaltung für gedämpft-periodische Schwingungen (Tesla)

11.3.2 Gleichspannung

Gleichspannung kann als gleichgerichtete Wechselspannung oder direkt durch Ladungstrennung erzeugt werden. Aufgrund des Funktionsprinzips sind die *Gleichrichterschaltungen* höher belastbar; die direkte Ladungstrennung kann bei geringer Belastbarkeit höhere Spannungen erreichen. Bei den Gleichrichterschaltungen kann die Spannungseinstellung mit bekannten Methoden schon auf der Wechselspannungsseite erfolgen. Es sind zusätzliche Maßnahmen erforderlich, um die Welligkeit der Spannung unter den gewünschten Grenzen zu halten. Bei den elektrostatischen Generatoren bestimmt das Arbeitsprinzip, daß die erzeugte Spannung durch mechanische Größen beeinflußt wird.

11.3.2.1 Einweg-Gleichrichterschaltung

Bei der gewöhnlichen *Einwegschaltung* wird parallel zur Belastung ein Glättungskondensator eingeschaltet. Wie Bild 11.3–11 zeigt, ergibt sich eine geglättete Gleichspannung mit überlagerter Wechselspannungskomponente. Die bekannte Einweg-Gleichrichterschaltung kann so modifiziert werden, daß die erreichbare Spannungshöhe verdoppelt wird, wenn die Bauelemente der Schaltung vertauscht werden *(Villard-Schaltung)*. Die Glättung der Ausgangsspannung ist in diesem Fall nicht möglich (Bild 11.3–12). Eine Erweiterung dieser Schaltung ist die *Greinacher-Schaltung*. Die zusätzliche Diode ermöglicht die Spannungsglättung und ermöglicht einen weiteren Ausbau für mehrstufige Schaltungen (Bild 11.3–13).

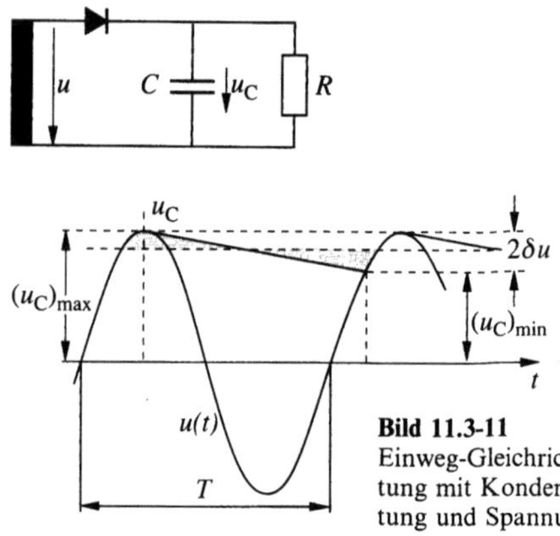

Bild 11.3-11
Einweg-Gleichrichterschaltung mit Kondensatorglättung und Spannungsbild

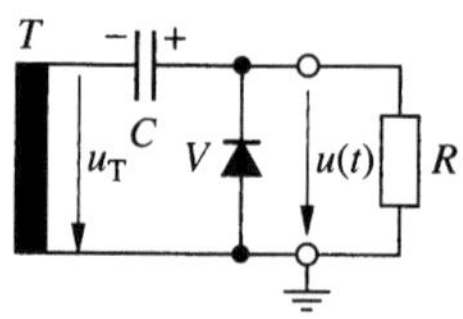

Bild 11.3-12
Gleichrichterschaltung (Villard)

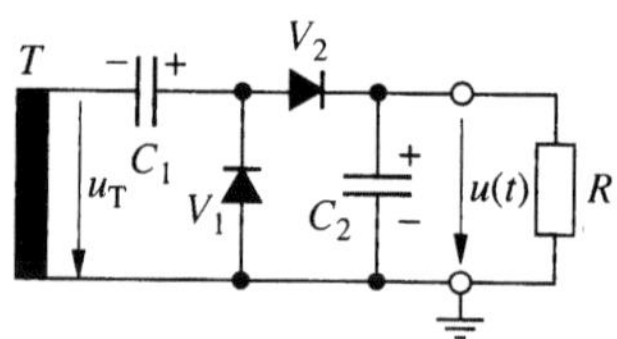

Bild 11.3-13
Gleichrichterschaltung (Greinacher)

Durch den Zusammenbau mehrerer Stufen können *Kaskadenschaltungen* aufgebaut werden. Durch die aufgeladenen Kondensatoren werden die Eckpunktpotentiale immer weiter erhöht. Somit können mit der Stufenzahl sehr hohe Spannungen erreicht werden. Allerdings tritt bei Belastung ein großer Spannungsabfall auf. Diese Probleme sind geringer, wenn die Kaskadenschaltung durch Transformatoren unterstützt wird. In dem Fall wird auf dem entsprechenden Potential eine weitere Wechselspannungsleistung zugeführt. Die Schaltung besteht aus mehreren in Reihe geschalteten Gleichrichterkreisen (Bild 11.3–14).

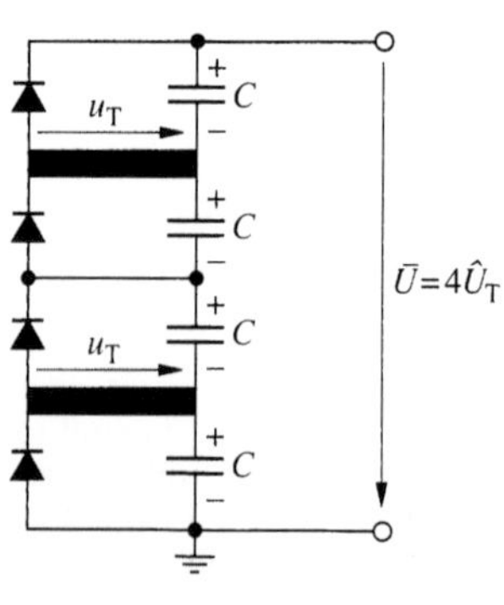

Bild 11.3-14
Transformator-unterstützte Kaskaden-Gleichrichterschaltung

11.3.2.2 Elektrostatische Generatoren

In *elektrostatischen Generatoren* werden die Ladungen voneinander getrennt und entgegen den elektrostatischen Kräften bewegt. Die zu diesem Vorgang notwendige Energie wird mechanisch zugeführt. Wegen der niedrigen Belastbarkeit werden diese Generatoren dort eingesetzt, wo sehr große Spannungen erforderlich sind, aber fast keine Leistung gebraucht wird (z. B. Beschleuniger bei der Kernforschung, elektrostatische Filter usw.).

11.3.2.3 Van-de-Graaff-Bandgenerator

Die Wirkungsweise des Generators zeigt Bild 11.3–15. Zwischen zwei Zylindern läuft mechanisch angetrieben ein Band aus Isolierstoff. Das Band wird unten von einer Spannungsquelle über eine scharfkantige Elektrode durch Teilentladungen aufgeladen. Die Ladungen bleiben an dem Isolierband haften und werden somit nach oben in das Innere der Hochspannungselektrode transportiert. Dort kann diese Ladung bei entsprechender Ladungsträgerdichte mit einer scharfkantigen Anordnung wieder abgenommen werden. Bei den erzeugten hohen Spannungen werden Steuerelektrodensysteme eingesetzt, um die bestmöglichen Feldverteilungen zu erreichen. Die Bänder laufen in Isoliergasen bei hohem Druck (N_2; SF_6).

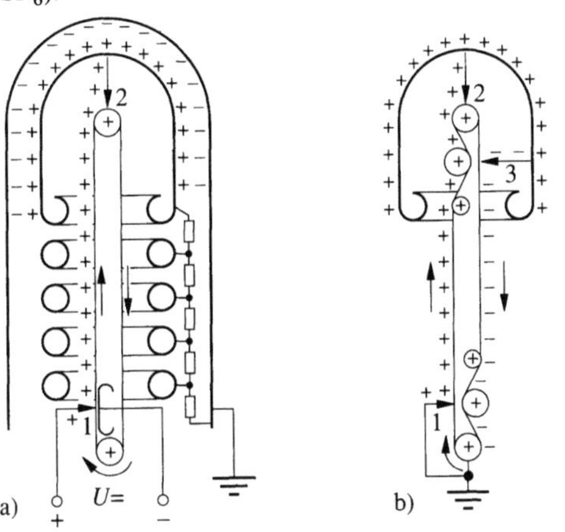

Bild 11.3-15 Van-de-Graaff-Generator
a) Außenerregung,
b) Selbsterregung,
1 bis 3 Nadelreihen für die Spannungszuführung

Bis zu einigen Hundert kV kann das Band durch eine geeignete Isoliertrommel ersetzt werden. Der symmetrische Aufbau ermöglicht hohe Trommelgeschwindigkeiten und der Strom kann durch die Zahl der Pole vergrößert werden.

11.3.3 Stoß-Spannung

In Energieübertragungssystemen können durch äußere oder innere Vorgänge (Schaltungen, Blitzeinwirkungen) kurzzeitig sehr hohe Spannungsbeanspruchungen auftreten. Diese sogenannten *Stoß-Spannungen* werden für die Untersuchungen auch unter Laborbedingungen erzeugt. Für diese Prüfungen sind die Kenngrößen des Spannungsverlaufes in Normen festgelegt [11.16].

International unterscheidet man zwischen *Blitzstoß-Spannung* und *Schaltstoß-Spannung*. Stoß-Spannungen mit 12 µs bis zum Scheitelwert sind die Blitzstoß-Spannungen; die Schaltstoß-Spannung läuft langsamer ab und die Scheitelzeit beträgt gewöhnlich ca. 200...250 µs. Für einige Untersuchungen werden noch die abgeschnittenen Spannungswellen benutzt. Damit wird ein während der Beanspruchung erfolgter Durchschlag in einem anderen Teil des Kreises modelliert.

Die Kenngrößen sind Bild 11.3–16 zu entnehmen.

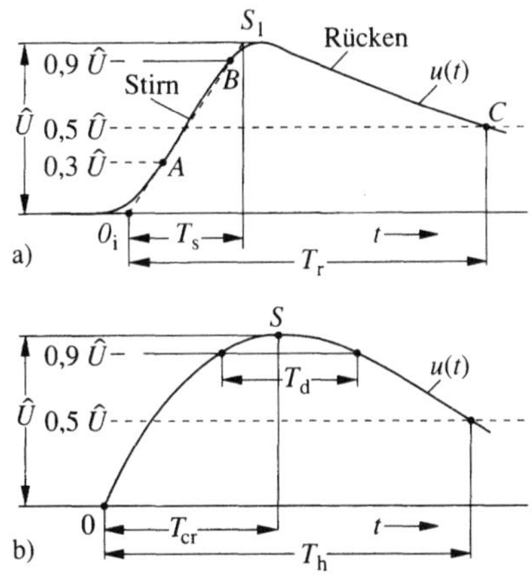

Bild 11.3-16 Stoß-Spannungskenngrößen
a) Blitzstoß-Spannung,
b) Schaltstoß-Spannung

11.3.3.1 Erzeugung von Stoß-Spannungen

Der einfachste und übliche Weg zur Erzeugung der von den Normen vorgeschriebenen Spannungsformen ist die Überlagerung zweier Ladungsvorgänge. Mit der Spannung U_0 wird der Stoßkondensator über einen Ladewiderstand aufgeladen (Bild 11.3–17).

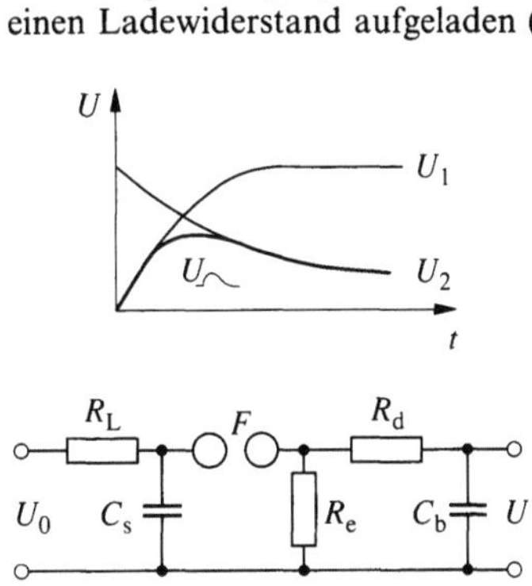

Bild 11.3-17 Stoß-Spannungserzeugung

Durch die stromfreien Widerstände entsteht die gleiche Spannung zwischen den Kugeln der Kugelfunkenstrecke (F). Durch den spontanen Durchschlag oder durch Außenzündung der Funkenstrecke wird – bei den gewählten Widerstandsverhältnissen – der Belastungskondensator C_b durch den Dämpfungswiderstand R_d steil aufgeladen und mit einer wesentlich größeren Zeitkonstante durch den Entladungswiderstand R_e entladen. Die Ausgangsspannung wird von den Klemmen des Belastungskondensators abgenommen. Der zeitliche Verlauf der Stoß-Spannung wird von den Größen der einzelnen Elemente bestimmt:

$$U_1 = U_0(1 - e^{at}), \quad \text{Aufladung,} \tag{11.3–1}$$

$$U_2 = U_1 e^{-bt}, \quad \text{Entladung,} \tag{11.3–2}$$

$$U = U_0[e^{-bt} - e^{-(a+b)t}] = U_0(e^{-bt} - e^{-ct}), \quad \text{Ausgangsspannung,} \tag{11.3–3}$$

wobei

$$a = \frac{1}{T_1} = \frac{1}{R_d C_b}, \tag{11.3–4}$$

$$c = \frac{T_1 + T_2}{T_1 \cdot T_2}, \tag{11.3–5}$$

$$b = \frac{1}{T_2} = \frac{1}{R_e C_s}. \tag{11.3–6}$$

U, U_0, U_1, U_2	a, b, c	t, T_1, T_2	R_d, R_e	C_b, C_s
V	s^{-1}	s	$\Omega = V/A$	F = As/V

Die bei einer Entladung umgesetzte Stoßenergie beträgt:

$$W = \frac{1}{2} C_s U_0^2. \tag{11.3–7}$$

W	C_s	U_0
J	F = As/V	V

Ist U_0 die höchstmögliche Ladespannung, so ist W die maximale Stoßenergie, gleichzeitig eine wichtige Kenngröße des Stoß-Spannungsgenerators.

Die Erhöhung der Spannung erfolgt durch die Vergrößerung der Schlagweite; eine höhere Eingangsspannung vergrößert durch schnellere Aufladevorgänge die Stoßfolgefrequenz. Für die Erzeugung höherer Spannungen werden *Vervielfachungsschaltungen* eingesetzt. Bei diesen Schaltungen werden mehrere Kondensatoren gleichzeitig parallel aufgeladen und durch Zünden der Kugelfunkenstrecken in Reihe geschaltet. Dadurch entsteht an den Klemmen des Belastungskondensators bei n Stufen die n-fache Spannung.

Da die Prüflingskapazität mit dem Belastungskondensator parallel geschaltet ist, werden die Zeitkonstante und dadurch der zeitliche Ablauf der Stoß-Spannung von größeren Prüflingskapazitäten beeinflußt (Bild 11.3–18).

Für genaueres Starten oder zeitliches Abbrechen der Spannungswelle werden gesteuerte Funkenstrecken angewendet (Bild 11.3–19).

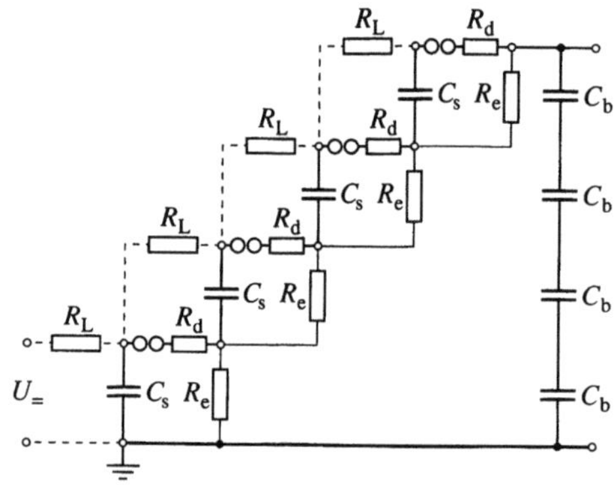

Bild 11.3-18 Mehrstufiger Stoßspannungserzeuger

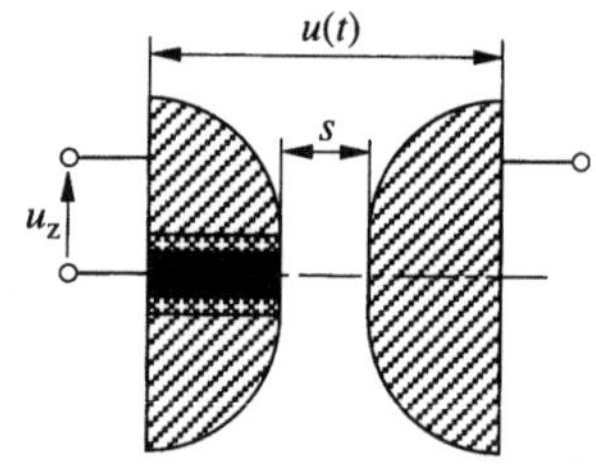

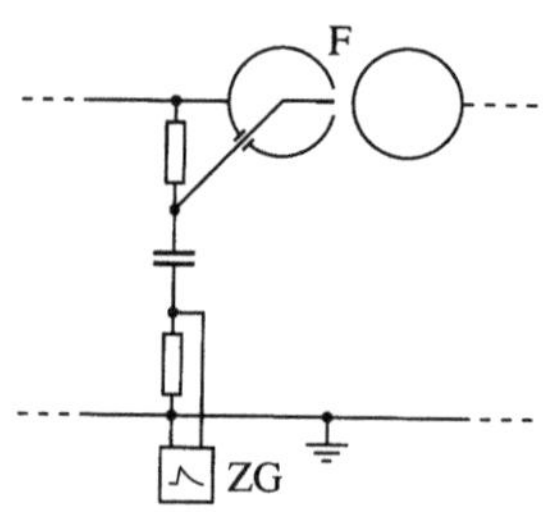

Bild 11.3-19 Gesteuerte Kugelfunkenstrecke

11.4 Messung hoher Spannungen

Die *Messung hoher Spannungen* bringt besondere meß- und isoliertechnische Probleme mit sich. Für die Lösung dieser Probleme werden Schaltungen verwendet, die entweder eine Messung einer übersetzten, proportionalen Spannung erlauben oder die Wirkungen von hohen Spannungen bzw. Feldstärken zur Direktmessung ausnutzen.

11.4.1 Kugelfunkenstrecke

Die Durchschlagsspannung einer *Kugelfunkenstrecke* mit bestimmtem Elektrodenabstand ist unter gleichen Bedingungen eine feste, gut reproduzierbare Größe. Diese Eigenschaft kann für die Spannungsmessung benutzt werden.

Solange der Elektrodenabstand kleiner als der halbe Kugeldurchmesser ist, wird das Feld schwach inhomogen und die Meßgenauigkeit beträgt etwa 3%. Für Meßzwecke können symmetrische, öfter aber einpolig geerdete asymmetrische Anordnungen verwendet werden. Die Werte der Durchschlagsspannung für verschiedene Kugelgrößen und Elektrodenabstände können aus Tabellen entnommen werden. Mit der Kugelfunkenstrecke können alle Spannungsarten direkt gemessen werden. Einseitig geerdete, asymmetrische Kugelfunkenstrecken zeigen bei Stoß-Spannungsmessungen eine Polaritätsabhängigkeit, deshalb sind sowohl positive als auch negative Werte der Durchschlagspannung tabelliert (Bild 11.4–1).

Schlagweite cm	+ / ~	~ / +	+ / −
1,0	31	31	31
1,5	45	45	45
2,0	59	59	59
2,5	72	72	72
3,0	86	86	86
4,0	113	112	112
5,0	138	137	138
6,0	162	161	162
7,0	185	184	187
8,0	207	205	210
9,0	228	225	232
10,0	248	243	252
11,0	267	260	272
12,0	286	275	290
13,0	303	289	306
14,0	320	302	321
15,0	336	314	335
16,0	352	325	348
18,0	(381)	(345)	(372)
20,0	(407)	(363)	(393)
22,0	(431)	(378)	(410)
24,0	(452)	(391)	(424)
25,0	(463)	(396)	(430)

Bild 11.4-1 Durchschalagspannung der Kugelfunkenstrecke bei Stoß-, Gleich- und Wechselspannung. Kugeldurchmesser 25 cm

Die Durchschlagsspannung ist von der Gasdichte abhängig. Die Tabellenwerte beziehen sich auf bestimmte Laborbedingungen ($T = 20\,°C$; $p = 1013$ mbar). Wird unter anderen Bedingungen gemessen so sollten die Meßwerte korrigiert werden. Die relative Dichte ist:

$$d = \frac{p}{1013} \cdot \frac{273+20}{273+\vartheta} = 0{,}289 \cdot \frac{p}{273+\vartheta}, \quad (11.4\text{–}1)$$

p ist der gemessene Druck in mbar und ϑ ist die Temperatur in °C.

Die Durchschlagsspannung ist im normalen Bereich ($0{,}95 \leqslant d \leqslant 1{,}05$) zur Luftdichte proportional:

$$U_D = d \cdot U_{D0}. \quad (11.4\text{–}2)$$

(U_{D0} ist die Durchschlagsspannung unter Laborverhältnissen.)

11.4.2 Spannungsteiler

Eine in Reihe geschaltete Impedanzkette ermöglicht eine Herabsetzung der Spannung, so daß sie mit gewöhnlichen Methoden meßbar wird. Dabei ist besonders darauf zu achten, daß die parallelen Streukapazitäten immer vorhanden sind und wegen der Frequenzabhängigkeit der Impedanzen auch die Übertragungseigenschaften frequenzabhängig werden.

11.4.2.1 Ohmscher Spannungsteiler

Diese Spannungsteilerart kann bei allen Spannungsarten verwendet werden. Solange durch die einzelnen Widerstände derselbe Strom fließt, ist das Übersetzungsverhältnis (Bild 11.4–2):

$$\frac{U_1}{U_2} = \frac{R_1 + R_2}{R_2}. \quad (11.4\text{–}3)$$

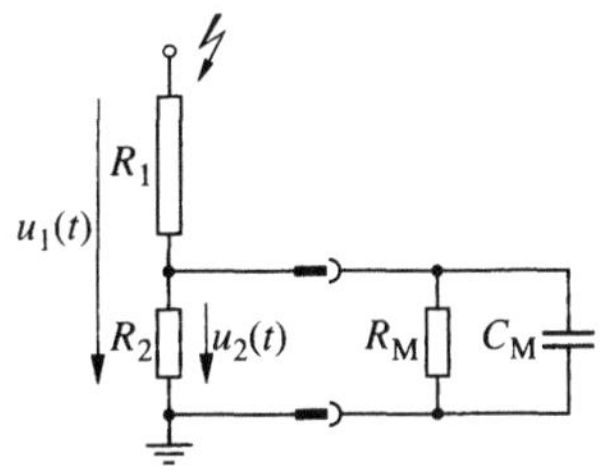

Bild 11.4-2 Ohmscher Spannungsteiler

Das Meßgerät bildet mit dem Meßkabel ein Parallelglied zu R_2 und sollte beim Übersetzungsverhältnis berücksichtigt werden. Bei der Messung von Gleichspannungen ist die Wirkung des Meßkreises wegen der Widerstandsverhältnisse meistens vernachlässigbar. Bei Wechselspannungsmessung gewinnen auch die Kapazitäten eine größere Bedeutung.

Insbesondere die bei den höheren Spannungen erforderlichen langen Widerstandsketten haben bedeutende parallele Streukapazitäten, über die bei Wechselspannung Ströme zur Erde abgeleitet werden. Durch die Stromänderung entlang der Kette wird auch die Potentialverteilung nicht mehr linear und frequenzunabhängig. Auch Zuleitungs- bzw. Meßkapazitäten wirken sich aus und verändern das Übersetzungsverhältnis weiter. Diese Änderung ist bei tieferen Frequenzen (z. B. bei 50 Hz) meist noch nicht sehr bedeutend.

Für die Messung von Stoß-Spannungen muß die entsprechende Meßleitung mit dem Wellenwiderstand abgeschlossen werden. Bei der Messung des zeitlichen Verlaufes der Stoß-Spannung müssen die frequenzabhängigen Übertragungseigenschaften besonders berücksichtigt werden.

Um eine lineare und weniger frequenzabhängige Teilung zu bekommen, werden parallel eingebaute Kondensatoren zur Steuerung benutzt. Bei solchen gemischten Teilern wächst aber wegen der vorhandenen Induktivitäten des Kreises auch die Schwingungsneigung. Bei der Wahl eines Spannungsteilers muß auch noch die zulässige Belastbarkeit des Teilers und die möglichen Rückwirkungen, wie Überlastung der Spannungsquelle und Verzerrung der Stoß-Spannungsform, berücksichtigt werden (Bild 11.4–3).

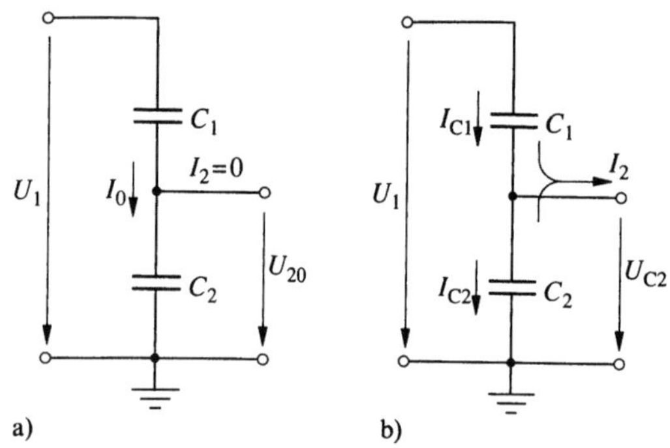

Bild 11.4-3 Kapazitiver Spannungsteiler
a) unbelastet,
b) belastet

11.4.2.2 Kapazitiver Spannungsteiler

Das Übersetzungsverhältnis eines *kapazitiven Spannungsteilers* ist:

$$\frac{U_1}{U_2} = \frac{C_1 + C_2}{C_1}. \tag{11.4–4}$$

Bei C_2 muß die Kapazität des Meßgerätes mitberücksichtigt werden. C_1 kann ein einziger für die volle Spannung isolierter Hochspannungskondensator sein oder aus mehreren Kondensatoren bestehen. Im letzteren Fall verändern zwar die verteilten Erdkapazitäten das Übersetzungsverhältnis, was sich aber durch eine Korrektur berücksichtigen läßt.
Diese Spannungsteiler sind weitgehend frequenzunabhängig, erst bei sehr hohen Frequenzen werden die Verhältnisse durch die Streuinduktivitäten gestört. Nachteilig ist, daß sie wegen der erwähnten Induktivität schwingungsanfällig sind. Die Frequenzunabhängigkeit für höhere Frequenzen kann durch Einbau von Widerständen in die Kondensatorkette erreicht werden. Die so gebauten *gedämpften kapazitiven Spannungteiler* wirken für niedrige Frequenzen als kapazitiver, für hohe Frequenzen als ohmscher Spannungsteiler und sind somit in einem weiten Frequenzbereich einsetzbar (Wechselspannung verschiedener Frequenzen, Stoß-Spannungen unterschiedlicher Form) (Bild 11.4–4).

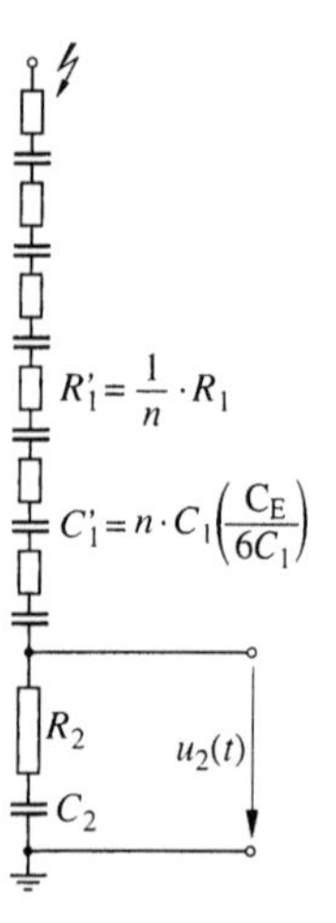

Bild 11.4-4
Gedämpfter kapazitiver Spannungsteiler

Für die Messung von Stoß- und Schaltstoß-Spannungen werden die Spannungsteiler durch entsprechende Meßleitungen und Anpassungs- bzw. Ausgleichsimpedanzen mit Scheitelwert-Meßgeräten oder Oszilloskopen verbunden.

11.4.3 Spannungswandler

Spannungswandler ermöglichen eine sehr genaue Messung hoher Wechselspannungen. Sie finden wegen der höheren Belastbarkeit Verwendung vor allem in den Energieversorgungsnetzen.
Die sogenannten *kapazitiven Spannungswandler* bestehen aus einem kapazitiven Spannungsteiler und einem induktiven Zwischenwandler, einem Kleintransformator. Der Spannungswandler kann nicht nur Meßgeräte, sondern auch niederohmige Verbraucher speisen (Zähler, Netzschutzeinrichtungen). Wegen der induktiven Belastung des kapazitiven Spannungsteilers wird die gemessene Spannung höher als sie sich aus der Übersetzung des Teilers berechnen ließe. Mit einer Drossel kann diese Spannungserhöhung kompensiert werden (Bild 11.4–5).

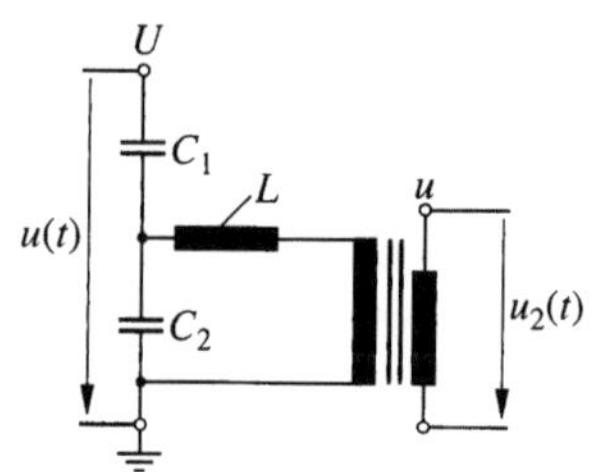

Bild 11.4-5 Kapazitiver Spannungswandler

Der *induktive Spannungswandler* ist ein Transformator für kleine Leistungen und hohe Übersetzungen. Im Leerlauf gilt für die induzierten Spannungen:

$$U_1 = U_2 \cdot \frac{N_1}{N_2} = U_2 \cdot ü, \tag{11.4–5}$$

wobei N_1 und N_2 die Windungszahlen und $ü$ die Übersetzung ist. Für die Klemmenspannung muß man gegebenenfalls schon im Leerlauf die Spannungsfälle an der Primärwicklung, im belasteten Zustand auch die der Sekundärwicklung berücksichtigen.

Bei hochspannungserzeugenden Transformatoren kann die Hochspannung ähnlich über das Verhältnis der Windungszahlen gemessen werden. Um die Übersetzung von der durch den Erregerstrom verursachten Spannungsfällen unabhängig zu machen, werden zusätzlich spezielle *Meßwicklungen* in den Transformator eingebaut.

11.4.4 Elektrostatische Spannungsmesser

Die Kraftwirkung des elektrostatischen Feldes kann zur Messung der angelegten Spannung verwendet werden. Das elektrostatische Feld einer Elektrodenanordnung bewirkt eine Kraft, die den Elektrodenabstand verringern will. Die Kraft kann aus der differentiellen Abnahme der elektrischen Energie des Feldes berechnet werden.

$$W = \frac{1}{2} \cdot CU^2, \tag{11.4-6}$$

$$F = -\frac{dW}{dx} = -\frac{1}{2} \cdot U^2 \cdot \frac{dC}{dx}. \tag{11.4-7}$$

W	C	U	F	x
J	F = As/V	V	N	m

Durch die Messung der Kraftwirkung ist die Messung von Gleichspannungen oder – wegen der quadratischen Abhängigkeit – auch von Wechselspannungs-Effektivwerten möglich.

Die verschiedenen Arten der Kraftmessung ergeben verschiedene Ausführungsformen der Spannungsmesser. Eine oft verwendete Konstruktion ist das *Starke-Schröder-Voltmeter* (Bild 11.4-6). Zwischen den zwei Plattenelektroden entsteht nahezu ein homogenes Feld. In der Mitte der einen Elektrode befindet sich ein kleines, bewegliches Teil. Unter der Kraft des elektrischen Feldes bewegt sich dieses Teil gegen eine Feder. Die Bewegung wird mittels eines Spiegels vergrößert angezeigt. Durch die kleine Bewegung wird das Feld nicht merklich gestört. Es entsteht praktisch keine Rückwirkung auf den Meßkreis. Die Messung erfolgt leistungslos. Die obere Frequenzgrenze der zu messenden Spannung liegt im Megahertz-Bereich.

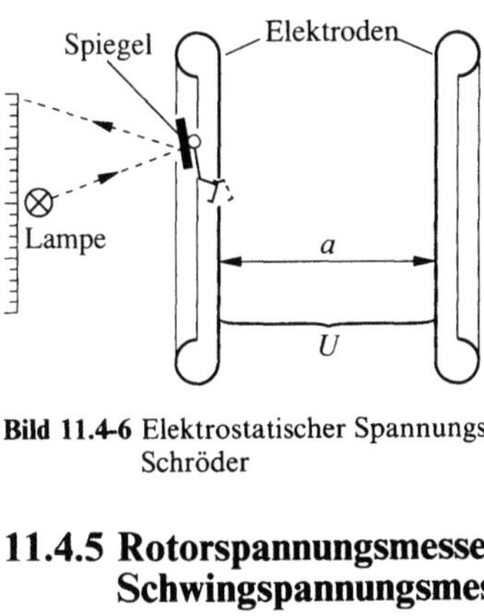

Bild 11.4-6 Elektrostatischer Spannungsmesser nach Starke-Schröder

11.4.5 Rotorspannungsmesser; Schwingspannungsmesser

Für die Messung sehr hoher Gleichspannungen bei praktisch überhaupt nicht belastbarer Spannungsquelle eignen sich die Schaltungen nach dem *Generatorprinzip*. Bei diesen Meßmethoden wird unter Verwendung zugeführter mechanischer Energie die Kapazität des Meßkondensators verändert. Aus der Gleichung $Q = CU$ folgt, daß bei konstant bleibender Spannung eine Kapazitätsänderung eine Ladungsänderung bewirkt. Der so hervorgerufene Strom wird für die Messung verwendet. Die Energie wird mechanisch und nicht von der Spannungsquelle geliefert, wodurch der Meßkreis belastbar wird, ohne die Spannungsquelle zu belasten.

Bei dem *Rotorspannungsmesser* sind Kondensatoren parallel geschaltet. Die Einzelkapazitäten werden so geändert, daß die Gesamtkapazität gleich bleibt. Die Ladungen bewegen sich von einem Kondensator zum anderen, der Strom wird in der Verbindungsleitung gemessen. In der praktischen Ausführung werden Metallamellen auf einer Drehscheibe oder auf einer Trommel so aufgesetzt, daß beim Drehen durch ähnlich aufgebaute Gegenelektroden eine periodische Kapazitätsänderung stattfindet (Bild 11.4-7).

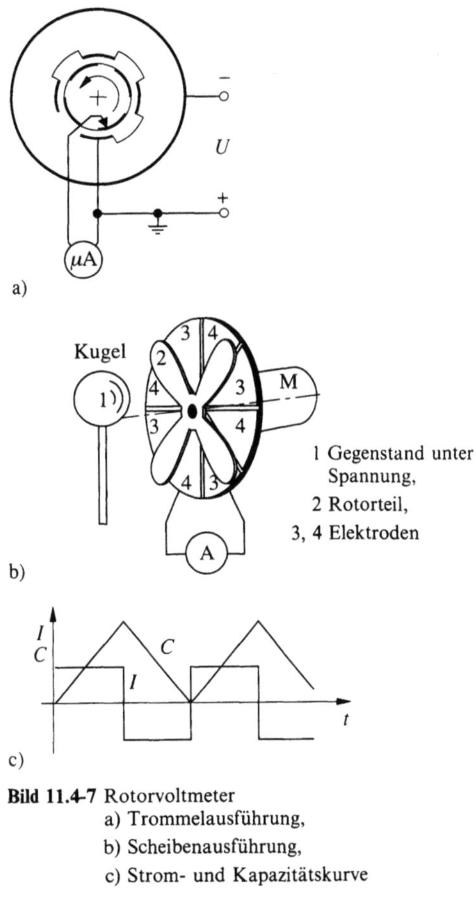

Bild 11.4-7 Rotorvoltmeter
a) Trommelausführung,
b) Scheibenausführung,
c) Strom- und Kapazitätskurve

Bei dem *Schwingspannungsmesser* wird die Kapazität eines Kondensators durch mechanisch erzeugte sinusförmige Schwingungen geändert und der Ausgleichsstrom gemessen (Bild 11.4-8).

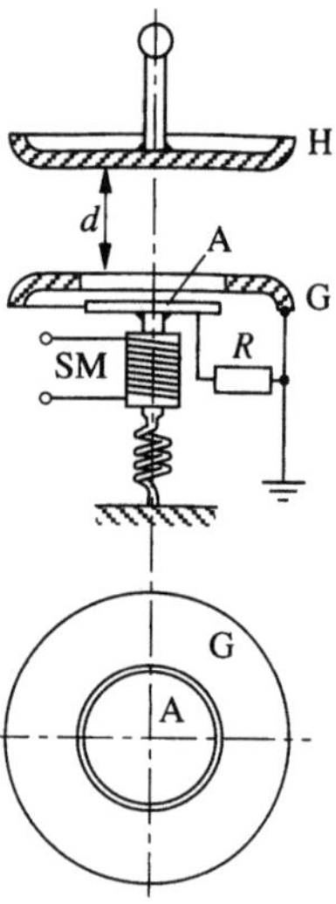

Bild 11.4-8
Schwingspannungsmesser
H Hochspannungs-elektrode,
A Schwingungs-elektrode,
G Schutzring,
SM Schwingungs-mechanismus

11.4.6 Scheitelwertmessung

Die maßgebende Beanspruchung für eine Isolierung ergibt sich aus dem *Scheitelwert* der auftretenden Spannung und der so entstehenden Feldstärke. Deshalb ist die genaue Messung der Scheitelwerte von besonderer Bedeutung. Eine direkte Methode zur Scheitelwertmessung ist die bereits erwähnte *Kugelfunkenstrecke*. Die anderen Methoden setzen meistens die Benutzung eines Spannungsteilers voraus. Grundprinzip ist bei jeder Schaltung, daß während des schnellen Vorgangs mit Hilfe eines Gleichrichters ein Kondensator auf den Scheitelwert oder einen dazu proportionelen Wert aufgeladen wird. Der so gespeicherte Wert wird dann mit langsameren Meßmethoden gemessen (Bild 11.4–9). Die Entladung kann durch einen Schalter oder durch einen eingebauten Widerstand erfolgen. Die zeitkonstante bzw. Nachfolgefrequenz wird durch den Entladevorgang bestimmt. Für die praktische Verwirklichung gibt es zahlreiche Varianten mit verschiedenen Spannungsteilern, Ein- oder Zweiweggleichrichter, elektrostatischen oder elektronischen Meßkreisen [11.3], [11.4], [11.6], [11.9], [11.16], [11.17].

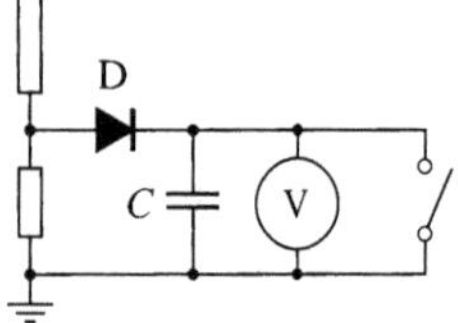

Bild 11.4-9
Scheitelwertmessung

11.5 Das Verhalten der Isolierstoffe im elektrischen Feld

Der Raum zwischen spannungsführenden Teilen ist mit Isolierstoffen ausgefüllt. Darin spielen sich unter der Einwirkung des elektrischen Feldes verschiedene Prozesse ab. Da die elementaren Bausteine jedes Stoffes größtenteils gleichzeitig Ladungsträger sind (Elektronen, Protonen), kommt eine vielfache Wechselwirkung zustande. In jedem Dielektrikum sind unter bestimmten Bedingungen auch freie oder sich teilweise frei bewegende Ladungsträger vorhanden. Mit der Hilfe des Feldes können diese Ladungsträger in einigen Fällen sogar vermehrt freigesetzt werden. Unter der Einwirkung des elektrischen Feldes findet eine Bewegung von Elektrode zu Elektrode statt, durch die Isolierung fließt ein Strom.
Die freien Ladungsträger entstehen meist durch den Einfluß anderer Energiequellen, hauptsächlich durch Wärme oder Strahlung, können aber auch von den Metallelektroden abgegeben werden. Das elektrische Feld begünstigt nur diese Prozesse, ihre Rolle ist erst in der Nähe der Durchschlagsfeldstärke bedeutender.

Ladungsträger, die in dem Aufbau des Isolierstoffes in Atomen, Molekülen, Kristallgittern usw. verschiedenartig gebunden sind, können sich in Feldrichtung nur begrenzt bewegen. Das Ergebnis dieser inneren begrenzten Bewegung ist eine geordnete Einstellung der Ladungsträger oder geladenen Teile, die *Polarisation.*
Die Polarisation versursacht eine innere Feldstärke, die der originellen entgegenwirkt und somit die Wirkung der Ladungen an den Elektroden soweit kompensiert, daß sich bei gleichbleibender Spannung auf den Elektroden weitere Ladungen ansammeln (Bild 11.5–1).

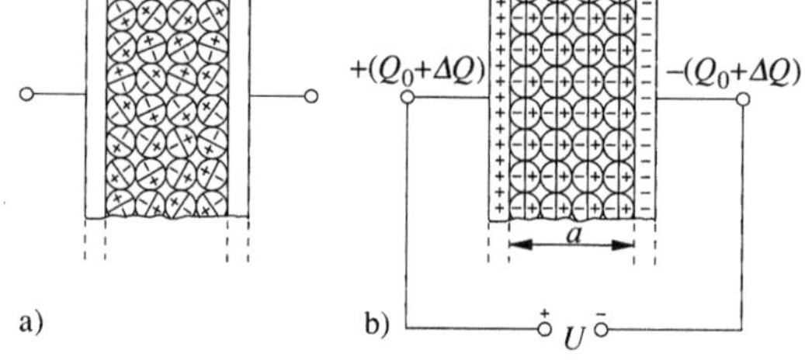

Bild 11.5-1 Polarisation und Ladungszunahme durch gebundene Ladungen
a) ohne,
b) mit angelegter Spannung

Da bei gleicher Spannung die Anordnung mit Isolierstoff eine erhöhte Ladungsmenge gegenüber einer Isolierung durch Vakuum speichert, wächst die Kapazität durch das Einsetzen des Isolierstoffes. Die Permittivitätszahl ε_r ist eine charakteristische Kenngröße dieser Kapazitätsänderung, und dadurch gleichzeitig das Maß für die Polarisation. Die Arten der Polarisation kann man nach den polarisierbaren Aufbauelementen und nach der Art der Ladungsträgerbewegungen klassifizieren. So gibt es unter anderem die *Elektronen-Verschiebungspolarisation*, die *Ionen-Orientierungspolarisation*, die *Grenzflächen-* oder

Interfaciale-Polarisation sowie die *Raumladungs-Polarisation*. Die Polarisation ist ein reversibler, aber mit Materialbewegung verbundener Prozeß und verläuft zeitlich exponentiell. Die verschiedenen Polarisationen haben sehr verschiedene Zeitkonstanten, von 10^{-10} s bis zu einigen Stunden.

Die *Polarisierbarkeit* und die *Zeitkonstanten* sind – insbesondere bei der Orientierungspolarisation, wegen ihrer physikalischen Natur temperaturabhängig. Mit steigenden Temperaturen wächst die Bewegungsfreiheit der einzelnen Teilchen und deshalb auch das Maximalprodukt der damit jeweils verbundenen Polarisation. Gleichzeitig sinkt die Zeitkonstante. Diese Zusammenhänge erklären die Abhängigkeit der Permittivität von der Frequenz und der Temperatur. Die Abhängigkeit von der Feldstärke ist geringfügig und bei den verwendeten Feldstärken nicht typisch, ausgenommen bei einigen speziellen Materialien (Barium-Metatitanat).

Der Abbau einer bereits bestehenden Polarisation erfolgt mit der gleichen Zeitkonstanten wie der Aufbau. In der abgeschalteten und sogar durch kurzzeitigen Kurzschluß entladenen Anordnung wird die bis dahin durch die Polarisation festgebundene Ladung wieder freigesetzt. Wenn der Kurzschluß nicht bis zum Ende der Abbauzeit besteht, steigt die Spannung wieder und die endgültige Entladung erfolgt durch den Isolationswiderstand. Diese Erscheinung ist besonders gefährlich bei großen Kapazitäten (z. B. lange Kabelstrecken nach Gleichspannungsprüfung) (Bild 11.5–2).

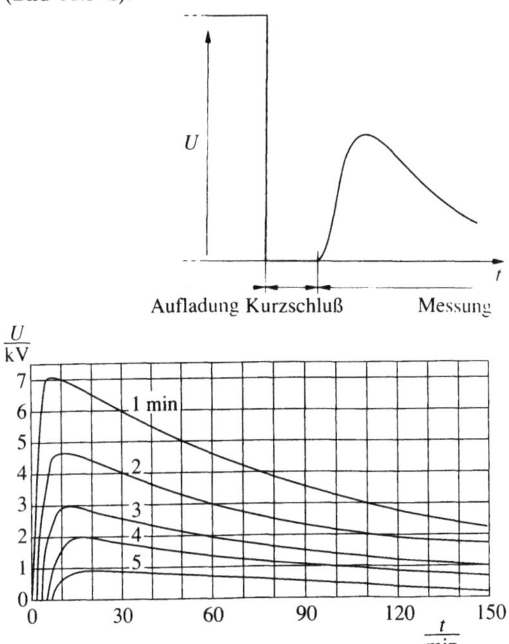

Bild 11.5-2 Nachentladespannung durch Abbau bestehender Polarisation (Hochspannungskabel und Gleichspannungsprüfung. Parameter: Dauer des Kurzschlusses

Leitungsvorgänge und bei Wechselspannung auch die Polarisation setzen Energie um. Diese Energie wird als Verlustenergie von der Spannungsquelle durch die voneinader isolierenden Metallelektroden in das Isoliermaterial eingeführt und größtenteils in Wärme umgewandelt. Die bei Wechselspannung entstehenden Verluste werden mit dem *Verlustfaktor* tan δ beschrieben. Dieser Faktor ist das Verhältnis zwischen Blind- und Wirkleistung. Dies läßt sich mit Hilfe des Zeigerbildes leicht erklären (Bild 11.5–3)

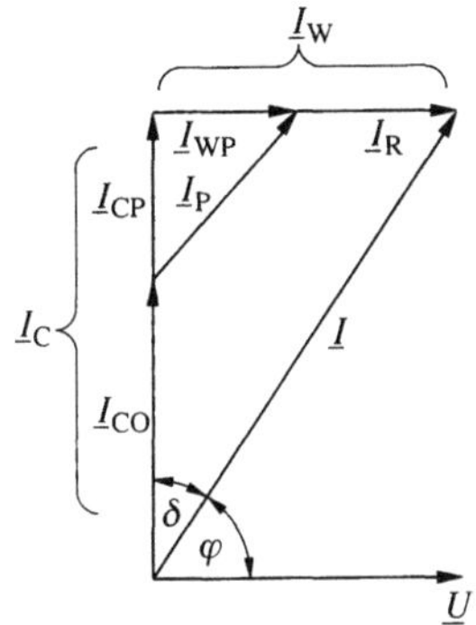

Bild 11.5-3
Zeigerbild zur Deutung des Verlustfaktors

$$\tan\delta = \frac{P}{Q} = \frac{U \cdot I_W}{U \cdot I_C} = \frac{I_W}{I_C} = \frac{I_{WP} + I_R}{I_{CO} + I_{CP}}. \quad (11.5\text{–}1)$$

tan δ	P	Q	U	I_R, I_W, I_{WP}, I_C, I_{CO}, I_{CP}
1	W	W	V	A

P Wirkleistung, Q Blindleistung, I_R Leitungsstrom, I_W ohmsche Stromkomponente, I_{WP} ohmsche Stromkomponente infolge Polarisation, I_C kapazitive Stromkomponente, I_{C_0} kapazitive Stromkomponente, I_{CP} kapazitive Stromkomponente durch Polarisation, I_R ohmsche Stromkomponente infolge Leitung.

Wie die Verluste ist auch der Verlustfaktor temperatur- und frequenzabhängig. Neben Durchschlagsfestigkeit, Permittivität und spezifischem Isolationswiderstand ist der Verlustfaktor eine charakteristische Kenngröße der verschiedenen Isolierstoffe (Bild 11.5–4).

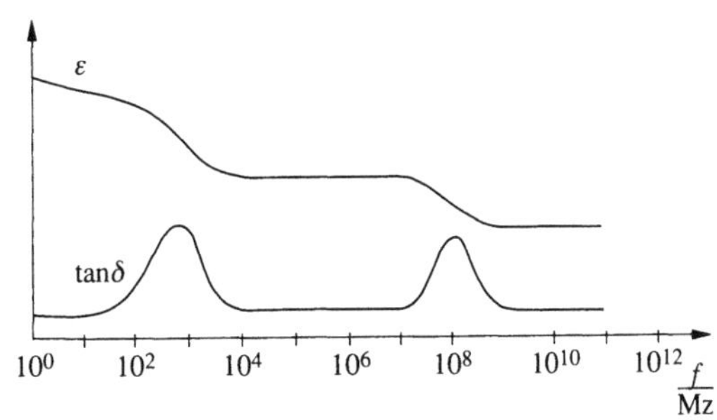

Bild 11.5-4 Frequenzabhängigkeit des Verlustfaktors tan δ und der Permittivität ε (mehrere Polarisationsarten mit verschiedenen Zeitkonstanten

11.6 Gasförmige Isolierstoffe

Gasförmige Isolierstoffe zeichnen sich durch ihre besonders kleine Leitfähigkeit und geringe Verluste aus. In vielen Fällen sind Gasisolierungen nach einem Durchschlag wieder voll belastbar. Kühlmöglichkeiten und Kompressionsfähigkeit sind bei den technischen Anwendungen gut zu nützende Vorteile. Nachteilig ist die im Verhältnis zu anderen Isolierstoffen niedrige Durchschlagsfestigkeit.

11.6.1 Leitung in Gasen

Die Gase wären ohne ionisierende Einflüsse nahezu ideale Isolierstoffe ohne Leitfähigkeit. Durch äußere Einwirkungen wie Strahlung und thermisch bedingte Stoßionisation bilden sich jedoch ständig frei bewegliche Ladungsträger. Die Diffusion und Rekombination bewirkt, daß sich ein Gleichgewichtszustand bildet. Mit steigender Spannung steigt der Strom zwischen den Elektroden im Gasraum, bis die sich bildenden Ladungsträger vollständig die Elektroden erreichen. Danach ist der Strom in einem breiten Bereich von der Spannung unabhängig. Eine erneute Steigerung findet erst kurz vor Erreichen der Durchschlagsfeldstärke statt. Einen spezifischen Widerstand kann man nicht definieren (Bild 11.6–1).

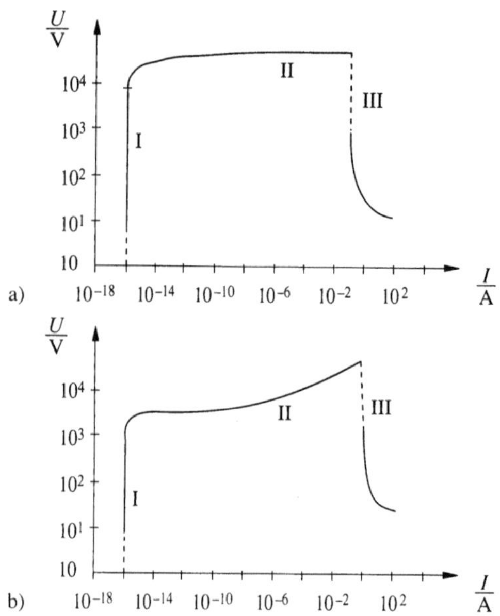

Bild 11.6-1 Strom-Spannungs-Kennlinien in Gasen
a) homogenes Feld,
b) inhomogene Elektrodenanordnung;
I die Ladungsträger werden ausschließlich durch äußere ionisierende Wirkungen bereitgestellt;
II es wirken innere ladungsträgerproduzierende Prozesse;
III Durchschlag; der Durchlag wird nicht mehr von den Gasmassen, sondern von dem äußeren Stromkreis bestimmt.

11.6.2 Durchschlag in Gasen

Bei größeren Feldstärken treten auch andere ladungsträgerbildende Prozesse auf. Im elektrischen Feld häufen sich die durch Ionen hervorgerufenen *Stoßionisationen.* In den stark inhomogenen Feldern an Elektrodenspitzen kann *Kalt-Emission* auftreten. Die in die Elektrode mit großer Energie einschlagenden Ionen können durch Sekundäremission weitere Elektronen auslösen. Die angeregten Ionen strahlen ihre Energie ab und können weitere Ladungsträger durch *Fotoionisation* oder *Fotoemission* erzeugen. Entgegenwirkende Effekte sind *Rekombination, Diffusion* und *Elektronenabsorption.*

11.6.2.1 Lawinendurchschlag

Der *Lawinendurchschlag* findet statt, wenn das Gleichgewicht gestört wird und die Ladungsträgervermehrung unaufhaltsam anhält. Wenn ein Elektron startet und sich nach dem Weg x auf $n(x)$ Elektronen vermehrt hat, so ist nach Durchlaufen von $\mathrm{d}x$ die neue Elektronenzahl

$$\mathrm{d}n = \alpha n \,\mathrm{d}x. \qquad (11.6\text{–}1)$$

α Vermehrungsfaktor (Anzahl der Ionisationen).
Daraus folgt:

$$\frac{\mathrm{d}n}{n} = \alpha \,\mathrm{d}x. \qquad (11.6\text{–}2)$$

Für $x=0$ ist $n=1$ die Lösung dieser Differentialgleichung:

$$\int_1^n \frac{\mathrm{d}n}{n} = \int_0^x \alpha(x)\,\mathrm{d}x.$$

Daraus ergibt sich

$$n = \mathrm{e}^{\int_0^x \alpha(x)\,\mathrm{d}x}. \qquad (11.6\text{–}3)$$

Bei homogenem Feld ist α konstant und

$$n = \mathrm{e}^{\alpha x}. \qquad (11.6\text{–}4)$$

Wenn bei $t=0$ nicht ein sondern n_0 Elektronen starten, so gilt

$$n(x) = n_0 \cdot \mathrm{e}^{\alpha x} \quad \textit{(Lawinen-Gesetz)}. \qquad (11.6\text{–}5)$$

Die Stromdichte ist:

$$J = J_0 \cdot \mathrm{e}^{\alpha a}. \qquad (11.6\text{–}6)$$

Wenn auch die sekundären Prozesse weitere Ladungsträger produzieren, so ist:

$$J = J_0 \frac{\mathrm{e}^{\alpha a}}{1-\gamma(\mathrm{e}^{\alpha a}-1)}$$

die Stromdichte bei $\alpha+\gamma$ Prozessen. Das Durchschlagskriterium ist:

$$\gamma(\mathrm{e}^{\alpha a}-1) \geqslant 1. \qquad (11.6\text{–}7)$$

Aus diesen Zusammenhängen kann das *Paschen Gesetz* abgeleitet werden. Das Gesetz bildet ein Bindeglied zwischen den Mikro- und Makrogrößen der Einflußfaktoren.

$$U_D = \frac{B_{pa}}{\ln\left[\frac{A_{pa}}{\ln(1+1/\kappa)}\right]}. \qquad (11.6\text{–}8)$$

B und A sind Konstanten; pa = (Druck × Elektrodenabstand). Bei verschiedenen p und a ändert sich auch die Durchschlagspannung nicht, wenn pa = konstant sind.

Mit steigendem Druck wächst die Dichte und die mittlere freie Weglänge – in der sich ein Ladungsträger im elektrischen Feld beschleunigen kann – verringert sich. Danach muß die Durchschlagspannung steigen. Bei einer Abstandsänderung der Elektroden würde sich gleichzeitig die Feldstärke ändern. Um die gleiche Anzahl wirksamer Stöße zu erreichen, muß dann auch die Spannung geändert werden. In einem Diagramm kann man die Abhängigkeit der Durchschlagspannung von beiden Größen darstellen. Für verschiedene Gase sind unterschiedliche Kurven gültig (Bild 11.6–2). Die *Paschen-Kurve* zeigt ein Minimum. Unterhalb dieser Spannung kann kein Elektrodenabstand durchschlagen werden. Der Durchschlag kann nicht nur durch ständig wachsende Ladungsträger-Erzeugung auftreten, bei größeren Werten von pa gewinnen auch andere Erscheinungen an Bedeutung.

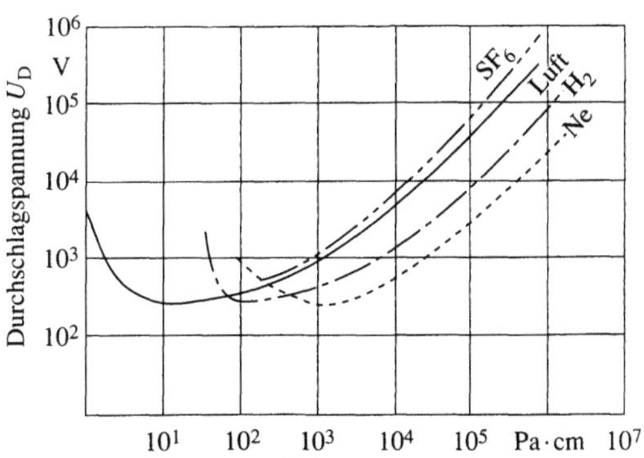

Bild 11.6-2 Durchschlagspannung in Abhängigkeit vom Druck und vom Elektrodenabstand

11.6.2.2 Kanaldurchschlag (Streamerdurchschlag)

Wenn die gestartete Lawine eine solche Ladungsmenge erreicht, daß die Feldstärke vor der Lawine stark erhöht wird und zugleich noch eine starke Fotoionisation stattfindet, wandelt sich die Erscheinung um. Lange bevor die Lawine die Anode erreicht, bildet sich ein Kanal. Durch die Fotoionisation werden vor dem Lawinenkopf neue Lawinen gestartet, die Lawinen fließen in einem Kanal zusammen und der Durchschlag erfolgt schneller als eine Lawine die andere Elektrode erreicht hätte *(Kanaldurchschlag)* (Bild 11.6–3).

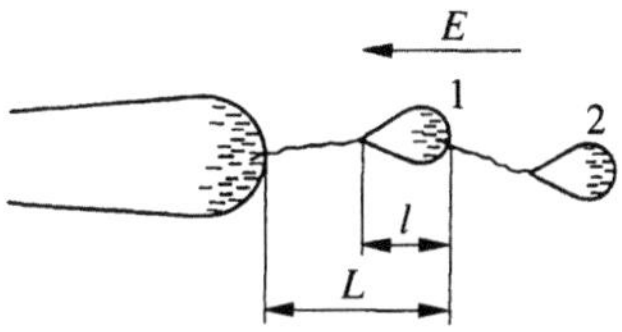

Bild 11.6-3 Lawinendurchschlag (das Entstehen vorgeschobener Lawinen durch intensive Strahlung des ionisierten Kanals)
1, 2 durch die intensive Strahlung der ersten Lawine initiierte weitere (vorgeworfene) Lawinen

11.6.2.3 Koronaentladungen

In besonders stark inhomogenen Elektrodenanordnungen ist es möglich, daß die hohe Feldstärke zu örtlichen Vorentladungen führt, obwohl die Gesamtspannung nicht ausreicht, um den ganzen Elektrodenabstand zu durchschlagen. Erst nach weiterer Spannungserhöhung wird der ganze Elektrodenabstand durch Entladungen überbrückt. Bei einer Spitze-Platte-Anordnung mit positiver Spitze bewegen sich die negativen Ionen in Richtung zur Spitze.

Durch Stoßionisation verlieren die Ionen so viele Elektronen, daß sich sogar vermehrt positive Ionen bilden. Durch die freien Elektronen werden Elektronenlawinen gestartet, es bilden sich Entladungen. Im ionisierten Raum bleibt eine positive Raumladung zurück. Durch diese Raumladungen sinkt die Feldstärke vor der Spitze und die Entladungen klingen ab. Wenn sich die Ionenwolke durch Diffusion, Rekombination und Verschiebung unter Einfluß der Feldstärke langsam auflöst, beginnt der Prozeß erneut. Die Entladungen treten somit impulsartig auf (Bild 11.6–4).

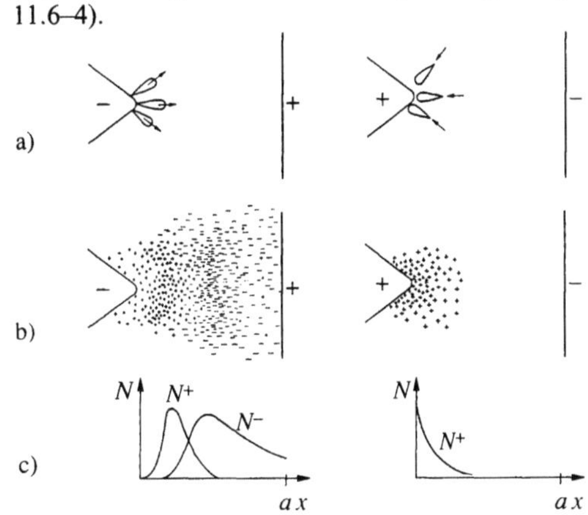

Bild 11.6-4 Koronaentladungen bei verschiedenen Polaritäten
N Ladungsträgerdichte
a) Lawinen vor der Spitzenelektrode,
b) hinter der Lawine zurückgebliebene Raumladungen,
c) Ladungsträgerdichte vor der Spitze

Bei negativer Polarität der Spitze wandern die positiven Ionen zur Spitze und lösen Sekundärelektronen aus. Diese Elektronen starten *Elektronenlawinen*, die sich von der Spitze entfernen. Da die Feldstärke mit der Entfernung immer geringer wird, verlangsamt sich auch die Lawinenbewegung und die Elektronen werden insbesondere bei elektronegativen Gasen rasch von Atomen bzw. Molekülen eingefangen. Es bilden sich negative Ionen. Die negative Raumladung wirkt der ursprünglichen Feldstärke entgegen und die Entladungen klingen ab. Voraussetzung für diese Erscheinung ist die Bildung von negativen Ionen (elektronegative Gase).

Bei Freileitungen bzw. Freileitungsarmaturen können *Koronaentladungen* auftreten. Sie wirken sich störend auf die Nachrichtenübertragung aus und bewirken oft nennenswerte Energieverluste. Für die Berechnung der Koronaverluste stehen empirische Formeln zur Verfügung [11.3], [11.4], [11.7].

11.6.2.4 Einflußfaktoren auf die elektrische Festigkeit von Gasen

Die *Druckabhängigkeit* der elektrischen Festigkeit im homogenen und schwach inhomogenem Feld wird mit dem Paschen-Gesetz gut beschrieben. Bei größeren Drücken steigt die Festigkeit immer noch monoton. Bei stark inhomogenem Feld ändern sich die Verhältnisse und es können örtliche Maxima auftreten. Mit dem Paschen-Gesetz kann auch die *elektrische Festigkeit in Abhängigkeit vom Elektrodenabstand* beschrieben werden. Bei steigenden Abständen bleibt das Anwachsen der Durchschlagspannung unterproportional. Damit sinkt die elektrische Festigkeit (Bild 11.6–5).

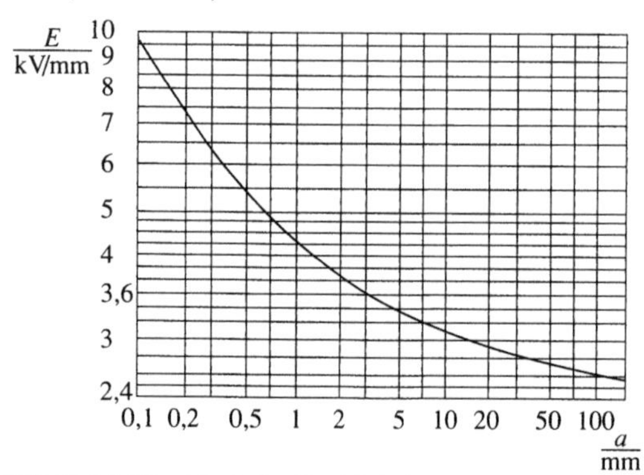

Bild 11.6-5 Die elektrische Festigkeit in Abhängigkeit vom Elektrodenabstand in Luft

In inhomogenen Feldern können Vorentladungs-Einsatzspannung und Durchschlagspannung deutlich voneinander abweichen. Die Abhängigkeiten sind nicht mehr monoton und sind auch von der Polarität abhängig (Bild 11.6–6).

Die *Temperatur* wirkt sich unter $T = 1000$ K hauptsächlich durch die freien Weglängen auf die Ladungsträgerbildungs-Prozesse aus. Da die freien Weglän

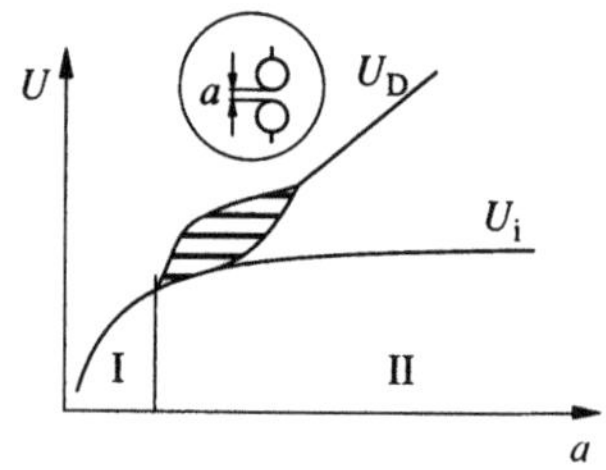

Bild 11.6-6 Vorentladungs-Einsatzspannung U_i und Durchschlagspannung U_D in Abhängigkeit von der Inhomogenität des Feldes,
I schwach inhomogen,
II stark inhomogen

gen auch durch den Gasdruck und zwar umgekehrt beeinflußt werden, wird die Gesamtwirkung mit der Gasdichte berücksichtigt. So werden die gemessenen Größen auf Normaldichte umgerechnet. Wird die Gasdichte bei 273 K und 1 bar als normal betrachtet, so gilt für die relative Dichte:

$$d = \frac{p}{T} \cdot \frac{273\ \text{K}}{760\ \text{bar}} \cdot \qquad \frac{d}{1} \Big| \frac{p}{\text{bar}} \Big| \frac{T}{\text{K}} \qquad (11.6\text{–}9)$$

Auch die *Elektrodengeometrie* wirkt sich auf die elektrische Festigkeit aus. Mit kleiner werdendem Radius der Elektroden (Kanten) sinkt zwar die Einsatzspannung, jedoch nicht proportional, so daß die elektrische Festigkeit steigt. Bei inhomogenen Anordnungen zeigt sich – wegen der verschiedenen physikalischen Prozesse – eine Polaritätsabhängigkeit der elektrischen Festigkeit. Bei schwach inhomogenem Feld wird die Durchschlagspannung größer, wenn die Spitze positiv ist. Sobald das Feld stärker inhomogen wird, wechseln die Rollen (Bild 11.6–7).

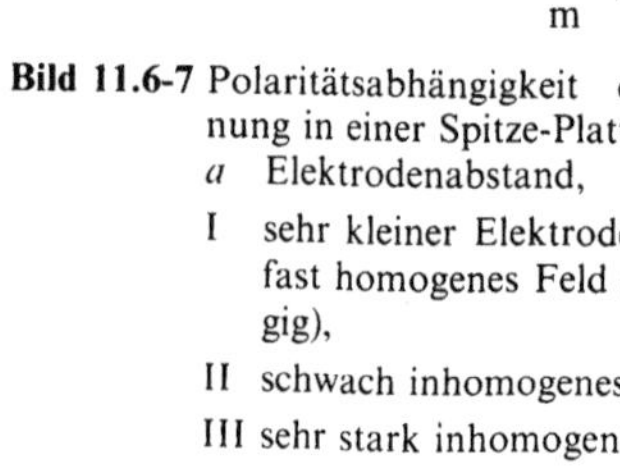

Bild 11.6-7 Polaritätsabhängigkeit der Durchschlagspannung in einer Spitze-Platte-Anordnung
a Elektrodenabstand,
I sehr kleiner Elektrodenabstand $a < r_{Elektrode}$), fast homogenes Feld (u_D polaritätsunabhängig),
II schwach inhomogenes Feld,
III sehr stark inhomogenes Feld

Alle physikalischen Prozesse brauchen Zeit zur vollen Ausbildung. Auch die oben beschriebenen Durchschlagsprozesse führen erst mit einer gewissen Zeitverzögerung zum totalen Durchbruch der Isolierung.

Die *effektive Durchschlagzeit* setzt sich aus zwei Teilen zusammen. Die Bereitstellung der Startelektronen erfolgt durch äußere Einflüsse. Die Anzahl der möglichen Startelektronen ändert sich zeitlich als Zufallsgröße. Der erste Teil der Gesamtzeit T_D vom Einschalten bis zum Durchschlag ist die Wartezeit T_w auf die günstige Ladungsträgerkonfiguration, der zweite Teil die Prozeßzeit T_p

$$T_D = T_w + T_p.$$

Mit steigender Spannung werden aus physikalischen Gründen beide Zeitanteile kleiner. Somit ergibt sich eine Abhängigkeit der elektrischen Festigkeit von der Beanspruchungsdauer (Bild 11.6–8).

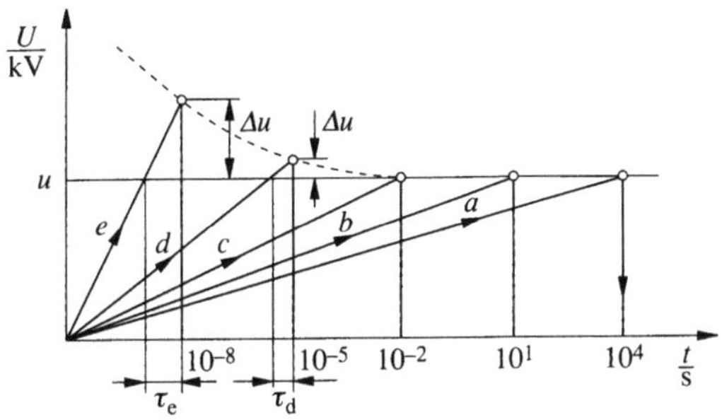

Bild 11.6-8 Durchschlagspannung in Abhängigkeit von der Beanspruchungszeit
a, b, c, d, e verschiedene Spannungssteigerungs-Geschwindigkeiten

Die elektrische Festigkeit der Gase ist keine Materialeigenschaft, sondern eine von den äußeren Bedingungen stark abhängige Größe.

11.6.2.5 Anwendungen

Die natürlichen Anwendungsgebiete der gasförmigen Isolierungen ergeben sich aus ihren Eigenschaften. Eine komplette Isolierung kann mit Gas allein nicht aufgebaut werden. Mechanisch beanspruchbare Feststoffe sind unumgänglich. Die Grenzflächen zwischen Gasen und Feststoffen führen zu besonderen isoliertechnischen Problemen (Verschmutzung, Niederschlag, Fremdschichten usw.).

Luftisolierungen werden vorwiegend bei langen Leitungen verwendet (Freileitungen, Bahnoberleitungen). Die Isolierung ist verlustarm, zeigt keine Alterung und ist sogar nach Durchschlag wieder beanspruchbar.

Druckgasisolierungen nutzen die mit dem Druck steigende elektrische Festigkeit der Gase aus. Vorwiegend werden Stickstoff und synthetische Gase (zunehmend SF_6) eingesetzt. Vorteile, wie niedrige Verluste, hoher Widerstand und Platzersparnis, können bei Kondensatoren und bei größeren Anlagen ausgenutzt werden.

11.7 Flüssige Isolierstoffe

Flüssige Isolierstoffe haben unter Normalbedingungen eine größere Durchschlagsfestigkeit als Gase. Die Flüssigkeit ermöglicht eine bessere Wärmeableitung. Allerdings sind die Verluste größer und die Feststoffgrenzflächen sind auch hier nicht zu vermeiden. Die Isolierflüssigkeiten können noch als Imprägniermittel oder bei Kondensatoren als Dielektrikum mit hoher Permittivität (ε) benutzt werden.

11.7.1 Leitung in flüssigen Isolierstoffen

Die *Leitung in Flüssigkeiten* erfolgt vorwiegend durch Ionen. Die Ionen bilden sich durch Dissoziation, Verunreinigungen und auch durch äußere Einwirkungen. Die Dissoziation ist meist von untergeordneter Bedeutung; die Ionen entstehen hauptsächlich durch Verunreinigungen. Mehrere Fremdkörpermoleküle können auch als größere Ladungsträger am Leitungsprozeß teilnehmen. Elektronen spielen erst in Nähe der Durchschlagspannung eine bedeutende Rolle. Die Stromdichte ist:

$$\vec{J} = q \cdot n \cdot b \cdot \vec{E}, \qquad (11.7\text{–}1)$$

J	q	b	n	E
A/m^2	As	$m^2/V \cdot s$	$1/m^3$	V/m

wobei q die Ladung einzelner Ionen, n die Konzentration, b die mittlere Beweglichkeit der Ladungsträger und $\vec{E}$ die Feldstärke sind.

Solange keine zusätzlichen Erscheinungen in Durchschlagsnähe auftreten, gilt das Ohmsche Gesetz; die Leitfähigkeit ist

$$\kappa = q \cdot n \cdot b \qquad (11.7\text{–}2)$$

und die Beweglichkeit

$$b = \frac{q}{6\pi\eta r}. \qquad (11.7\text{–}3)$$

κ	q	n	b	η	r
S/m = A/Vm	As	$1/m^3$	m^2/Vs	Pa · s	m

Die Beweglichkeit hängt von der Ladung und umgekehrt proportional vom Ladungsträger-Radius sowie der Viskosität η des umgebenden Mediums ab. Mit der Temperatur ändern sich die Viskosität und die Beweglichkeit sowie die Konzentration der Ladungsträger. Unter bestimmten Grenzen kann man die Temperaturabhängigkeit der spezifischen Leitfähigkeit so beschreiben:

$$\kappa = \kappa_0 \cdot e^{-\frac{F}{kT}}, \qquad (11.7\text{–}4)$$

k Boltzmann Konstante, T Temperatur, κ_0, F Materialeigene Konstanten.

Mit steigender Feldstärke bilden sich durch verstärkte Dissoziation weitere Ladungsträger und die von Elektroden *injizierten Elektronen* treten immer zahlreicher auf. Der Strom wächst dann überproportional.

Verluste in einem flüssigen Dielektrikum werden durch Leitung und durch Polarisationen hervorgerufen. Die meisten Flüssigkeiten enthalten polare Molekülbindungen. Auch Fremdkörperverschmutzungen sind oft polare Verbindungen. Somit können mehrere

Polarisationsarten mit verschiedenen Zeitkonstanten auftreten.

11.7.2 Durchschlagsmechanismen in Flüssigkeiten

Die *Durchschlagsmechanismen* in Isolierflüssigkeiten mit verschiedenen Verlusten und Verunreinigungen können mit unterschiedlichen Theorien beschrieben werden. In einer reinen verlustarmen Isolierung führen die von den Elektroden *injizierten Elektronen* mit erhöhter Feldstärke zu einer wachsenden Ionisation und Dissoziation. Es können Streamerentladungen auftreten, wobei auch verzweigte Strukturen registriert werden. Die Entladungen wachsen zur Anode und es bildet sich eine Plasmasäule zwischen den Elektroden.
Bei größeren *Verlusten* kann sich die Flüssigkeit erwärmen. Durch Erwärmung und durch die Feldstärke bilden sich Gasbläschen. Im Gas treten Entladungen auf. Auf der Grenzfläche verdampft die Flüssigkeit und der ganze Abstand wird bald überbrückt. Die meisten *Verschmutzungen* haben eine größere Permittivität als die umgebende Isolierung. Diese Teile ordnen sich als Dipole in Feldlinienrichtung an und überbrücken den Raum zwischen den Elektroden in Form von Teilchenketten.

11.7.2.1 Einflüsse auf die Durchschlagfestigkeit von Flüssigkeiten

In Flüssigkeiten können verschiedene Prozesse zum Durchschlag führen. Die *elektrische Festigkeit* wird von äußeren Einwirkungen so beeinträchtigt wie sie diese Prozesse beeinflussen.
Druck erhöht die Siedetemperatur und steigert die elektrische Festigkeit der Gasblasen. Somit steigt die Durchschlagspannung mit steigendem Druck.
Temperaturerhöhung bewirkt, daß der Gasgehalt und der Feuchtigkeitsgehalt der Flüssigkeit verringert werden. Es steigen aber die temperaturabhängigen Verluste und die Ionisationsprozesse nehmen zu. Somit erreicht die Festigkeit oft bei einer bestimmten Temperatur ein Maximum. Der Elektrodenabstand bewirkt allgemein eine steigende Durchschlagspannung aber sinkende elektrische Festigkeit.
Die Abhängigkeiten der elektrischen Festigkeit von *Zeit, Polarität* und *Elektrodengeometrie* sind ähnlich wie bei den Gasen. Eine besondere Abhängigkeit der elektrischen. Durchschlagsfeldstärke besteht vom *Wassergehalt*. Sie ist für die verschiedenen Isolierflüssigkeiten in Kurven angegeben.

11.7.3 Anwendungen

Als Isolierung können Flüssigkeiten vorteilhaft eingesetzt werden, wo gleichzeitig der Raum mit erhöhtem Kühlungsbedarf klein ist (z. B. bei Transformatoren, als Imprägniermittel für geschichtete Dielektrika in Kondensatoren und Kabeln, als Isolier- und Lichtbogenlöschmittel in Schaltanlagen). Dem Anwendungsgebiet entsprechend werden die Eigenschaften der Flüssigkeiten gewählt: Temperatur, Viskosität, elektrische Festigkeit, Permittivität. Die meistverwendeten Isolierflüssigkeiten sind Mineralöle oder synthetische Öle, Siliconöl, Polyisobutilen und chlorierte Diphenyle.

11.8 Feste Isolierstoffe

Die *festen Isolierstoffe* sind die meistverwendeten Isolationsmaterialien und sind Bestandteil aller Isoliersysteme. Außer der elektrischen Funktion haben sie noch verschiedene mechanische Trage- und Trennfunktionen sowie die Aufgabe der Haltung von Flüssigkeiten oder Gasen.

11.8.1 Leitung in festen Isolierstoffen

In festen Isolierstoffen sind die Moleküle ortsgebunden. Eine Ionenwanderung ist nur begrenzt möglich. Die Ionen sind in diesem Fall eindiffundierte Flüssigkeits- oder Gasionen, Füllstoffe sowie Zersetzungsprodukte. Die sich überwiegend bewegenden Ladungsträger sind Elektronen. Sie werden fast ausschließlich durch Injektion aus der Kathode bereitgestellt. Die *Leitfähigkeit* der in der Praxis verwendeten Isolierstoffe ist teils durch Ionen, aber vorwiegend durch Elektronen und Löcher, bedingt.
In den festen Materialien können Ionen von Defektstellen oder durch Dissoziation entstandene Fremdkörperionen infolge der thermischen Energie unregelmäßig von Gitterpunkt zu Gitterpunkt wandern.

Wenn die Feldstärke dieser Wanderung eine Richtung gibt, so bildet sich ein Strom. Die Ionenbeweglichkeit ist in den festen Isolierstoffen gering, die mit Materialtransport verbundene Wanderung ist begrenzt. Die Elektronen müssen nach dem Bändermodell vom Valenzband auf das Leitungsband gelangen, wo die Ladungsträgerbewegung stattfinden kann. Durch Unregelmäßigkeiten im Materialaufbau existieren in der verbotenen Zone flache energetische Haftstellen mit diskreten Energieniveaus, aus denen die Ladungsträger, Elektronen oder Löcher thermisch oder auch elektrisch befreit werden können. Die Leitfähigkeit hängt damit von der *Haftstellenzahl* und *Haftstellentiefe* ab (Bild 11.8–1).

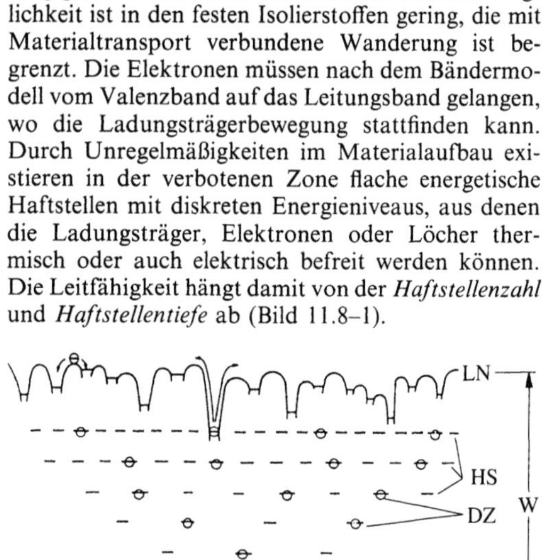

Bild 11.8-1 Energieniveauschema zur Erklärung der Ladungsträgerbewegung in polymeren Isolierstoffen

HS Haftstellen, LN Ladungsniveau,
DZ Donatorzustände, VN Valenzniveau,
W energetischer Abstand

Elektronen können von den Metallelektroden unter dem Einfluß der Feldstärke in den Isolierstoff injiziert werden (thermisch erleichterte Feldinjektion oder reine Feldinjektion). Diese *Injektionsprozesse* spielen besonders bei hochreinen Materialien eine große Rolle. (Die Leitfähigkeit ist praktisch Null.)

11.8.2 Durchschlag in festen Isolierstoffen

Feste Isolierstoffe zeigen eine besondere Vielfältigkeit an innerem atomaren bzw. molekularen Aufbau sowie an Unregelmäßigkeiten und Defektstellen. Die Ladungsträgerfreisetzung und die Wechselwirkungen zwischen Ladungsträgern, Atomen und Molekülen, die bei steigender Feldstärke zum Durchschlag führen, sind demnach sehr vielfältig. Zusammehänge zwischen den Makroeigenschaften und den äußeren Bedingungen ermöglichen jedoch eine Klassifizierung der Feststoffdurchschläge.

Der *rein elektrische Durchschlag* entsteht durch frei bewegliche Elektronen, die entweder von Haftstellen in der Isolierung oder durch Injektion von den Elektroden stammen. Die so entstandenen Raumladungen können das elektrische Feld sehr stark deformieren und zur örtlichen Verstärkung oder Abschwächung führen. Für die Ladungsträgerbewegung sind eine Vielzahl von günstigen Wegen in jedem festen Isolierstoff vorhanden. Es können amorph-kristalline Phasengrenzen, Kristalldislokationen sowie energetisch günstige kristallinnere Wege sein. Durch die thermisch bedingten inneren Bewegungen und durch energetische Zustandsänderungen ändern sich ständig auch die einzelnen Wege. Die freien Elektronen werden auf diesen Wegen beschleunigt. Abhängig von den momentanen Energiezuständen werden weitere Ladungsträger ausgelöst. Die so entstandene Elektronenlawine hinterläßt eine positive Raumladung, die das Entstehen weiterer Lawinen begünstigt. Der sich intensivierende Vorgang führt zu Zerstörung und Zusammenbruch der Isolierung.

Die elektrische Festigkeit ist auf Grund der Natur dieser Prozesse eine sich örtlich und zeitlich statistisch ändernde Größe. Mit steigendem Isolierstoffvolumen nimmt auch die Anzahl der Schwachstellen und Wege und somit die Durchschlagswahrscheinlichkeit bei bestimmter Feldbeanspruchung zu. Dieser Zusammenhang ist der *Volumeneffekt*. Da sich die begünstigenden Wege zur Ladungsträgerbewegung statistisch ändern, steigt mit zunehmender Beanspruchungsdauer die Wahrscheinlichkeit des Vorkommens nicht standhaltender Wege (Bild 11.8–2).

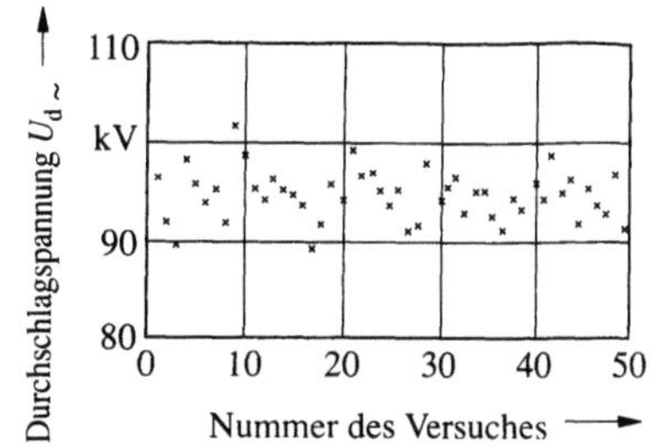

Bild 11.8-2 Statistische Änderung der Durchschlagspannung

Der *Wärmedurchschlag* wird nicht nur unmittelbar von der elektrischen Feldstärke hervorgerufen. Durch die Leitung und die bei Wechselspannung auftretenden ständigen Umpolarisierungsprozesse entstehen in dem Isolierstoff Verluste in Form von Wärme. Diese Wärme erhöht die Temperatur der Isolierung und wird zum Teil an die Umgebung abgegeben. Meist steigt die Verlustleistung mit steigender Temperatur. Die Wärmeabgabe des Isolierstoffes ist von der Dicke, von der Wärmeleitfähigkeit und von den äußeren Wärmetransportbedingungen abhängig. Wenn die Feldstärke einen für die gegebene Isolierung feststehenden Wert überschreitet, kann ein Gleichgewicht zwischen Wärmeproduktion und -abgabe nicht mehr erreicht werden. Die Temperatur steigt, es setzen Zerstörungsprozesse ein, die elektrische Festigkeit verringert sich und es entsteht der Wärmedurchschlag (Bild 11.8–3).

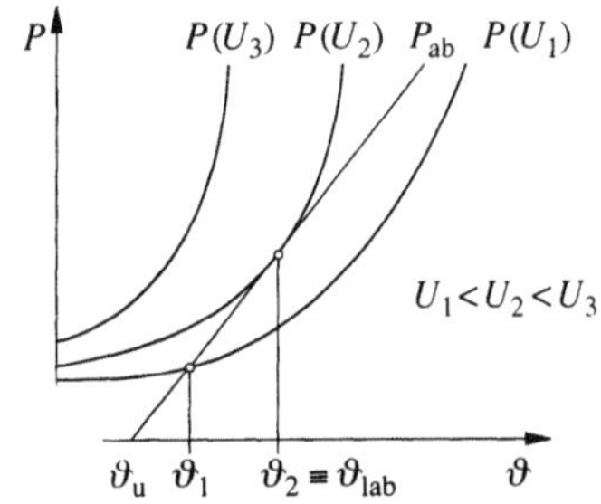

Bild 11.8-3 Wärmegleichgewicht und Wärmedurchschlag
$P(U)$ Verlustleistung bei verschiedenen Spannungen,
P_{ab} Wärmeabgabe des Isolierstoffes in Abhängigkeit von der Temperatur,
ϑ Umgebungstemperatur,
ϑ_{Lab} Labilitätstemperatur

Bei vielen Isolieranordnungen wird die Isolierung durch die Leiterverluste in den angrenzenden Elektroden zusätzlich erwärmt; damit sind die Voraussetzungen für einen Wärmedurchschlag noch eher geschaffen.

Eine weitere Art des Festkörperdurchschlags ist der *Erosionsdurchschlag*. In diesem Fall wird der Isolierstoff nicht durch Wärme, sondern durch andere vom elektrischen Feld hervorgerufene Prozesse soweit zerstört, daß die Restfestigkeit den Beanspruchungen nicht mehr standhält. So können innere *Teilentladungen* oder *Gleitentladungen* an den Oberflächen zu chemisch-physikalischen Veränderungen und sogar zu mechanischer Erosion führen. Durch eine fortgeschrittene Zerstörung wird die noch bleibende Isolierwanddicke verringert und die sich intensivierenden Prozesse entwickeln sich zum Durchschlag.

11.8.2.1 Abhängigkeit von äußeren Einflüssen

Die elektrische Festigkeit der festen Isolierstoffe sinkt mit steigender Temperatur. Die Abhängigkeit kann wegen der Vielfalt der Materialien und Prozesse nicht näher allgemein erfaßt werden.
Der *Elektrodenabstand* spielt eine ähnliche Rolle wie bei den Gasen und Flüssigkeiten. *Inhomogenität, Polaritätsabhängigkeit* und der *Einfluß der Geometrie* zeigen ebenfalls Ähnlichkeiten im Charakter der Abhängigkeiten. Wie der Druck bei Gasen beeinflußt bei festen Isolerstoffen eine gleichzeitige *mechanische Beanspruchung* die elektrische Festigkeit. Dieser Einfluß ist sehr stark materialabhängig. Vieles deutet darauf hin, daß ein direkter Zusammenhang zwischen der elektrischen Festigkeit und der Deformation besteht.

11.8.3 Anwendungen

Ohne feste Isolierstoffe kann keine Isolierung aufgebaut werden. Sie haben meistens mehrere Funktionen. Sie dienen als Isolierstoff, als kapazitätserhöhendes Dielektrikum, als Stütz- oder Zugentlastungselemente, als Behälter, mechanische Schutzhülle usw. Neben den altbewährten anorganischen Isolierstoffen wie Keramiken, Gläsern und Glimmer sind zunehmend die hochpolymeren Isolierstoffe verbreitet. Neben den hervorragenden Eigenschaften der hochpolymeren Isolierstoffe sind jedoch auch stärkere Alterungseffekte zu erwähnen [11.3], [11.4], [11.7], [11.13], [11.16], [11.17].

11.9 Dimensionierung von Isolierungen

Grundvoraussetzung für die elektrische Dimensionierung von Isolieranordnungen ist, daß die auftretende elektrische Feldstärke an keiner Stelle den dort zugelassenen Wert erreichen darf. In den verschiedenen Isolieranordnungen werden meistens mehrere Isolierstoffe verwendet. Durch deren Zusammenbau ergeben sich parallel oder in Serie geschaltete Schichten und Grenzflächen. Die Grundtypen der Beanspruchungen sind:

1. Die Elektroden sind in einen homogenen Isolierstoff *eingebettet*. Die Dimensionierung erfolgt gegen Durchschlag. Anwendungen sind z. B. Kabel, Kugelfunkenstrecken usw. (Bild 11.9–1)

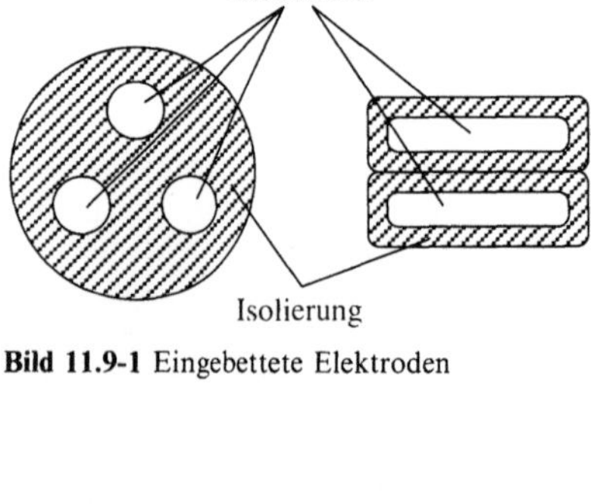

Bild 11.9-1 Eingebettete Elektroden

$$E_Z = \frac{E_D}{b}.$$

E_Z, E_D	b
V/m	1

E_D Durchschlagsfeldstärke; E_Z zugelassene Feldstärke; b Sicherheitsfaktor.

2. *Stützer-Typ*. Die Elektroden berühren mindestens zwei parallel eingebaute Isolierstoffe. Die Grenzfläche ist nahezu parallel zur Richtung der Feldstärke. Die Isolierstoffe sind von Typ fest/gasförmig oder fest/flüssig. Charakteristisch ist für die Anordnung der *Überschlag*. Die Überschlagspannung ist niedriger als die Durchschlagspannung der einzelnen Materialien. Die Dimensionierung erfolgt auf Überschlag. Beide Materialien werden auf Durchschlag kontrolliert (Bild 11.9–2):

$$U_{\text{Ü}\,50\,\text{Hz}} = 3{,}5a + 10\,\text{kV}, \qquad (11.9\text{–}1)$$

$$U_{\text{Ü}\,1{,}2/50\,\mu\text{s}} = 5a + 40\,\text{kV}. \qquad (11.9\text{–}2)$$

Wobei a das Fadenmaß in cm ist. Diese Gleichungen sind empirische Annäherungen; sie stammen rein aus der Erfahrung. Die Einheiten können daher formell nicht abgeleitet werden.

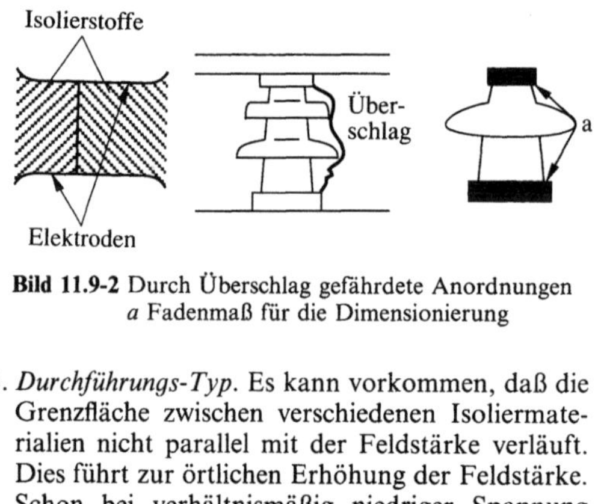

Bild 11.9-2 Durch Überschlag gefährdete Anordnungen
a Fadenmaß für die Dimensionierung

3. *Durchführungs-Typ*. Es kann vorkommen, daß die Grenzfläche zwischen verschiedenen Isoliermaterialien nicht parallel mit der Feldstärke verläuft. Dies führt zur örtlichen Erhöhung der Feldstärke. Schon bei verhältnismäßig niedriger Spannung können *Gleitentladungen* auftreten. Damit dies nicht geschieht, wird die Dimensionierung dementsprechend gewählt (empirische Gleichung nach Toepler-Kappeler)

$$U_e = \frac{k}{C_F^{0{,}45}} \ (\text{kV}), \qquad (11.9\text{–}3)$$

wobei U_e Einsatzspannung, C_F Oberflächenkapazität (an der Entladungsstelle, bezogen auf 1 cm^2), k materialabhängige Konstante ($k = 8{,}1$ für Luft, $k = 25$ für Öl) (Bild 11.9–3). Die Anordnung muß auch auf Durchschlag und Überschlag kontrolliert werden!

Die Isolierungen müssen über lange Zeit die spannungsführenden Teile zuverlässig voneinander trennen. Durch Betriebsbeanspruchungen und äußere Einflüsse gehen chemisch-physikalische Änderungen

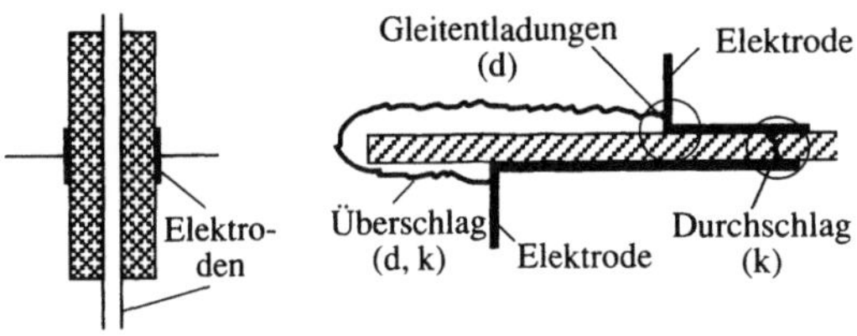

Bild 11.9-3 Typische Anordnungen für Gleitentladungen
a) Durchführung,
b) Dimensionierung (D) und Kontrolle (K)

vonstatten, durch die sich auch die elektrischen Eigenschaften ändern. Diese Alterungsprozesse führen letztlich dazu, daß die Isolierung ihre Aufgabe nicht mehr erfüllen kann. Anhaltspunkte für die Dimensionierung auf Lebensdauer sind die experimentell ermittelten Lebensdauer-Kennlinien und deren Extrapolation [11.2], [11.3], [11.4], [11.7].

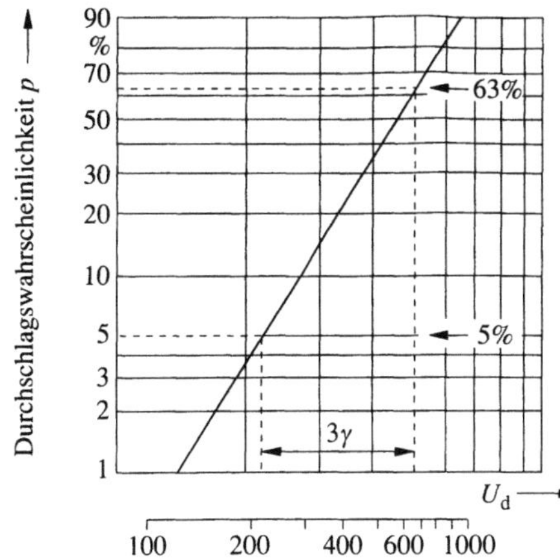

Bild 11.10-1 Auswertung der Durchschlagergebnisse im Wahrscheinlichkeitsnetz für die Weibull-Verteilung

11.10 Hochspannungsprüfungen

Im Rahmen von Hochspannungsprüfungen werden teils mit Meßmethoden, teils mit Halteprüfungen unter erhöhten Beanspruchungen die wichtigsten Eigenschaften einer Isolierung ermittelt und ihre Festigkeit getestet.

11.10.1 Messung der elektrischen Festigkeit

Die elektrische Festigkeit ist eine Größe, die bedingt durch ihre physikalische Natur materialabhängigen Streuungen unterliegt. Zur Bestimmung der Festigkeit werden deshalb mehrere Messungen durchgeführt und statistisch ausgewertet.

Bei gasförmigen Isolierstoffen wird vorwiegend die Kugel-Kugel-Anordnung benutzt. Die Werte der Durchschlagspannung werden im *Spannungssteigerungsversuch* gemessen. Die Auswertung erfolgt nach Normalverteilung (Mittelwert, Standardabweichung). Bei Stoß- oder Schaltstoß-Spannungen werden die 50%-Werte bestimmt.

Bei flüssigen Isolierstoffen wird ebenfalls die Kugel-Kugel-Anordnung verwendet. Für Vergleichszwecke dienen die genormten Anordnungen (Durchmesser der Kugel 25 mm bei 2,5 mm Abstand). Für die Auswertung wird auch hier die Normalverteilung verwendet.

Bei festen Isolierstoffen werden die Kugel-Platte- oder die abgerundete Platte-Platte-Anordnung eingesetzt. Wegen der hohen Durchschlagsfeldstärken ist es oft nötig, die Anordnung mit Öl zu umgeben, um die Gleitentladungen oder den Überschlag zu vermeiden. Die Durchschlagspannung wird im Spannungssteigerungsversuch ermittelt. Die Auswertung erfolgt oft nach der Normalverteilung, zunehmend aber nach der Weibull-Verteilung (Bild 11.10-1).

11.10.2 Messung des Isolationswiderstandes

Die *Messung des Isolationswiderstandes* stellt hohe Ansprüche an Spannungsquelle und Meßgeräte. Die Gleichspannung von 1...2 kV muß wegen der meist kapazitiven Prüfkörper äußerst konstant sein. Andernfalls stören die kapazitiven Ströme. Bei guten Isolierstoffen liegen die fließenden Ströme im pA-Bereich oder noch darunter. Um das elektrische Feld im Meßbereich homogen zu halten und die störenden Oberflächenströme auszuschalten, werden Anordnungen mit Schutzringen verwendet (Bild 11.10-2). Für die Beurteilung des Oberflächenwiderstandes wird eine spezielle normierte Anordnung verwendet [11.17].

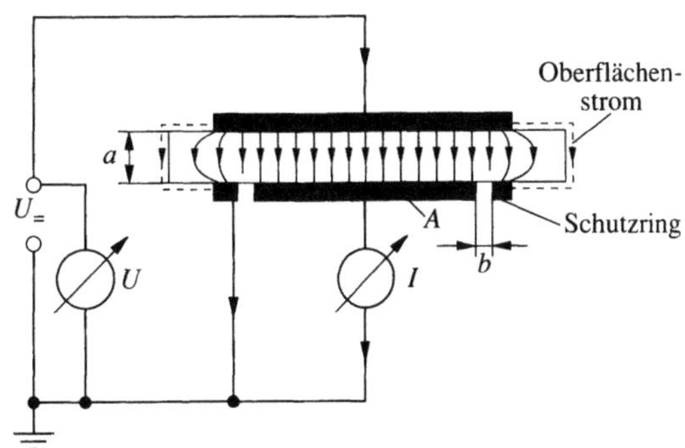

Bild 11.10-2 Messung des Volumenwiderstandes. Elektrodenanordnung mit Schutzschild

11.10.3 Kapazitäts- und Verlustfaktor-Messung

Für die Bestimmung der dielektrischen Kenngrößen wird meist die *Schering-Brücke* oder daraus weiterentwickelte Schaltungen verwendet (Bild 11.10-3).

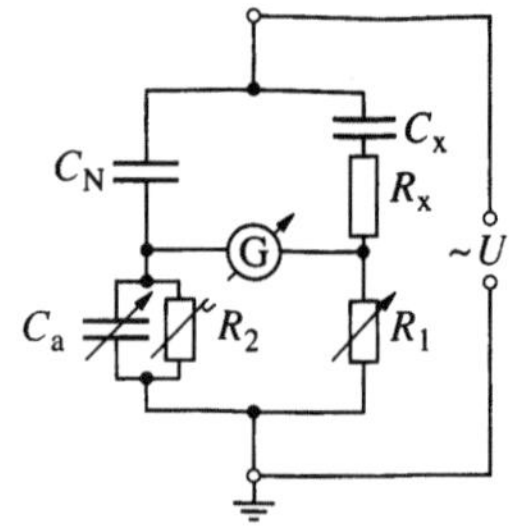

Bild 11.10-3 Schering-Brücke zur Messung von C und $\tan\delta$

Die Brückengleichung lautet bei Abgleich:

$$Z_1 Z_3 = Z_2 Z_4. \qquad (11.10\text{–}1)$$

Daraus folgt

$$\tan\delta = \omega R_2 C_a, \qquad (11.10\text{–}2)$$

$$C_x = C_N \frac{R_2}{R_1}. \qquad (11.10\text{–}3)$$

$\tan\delta$	ω	R_1, R_2	C_a, C_x, C_N
1	1/s	$\Omega = \mathrm{V/A}$	$\mathrm{F = As/V}$

Mit der Hilfe der Geometrie des Prüflings kann auch ε bestimmt werden. Die Messung in Abhängigkeit von der Frequenz kann über bestimmte Polarisationsarten Auskunft geben.

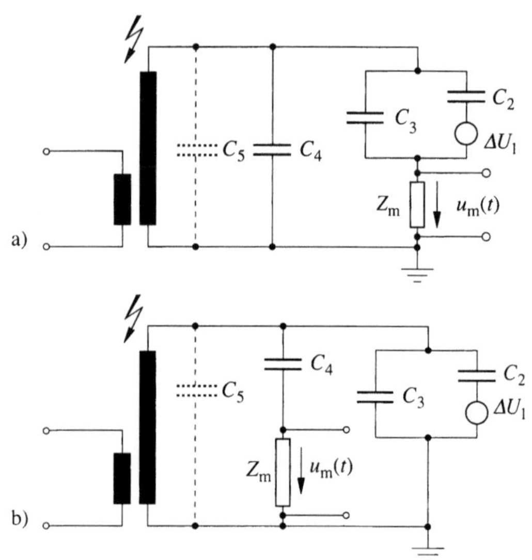

Bild 11.10-4 Meßkreise für die Teilentladungsmessung
a) Ankopplungsvierpol an den Prüfling,
b) Ankopplungsvierpol an den Koppelkondensator,
Z_M Meßimpedanz,
u_M Meßspannung

11.10.4 Teilentladungsmessung

Schaltanlagen, Transformatoren, insbesondere aber kunststoffisolierte Hochspannungskabel sind durch innere Teilentladungen sehr gefährdet. Die *Teilentladungsmessung* wird als Qualitätsprüfung, diagnostische Prüfung aber auch als Störungsmessung durchgeführt.

Innere Teilentladungen verursachen kleine impulsartige Spannungseinbrüche an den Klemmen der Elektroden. Diese Impulse können mit Hilfe des gewählten Koppelkondensators im Meßkreis erfaßt und gewertet werden. Die Messung ist sehr empfindlich. Es ist deshalb notwendig, eine hohe Störungsfreiheit zu sichern (Netzfilter, Faradayscher Käfig) (Bild 11.10–4).

11.10.5 Kriechstromfestigkeit, Lichtbogenfestigkeit

Kriechströme, die durch Feuchtigkeit, Niederschlag, Verschmutzungen und Fremdschichten an der Oberfläche einer Isolierung hervorgerufen werden, können Erosionen verursachen und ggf. leitfähige Spuren hinterlassen. Bei der Messung wird unter praxisnahen Bedingungen die Widerstandsfähigkeit des Isolierstoffes geprüft. Dazu werden zwei Elektroden auf die Oberfläche gesetzt, abwechselnd die Spannung erhöht und ein Elektrolyt aufgetropft. Nach Überschreitung der Stromgrenze wird die Tropfenzahl und die Spannung registriert. Charakteristisch sind die Erosionsspuren (Bild 11.10–5).

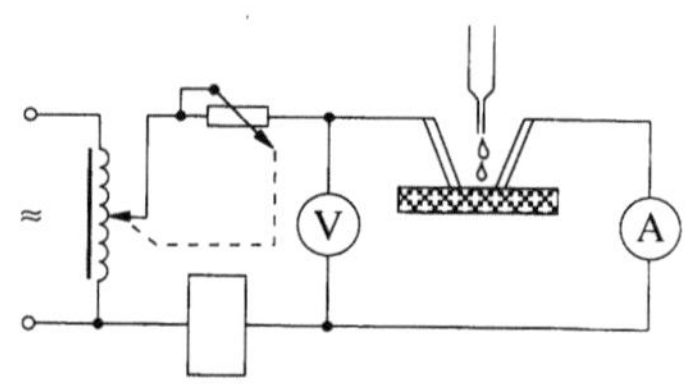

Bild 11.10-5 Messung der Kriechstromfestigkeit

In ähnlicher Anordnung kann die *Lichtbogenfestigkeit* bei bestimmten Werten von Strom, Abstand und Zeit ermittelt werden.

11.10.6 Alterungsmessung, Isolationsdiagnostik

Durch die chemischen und physikalischen *Alterungsprozesse* ändern sich die wichtigsten Isoliereigenschaften, darunter auch die elektrische Festigkeit. Ziel der Messungen ist es, die Betriebssicherheit und Restfestigkeit mit zerstörungsfreien Methoden möglichst genau zu bestimmen, um Frühausfälle zu vermeiden. Das Prinzip besteht darin, mit künstlich beschleunigt gealterten Anlagen die Zusammenhänge zwischen Festigkeitswerten und zerstörungsfreien Kenngrößen zu ermitteln und später die Ergebnisse in der Praxis anzuwenden. Für verschiedene Anlagen gibt es erprobte typische Größen und Methoden, so die tan δ-Messung für Öl-Papier Kabel, die Öl-Analyse für Transformatoren usw. (Bild 11.10–6) [11.5], [11.6], [11.7], [11.16].

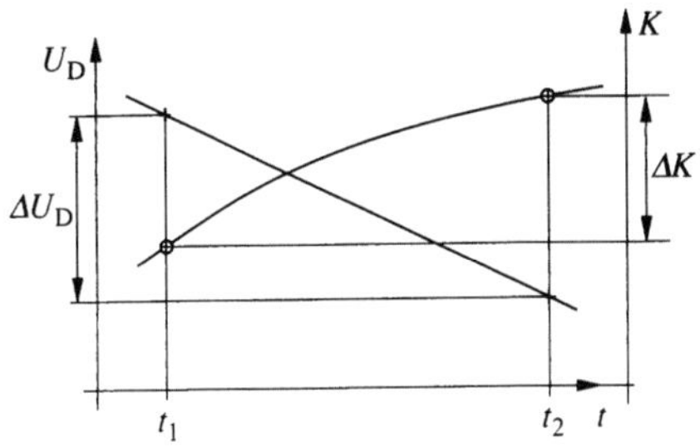

Bild 11.10-6 Grundprinzip der Diagnostik
ΔU_D Anderung der Durchschlagfestigkeit,
ΔR Anderung einer zerstörungsfrei meßbaren Eigenschaft

11.11 Literatur

[11.1] *Schwab, Adolf J.*, Begriffswelt der Feldtheorie, Springer Verlag, Heidelberg 1987

[11.2] *Kind, Dieter*, und *Hermann Krämer*, Hochspannungs-Isoliertechnik, Friedrich Vieweg & Sohn, Braunschweig/Wiesbaden, 1982

[11.3] *Kahle, Manfred*, Elektrische Isoliertechnik, Springer Verlag, Heidelberg 1989

[11.4] *Beyer, M., W. Boeck, K. Möller* und *W. Zaengl*, Hochspannungstechnik, Springer Verlag 1986

[11.5] *Kind, Dieter*, Einführung in die Hochspannungs-Versuchstechnik, Friedrich Vieweg & Sohn, Braunschweig/Wiesbaden 1985

[11.6] *Schwab, Adolf J.*, Hochspannungsmeßtechnik, Springer Verlag, Heidelberg 1981

[11.7] *Lesch, Guntram*, Lehrbuch der Hochspannungstechnik, Springer Verlag, Heidelberg 1959

[11.8] *Härtler, Gisela*, Statistische Methoden für die Zuverlässigkeitsanalyse, VEB Verlag Technik, Berlin 1983

[11.9] *Hylten-Cavallius, Nils*, High Voltage Laboratory Planning, Emil Hafely & Cie. AG 1986

[11.10] *Simonyi K.*, Theoretische Elektrotechnik Deutscher Verlag der Wissenschaften, Berlin 1956

[11.11] *Zienkiewitz, O. C.*, The finite element method in engineering science, McGraw-Hill, London 1971

[11.12] *Krause, M.*, und *K. Möller*, A Monte Carlo method for two and three dimensional electrostatic field calculation in materials of different permittivity, 4. Int. Symposium for High Voltage Engineering, Athen 1983

[11.13] *Gänger, B.*, Der Flüssigkeitsdurchschlag, Bull. SEV 72 (1981)

[11.14] IEC Publ. 60–2 (1973), High Voltage test techniques, Part 2, Test Procedures

[11.15] *Kuffel, E.*, und *W. S. Zaengl*, High-Voltage-engineering Fundamentals, Oxford, 1984, Pergamon Press

[11.16] Hochspannungs-Prüftechnik Begriffe und allgemeine Festlegungen zur Prüfung, DIN 57432 / VDE 0432 Teil 1 (10.78)
Prüfverfahren, DIN 57432 / VDE 0432 Teil 2 (10.78)
Messeinrichtungen, DIN 57432 / VDE 0432 Teil 3 (10.78)
Teilentladungsmessungen, DIN 57434 / VDE 0434 (05.83)

[11.17] Prüfungen von Werkstoffen für die Elektrotechnik Durchschlagsspannung, Durchschlagsfestigkeit, DIN 53481 / VDE 0303 Teil 2 (11.74)
Messung des elektrischen Widerstandes von nichtmetallenen Werkstoffen, DIN 53482 / VDE 0303 Teil 3 (05.83)
Bestimmung der dielektrischen Eigenschaften, DIN 53482 / VDE 0303 Teil 4 (12.69)
Bestimmung der Lichtbogenfestigkeit, DIN 53482 / VDE 0303 Teil 5 (10.55)
Hochspannungs-Kriechstromfestigkeit, DIN 57303 / VDE 0303 Teil 10 (06.83)

12 Automatisierungstechnik

12.1 Steuerungstechnik

12.1.1 Begriffsklärung

Unter einem *Automaten* versteht man ein technisches System, das einen technischen Ablauf realisiert, ohne daß der Mensch manuell eingreifen muß. Dieser technische Ablauf wird durch ein *Programm* vorgegeben, das vorher erstellt und in den Automaten eingegeben wurde. Der Automat trifft aufgrund des Programmes Entscheidungen, die auf Verarbeitung von Eingabesignalen und IST-Zuständen des Automaten Ausgaben und somit neue SOLL-Zustände zur Folge haben.

Tabelle 12.1–1: Steuerungstechnik für Maschinen und technische Anlagen

Automatisierungstechnik	
Produktbereich	Anlagenbereich
Heizungssysteme	Paketverteilanlage
Waschmaschinen	
Nähmaschinen	Kraftwerksanlagen (Dampferzeuger, Turbinen, Generatoren)
Küchengeräte, z. B. Spülmaschinen, Herde	
	Hochregallager
Fernsehgeräte	
Alarmanlagen	Schienenverkehrssysteme (Fernbahnen, Stadtbahnen, U-Bahnen)
Filmkameras	
Spielzeuge	
Telefonbeantworter	verfahrenstechnische Anlagen in der chemischen Industrie
Navigationssysteme	
Musikinstrumente	
einfache Werkzeugmaschinen	Prüffelder
	Energieversorgungsnetze
Robotersysteme	Stahl- und Walzwerksanlagen
	Gasversorgungsanlagen
Kraftfahrzeuge mit den Teilsystemen Motorsteuerung, Bremssystem Getriebesteuerung, Fahrtplanung Abstandswarnsystem usw.	gebäude- und haustechnische Anlagen Laboranlagen

Automatisieren bedeutet den Einsatz künstlicher Mittel zum Erreichen des Zweckes eines Vorgangs, ohne daß der Mensch kontinuierlich eingreifen muß, d. h., der Automat vollzieht selbstständig den Vorgang. Der Endzustand wird durch die Bearbeitung der verfahrenstechnischen Schritte erreicht, die durch das Programm vom Automaten nacheinander ausgeführt werden.

Unter *Automatisierungstechnik* versteht man die Technik, mit deren Hilfe man den Automaten realisieren kann und die technischen Methoden und Verfahren anwendet, um einen selbständigen, kontrollierten Produktionsprozeß zu erreichen. Zur Automatisierungstechnik gehören u. a. die Fachgebiete Steuerungstechnik, in der herkömmlichen Kontakttechnik, *speicherprogrammierbare Steuerungen* (SPS), Visualisierung, Antriebstechnik, Fördertechnik i. a. und Prozeßleittechnik (Tabelle 12.1–1).

Eine Zusammenfassung erfährt die Automatisierungstechnik im Bereich CIM, *computer integrated manufacturing,* wobei nicht nur die Gebiete Fertigung und Planung eine Rolle spielen, sondern auch die Aspekte der Materialzuführung und Materialbeschaffung beachtet werden.

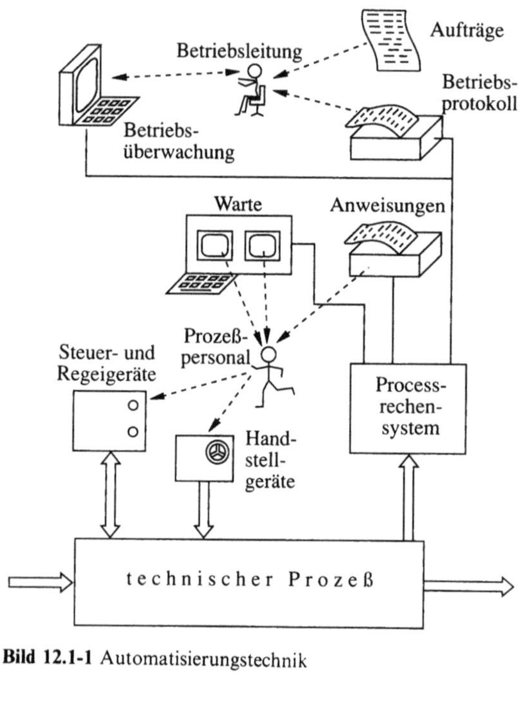

Bild 12.1-1 Automatisierungstechnik

Zum Bereich der Automatisierungstechnik gehört neben der einfachen Steuerung von Prozessen auch die Regelung von Zustandsgrößen des technischen Vorganges. Die Automatisierungstechnik umfaßt, neben der *Steuerungstechnik*, die Bereiche der *Informationsweitergabe* an übergeordnete Systeme, die *bedienergeführte Beeinflussung* des technischen Prozesses, die *Protokollierung* von Störungen und die Realisierung eines *störungsfreien technischen Ablaufes* (Bild 12.1–1). Das Ziel der Automatisierungstechnik ist die Erstellung technischer Systeme zur wirtschaftlichen Erzeugung hochqualitativer Produktionsgüter. Der Sicherheitsaspekt bei der Erstellung dieser Systeme verlangt ein Höchstmaß an Interesse.

Die Automatisierung ermöglicht eine kostengünstige Produktion bei gleichzeitiger Humanisierung der Arbeitsplätze.

12.1.2 Definition des Automaten, des Automatisierungsbereiches und des Automatisierungsgrades nach DIN 19233

Der *Automat* ist ein künstliches System, das selbständig ein Programm befolgt. Aufgrund dieses Programmes trifft das System Entscheidungen, die auf der Verknüpfung von Eingaben in Verbindung mit den jeweiligen Zuständen des Systems beruhen und Ausgaben zur Folge haben.

Der *Automatisierungsbereich* ist ein Bereich in einer Anlage, in dem alle Vorgänge automatisch ablaufen. Innerhalb einer Anlage können mehrere Automatisierungsbereiche vorhanden sein.

Der *Automatisierungsgrad* beschreibt den Anteil, den die Funktionen der Automatisierungsbereiche an der Gesamtfunktion der Anlage haben. Der Automatisierungsgrad wird als Quotient aus der Summe der automatisierten Entscheidungen zur Summe der automatisierbaren Entscheidungen angegeben. Zur Summe der automatisierbaren Entscheidungen werden auch Entscheidungen durch menschliches Einwirken gezählt. Bei Teilautomatisierung ist der Automatisierungsgrad kleiner als 1. Eine Vollautomatisierung liegt vor, wenn der Automatisierungsgrad gleich 1 ist. Ein Automatisierungsbereich und ein Automat selbst haben immer den Automatisierungsgrad 1 (Bild 12.1–2).

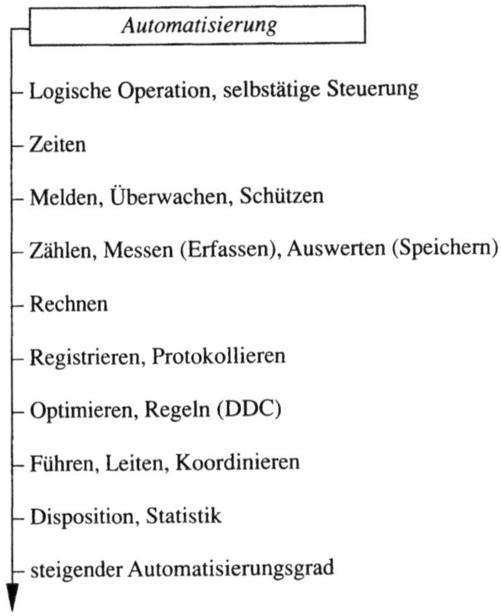

Bild 12.1-2 Aufgaben von Automatisierungssystemen (Satt-Control)

12.1.3 Elemente der Automatisierungstechnik

Als Elemente der Automatisierungstechnik werden zwei Bereiche bezeichnet:

- Systeme, die die Umsetzung der Information von und in mechanische Größen bei gleichzeitiger Leistungsanpassung realisieren;
- Systeme, die das Programm enthalten und den Ablauf des Verfahrens ermöglichen.

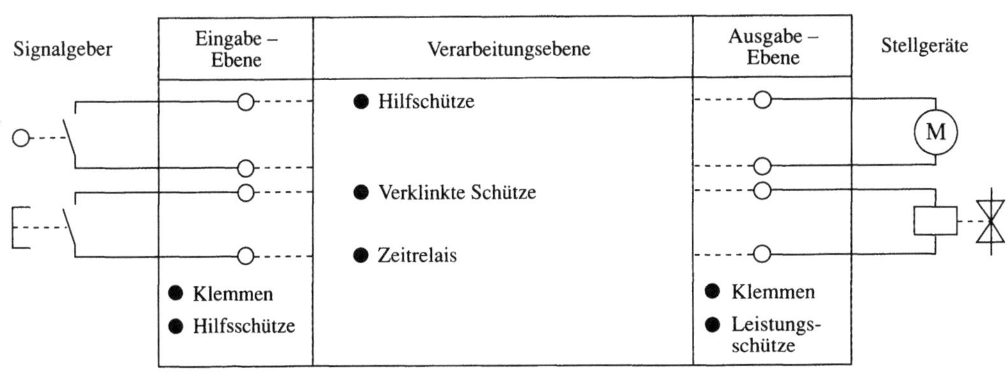

Bild 12.1-3 Die elektromechanische Steuerung

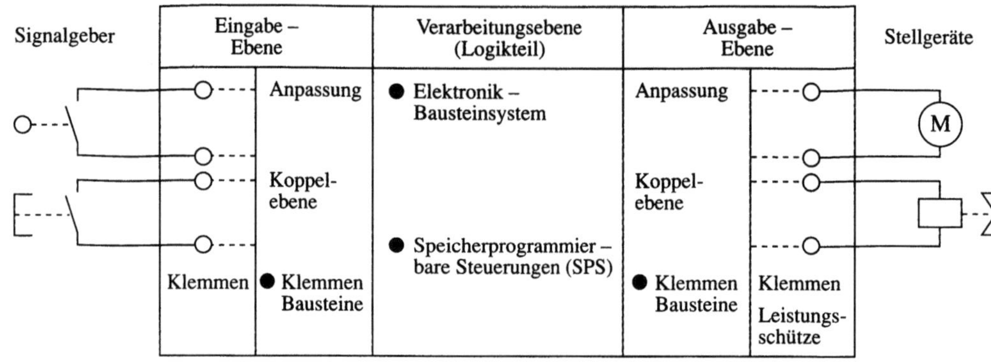

Bild 12.1-4 Die elektronische Steuerung

Die Information des Ablaufes wird z. B. über die Hilfsmittel der Steuerungstechnik, der elektrischen Antriebstechnik, der Pneumatik und Hydraulik in eine mechanische Größe umgesetzt. Betrachtet man die Entwicklung der Automation historisch, so müssen als erstes die *kontaktbehaftete Steuerung* (Bild 12.1–3) und die *analoge Regelungstechnik* erwähnt werden. Als weiteren historischen Schritt kann man die *festprogrammierte* oder *festverdrahtete programmierbare Steuerung* betrachten, die wiederum durch die *freiprogrammierbare Steuerung* (SPS) und *freiprojektierbare Regelung* abgelöst werden (Bild 12.1–4). Der Markt bietet heute eine Vielzahl von Steuerungskomponenten, die miteinander durch Bussysteme kommunikationsfähig sind und modular aufgebaut werden können. Ein Einsatz im Verbund mit weiteren Systemen ist genauso möglich, wie der dezentrale Aufbau eines Systems für eine spezielle Applikation der Regelungs-, Steuerungs- oder Antriebstechnik. Durch den konsequenten Einsatz von Mikroprozessoren, Mikrocontrollern und kundenspezifischen Schaltkreisen (ASIC) in den Geräten werden die Anwendungen leistungsfähiger und, aufgrund der Massenfertigung, preisgünstiger. Ein mikroprozessorgesteuerter, frequenzgeregelter Antrieb ist heute genauso ein Standard, wie die Erstellung einer Steuerung in der SPS-Technik.

Trotz hoher Integrationsdichte im Bereich der elektronischen Steuerungen muß das Ausgangssignal mit der geforderten Schaltleistung zur Verfügung gestellt werden. Eine Betrachtung von mechanischen Anpaßgliedern für Leistungsebenen (Schütze, Koppelschütze) oder die Betrachtung der Umsetzung des elektrischen Signales in mechanische, pneumatische oder hydraulische Signale ist unumgänglich.

12.1.4 Steuern und Regeln

12.1.4.1 Begriffsklärung Steuerung

Unter einer *Steuerung* versteht man das Verfahren zur Beeinflussung eines technischen Prozesses mit künstlichen Hilfsmitteln. Eine *Steuerungskette* unterteilt sich in die Bereiche Stellglied der Steuerung (Steuereinrichtung) und Steuerstrecke.

Das *Stellglied* enthält die technischen Maßnahmen zur Beeinflussung der *Steuerstrecke*, die wiederum zur Handhabung des gewünschten technischen Prozesses benötigt werden. Betrachtet man die Steuerstrecke, so erkennt man bei Änderung der Führungsgröße eine genau festgelegte Änderung der Ausgangsgröße, ohne daß diese Änderung am Ausgang dem Stellglied zurückgemeldet wird. Der Einfluß von Störgrößen, die in der Kette nach dem Stellglied angreifen, bestimmen die Ausgangsgröße mit. Die Erkennung von Fehlern in der offenen Wirkungskette bzw. in der Ausgangsgröße ist nicht möglich, da das Ergebnis der Steuerung nicht im Stellglied weiterverarbeitet wird. Eine Steuerung ist somit eine *offene Wirkungskette*, die durch das vorgeschaltete Stellglied beeinflußt wird, in der das Ergebnis der Beeinflussung jedoch nicht verifiziert und dem vorgegebenen Sollwert angepaßt wird. Die Steuerung ist eine meist lineare Kette, deren Strecke von den verwendeten technischen Einrichtungen bestimmt ist (Bild 12.1–5).

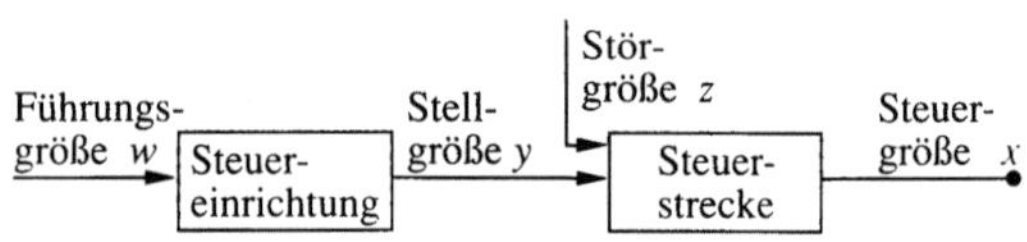

Bild 12.1-5 Struktur einer Steuerung

12.1.4.2 Begriffsklärung Regelung

Unter dem Begriff der *Regelung* versteht man die Beeinflussung eines technischen Prozesses derart, daß der vorgegebene Sollwert der Wirkungskette, trotz Einfluß von Störgrößen, im Verlauf der Wirkung der Kette erhalten wird. Dieses bedingt eine stetige Messung und Rückmeldung des Ergebnisses der Wirkungskette an die Regeleinrichtung des Prozesses. Besteht eine Differenz zwischen der Größe des Sollwertes und der Ausgangsgröße der Kette (Istwert), so muß das Stellglied derart beeinflußt werden, daß die

Differenz der beiden Größen vermindert wird und möglichst dem Wert 0 zustrebt. Das erfordert eine Rückführung des Istwertes zur Stellgröße, d. h., bildlich wird ein Kreislauf der Information gebildet, der *Regelkreis*.

Die Regelung ist durch einen geschlossenen Wirkungsablauf gekennzeichnet, der jederzeit und an jeder Stelle durch von außen auftretende Störgrößen beeinflußt wird. Die Regeleinrichtung vermindert die Differenz zwischen dem vorgebenen Sollwert und dem tatsächlichen Istwert. Die *Regelstrecke* ist durch die vorhandenen technischen Einrichtungen vorgegeben. Der Regelkreis besteht aus der Regelstrecke und der Regeleinrichtung. Der Regler ist das Gerät, das die Aufgaben der Regeleinrichtung beinhaltet (Bild 12.1–6).

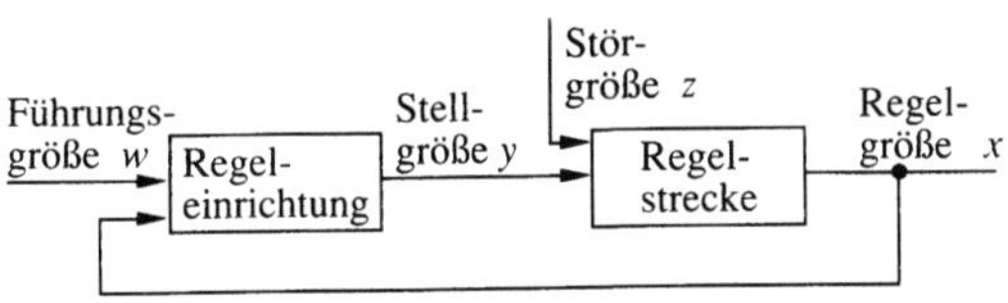

Bild 12.1-6 Struktur einer Regelung

12.1.5 Definition der Begriffe Steuern, Steuerungen, Regeln und Regelungen nach DIN 19226

Das *Steuern* – die *Steuerung* – ist der Vorgang in einem System, bei dem eine oder mehrere Größen als Eingangsgrößen andere Größen als Ausgangsgrößen aufgrund der dem System eigentümlichen Gesetzmäßigkeit beeinflussen. Kennzeichen für das Steuern ist der offenen Wirkungsablauf über das einezelne Übertragungsglied oder die Steuerstrecke.

Das *Regeln* – die *Regelung* – ist ein Vorgang, bei dem eine Größe die zu regelnde Größe (Regelgröße) fortlaufend erfaßt, mit einer anderen Größe, der Führungsgröße, vergleicht und abhängig vom Ergebnis dieses Vergleichs im Sinne einer Angleichung an die Führungsgröße beeinflußt. Der sich dabei ergebende Wirkungsablauf findet in einem geschlossenen Kreis, dem Regelkreis, statt.

12.1.6 Grundbegriffe der Steuerungstechnik

12.1.6.1 Die Komponenten der Steuerungstechnik

Um einen technischen Ablauf zu realisieren, bedarf es der Erfassung der physikalischen Zustände des Systems und ihrer Änderung längs des Prozeßablaufes. Hierzu werden die Zustände und die Änderungen mit entsprechenden Signalerfassungs-Einrichtungen erkannt. Die Signalerfassung kann hierbei z. B. durch einen Schalter, Kontakt, berührungslosen Endschalter statisch oder durch den Einsatz von analogen Gebern (Meßtechnik) kontinuierlich erfolgen (Tabelle 12.1–2).

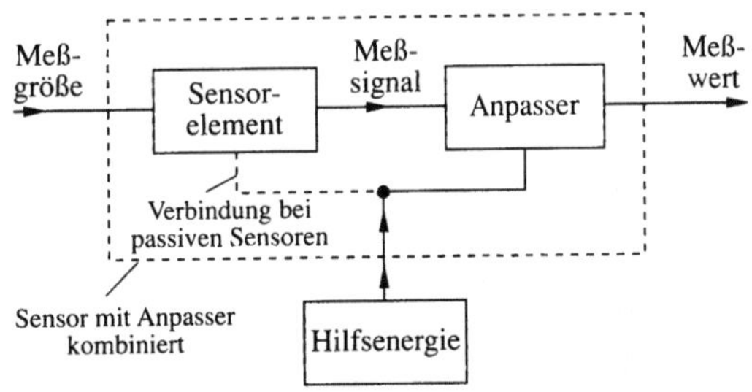

Bild 12.1-7 Signalanpassung (Beispiel Sensor)

Tabelle 12.1–2: Gebersystem für die Signalerfassung

	Mechanik	Hydraulik	Pneumatik	Elektrik	Elektronik
Signalträger	Kraft, Weg	Flüssigkeit (mit Druck)	Druckluft	Strom, Spannung	Spannung, Strom
Signalglied Befehlgeber	Stößel Nocken			Endtaster	Fühlerelement
Steuerglied Verknüpfung Informations-Verarbeitung	Hebel, Kurvenscheiben	verschiedene Bauarten von Ventilen	verschiedene Bauarten von Ventilen	Relais Hilfsschütz	diskret aufgebaute und/oder integrierte Schaltkreise
Stellglied	Zahnstange, Mitnehmer mit Kupplung			Schaltschütz	elektronisches Schütz
Antriebsglied	Kurbel, Schubstange	Kolbenaggregat Hydraulikmotor	Zylinder Druckluftmotor	Elektromotor	Elektromotor

Eine weitere Verarbeitung dieser Signale erfolgt durch die prozeßgerechte Verknüpfung mit anschließender Ausgabe des Ergebnisses an den Prozeß. Hierbei wird die Frage einer Leistungsanpassung notwendig, die mit Hilfe von Koppelgliedern erfolgt. (Bild 12.1–7).

Die Komponenten einer Steuerung bestehen somit aus:

- Signalerfassung,
- Signalverarbeitung,
- Signalausgabe.

12.1.6.2 Die Signalerfassung (Sensorik)

Das *Signal* kann statisch wie auch dynamisch durch den Prozeß vorgegeben sein. Die Einrichtungen zur Signalerfassung werden entsprechend ausgewählt, wobei der Bereich der Erfassung dynamischer Signale im Fachgebiet der Meßtechnik angesiedelt ist (s. Abschnitt 7.5). Die statischen Signale können mit entsprechenden Umsetzern von mechanischen Größen in elektrische gewandelt werden. Eine Vielzahl geeigneter Geber ermöglicht z. B. die Erfassung einer Lage, eines vorhandenen Druckes oder einer Position, die erreicht wurde. Diese Geber liefern, im Gegensatz zur Meßtechnik, nur die Information über das Vorhandensein des Signales nicht jedoch über dessen Größe. Betrachtet man einen Endschalter, so liefert dieser ein zweiwertiges Signal *(binäres Signal)* – betätigt oder nicht betätigt. Um dieses Signal weiter zu verarbeiten, muß es u. U. im Pegel angepaßt werden – *Signalverstärkung* (Bild 12.1–8).

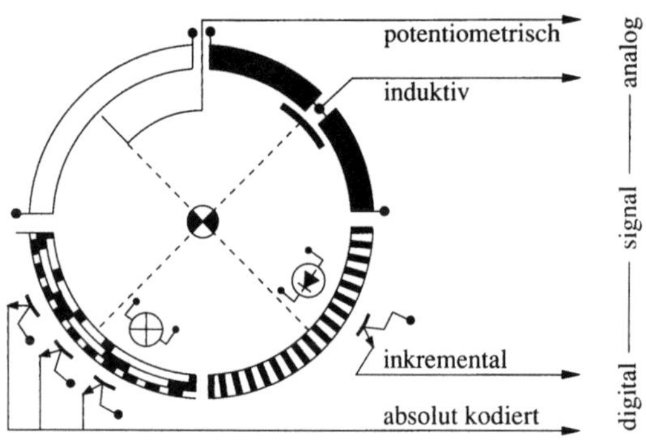

Bild 12.1-8 Analoge und digitale Sensoren

12.1.6.3 Die Signalverarbeitung

Das in die elektrische Form umgewandelte mechanische Signal wird mit den weiteren prozeßbestimmenden Signalen so verknüpft, daß das Ziel des technischen Ablaufes schrittweise erreicht werden kann. Die eingehenden Signale werden durch feste Verdrahtungen und Verbindungen (Hardware), oder programmtechnische Verknüpfungen verarbeitet (Software). Die Ergebnisse der Verarbeitung werden dem Prozeß als elektrische Größe zur Verfügung gestellt (Bild 12.1–9). Diese Verarbeitung kann durch den Aufbau von Schützsteuerungen, durch die Erstellung eines Programmes in einem Rechner oder in einer SPS oder durch das Herstellen eines anwenderspezifischen Schaltkreises erfolgen.

12.1.6.4 Die Signalausgabe (Aktorik)

Das Verknüpfungsergebnis der Signalverarbeitung muß nun wieder an den Prozeß übergeben werden. Hierbei ist es notwendig, die Leistungsebene anzupassen und die Umformung des normalerweise elektrischen Signales in eine mechanische Größe wie Temperatur, Druck, Weg usw. vorzunehmen. Die Anpassung der Leistungsebenen erfordert Verstärker, die wiederum zur Signalausgabeeinheit gehören.

Die Anpassung des elektrischen Signals an die mechanische Größe Weg wird beispielsweise durch elektrische Maschinen vorgenommen, denen z. B. Stromrichter als Vertärkerglieder oder Anpaßglieder vorgeschaltet sind (Bild 12.1–10).

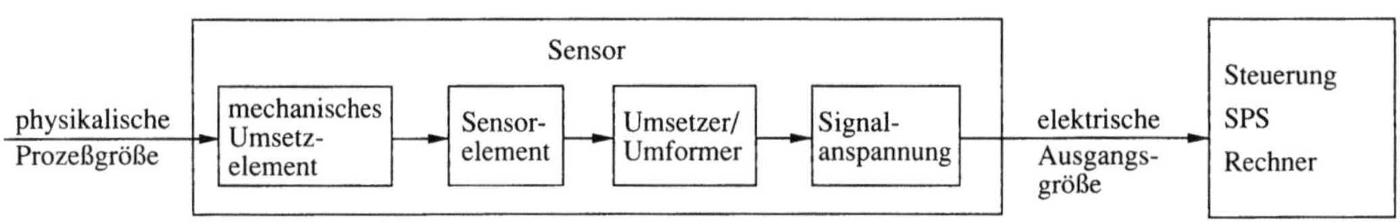

Bild 12.1-9 Eingangssignalverarbeitung

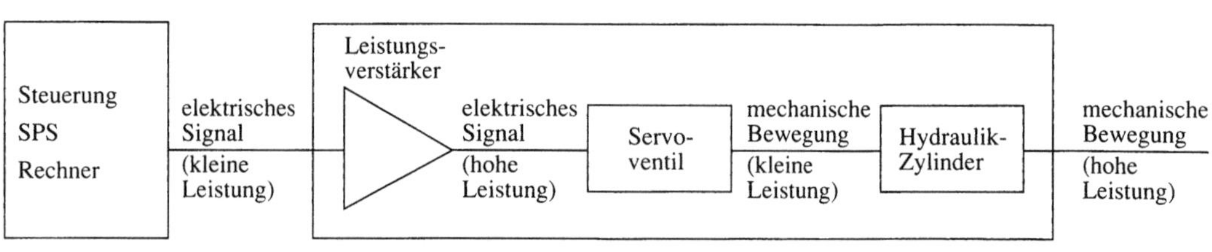

Bild 12.1-10 Ausgangssignalverarbeitung

12.1.6.5 Die wichtigsten Signalgeber der Steuerungstechnik

Alle Sensoren lassen sich aus verschiedenen Grundelementen zusammensetzen, wobei in Abhängigkeit von der Realisierung des Sensors verschiedene physikalische Gegebenheiten genutzt werden. Im allgemeinen werden die drei Grundformen *Schließer, Öffner* und *Wechsler* unterschieden, die weiterhin auch nach ihrem Anwendungsfall im Bereich des Schaltens von Leistungen oder in der reinen Steuerung ausgesucht werden müssen. Die Geber entsprechen der Eingangsschnittstelle der Steuerung (INPUT) (Bild 12.1–11).

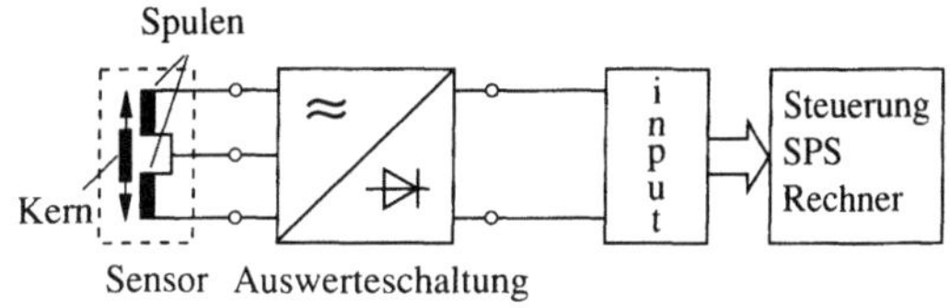

Bild 12.1-11 Eingangsschnittstelle (INPUT)

1. Der Schließer

Der *Schließerkontakt* ist im Ruhezustand geöffnet und gibt das entsprechende Signal an die Steuerung nach der mechanischen Betätigung weiter. Die Verwendung von Schließerkontakten beschränkt sich auf unproblematische Erfassungen, die nicht im Sicherheitsbereich liegen. Eine drahtbruchsichere Signalerfassung kann mit einem Schließerkontakt nicht realisiert werden. Eine weitere Form des Schließers ist der frühschließende Kontakt, der sinngemäß im Vergleich zum Schließer das Signal vor der Endstellung schaltet. Der Schließerkontakt kann rein mechanisch als Überbrückung zweier Klemmen betrachtet werden oder kontaktlos als Durchschalten eines Transistors.

Die ursprüngliche Bezeichnung *Arbeitskontakt* ist hinfällig und wird nicht mehr verwendet (Bild 12.1–12).

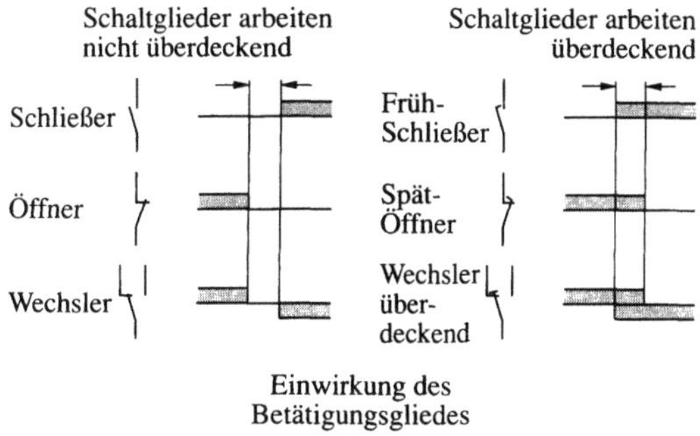

Bild 12.1-12 Grundformen Schließer, Öffner, Wechsler

2. Der Öffner

Im nicht betätigten Zustand ist der *Öffner* geschlossen und schaltet somit das Signal an die Steuerung durch. Infolge mechanischer Veränderungen im Prozeß wird der Stromkreis bei Betätigung geöffnet, die nachgeschaltete Steuerung erkennt die Änderung des Signals vom EIN- zum AUS-Zustand und reagiert entsprechend der Verknüpfung. Eine Realisierung des Öffners ist kontaktbehaftet oder kontaktlos möglich, wobei die physikalischen Gesetzmäßigkeiten die Betätigung bestimmen. Eine Verwendung von Öffnerkontakten ermöglicht den Aufbau einer *drahtbruchsicheren Signalerfassung,* da im Fehlerfall eine Signaländerung eintritt.

Eine weitere Form des Öffners ist die spätöffnende Variante des Gebers. Bei der Verwendung von Früh-Schließern und Spät-Öffnern kann es zu Signalüberdeckungen mit der Gefahr eines Kurzschlusses führen. Der Projekteur muß geeignete Maßnahmen ergreifen. Der Öffner wurde auch als *Ruhekontakt* bezeichnet (Bild 12.1–12).

3. Der Wechsler

Die Kombination eines Schließers und eines Öffners wird als *Wechsler* bezeichnet. Die beiden Teilgeber enthalten ein gemeinsames Schaltstück (Bild 12.1–12).

12.1.6.6 Die wichtigsten Stellgeräte der Steuerungstechnik

Das *Stellgerät* der Steuerungstechnik gibt das Verknüpfungsergebnis, das als elektrisches Signal vorliegt, an den Prozeß weiter. Hierbei wird das elektrische Signal der Steuerung in ein mechanisches Signal umgesetzt, das z. B. wiederum einen Stromkreis einer anderen Leistungsebene schließt. Die Stellgeräte repräsentieren die Ausgangsschnittstelle der Steuerung (OUTPUT) (Bild 12.1–13).

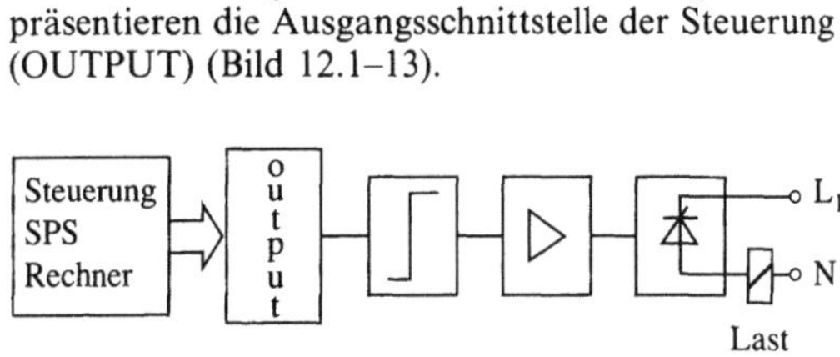

Bild 12.1-13 Ausgangsschnittstelle (OUTPUT)

1. Das Schütz

Das *Schütz* enthält ein elektrisches Betätigungsglied, das durch die Hilfsenergie angeregt wird. Ist das Ausgangssignal der Steuerung logisch 1, so wird durch die Steuerspannung die Spule erregt, die entsprechenden Hilfskontakte werden durch das mechanische System betätigt. Ein Schütz ist die ursprünglichste Stellgeräteform in der Steuerungstechnik, die mit weiteren Modifikationen eine Umsetzung des elektrischen Signals in mechanische Größen ermöglicht. Es können hiermit verschiedene Leistungsebe-

Bild 12.1-14
Sensoren und Aktoren des INPUT- und OUTPUT-Bereiches einer Steuerung (Zusammenfassung)

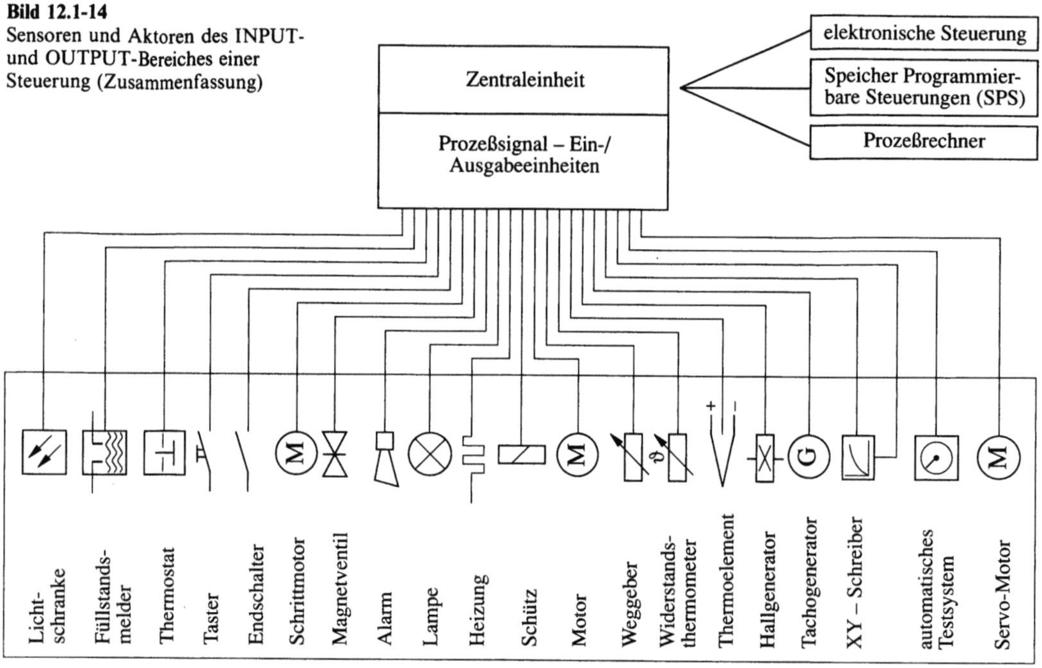

nen verbunden werden, die trotzdem galvanisch getrennt bleiben. Das Magnetventil ermöglicht eine Übertragung des elektrischen Signales in ein pneumatisches oder hydraulisches System.

Die Klassifizierung in *Steuerschütze* und *Leistungsschütze* erfolgt nach der Schaltleistung und nach dem Schaltvermögen der Kontakte in Abhängigkeit von der Stromart (Bild 12.1–14).

2. Das Relais

Im allgemeinen ist das *Relais* eine Variante des Hilfsschützes, wobei jedoch hier die Erregung der Spule mit kleineren Spannungen durchgeführt wird. Die kleine kompakte Bauform des Relais ermöglicht den Einsatz auf entsprechenden Platinen. In der SPS-Technik werden Relaisausgangsbaugruppen bis I_r = 5 A verwendet (Bild 12.1–14).

12.1.6.7 Leistungstransistoren

Speziell bei der SPS-Technik verlangt der Anwender nach größeren schaltbaren Leistungen. Ein Ausgangsstrom von $I_a = 0.5$ A/24 V ist heute ein Standard, der jedoch bei größeren Hilfsschützen nicht zur Betätigung ausreicht. Die Hersteller von SPS-Systemen bieten in diesen Fällen spezielle Ausgangsbaugruppen bis $I_a = 5$ A an (Bild 12.1–14).

12.1.6.8 Zusammenfassung

Die Komponenten einer Steuerung bestehen aus technischen Einrichtungen zur Signalerfassung, Signaleingangsverstärkung, Signalverarbeitung, Signalausgangsverstärkung und Signalausgabe. Im allgemeinen werden die mechanischen Größen in elektrische umgewandelt und verarbeitet. Bei der Ausgabe wird das elektrische Steuerungssignal in eine mechanische Größe zurückgewandelt und dem Prozeß zur Verfügung gestellt. Zur bildlichen Darstellung der Signaleinrichtungen werden Schaltzeichen verwendet.

12.1.7 Schaltzeichen der Steuerungstechnik

Zur Kommunikation in der Steuerungstechnik werden Zeichnungen und Pläne eingesetzt. Die Steuerungstechnik nutzt den *Schaltplan* in verschiedenen Ausführungsformen:

- Übersichtsschaltplan,
- Blockschaltplan,
- Wirkschaltplan,
- Stromlaufplan usw.

Das kleinste Element eines Schaltplans ist das *Schaltzeichen.*

Das Lesen und Verstehen eines Schaltplanes setzt eine Normung der verwendeten Symbole voraus, so daß die Beschreibung des Inhaltes eindeutig ist. Diese Normung ist national verschieden, so daß für allgemeingültige Regeln internationale Komitees berufen wurden.

Die Normen für Schaltpläne und Schaltzeichen sind im Deutschen Normenwerk unter den Bezeichnungen:

DIN 40700, Teil 1, bis DIN 40772, Beiblatt 1 eingeordnet (Tabelle 12.1–3).

Tabelle 12.1–3: DIN-Normen (Auswahl) für Schaltpläne und Schaltzeichen

DIN-Nr.	Inhalt
DIN 19235	Steuerungstechnik, Meldung von Betriebszuständen
DIN 19237	Steuerungstechnik, Begriffe Begriffsdefinitionen der Steuerungstechnik, z. B. von Betriebsarten wie Hand, Einrichten, Automatik. Halbautomatik, Tippen, Schrittsetzen usw.
DIN 19239	Speicherprogrammierbare Steuerungen, Programmierung Festlegung eines kleinen Sprachumfangs für die Anweisungsliste, den Kontaktplan und den Funktionsplan als Programmiersprachen für SPS
DIN 19240	Elektronische Geräte: Peripherie Festlegung von Spannungspegeln und elektrischen Anforderungen an Ein- und Ausgängen elektronischer Geräte, an die Spannungsversorgung u. ä.
DIN 40700	Schaltzeichen. Digitale Informationsverarbeitung
DIN 40719	*Teil 3:* Schaltungsunterlagen: Regeln für Stromlaufpläne der Elektrotechnik *Teil 6:* Schaltungsunterlagen: Regeln und grafische Symbole für Funktionspläne Regeln für Funktionspläne, die vor allem als Übersichtspläne und für die Darstellung von Ablaufprogrammen geeignet sind. Es kann davon ausgegangen werden, daß die DIN 40719 Teil 6 in Anlehnung an neue IEC-Festlegungen überarbeitet werden wird. Dabei werden Schrittelemente u. ä. leicht geändert
DIN 57113/VDE 0113:	Bestimmungen für die elektrische Ausrüstung von Bearbeitungs- und Verarbeitungsmaschinen mit Nennspannungen bis 1000 V. Beschreibung der Anforderungen an Schaltschränke der NOT-AUS-Bedingungen, der Farben von Schaltgeräten. Leitungen usw.
DIN 57160/VDE 0160:	Ausrüstung von Starkstromanlagen mit elektronischen Betriebsmitteln
DIN 66000	Mathematische Zeichen der Schaltalgebra Hier werden die mathematischen Zeichen der Booleschen Logik definiert (z. B. $AB = C$)
DIN 66001	Sinnbilder für Datenfluß-Programmabläufe Hier werden Programmablaufpläne definiert Beiblatt zu DIN 66001
DIN 66261	Sinnbilder für Struktogramme nach Nassi-Schneidermann
VDI/VDE 2180	Sicherung von Anlagen der Verfahrenstechnik mit Mitteln der Meß-, Steuer- und Regelungstechnik *Blatt 1:* Einführung, Begriffe, Erklärungen In dieser Norm werden Sicherheitsregeln aufgestellt für Geräte, die besonderer Berücksichtigung bedürfen. Insbesondere wird auf das Fehlverhalten von Sicherheitseinrichtungen eingegangen. Begriffe werden erläutert usw. *Blatt 2:* Berechnungsmethoden für Zuverlässigkeitskenngrößen von Sicherungseinrichtungen *Blatt 3:* Klassifizierung von Meß-, Steuerungs- und Regelungseinrichtungen *Blatt 5:* Bauliche und installationstechnische Maßnahmen zur Funktionssicherung von Meß-, Steuerungs- und Regelungseinrichtungen in Ausnahmezuständen

Fortsetzung S. 634

Tabelle 12.1–3: Fortsetzung

DIN-Nr.	Inhalt
VDI 2880	Speicherprogrammierbare Steuerungsgeräte *Blatt 1:* Definitionen und Kenndaten z. B. Entwurf eines Datenblatts für SPS, um dem Anwender eine bessere Vergleichmöglichkeit zu bieten *Blatt 2:* Prozeß- und Datenschnittstellen z. B. Definitionen binären Schnittstellen wie Ein- und Ausgänge. Definitionen serieller Schnittstellen wie V.24 und Linienstrom. In Anlehnung an die entsprechenden Normen. *Blatt 3:* Programmier- und Testeinrichtungen Versuch, Mindestanforderungen an Programmier- und Testgeräte für SPS zu formulieren *Blatt 4:* Programmiersprachen Wiederholung der DIN 19239 mit Ergängzungen, vor allem mit Beispielen, Erweiterungen des Funktionsplans um die Ablaufstruktur (Schritt) und des Kontaktplans um Zeiten. Zähler usw. *Blatt 5:* Sicherheitstechnische Grundsätze (Entwurf) Praktisch nutzbare Hinweise zum Einsatz von SPS in sicherheitskritischen Bereichen mit Schaltungsvorschlägen
VDI 3260	Funktionsdiagramm von Arbeitsmaschinen und Fertigungsanlagen Beschreibung des Weg-Schritt- bzw. Weg-Zeit-Diagramms
VDI/VDE 3541	Steuerungseinrichtungen mit vereinbarter gesicherter Funktion

12.1.7.1 Schaltpläne

Wichtige Normen für *Schaltpläne* sind erfaßt in *DIN 40719, Teil 1 und Teil 2.* Der Teil 2 enthält als Anpassung an die *IEC-Norm 113–2* eine neue Kennzeichungsart für die Betriebsmittel. Der Teil 3 nennt die wichtigsten Regeln für die gebräuchlichste Schaltplanart, den Stromlaufplan, ausführlich. Der Teil 4 enthält die Darstellungsart des für größere Steuerungen gebräuchlichen Übersichtsschaltplans. Eine Funktionsplandarstellung als Hilfsmittel für die Verständigung zwischen Hersteller und Anwender ist in der Norm *DIN 40719, Teil 10,* enthalten, die z. T. auf Schaltzeichen der digitalen Informationsverarbeitung *(DIN 40719, Teil 14)* basiert. Zur Erstellung der Schaltungsunterlagen ist es unumgänglich, die neuesten Publikationen zu berücksichtigen, da aufgrund der ständigen Anpassung an den IEC-Entwurf hier die Normung fließend ist bzw. wird. Speziell für den Einsatz im außereuropäischen Gebiet ist es ratsam, die entsprechenden nationalen Publikationen einzusehen.

12.1.7.2 Schaltzeichen

In *DIN 40703* sind *Schaltzeichen* für die Darstellung mechanischer und elektrischer Funktionen vorhanden. Diese Zusatzschaltzeichen umfassen z. B.:

- Bewegungsrichtungen,
- Handantriebe,
- Kraftantriebe,
- Verzögerungen,
- Kupplungen,
- Bremsen usw.,

die wiederum als Hilfszeichen die Betätigung des Elementes charakterisieren.

Eine Normung für die Darstellung für Leitungen und Leitungsverbindungen ist in der *DIN 40711* enthalten. Die Darstellung der Kondensatoren, Dauermagnete, Batterien, Erdung, Abschirmung und Widerstände ist in der DIN 40712 zusammengefaßt. Ebenso sind hier die Kriterien zur Darstellung von Veränderbarkeiten und Einstellbarkeiten genormt. Unter *DIN 40713, Teil 4.72,* befindet sich die Darstellung der Schaltglieder (Öffner, Schließer, Wechsler) wie auch die Darstellung der elektromechanischen Antriebe und Auslöser. Unter *DIN 40717* werden die Darstellungsarten in der Elektroinstallation aufgeführt.

Tabelle 12.1–4: Auswahl wichtiger Schaltzeichen

a) Schaltzeichen: Schalter und Schaltgeräte DIN 40 703
DIN 40 713

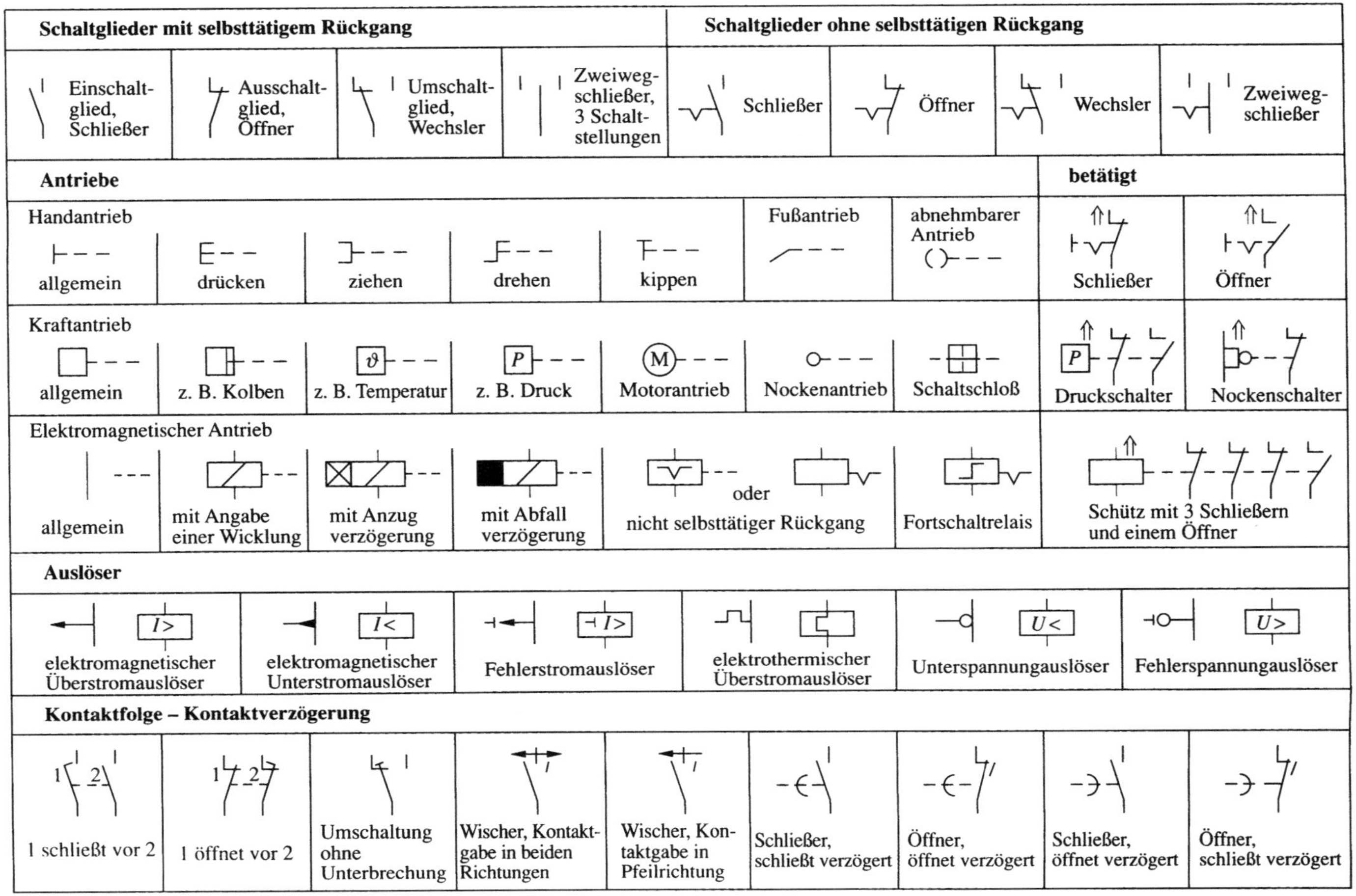

Tabelle 12.1–4: Fortsetzung

Schaltvermögen					
Trennschalter, Leerschalter	Sicherungstrennschalter	Lastschalter	Lasttrennschalter	Leistungschalter	Leistungstrennschalter

b) Schaltzeichen für Stromlaufpläne

Leitungen und Verbindungsstellen DIN 40 711
Elektromagnetische Geräte DIN 40 713
Meßgeräte DIN 40 716

Wicklungen – induktive Widerstände								
Wicklung Induktivität	wahlweise	mit Anzapfungen	mit Kern	Kern mit Luftspalt	geschirmt	Induktivität, stetig veränderbar	stufig veränderbar	einstellbar
Kondensatoren – Kapazitäten								
Kondensator	gepolter Elektrolytkondensator	veränderbar	einstellbar					
Chemische Spannungsquellen								
Batterie	6 V mit Angabe der Spannung							
Verbindungsstellen								
allgemein	besondere Angabe: lösbar	1 2 3 Reihenklemmen	1 2 3 mit Verbindungen	1 2 3 mit festen Verbindungen	1 2 3 mit lösbaren Verbindungen	1 2 schaltbar, geöffnet	1 2 3 4 5 6 mit Leistungsanschluß	

Tabelle 12.1–4: Fortsetzung

Steckter – Steckverbindungen								
Steckerstift	Steckerbuchse	Steckverbinder, wahlweise						
Elektromagnetische Geräte								
Magnet-ventil, offen	Magnet-kupplung	Hub-Magnet	magnetische Bremse					
Meßgeräte								
A Strommesser	V Spannungs-messer	W Leistung-messer	Ω Widerstands-messer	cos φ Leistungsfaktor-messer	U anstelle der Einheit kann auch die Meßgröße stehen			
Meßwerk	anzeigendes Meßgerät mit Meßwerk	registierendes Meßgerät mit Meßwerk	Meßwerk mit Strom- oder Spannungspfad	Meßwerk zur Summen- oder Differenzbildung	Meßwerk mit Strom- oder Spannungspfad	Quotienten-Meßwerk	Leistungsfaktor-messer-Meßwerk	3- Leiter-Leistungs-messer-Meßwerk

c) Schaltzeichen für Stromlaufpläne: Maschinen, DIN 40 715

Aufbauglieder				
M Gleichstrom-motor	G Gleichstrom-generator	M 3~ Drehstrom-motor	M 1~ Einphasen-wechselstrom-motor	G 3~ Drehstrom-generator

Tabelle 12.1–4: Fortsetzung

Beispiele für Zusammensetzungen der Aufbauglieder

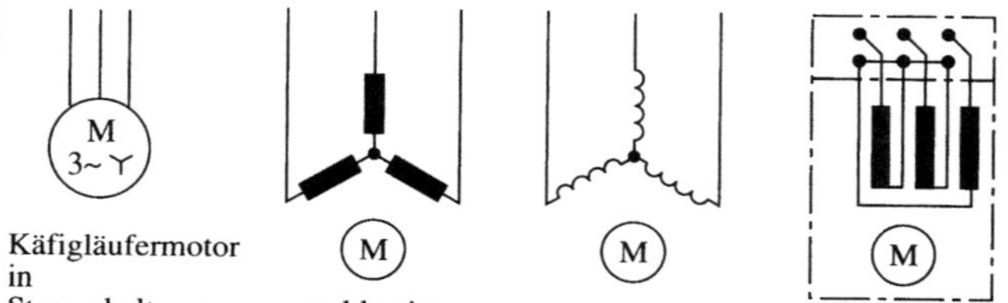

Käfigläufermotor in Sternschaltung — wahlweise — mit Darstellung des Klemmenbrettes

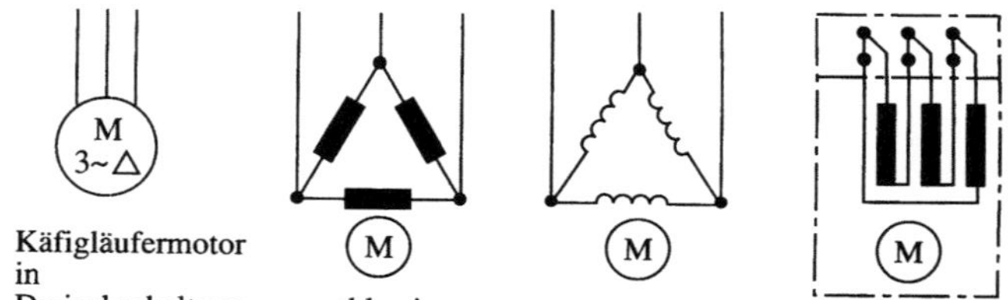

Käfigläufermotor in Dreieckschaltung — wahlweise — mit Darstellung des Klemmenbrettes

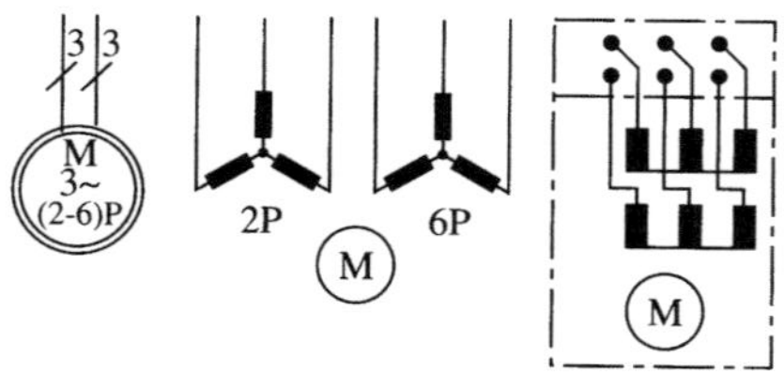

Käfigläufermotor mit 2 getrennten Wicklungen

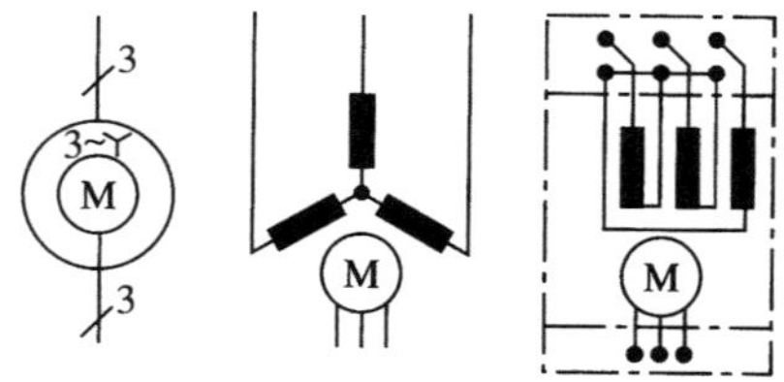

Schleifringläufermotor

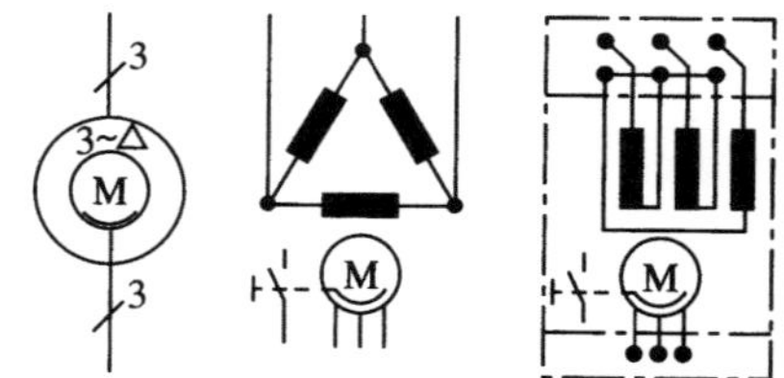

Schleifringläufermotor mit Kurzschließer und Bürstenabheber

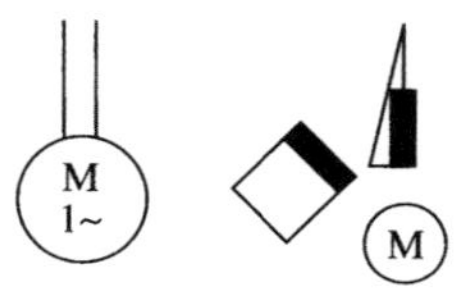

Einphasen-Spaltmotor

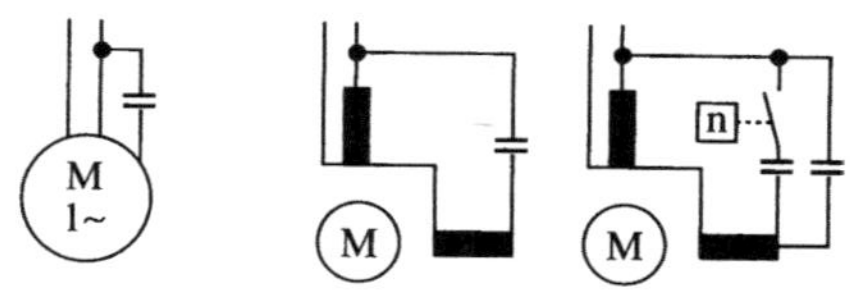

Einphasenmotor mit Hilfswicklung und Kondensator

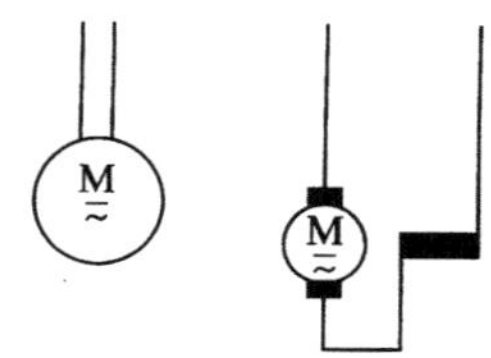

Einphasen-Kommutatormotor (Reihenschluß-Universalmotor)

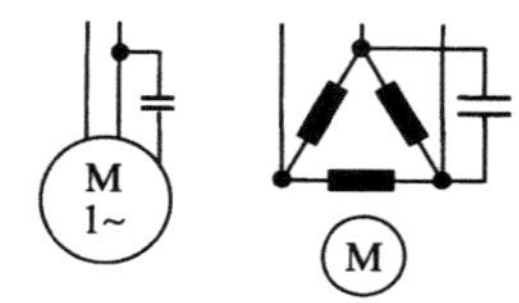

Drehstrommotor als Einphasenmotor angeschlossen

Tabelle 12.1–4: Fortsetzung

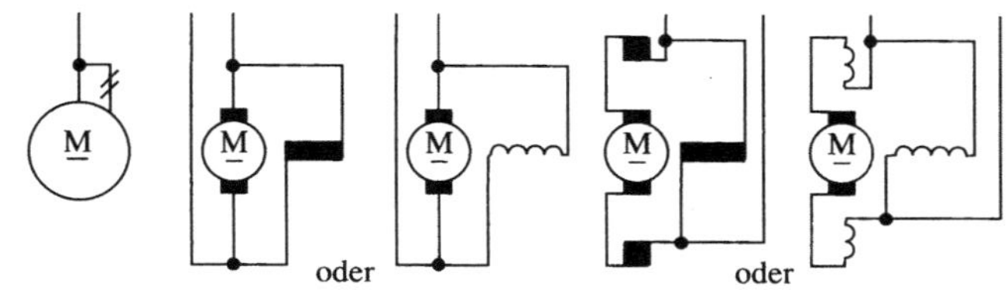

Gleichstrom-Nebenschlußmotor — mit symmetrischen Wendepolen

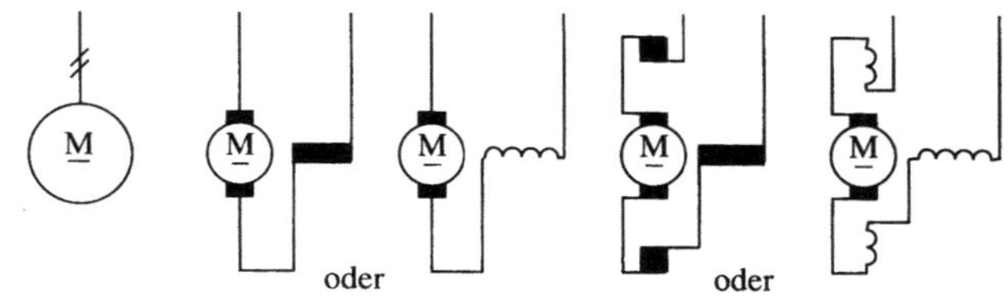

Gleichstrom-Reihenschlußmotor — mit symmetrischen Wendepolen

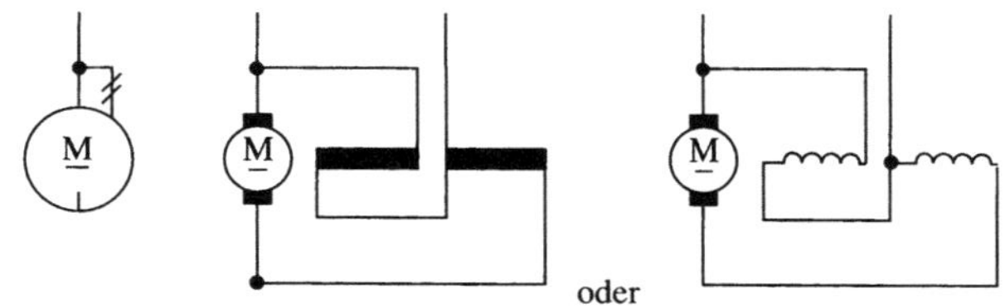

Gleichstrom-Doppelschlußmotor

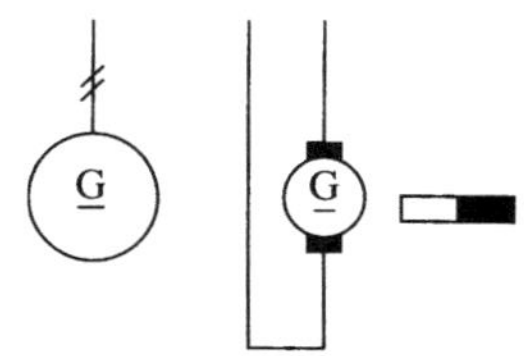

Gleichstrom-Generator mit Dauermagneterregung

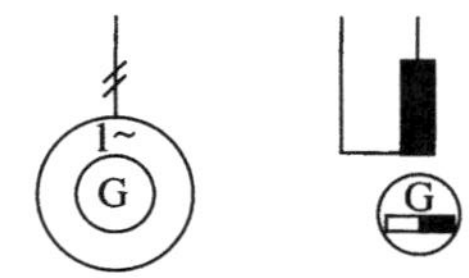

Wechselstrom-Generator mit Dauermagneterregung

12.1.8 Die Steuerungsarten

12.1.8.1 Historischer Überblick

Betrachtet man die Steuerungstechnik historisch, so liegt der Ursprung in der reinen Kontaktsteuerung mit Schützen und Relais. Einen parallelen Zweig zu der industriellen, produktionsorientierten Steuerungstechnik erkennt man in der Informations- und Datenverarbeitung, die aufgrund der hohen Datenmenge und der großen Anzahl von Rechenoperationen Rechnersysteme einsetzt.

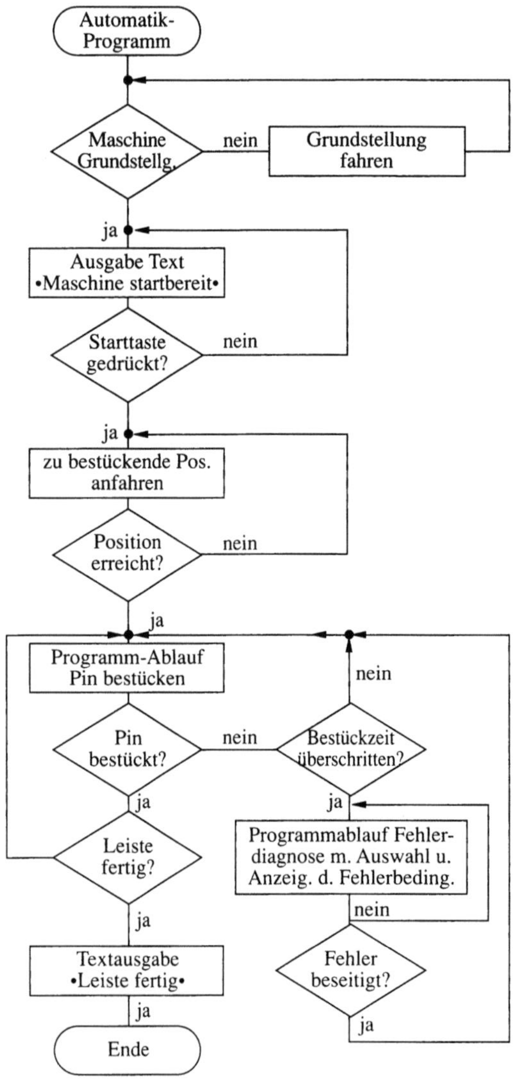

Bild 12.1-15 Programmablaufplan als Beispiel für eine Ablaufkette

Sollen Produktionsprozesse steuerungstechnisch beschrieben werden, so müssen die zwangsläufigen schrittweisen, zeit- oder ereignisgesteuerten Abläufe des Verfahrens erfaßt werden. Die Steuerung der Anlage entspricht dem Ablauf der Herstellung des Produktes *(Ablaufsteuerung)* (Bild 12.1–15).

Die Realisierung von Steuerungssystemen nach bestimmten Ablauf- oder Folgebedingungen lassen sich mit Kontaktsteuerungen nur mit großem Aufwand durchführen. Aufgrund relativ großer Bauformen der Einzelkomponenten werden diese Systeme voluminös, da eine Ablaufsteuerung mit Hilfsschützen je Schritt einen Befehlsspeicher erfordert (Bild 12.1–16). Abgesehen von den Verriegelungsbedingungen und der notwendigen Kontaktvervielfältigung erfordern große Ablaufsysteme eine Vielzahl von Speichern, die wiederum ein großes Schaltschrankvolumen bedingen.

Der nächste Entwicklungsschritt war der Einsatz elektronischer Komponenten in Blockbauform, die festverdrahtet „programmiert“ werden konnten. Der Platzbedarf im Schaltschrank wurde somit verringert, der Verdrahtungsaufwand jedoch nicht. Die technische Entwicklung dieser Steuerungsbausteine ermöglichte die Zusammenfassung von Teilaufgaben in einem Block, der durch entsprechende Verdrahtung „parametriert“ wurde (Bild 12.1–17).

Durch den Einsatz des Mikrocomputers und dessen Verfügbarkeit bei geringer werdenden Stückpreisen wurde wiederum eine weitere Klassifizierung möglich. Die freiprogrammierbaren Steuerungssysteme ermöglichen die Erstellung einer Software in einer interpretativen Sprache. Die Steuerungsaufgabe wird durch die Erstellung eines Programmes gelöst, das bei Bedarf einfach abgeändert werden kann (Bild 12.1–18).

Der Programmierer verknüpft die Eingangssignale des Prozesses unter den gewünschten Bedingungen und übergibt die gebildeten Ausgangssignale an den Prozeß, der wiederum mit neuen Anforderungen, Eingangssignalen, antwortet. Das Steuerungsprogramm wird in einem Programmspeicher hinterlegt und von einem Prozessor schrittweise bearbeitet.

Die Massenproduktion von Gebrauchsgütern erfordert eine Vielzahl solcher Prozeßsteuerungen, die zusätzlich kostengünstig realisiert werden müssen. Diese Anforderungen können heute durch die Erstellung von kundenspezifischen Schaltkreisen (ASIC) erfüllt werden, wobei hier der Schaltkreis durch ein konstenintensives Layout erzeugt werden muß. Eine bedarfsgerechte Änderung des Schaltkreises ist nur unter hohen Kosten möglich, eine nachträgliche Änderung des Steuerungsprogramms in der Maschine ist nur durch Austausch des Schaltkreises erreichbar.

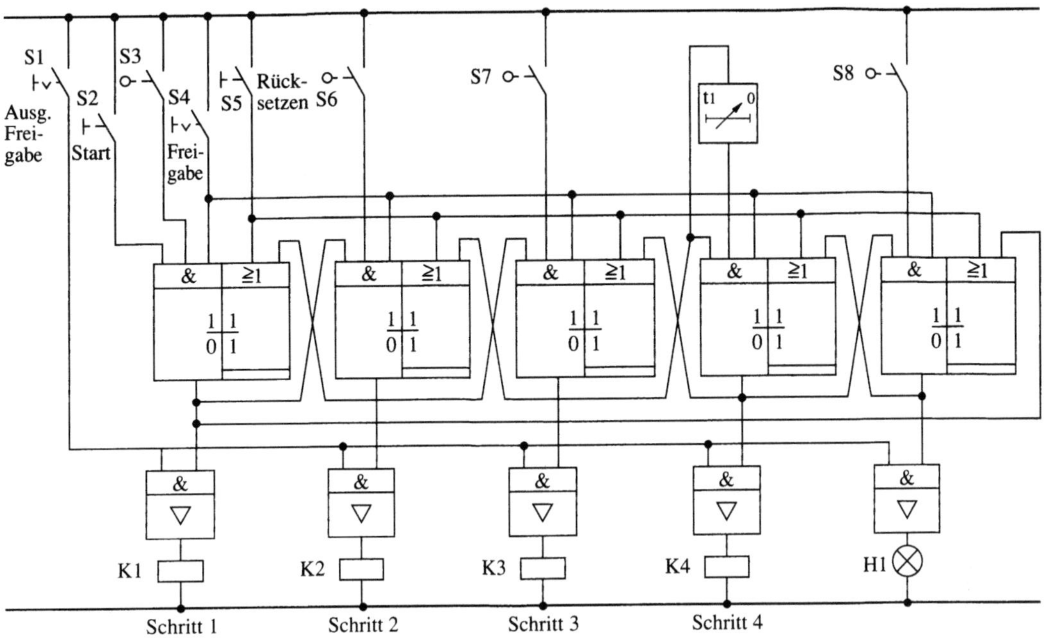

Bild 12.1-16 Ablaufkette mit Kippgliedern

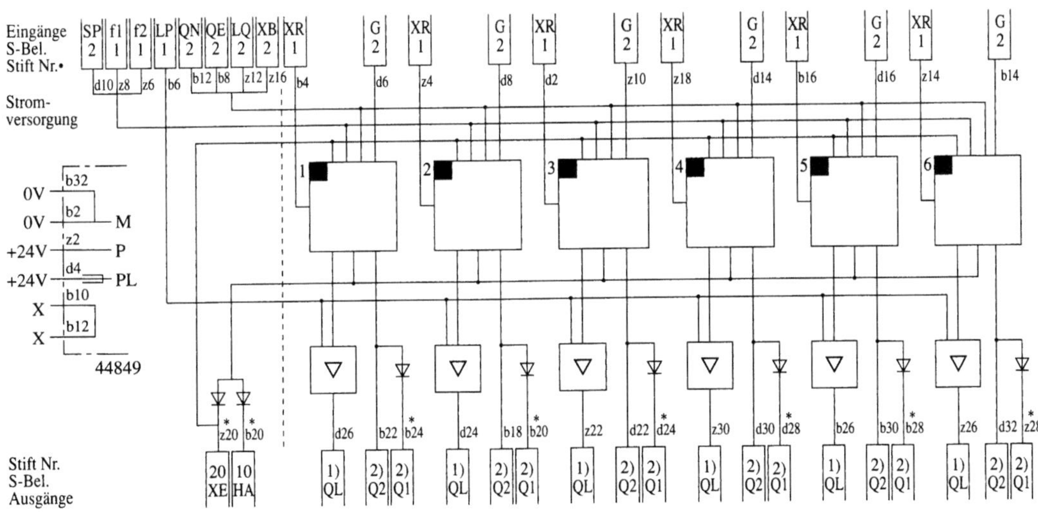

Bild 12.1-17 Elektronische Steuerung in Blockbauform (Werkbild Siemens)
Meldebaugruppe für 6 Einzelmeldungen, Schaltung der Baugruppe bei geschlossener Brücke 1 für Meldungen mit Einfach- und Doppelblinklicht

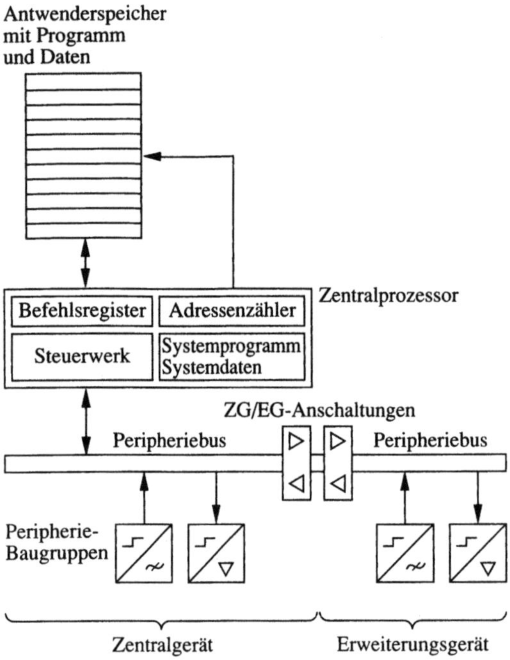

Bild 12.1-18 Strukturbild einer freiprogrammierbaren Steuerung

12.1.8.2 Klassifizierung der Steuerungen

1. Unterscheidungsmerkmale nach DIN 19237

Eine Unterteilung der Steuerungstechnik läßt sich anhand der Informationsdarstellung, der Signalverarbeitung, der Programmrealisation und des hierarchischen Aufbaus erreichen (Tabelle 12.1–5).

2. Die Informationsdarstellung innerhalb der Signalverarbeitung

Je nach Art der Aufbereitung und Verarbeitung des eingehenden Signals wird unterschieden in die Bereiche:

- *analoge Steuerung,*
- *digitale Steuerung,*
- *binäre Steuerung.*

Das *analoge Signal* zeichnet sich durch den unendlichen Wertebereich der Information aus. Der Wertebereich beträgt z. B.: 0... + 10 V, ± 10 V, 0...20 mA und als drahtbruchsicherer Bereich: 4...20 mA. Die Hersteller bieten in diesen Bereichen genormte Gebersysteme an. Innerhalb der *Analogsteuerung* wird das eingehende Signal mit Hilfe von stetig wirkenden Verknüpfungs- und Funktionsgliedern verarbeitet. Das analoge Signal kann integriert, invertiert, multipliziert und mit einer Konstanten versehen werden. Die Realisierung des Übertragungsverhaltens wird mit Verstärkern erreicht, die eine stetige Kennlinie aufweisen.

Eine *Speicherung von Signalen* ist nur mit wenigen analogen Bauelementen (Potentiometer, Stelltrafo, integrierenden Verstärker) möglich. Ein Beispiel für diese Form der Signalverarbeitung bietet der *Analogrechner*. Das Ausgangssignal der Verknüpfung wird wiederum analog zur Verfügung gestellt (Bild 12.1–19).

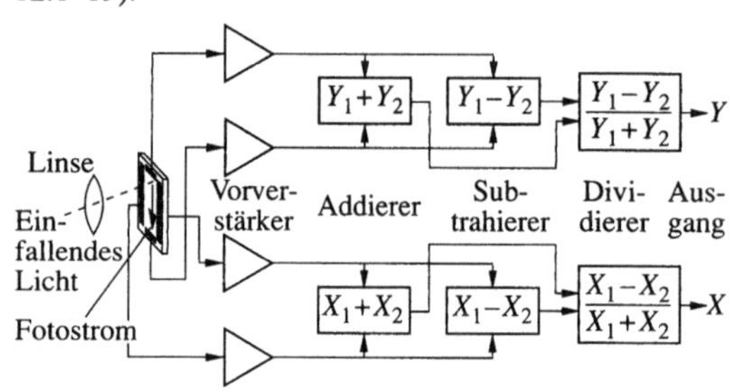

Bild 12.1-19 Beispiel: analoge Steuerung

Tabelle 12.1–5: Hierarchischer Aufbau der Steuerungs- und Leitfunktionen im betrieblichen CIM-Konzept

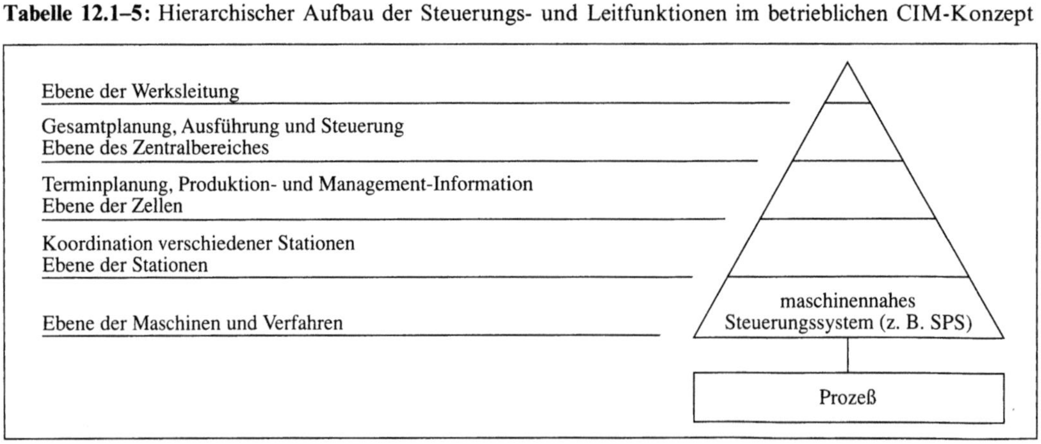

Das *digitale Signal* zeichnet sich durch eine begrenzte Anzahl von Wertebereichen aus, wobei jedem Wertebereich eine eineindeutige Information zugeordnet ist.

Die *digitale Steuerung* verwendet als Funktionsglieder z. B.: Rechenglieder, Register- und Registerinhalte, Speicher und Zähler. Die Information wird hierbei als ganzer Zahlenwert verarbeitet, der wiederum in einem Binärcode dargestellt ist. Eine Kodierung und Dekodierung des Ein- bzw. Ausgangssignals wird vor bzw. nach der Verarbeitung durchgeführt. Die Information kann in verschiedenen Binärcodes durch Geber vorgegeben werden (z. B. BCD-Code, Gray-Code) (Bild 12.1–20).

Das *binäre Signal* zeichnet sich durch die Wertebereiche „0“ und „1“ aus. Ein weiterer Wertebereich des binären Signals, die sogenannte „Unschärfe“ der *fuzzy logic,* wird in Fachkreisen diskutiert und findet in der industriellen Technik derzeit keine umfassende praktische Anwendung. Einige japanische Computerhersteller bieten jedoch Prototypen an (Palmtop (SONY), diverse Camcorder mit Bildstabilisierung auf fuzzy logic-Basis).

In der binären Steuerungstechnik werden vorwiegend zweiwertige Eingangssignale miteinander oder mit digitalen Funktionen (Zeiten, Zählern, Registern) zu binären Ausgangssignalen verknüpft. Die Binärsignale sind nicht Teile einer numerischen Wertvorgabe, sondern werden von den Schließern und Öffnern entsprechender Sensoren oder rückgeführter Hilfskontakte gebildet (Tabelle 12.1–6).

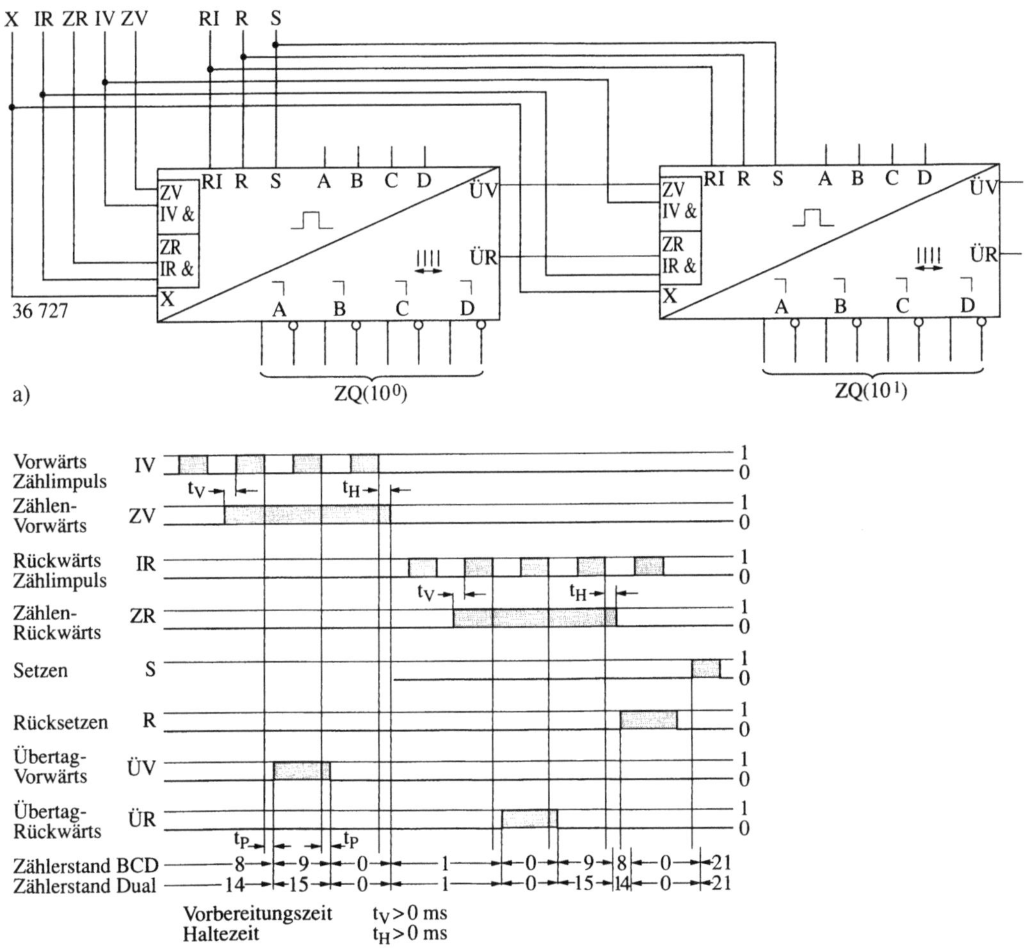

Die Vorbereitungs- und Haltezeit ist nur zu beachten, wenn ZV, ZR als Freigabeeingang benutzt wird.

b)

Bild 12.1-20 Beispiel: digitale Steuerung in Blockbeuform Vorwärts-Rückwärts-Zähler mit 2 Dekaden (BCD)

a) Funktionsplan,
b) Impulsdiagramm

Tabelle 12.1–6: Binäre Steuerung, Schaltzeichen für Steuerungen

	Benennung / Funktionstabelle / Gleichung (Darstellung →)
Verknüpfungsglieder	Identität $A=x$ x | A: 0 | 0; 1 | 1
	Negetation: $A=\bar{x}$ x | A: 0 | 0; 1 | 1
	Oder: $A=x \vee y$ x | y | A: 0 | 0 | 0; 0 | 1 | 1; 1 | 0 | 1; 1 | 1 | 1
	Und: $A=x \wedge y$ x | y | A: 0 | 0 | 0; 0 | 1 | 0; 1 | 0 | 0; 1 | 1 | 1
	Inhibition: $A=x \wedge \bar{y}$ x | y | A: 0 | 0 | 0; 0 | 1 | 0; 1 | 0 | 1; 1 | 1 | 0
	Implikation: $A=x \vee \bar{y}$ x | y | A: 0 | 0 | 0; 0 | 1 | 0; 1 | 0 | 1; 1 | 1 | 0
	Nor: $A=(\overline{x \vee y}) \vee (\bar{x} \wedge \bar{y})$ x | y | A: 0 | 0 | 1; 0 | 1 | 0; 1 | 0 | 0; 1 | 1 | 0
	Nand: $A=(\overline{x \vee y}) \vee (\bar{x} \vee \bar{y})$ x | y | A: 0 | 0 | 1; 0 | 1 | 1; 1 | 0 | 1; 1 | 1 | 0
Zeitglieder	Speicher S | R | A | B: 1 | 0 | 1 | 0; 0 | 0 | 1 | 0; 0 | 1 | 0 | 1; 0 | 0 | 0 | 1
	Zeit (fest) x | t-abgel. | A: 0 | 0 | 0; 1 | 0 | 0; 1 | 1 | 1
	Zeit (verstellbar) x | t-abgel. | A: 0 | 0 | 0; 1 | 0 | 0; 1 | 1 | 1

Darstellung: DIN 40 700 (alt, neu) | DIN 24 300, ISO 1219, pneumatisch | DIN 40 713, elektronisch | FESTO SYSTEM 1000 | VDI/VDE 3681

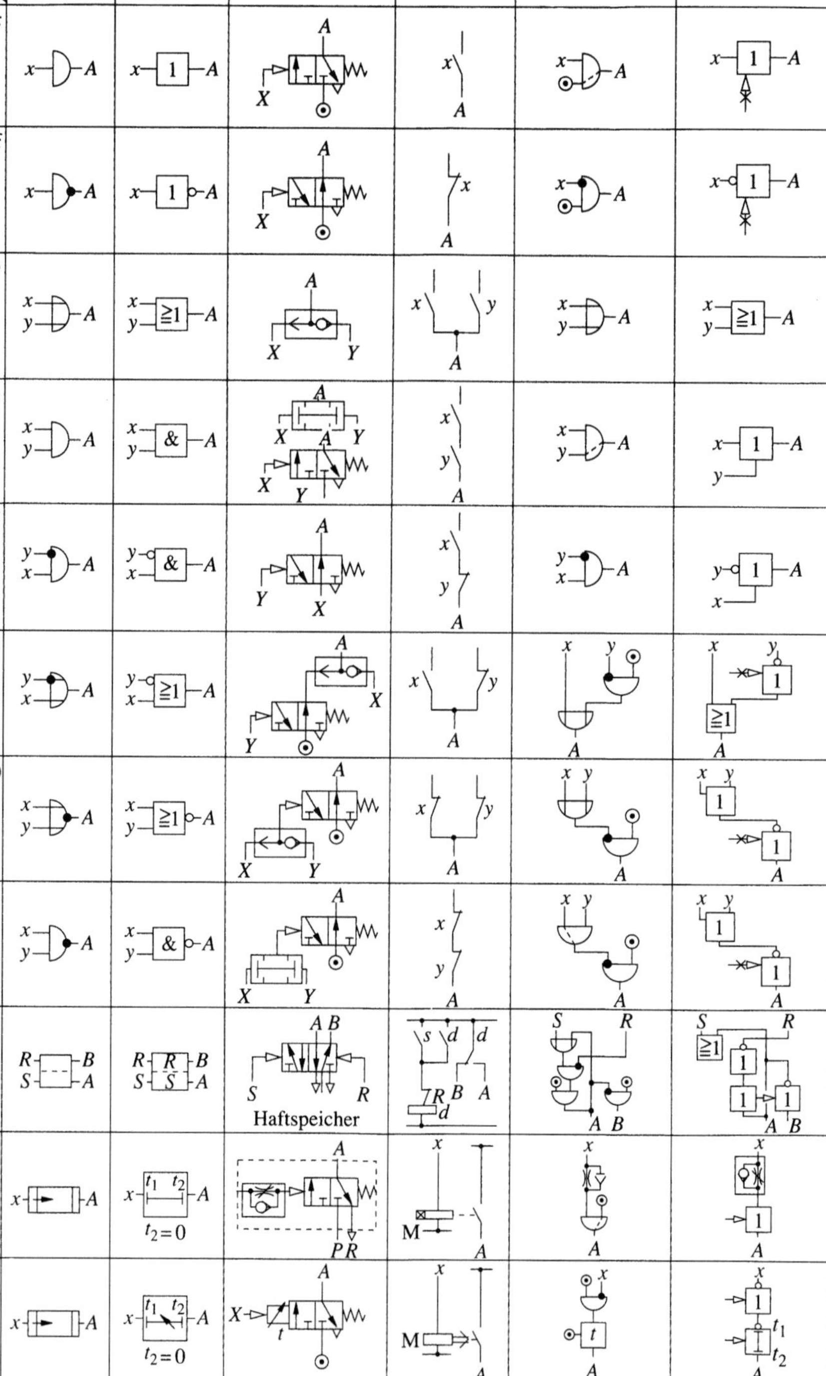

12.1.8.3 Synchrone, asynchrone und verknüpfungs-orientierte Signalverarbeitung

Die *synchrone Signalverarbeitung* erfordert die Vorgabe eines Taktes. Eine Änderung des Eingangssignals ist für die Verknüpfung nicht allein entscheident, der Wechsel zu einem folgenden Taktzyklus ist eine weitere Bedingung. Die *asynchrone Steuerung* reagiert auf die Änderung der Eingangssignale mit verknüpfungsgerechter Änderung der Ausgangssignale taktunabhängig.

Die *verknüpfungs-orientierte Signalverarbeitung* verarbeitet Eingangsignale nach booleschen Regeln und bildet entsprechende Ausgangssignale.

12.1.8.4 Die Führungssteuerung

Die *Führungssteuerung* ist durch den kontinuierlichen Einfluß der Führungsgröße auf die Steuergröße gekennzeichnet. Der Zustand der Steuergröße wird durch die Vorgabe der Führungsgröße direkt bestimmt, wenn vom Einfluß äußerer Störgrößen abgesehen wird. Als Beispiel hierfür sei ein Gabelstapler erwähnt, dessen Ladeeinrichtung nur angehoben wird, wenn der Befehl durch den Bediener kontinuierlich gegeben wird.

12.1.8.5 Die Haltegliedsteuerung als Befehlsspeicher

Die *Haltegliedsteuerung* ist als Befehlsspeicher zu sehen, der durch ein Tastsignal gesetzt und durch ein entsprechendes Rücksetzsignal gelöscht wird. Die Haltegliedsteuerung wird grundsätzlich bei der Erfassung von Signalen verwendet, die dynamisch sind. Als Beispiel gilt hierbei das Ein- und Ausschalten einer Maschine über den Ein- bzw. Austaster. Eine Signalflankenerkennung läßt sich ebenfalls nur mit den Haltegliedsteuerungen realisieren.

12.1.8.6 Programmsteuerungen als Ablaufsteuerungen

1. Zeit- und Wegplansteuerungen

Bei *Programmsteuerungen* erfolgt die Vorgabe der Führungsgröße nach dem technischen Ablauf des betrachteten Prozesses, wobei die Steuerung die Signale für jeden Prozeßschritt folgerichtig bearbeitet. Diese Bearbeitung ist von der Erfüllung des vorangehenden Schrittes abhängig. Für die Bearbeitung dieser Schrittketten können verschiedene Kriterien maßgebend sein. Bei einer Wegplansteuerung ist der Ablauf des Programmes von dem Erreichen eines bestimmten Koordinatenpunktes in der Ebene oder im Raum abhängig, die *Zeitplansteuerung* verwaltet die Signalbearbeitung und Signalausgabe in Abhängigkeit des Zeitpunktes. Betrachtet man das Verfahrprogramm einer Positionierachse, so kann das Programm als *Wegplansteuerung* charakterisiert werden, das Gelingen eines Kuchens ist jedoch von der richtigen Wahl der Ruhezeit für den Hefeteig und der Backzeit abhängig (*Zeitplansteuerung*).

2. Ablaufsteuerungen

Als *Ablaufsteuerung* betrachtet man das Programm oder die Verküpfungsart, die einen schrittweisen Ablauf eines technischen Verfahrensprozesses folgerichtig beschreibt und ausführt. Die prozeßeinleitenden Bedingungen werden als *Weiterschaltbedingungen*, die prozeßausführenden Signalbeschreibungen als *Schritte* bezeichnet. Die einzelnen Schritte können zusätzlich durch eine Freigabeschaltung vor der Bearbeitung initialisiert werden, wobei die Weiterschaltbedingung den Schritt aktiviert. In den Schritten werden die Befehle speichernd oder nicht speichernd gesetzt oder rückgesetzt, wobei zusätzlich verzögernde

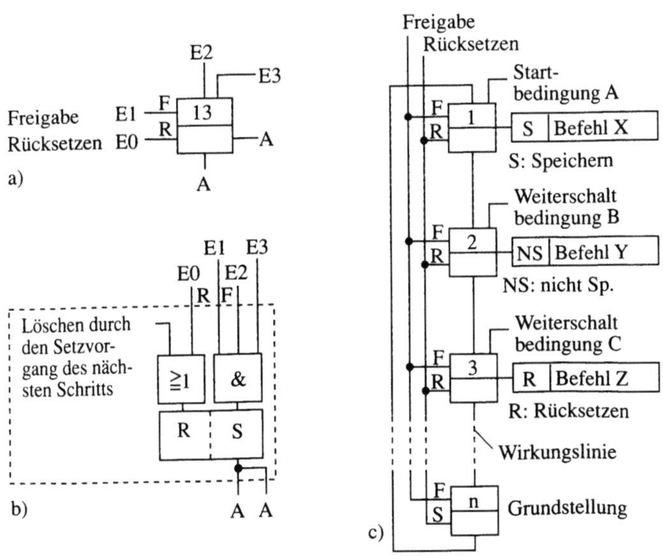

Bild 12.1-21
Ablaufkette
(allgemeine Darstellung)
a) Schriftsymbol,
b) ausführliche Darstellung,
c) Ablaufkette

und zeitlich begrenzende Maßnahmen möglich sind. Ein allgemeiner Rücksetzeingang löscht alle Schritte der Kette und versetzt somit die Anlage in den Ruhezustand, jedoch nicht unbedingt in die Grundstellung der Anlage. Ein einzelner Schritt besteht aus einem Befehlsspeicher, der durch eine Torschaltung gesetzt oder durch den folgenden aktiven Schritt zurückgesetzt wird. Zur Vereinfachung wird der Schritt als Schrittsymbol mit den Eingangsparametern dargestellt (Bild 12.1-21).

Ein Kennzeichen einer Ablaufsteuerung ist die schrittweise Bearbeitung des Steuerungsprogrammes, das verzweigt sein kann und aus den parallellaufenden Bearbeitungsketten Informationen verwendet. Die Verzweigung einer Schrittkette kann in UND oder ODER-Ketten erfolgen, wobei der folgende Schritt nach der Zusammenführung, in Abhängigkeit von der Verzweigungsbedingung, erfolgt (Bild 12.1-22).

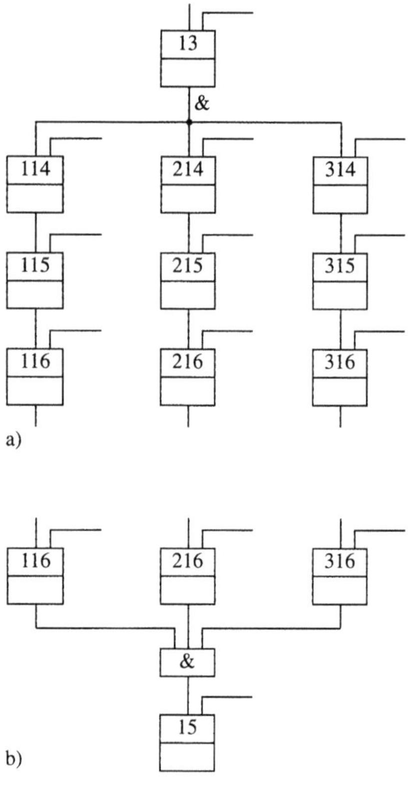

Bild 12.1-22 Komplexe Ablaufkette in Übersichtsdarstellung
a) UND-Verzweigung
b) UND-Zusammenführung

12.1.9 Speicherprogrammierbare Steuerungen SPS

12.1.9.1 Einleitung

Speicherprogrammierbare Steuerungen sind Steuerungen, deren Programm in einem Programmspeicher enthalten ist.

Die logische Weiterentwicklung der blockförmigen elektronischen Steuerungstechnik wurde mit der Verfügbarkeit von schnellen, kostengüngstigen integrierten Schaltungen möglich. Eine Minimierung der Abmessungen und eine Erhöhung der Integrationsdichte ermöglichte die Fertigung von Mikroprozessoren, die mit Hilfe assemblernaher Sprachformen die Grundbausteine der SPS-Technik darstellen. Vergleicht man die Entwicklung anhand der SIMATIC-Palette der Firma Siemens, so ist hier als Ursprung der SPS-Technik die SIMATIC S3 (1974–1979) zu erwähnen, die gefädelte Kernspeicher als Speichermedien, bei großen Bauformen, aufweist. Die Nachfolgegeneration SIMATIC S5 (ab 1979) trifft am Markt auf Konkurrenzprodukte aus den Häusern AEG (LOGISTAT) und Klöckner Möller (SUCOS).

Die Anzahl der verschiedenen SPS-Anbieter ist bis 1987 rasant gestiegen, (Hannover Messe 1987: ca. 250 verschiedene Anbieter) wobei jedoch der Verdrängungswettbewerb sehr stark zugenommen hat. Auf der Hannover Messe '90 wurden nur noch ca. 150 verschiedene Anbieter gezählt. Die Entwicklung der Leistungsfähigkeit der SPS-Steuerungen zeigt den deutlichen Trend in das Marktsegment der Prozeßrechner. Die Aufgaben der SPS liegen heute zunehmend im Bereich der Prozeßführung durch den Bediener, in der Störungsprotokollierung, der Kommunikation zwischen den entsprechenden Steuerungsebenen (Prozeßsteuerebene – Gruppensteuerebenen – Leitebene) und auch weiterhin in der Verwirklichung von Prozeßabläufen durch Prozeßsteuerungen (Bild 12.1-23).

12.1.9.2 Die Begriffe SPS und VPS im Vergleich

Eine *verbindungsprogrammierbare Steuerung* (VPS) und eine *speicherprogrammierbare Steuerung* (SPS) sind in gleicher Weise von der Signalzuführung abhängig. Die Erfassung und Umsetzung des Signales wird durch die Auswahl entsprechender Sensoren und Verstärker realisiert. Die Signalausgabe, d. h. die Weitergabe des Verknüpfungsergebnisses an den Prozeß, wird bei beiden Systemen durch die Stellglieder übernommen. Die Eingangs- und Ausgangsschnittstellenbausteine (Sensoren, Aktoren) sind bei beiden Systemen gleich und werden u. U. verstärkt ausgegeben.

Die VPS-Steuerungen unterscheidet man in die festprogrammierten Schütz- und Elektronikbausteinsteuerungen und in die umprogrammierbaren Steuerungen, wobei die Funktion durch Lochkartensysteme, Lochstreifen und Programmschaltwerke beeinflußbar ist.

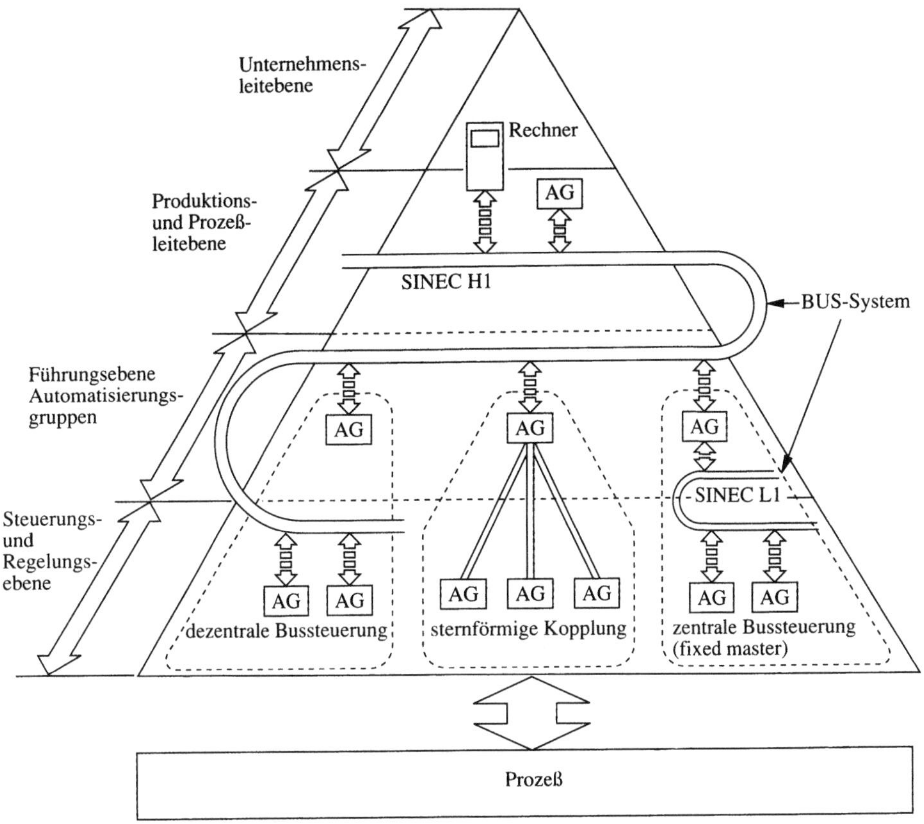

Bild 12.1-23 Einordnung der SPS-Systeme in die Informationspyramide
AG Automatisierungsgerät

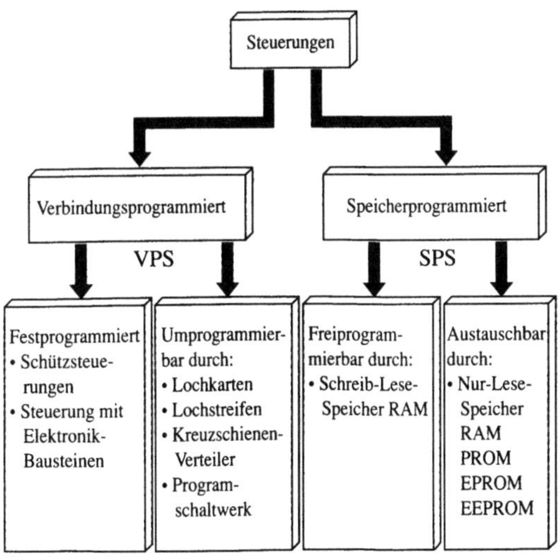

Bild 12.1-24 Vergleich VPS–SPS

Die SPS-Steuerungen können in die Kategorien der freiprogrammierbaren Steuerungen (i. a. heute als SPS-Systeme bezeichnet) und in die, z. B. durch EPROM-Wechsel, austauschbar programmierbare Steuerungen unterteilt werden (Bild 12.1–24). Eine feinere Unterteilung der Begriffe ist in DIN 19237 enthalten.

Beide Systeme, SPS und VPS, sind in Abhängigkeit des komplexen Anwendungsfalles einzusetzen, wobei die allgemeine Tendenz eindeutig bei Maschinensteuerungen in Richtung SPS-Technik geht. Werden häufig wechselnde Anforderungen an den Steuerungsablauf gestellt, so ist eine VPS-Lösung aufgrund ihres wiederkehrenden Verdrahtungsablaufes nicht vertretbar, wobei die Funktion in einem SPS-System durch den Austausch des Anwenderprogramms verändert werden kann.

Der Unterschied zwischen SPS- und VPS-Steuerungen liegt in der Art der internen Signalverarbeitung, die durch ein, im Befehlsspeicher hinterlegtes, Steuerungsprogramm oder durch die Verdrahtung der einzelnen Funktionsblöcke (Speicher, Zähler, Schieberegister) vorgenommen wird. Die SPS verarbeitet die Signale nach einer Softwarestruktur, die durch Programmierungen einfach geändert werden kann, die VPS verarbeitet die Signale nach einer änderbaren Hardwarestruktur. Der Befehlsumfang einer SPS wird vorgegeben durch das Betriebssystem im ROM-Speicher, der Befehlsumfang einer VPS muß dagegen vom Projekteur durch die Auswahl der benötigten Funktionsblöcke zusammengestellt werden. Hieraus ist erkenntlich, daß Änderungen im VPS-Programm mit Hinzufügen von Hardwarekomponenten einher gehen und somit kostenintensiver sind (Tabelle 12.1–7).

Tabelle 12.1–7: Gegenüberstellung VPS – SPS

Kriterium	VPS	SPS
(Steuerungs)Programm-Träger	Verdrahtung	Speicher
Programm-Bearbeitung	parallel	seriell
Programm-Änderung	leicht möglich, wenn geringfügig	schnell möglich
Dokumentation	Stromlaufplan von Hand	automatisch über Drucker
Dokumentations-Änderung	leicht möglich, wenn geringfügig	schnell möglich
Störsicherheit	gegeben	gegeben
Lebensdauer in Schaltspielen	Schütze: ca. 30 Millionen elektronische: ≫30 Millionen Bausteine	≫30 Millionen
Standardfertigung	mehrere Geräte	Standard-Hardware
Platzbedarf	relativ groß	klein
Befehis- und Signaleingabe	VPS = SPS	VPS = SPS
Hilfsfunktionen	Hilfsschütze	Merker
Zeitfunktionen	Zeitrelais	vorhanden
Programmierplatz	nicht notwendig	notwendig
Inbetriebenahme	Aufwand abhängig vom Steuerungs-Umfang	einfach
Schulung des Service-Personals	nicht notwendig	z. Zt. noch notwendig
Gleichzeitiger Bau und Programmerstellung	nicht möglich	möglich
Seriensteuerungen	immer wiederkehrende Montagekosten	einmalige Programmerstellung und Duplizierung
Diagnose- und Servicefunktionen	sehr aufwendig	leicht möglich

12.1.9.3 Die Vorteile von SPS-Systemen

SPS-Systeme zeichnen sich durch den einfachen Aufbau von Steuerungen, durch die Erstellung eines Funktionsprogrammes in einer einfachen Fachsprache, die einen hohen Befehlsvorrat zuläßt, und durch die jederzeit mögliche kostengünstige Änderung der Verknüpfungen durch Umprogrammierung aus. Der Speicher der SPS kann bei verschiedenen Anbietern erweitert und somit den Anforderungen bei Änderungen angepaßt werden. Eine bedarfsgerechte Änderung des Produktionsablaufes kann durch entsprechenden Tausch des Anwenderprogramms erreicht werden, wenn in der Hardwareprojektierung dieses berücksichtigt wurde. Durch die höher werdende Integrationsdichte bei IC-Schaltungen und durch den Einsatz anwenderspezifischer Schaltkreise (ASIC), die den Hauptprozessor unterstützen und entlasten, sind kleinere Bauformen entstanden, die wiederum kleinere Schaltschrankvolumina bedingen und damit die Stellfläche minimieren. Ein weiterer Vorteil der SPS-Technik liegt in der modularen Ergänzung der Hardware. In einen bestehenden Baugruppenträger können Ergänzungen eingesetzt werden, oder die zusätzlichen Baugruppen werden als Module zu den bereits vorhandenen hinzu gesetzt.

Durch den Einsatz ausgesuchter und künstlich gealterter Komponenten wird eine hohe Verfügbarkeit und Lebensdauer der SPS-Systeme erreicht, die im tätsächlichen Fehlerfall als Ganzes ausgetauscht werden können. Zusätzliche Diagnosefunktionen, die z. T. als Systembefehle im Gerät integriert sind oder durch Anwenderprogramme erstellt werden, erlauben eine komfortable Fehlersuche und eine schnelle Wiederaufnahme der Produktion. Der strukturelle Aufbau der SPS-Systeme läßt bei genügendem Speicherplatz die Realisierung verschiedener Verfahrensprogramme zu, die von außen durch die Programmwahl gestartet werden. Eine Realisierung von Prozeßsteuerung, Prozeßvisualisierung und -führung kann bei geeigneter Projektierung in einem Grundgerät erstellt werden (Bild 12.1–25).

Die Aufgaben eines SPS-Systems beinhalten die zentrale Funktion des Steuerns und der damit verbundenen weiteren Forderungen nach Überwachung, Protokollierung, Kopplung, Meldung, Regelung und Berechnung der Produktionsvariablen. Der Einsatz von speziellen Baugruppen ermöglicht die Durchführung von Regelungs-, Positionier- und Dosieraufgaben in einer Systemfamilie, wobei hierbei der Prozessor durch die Sonderbaugruppen nicht belastet wird.

Im allgemeinen wird in der SPS-Technik eine große Anzahl von Aufgabenstellungen der Steuerungstechnik mit Hilfe von Anwenderprogrammen, Sonderbaugruppen und Technologiebaugruppen gelöst, die in der herkömmlichen Steuerungstechnik immense bauliche und technische Probleme aufwerfen (Bild 12.1–26).

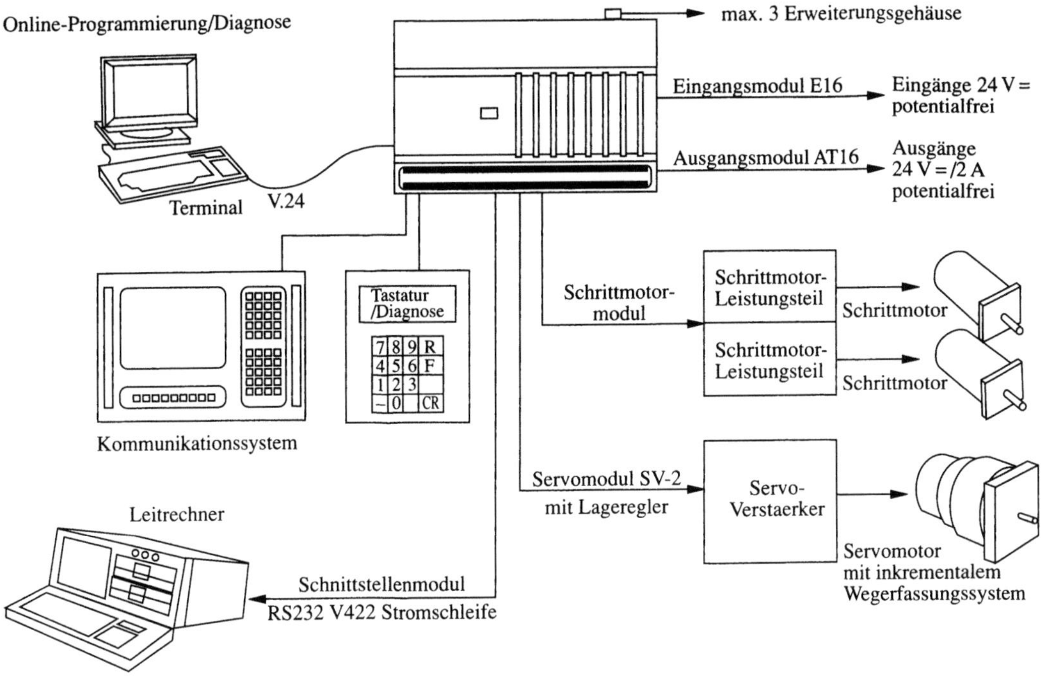

Bild 12.1-25 SPS-Konzept

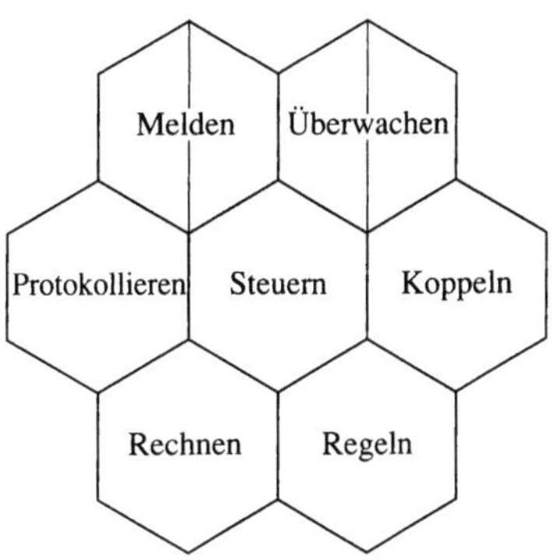

Bild 12.1-26 Anforderungen an moderne SPS-Systeme

12.1.9.4 Die Programmerstellung in einer Programmier-Fachsprache

Aufgrund des Aufbaus einer SPS und der Forderung schneller Reaktionszeiten werden i. a. bei SPS-Systemen assemblernahe Dialekte verwendet, die interpretativ im System abgearbeitet werden oder als Objektcode nach der Compilierung dem System zur Verfügung gestellt werden. Eine Hochsprache, wie C, Pascal oder Fortran wird nur bei Sonderbaugruppen oder speziellen Systemkonfigurationen eingesetzt.

Trotz eines Normungsversuches kann das Programm weder in einer einheitlichen Sprache noch in einer einheitlichen Umgebung erstellt werden. Es gilt: Jeder Hersteller hat eine eigene Programmiersprache, die zusätzlich in der jeweiligen Muttersprache angewendet werden muß. Eine genormte Darstellung existiert für die Darstellung eines SPS-Programmes in der *Anweisungsliste* (AWL) nach DIN 19239 (Bild 12.1–27).

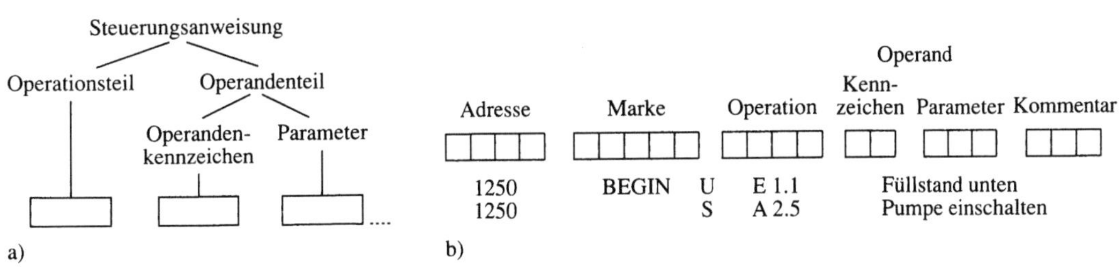

Bild 12.1-27 Allgemeine Darstellung der Anweisungsliste (AWL)

a) Die Anweisungsliste besitzt nach DIN 19 239 die hier gezeigten Elemente.

b) Der obere Bildteil zeigt das Format einer erweiterten Steueranweisung (darunter: die Anweisung als AWL).

Die Steuerungsanweisung der AWL besteht aus dem Operationsteil, der die Funktion der Verknüpfung enthält und dem Operandenteil, der die Adresse des Befehls als Operandenkennzeichen (Input, Output, Merker) und Parameter (numerische Adresse) enthält. Die Steuerungsanweisung ist Bestandteil des Operationsvorrates, der in Grundoperationen und ergänzende Operationen eingeteilt ist.

Eine Labelfunktion (Marke) kann in verschiedenen Systemen zum Aufbau strukturierter und flexibler Programme verwendet werden, die zusätzlich durch Kommentare dokumentiert werden können. Zu dieser alphanumerischen Darstellung lassen sich die grafischen Darstellungen *Kontaktplan* (KOP) und *Funktionsplan* (FUP) automatisch generieren, wobei dieses jedoch von der Realisierung der Sprachumgebung und des Systems abhängig ist. Die vorhandenen grafischen Elemente des Kontaktplanes, Funktionsplanes und der Anweisungsliste (KOP–FUP–AWL) werden wiederum von den Herstellern interpretiert. Der Kontaktplan lehnt sich an die Darstellung der Stromlaufplantechnik an, wobei die Kontakte horizontal gezeichnet werden und die Schaltzeichen nicht der hierfür geltenden DIN-Norm entsprechen. Ein Geber kann z. B. nicht als Öffner, Schließer oder Wechsler verwendet werden, ein Stellgerät nicht als Magnetventil, Schütz oder Leuchtmelder. Die Kontaktplandarstellung ist die älteste und am weitesten verbreitete Form der Programmerstellung, die von den Herstellern in verschiedenen Interpretationen angeboten wird.

Der Kontaktplan KOP ist eine zustandsabhängige Darstellung des Programmes, während der Funktionsplan FUP ein Abbild der verwendeten Funktionen ist (Bild 12.1–28).

Der Funktionsplan ermöglicht die Entwicklung des Programmes nach der Darstellung der digitalen Schaltungstechnik, wobei hier i. a. nur die Grundsymbole verwendet werden, die sich parametrieren aber nicht beliebig verschalten lassen. Die Funktionsplandarstellung ist vom Funktionsumfang hersteller-

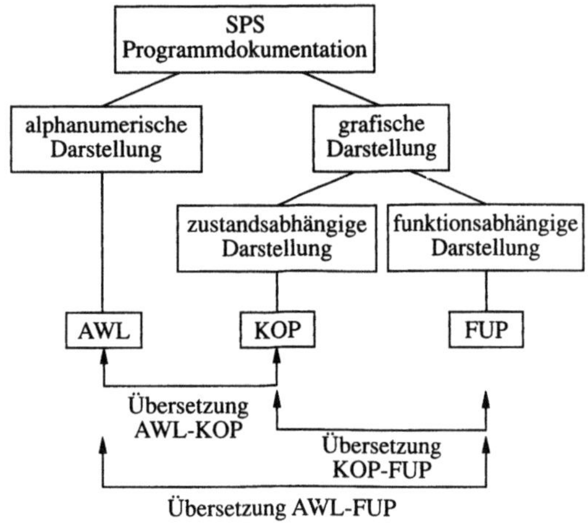

Bild 12.1-28 Die Darstellungsarten: Anweisungsliste (AWL), Kontaktplan (KOP), Funktionsplan (FUP)

abhängig und wird nicht in allen Systemen angeboten. Ausgehend von einem Stromlaufplan erfolgt die Programmierung in den Darstellungen KOP–FUP–AWL durch die Beschreibung der gewünschten Steuerungsfunktion mit den einzelnen Symbolen der Sprachen.

Die Grundoperationen der drei Programmsprachen beruhen auf der Verknüpfung der anliegenden Eingangssignale, die wiederum durch die Input-Baugruppe als binäre Signale („1", „0") zur Verfügung gestellt werden (Tabelle 12.1–8).

Eine ODER-Schaltung mit 4 Sensoren wird im FUP als ODER-Glied mit vier Eingängen, im KOP als Parallelschaltung vierer Geber und in der Anweisungsliste als eine Spalte vierer ODER-Zeilen erstellt (Bild 12.1–29).

Tabelle 12.1–8: Auswertung binärer Eingangssignale der Geber

Geberkontakte und ihr aufgabengemäßer Zustand			programmtechnische Auswertung
Der Geber ist ein	Der Geber ist	Spannung am Eingang	Signalzustand am Eingang
Schließer	betätigt	vorhanden	1
	nicht betätigt	nicht vorhanden	0
Öffner	betätigt	nicht vorhanden	0
	nicht betätigt	vorhanden	1

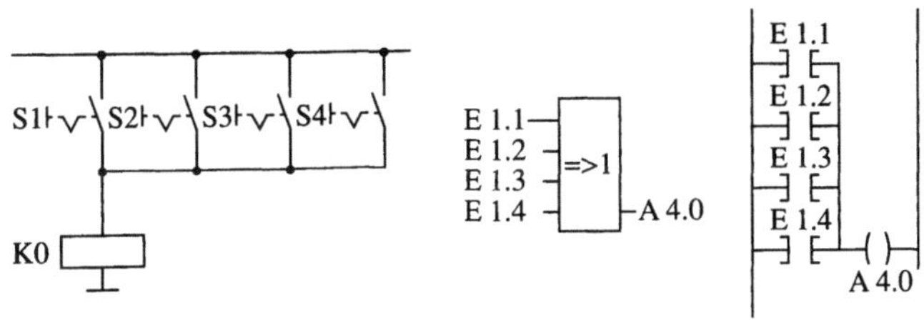

a) b) c)

Speicher-platz-adresse	Anweisung			Kommentar
	Operation	Operand	Parameter	
Ø Ø Ø 1	O	E	1.1	Eingang
Ø Ø Ø 2	O	E	1.2	ODER-Eingang
Ø Ø Ø 3	O	E	1.3	
Ø Ø Ø 4	O	E	1.4	
Ø Ø Ø 5	=	A	4.0	Ausgang

d)

Bild 12.1-29 ODER-Schaltung als VPS und SPS-Lösung
a) Stromlaufplan,
b) Funktionsplan,
c) Kontaktplan,
d) Anweisungsliste

Der Kontakt- und der Funktionsplan enthalten i. a. nur binäre Verknüpfungsbefehle, wobei amerikanische Hersteller grundsätzlich Makrobefehle für digitale Operationen und Rechenfunktionen zur Verfügung stellen (MODICON). Diese Makrobefehle werden als Blocksymbol in den Funktionsplan bzw. Kontakplan eingefügt und entsprechend „verschaltet".

Die Anwendung digitaler Funktionen, wie Rechenfunktionen, Schieberegisterfunktionen und Manipulationen von Adressen, ist i. a. ausschließlich in der Anweisungsliste möglich und wird von den Herstellern mit nicht genormten Befehlen realisiert. Die Addition zweier 16-bit-Zahlen kann durch die Befehle ADD, + F oder CALL realisiert werden, die Befehlsvielfalt entspricht der Vielfalt der angebotenen Systeme. Der Anwender ist gezwungen, den entsprechenden Befehl aus dem Gerätehandbuch zu entnehmen.

Die Palette der Fachsprachen wird durch Programmierhilfen zur Erstellung von Ablaufsteuerungen (GRAFCET, GRAPH 5) ergänzt, die auf den Befehlsumfang des Systems aufsetzen und eine zusätzliche Strukturierung des Programmes ermöglichen. Eine Erstellung eines SPS-Programmes aus einer CAD-ähnlichen Umgebung erlaubt das Entwicklungssystem LOGICAD, wobei das Programm nach der Erstellung als Zeichnung, der Simulation und Dokumentation am Bildschirm durch Pre-Compiler in verschiedene SPS-Hersteller-Sprachen umgesetzt wird. Dies erfolgt als Anweisungsliste, die durch das herstellerabhängige Programmiersystem editiert werden kann. Eine Umsetzung des erzeugten AWL-Codes in die grafischen Darstellungsarten ist i. a. aufwendig.

12.1.9.5 Die Inbetriebnahme eines Programmes

Die Inbetriebnahme einer Anlage läuft grundsätzlich in 3 Schritten ab, die, unabhängig von dem eingesetzten SPS-System, auf alle Soft- und Hardwarekombinationen übertragbar sind. Der erste Schritt beinhaltet die Kontrolle der Eingangssignale mit den Hilfsmitteln des Test- und Programmiersystems. Eine zustandsabhängige Testfunktion oder ein Testhilfsprogramm ermöglicht die schnelle Kontrolle der Geber, der Leitungsführung bis zum Schaltschrank, der Schaltschrankverdrahtung, der Kodierung der Baugruppen, der korrekten Signalübertragung über den internen Bus und die Bearbeitung in dem Zentralprozessor. Diese Funktion wird z. B. als *Status variable* im System SIMATIC-S5 bezeichnet. Der zweite Schritt besteht in der Überprüfung der Ausgangskanäle des Systems, wobei vorher die Laststrom-, Pneumatik- und Hydraulikkreise desaktiviert werden. Durch entsprechende Testroutinen werden die Ausgangskanäle einzeln mit einem HIGH-Signal beaufschlagt und der Verlauf wird bis zum eigentlichen Aktor verfolgt. Diese beiden Schritte ermöglichen die Auffindung entsprechender Verdrahtungsfehler bei der Erstinbetriebnahme und ermöglichen eine Prüfung der Peripherie bei der Wiederinbetriebnahme einer Anlage (Bild 12.1–30).

Testfunktionen dieser Art werden mit Begriffen wie *steuern, forcen* (von Ausgängen) in den Programmiersystemen bezeichnet und lassen sich durch eigene Testprogramme nachbilden. Der dritte Schritt ist die eigentliche Bearbeitungskontrolle des erstellten Programmes, wobei Verdrahtungsfehler, defekte Sensoren und Aktoren als Fehlerquellen ausgeschlossen werden können. Diese Testfunktionen sind in allen Programmiergeräten vorhanden und werden als *status-test, status, trace* bezeichnet (Bild 12.1–31).

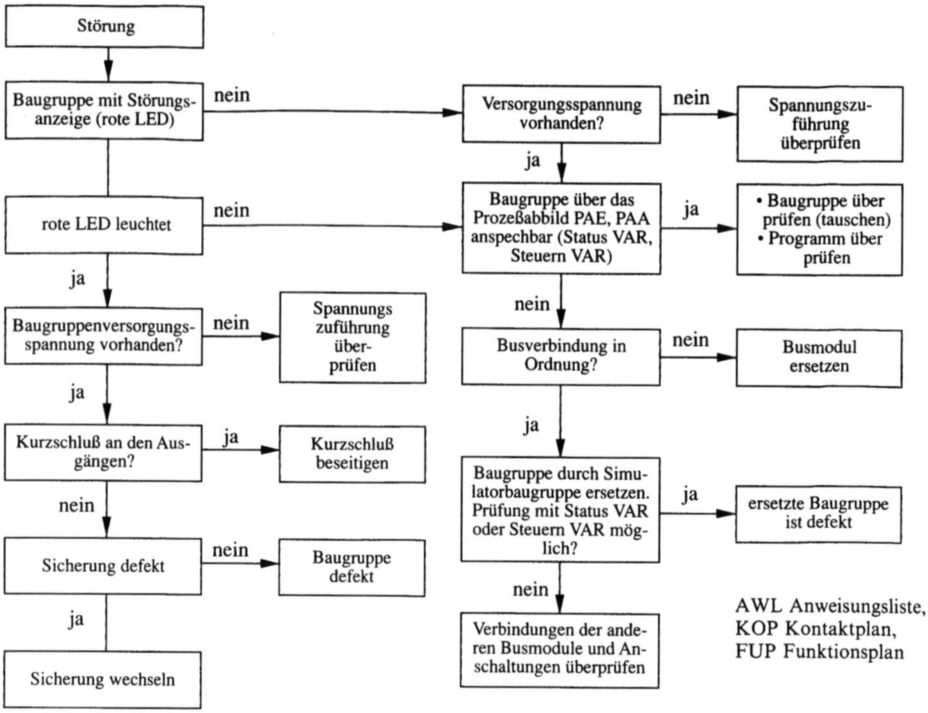

Bild 12.1-30 Vorgehensweise bei der Inbetriebnahme der Peripherie

PB 15				BIB=80530	DBADR=00000	LAE=51 SYM
NETZWERK 1	AWL–STATUS	VKE STATUS/AKKU1		---AKKU2----	ZUSTAND	SAZ
	: U(		1			10000110 000C1
	: U	–HP01–S10	1	1		10000111 000C2
	: U	–HAND	1	1		10000111 000C3
	: O		1			10001111 000C4
	: U	–HP02–S11	1	0		10001011 000C5
	: UN	–HAND	1	1		10001111 000C6
	: S	–KOMM. K12	1	1		10000110 000C7
	: O	–HP01–S20	0	0		10000001 000C8
	: O	–HP02–S21	0	0		10000001 000C9
	: O	–NOTAUS	0	0		10000001 000CA
	: R	–KOMM. K12	0	1		10000100 000CB
	: U	–KOMM. K12	1	1		10000111 000CC
	:)		1			10000111 000CD
	: U	–AL22–B2	1	1		10000001 000CE
	: =	–AL22–K12	1	1		10000000 000CF
a)	: ***					

PB15				BIB=80530	DBADR=00000	LAE=51 SYM
NETZWERK 2	AWL–STATUS		VKE STATUS/AKKU1	---AKKU2----	ZUSTAND	SAZ
	: U(		1			10000110 000D1
	: L	–EINGABE	1	0000 0163	000E F075	10000110 000D2
	: L	KF+300	1	0000 012C	0000 0163	10000110 000D4
	: >F		1	0000 012C	0000 0163	10000111 000D5
	:)		1			10000111 000D6
	: U(		1			10000110 000D7
	: L	–EINGABE	1	0000 0163	0000 012C	10000110 000D8
	: L	–0–GRENZW	1	0000 01F4	0000 0163	10000110 000D9
	: <F		1	0000 01F4	0000 0163	01000111 000DA
	:)		1			01000111 000DB
	: O	–AL22–S31	1	0		01000011 000DC
	: =	–AL22–H1	1	1		01000110 000DD
b)	: ***					

Bild 12.1-31 Bausteinorientierte Testfunktion (STATUS) im System SIMATIC S5

a) Beispiel für eine Statusanzeige binärer Operanden in der Darstellungsart Anweisungsliste.

b) Beispiel für eine Statusanzeige digitaler Operanden in der Darstellungsart Anweisungsliste.

```
AG-INFORMATION

TIEFE:           01
BEF-REG:         D88D        SAZ (neu):   0006E       DB-ADR:      00000       BA-ADR:     00041
BST-STP:         EDEBF       PB-NR.:         15       DB-NR.:                  OB-NR.:         1
KACHEL-                      REL-SAZ:     0001E       DBL-REG:      0000       BS-REG:     00000
NUMMER           00AC        SAZ (alt):   0006D       UAMK:     0DDF7FBF       UALW:    FFFFFFFF
AKKU1:           0000 01F4   AKKU2:   0000 0163       AKKU3:   7262 4BDC       AKKU4:  7262 4BDC
ERGEBNISANZEIGE:             ANZ1    ANZ0    OVFL    OVFLS    ODER    STATUS    VKE  ERAB
                                     X                                X         X
STOERUNGSURSACHE:            KB  KDB  TRAF  SUF  STUEB  STUEU  NAU  QVZ  ADF  PARE  ZYK  STOP  STS
                             WEFEH PEU  HALT                   X
F1               F2          F3           F4           F5          F6          F7          F8
AUSG ADR         SPAUS       SYSPAR       BSTACK       USTACK                              ZURUECK
```

Bild 12.1-32 Diagnosefunktion (USTACK) im Fehlerfall

Zusätzlich werden herstellerabhängige Diagnose- und Unterbrechungsanalyse-Funktionen in den Programmiersystemen als Bestandteile oder Optionen angeboten, die einen Hardwaretest des SPS-Systems durchführen (USTACK, als Unterbrechungsstapelregister des SIMATIC-S5-Systems) (Bild 12.1–32).

12.1.9.6 Die Dokumentation des Programmes

Durch den Einsatz der IBM-kompatiblen Programmiersysteme der SPS-Anbieter ist eine *Dokumentation des Programmes* bei der Erstellung möglich. Eine Netzwerküberschrift, ein Netzwerkkommentar, ein Zeilenkommentar in der AWL-Programmierung und

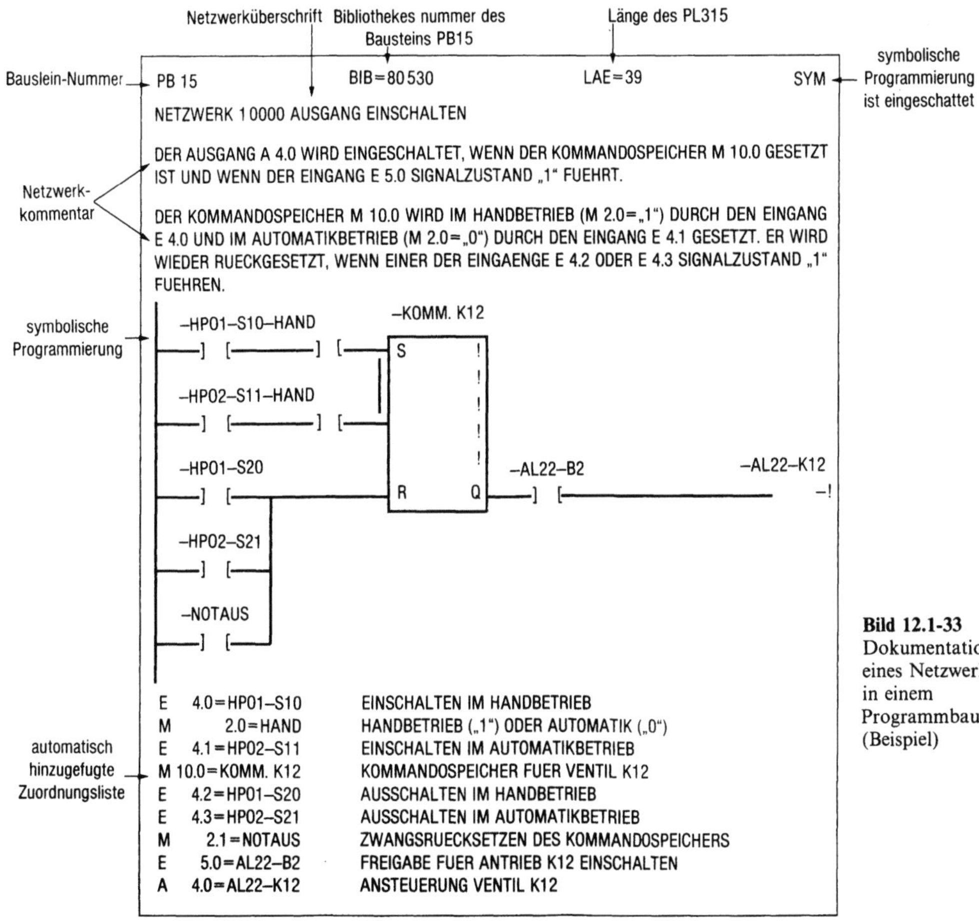

Bild 12.1-33 Dokumentation eines Netzwerkes in einem Programmbaustein (Beispiel)

eine Anlagenbeschreibung können i. a. mit allen Programmierhilfsmitteln erzeugt werden. Die Funktion der Zuweisung eines ASCII-Symbols zu einem Operanden ermöglicht bei der Programmerstellung eine symbolische Adressierung, die die Kenntnis der Hardwareadresse nicht erfordert und eine komfortabele Dokumentation ermöglicht (Bild 12.1–33).

Durch Suchfunktionen nach aktuellen oder symbolischen Operanden lassen sich Fehler im Testbetrieb des Programmes schneller beheben, und Querverweislisten der Operanden ermöglichen bei der Änderung einer Anlage die Auffindung freier Input/Output-Adressen. Der Wert einer guten Dokumentation zeigt sich speziell bei der Wartung der Anlagentechnik und ermöglichen die Reduzierung der Anlagenstillstandszeiten im Fehlerfall.

Die Auskunfts- und Dokumentationsfunktionen moderner SPS-Systeme sind

- Programmdokumentation,
- Anlagendokumentation,
- Programmübersichtsbild,
- Programm der Bausteine (FUP, KOP, AWL),
- Querverweislisten der Eingänge, Ausgänge, Merker, Zeiten, Zähler, Bausteine, Peripherie und Daten (nach einzelnen Operanden)
- gesamte Querverweisliste,
- Querverweisliste einzeiner Operanden,
- Programmübersicht ohne DB-Aufrufe,
- Programmübersicht mit Datenbaustein-Aufrufen,
- Belegungsplan (Eingang, Ausgang, Merker),
- Referenzlisten,
- Übergabefunktionen zu CAD-Systemen.

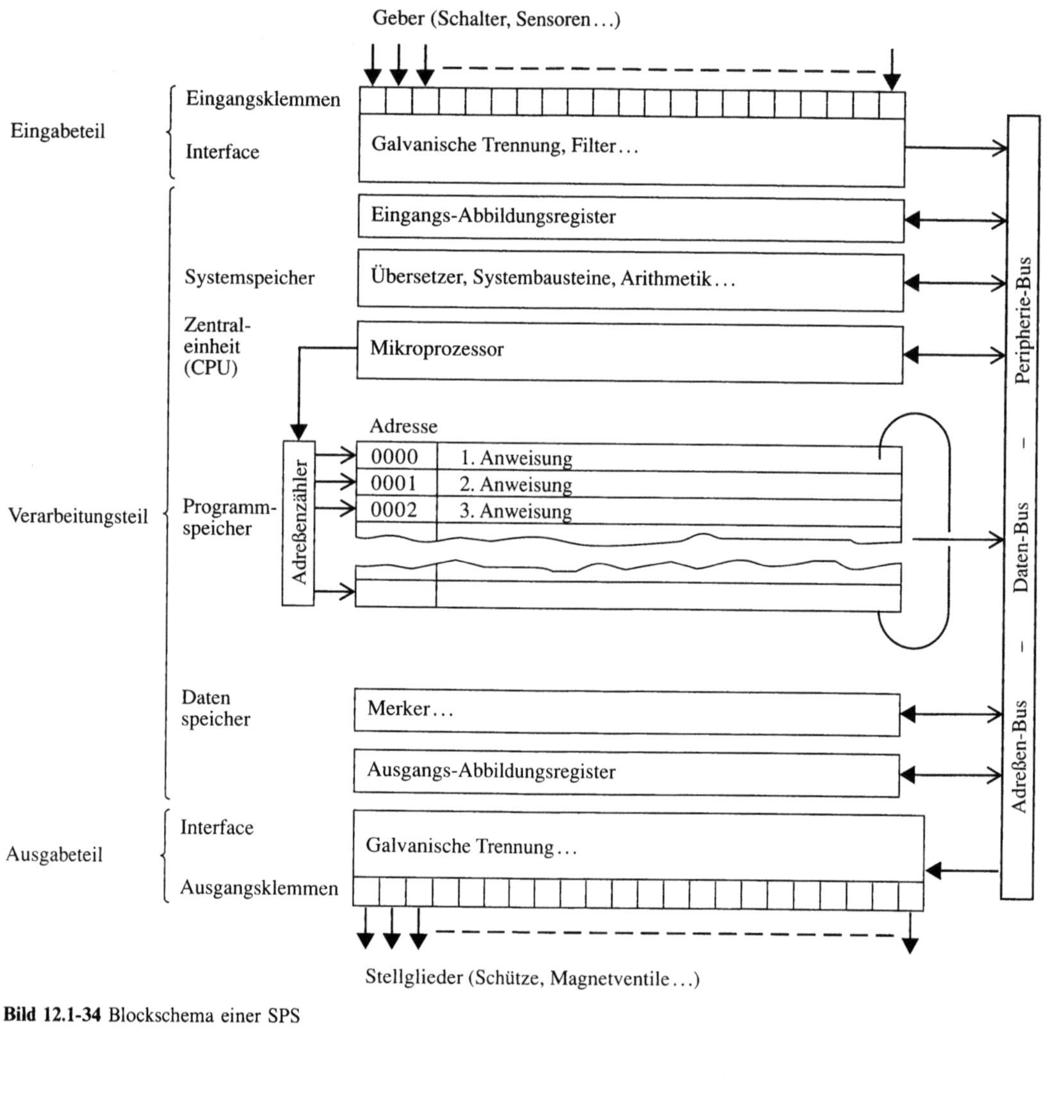

Bild 12.1-34 Blockschema einer SPS

12.1.9.7 Der Aufbau eines SPS-Systems

Der prinzipielle *Aufbau eines SPS-Systems* besteht aus dem Zentralgerät, dem Programmspeicher, dem Betriebssystem als Grund- und Bedienungsprogramm, dem Programmadreßzähler und den Ein- und Ausgangsports für die binären oder analogen Signale der Sensoren und Aktoren (Bild 12.1–34).

Eine Zwischenspeicherung der Eingangssignale erfolgt bei verschiedenen Systemen vor der Programmbearbeitung in einer Speichermatrix, dem Prozeßabbild der Eingänge. Dieses Eingangsregister enhält die Zustände der Geber in der binären Form, die von der Input-Baugruppe erzeugt wurde, und wird i. a. block- bzw. byteweise gebildet.

Die im Programm zugewiesenen Ausgänge werden bei diesen Systemen einem Prozeßausgangsabbild, das während der Programmbearbeitung ständig aktualisiert wird, zugeordnet und nach dem Ende des SPS-Programms über den internen Bus blockweise auf die Output-Baugruppen geschaltet. Eine störungsichere Bearbeitung des Programmzyklus ist mit definierten Signalen gewährleistet. Weitere Systeme lesen die entsprechenden Eingangssignale bei der Verknüpfung über den internen Bus direkt von der Eingabebaugruppe und geben die Verknüpfungsergebnisse anschließend direkt aus. Diese Signalbearbeitung ist bei mehrfacher Verknüpfung des gleichen Eingangs aufgrund der Signallaufzeiten ungünstiger als die Bearbeitung aus einer Eingangs-Speicher-Matrix.

12.1.9.8 Die Signalerfassung mit INPUT-Baugruppen

Zur *Erfassung der Signale* der Sensoren in der SPS und zur Anpassung des Signalpegels zwischen Geber und SPS werden verschiedene Eingabe/Input-Baugruppen verwendet, die die Steuerspannung von 24 V, 48 V oder 60 V auf ein i. a. herstellerabhängigen Wert im Bereich von 5...15 V senkt und durch Verzögerungsglieder (3 ms bis 5 ms) filtert. Die Signale werden über das Bus-System der Zentralbaugruppe zugeführt. Man unterscheidet in modulare Eingangsbaugruppen, die als Steckkarten auf einen Grundgeräteträger installiert werden und in kompakte I/O-Baugruppen, die über einen Feldbus mit dem Zentralgerät verbunden sind.

Die Signalübertragung zwischen Geber und SPS-Rückwand-Bus-System kann wahlweise potentialgebunden oder potentialgetrennt erfolgen, wobei die Potentialtrennung auf der Baugruppe mittels Optokopplern erfolgt (Bild 12.1–35). Für die Verarbeitung von NAMUR- oder TTL-Signalen bieten die Hersteller verschiedene Sonderbaugruppen an, die die Anpassung des Signals auf den entsprechenden internen SPS-Signallevel vornehmen.

Zur Erkennung des binären Signals werden i. a. Spannungsbereiche definiert, in denen der Wert 0 oder der Wert 1 sicher ausgewertet werden kann. Eine SIMATIC-S5-Steuerung erkennt als Wert „1" Spannungen im Bereich von + 13... + 30 V und als Wert

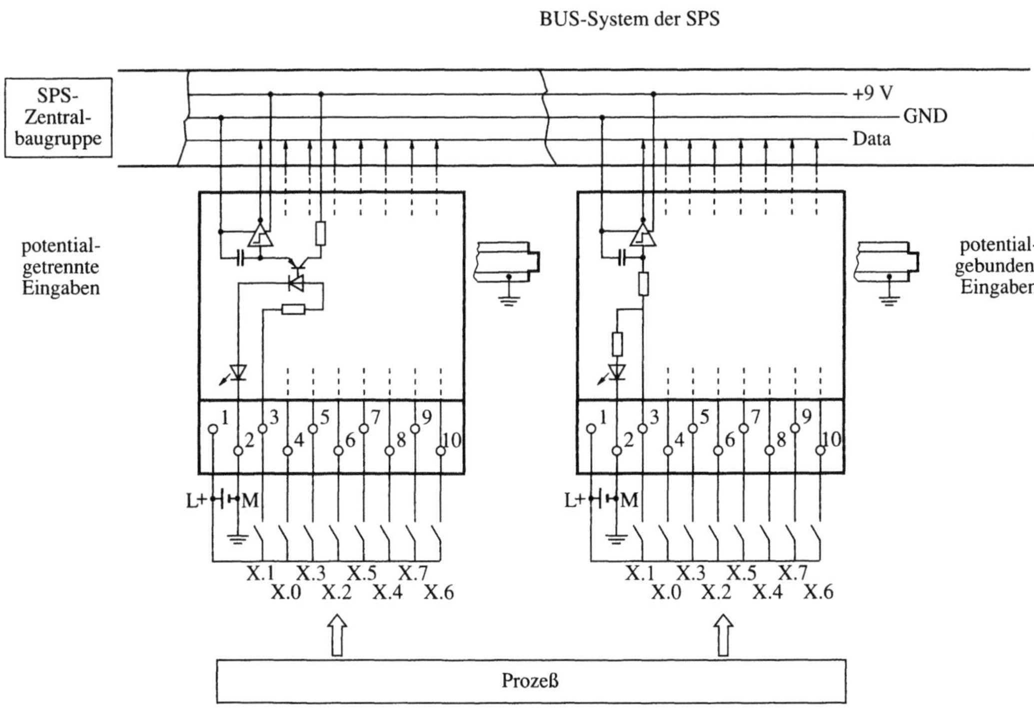

Bild 12.1-35 Eingabebaugruppen

„0" Spannungen von −30...+5 V. Der Spannungsbereich größer 5 V bis kleiner 13 V ist für die Signalerkennung gesperrt. Diese Definition der Bereiche ist wiederum herstellerabhängig und muß im Einzelnen den technischen Informationen zu dem Produkt entnommen werden. Die Eingabebaugruppen enthalten 4 bis 32 Eingänge, wobei eine Zusammenfassung von 4 oder 8 Eingängen zu einer Gruppe erfolgt. Die Gruppierung läßt eine einfache Adressierung als Nibble (4 bit), Byte (8 bit) oder 16-bit-Wort des Eingangsbereiches im SPS-Programm zu und wird in dieser Art von verschiedenen Herstellern verwendet.

12.1.9.9 Der prinzipielle Aufbau einer Zentralbaugruppe

In Tabelle 12.1–9 werden die Halbleiterspeicher erläutert, die bei der SPS-Technik verwendet werden. Die *Zentralbaugruppe* beinhaltet einen internen lokalen Bus, der u. U. die vorhandenen Teilprozessoren für die schnelle Bitverarbeitung (bit-slice-processor) und schnelle Wortverarbeitung im µP (z. B. 80186) verbindet und die Kommunikation zu den internen Firmware-EPROMs, Systemdatenspeichern und Anwenderspeichern realisiert. Die Bitverarbeitung übernimmt eine spezielle Recheneinheit, die z. B. in ASIC-Technik aufgebaut ist, um kürzeste Bearbeitungszeiten in diesem Bereich zu erhalten. Einfache Wortverknüpfungen und Rechenoperationen werden durch einen Mikroprozessor bearbeitet, der über einen Schnittstellenbaustein mit dem lokalen Bus verbunden ist. Eine Kombination von Bit-Slice- und Mikroprozessor auf einer Zentralbaugruppe ist dagegen nur in großen SPS-Systemen zu finden. In Klein- und Mittelsystemen werden dagegen nur einfache Mikroprozessoren vom Typ 8031 oder 8051 eingesetzt. Die

Tabelle 12.1–9: Halbleterspeicher in SPS-Systemen

<table>
<tr><th colspan="2">Speichertyp</th><th>Löschen</th><th>Programmieren</th><th>Speicherinhalt ist bei Stromabschaltung</th></tr>
<tr><td colspan="5">Für freiprogrammierbare Steuerungen</td></tr>
<tr><td>RAM*</td><td>Random Access Memory
„Speicher mit wahlfreiem Zugriff"
Schreib-Lese-Speicher
Read-Write-Memory
(R/W-Speicher)</td><td>elektrisch</td><td>elektrisch</td><td>flüchtig</td></tr>
<tr><td colspan="5">Für austauschprogrammierbare Steuerungen</td></tr>
<tr><td>ROM</td><td>Read-Only-Memory
Nur-Lese-Speicher
Festwertspeicher</td><td rowspan="2">nicht möglich</td><td>durch Masken beim Herstellungsprozeß</td><td rowspan="4">nicht flüchtig</td></tr>
<tr><td>PROM</td><td>Programmable ROM
programmierbarer Festwertspeicher</td><td rowspan="3">elektrisch</td></tr>
<tr><td>EPROM*

RPROM</td><td>Erasable PROM
löschbarer Festwertspeicher

Reprogrammable ROM
neuprogrammierbarer Festwertspeicher</td><td>durch UV-Licht</td></tr>
<tr><td>EEROM

EEPROM*

EAROM</td><td>Electrically Erasable ROM
elektrisch löschbarer Festwertspeicher
Electrically Erasable Programmable ROM
elektrisch löschbarer programmierbarer Festwertspeicher
Electrically Alterable ROM
elektrisch umprogrammierbarer Festwertspeicher</td><td>elektrisch</td></tr>
</table>

* für die Speicherung des Anwenderprogramms

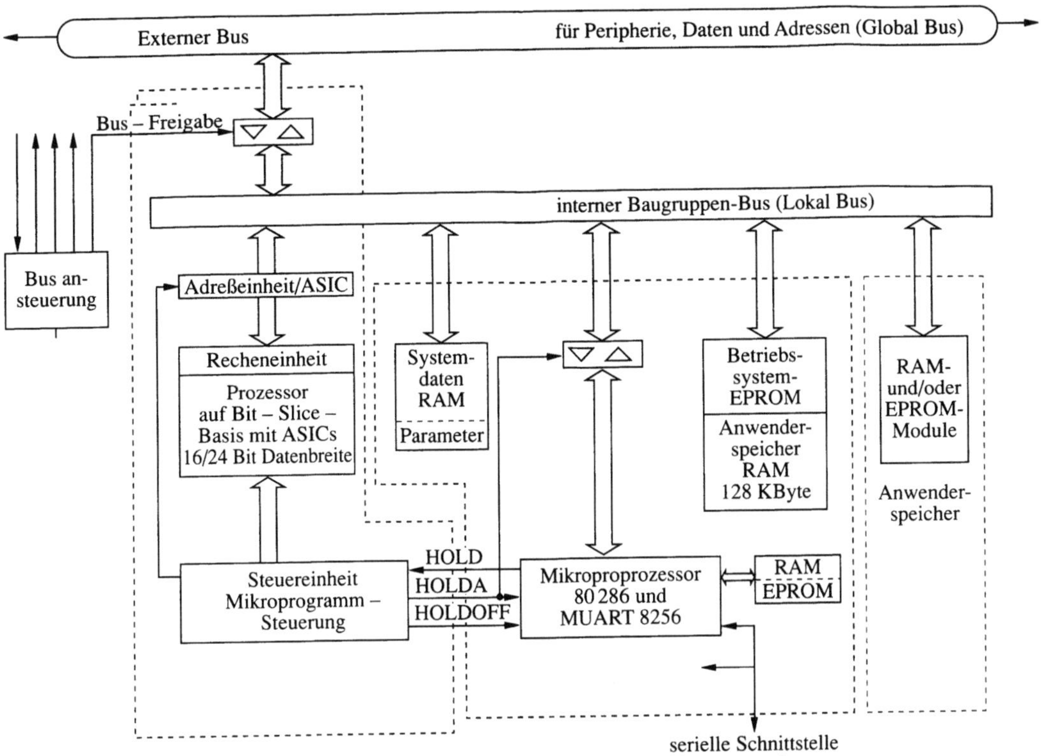

Bild 12.1-36 Aufbau einer Zentralbaugruppe

Prozessoren greifen über den lokalen Bus auf das Betriebssystem-EPROM zu, in dem die Grundsoftware hinterlegt ist. Die RAM-Speicher der Zentralbaugruppe sind als Anwenderspeicher-RAM, Anwender-Ergänzungsspeicher-RAM und Systemdaten-RAM direkt beschreib- und löschbar. Der Inhalt dieser RAM-Speicher kann bei einigen Systemen durch eine Batteriepufferung, auch nach dem Trennen der Steuerung vom Netz, erhalten werden. Eine nichtflüchtige Speicherung des Anwenderprogramms kann in EPROM- oder EEPROM-Modulen erfolgen, die in die Zentralbaugruppe, als Ergänzungsspeicher, eingesetzt werden können. Nicht jedes SPS-System kann mit EPROM- oder EEPROM-Modulen im Speicherbereich ergänzt werden, viele Systeme verwenden die gleiche Adressenlage für Programmspeicher, so daß nur wahlweise flüchtige oder nichtflüchtige Speicher eingesetzt werden können. Das Systemdaten-RAM enthält z. B. die Zeit-, Zähler- und Merkerfunktionen des entsprechenden SPS-Systems und kann als abgekoppelter Teil des Anwenderspeichers oder als eigenständiger RAM-Bereich in der Zentralbaugruppe vorhanden sein. Über eine spezielle Bus-Freigabe-Schaltung werden die I/O-Signale auf den Rückwandbus (Globalbus) des Geräteträgers übertragen oder von diesem eingelesen. Eine bewußte Trennung zwischen lokalem Bus und Globalbus erfolgt im STOPP-Betrieb der SPS bzw. bei dem Auftreten eines Fehlverhaltens und erhöht somit die Sicherheit des Gesamtsystems (Bild 12.1–36).

12.1.9.10 Die Verarbeitung innerhalb des Bit-Prozessors

Die Bereitstellung der Eingangssignale bei der Abarbeitung einer Programmzeile kann direkt von der Eingabebaugruppe erfolgen oder durch Auslesen einer vor der Programmbearbeitung erstellten Eingangsmatrix (Prozeßabbild der Eingänge im System-RAM). Der Adressenzähler des Prozessors liest die betrachtete Programmzeile des Anwenderspeichers, der Inhalt wird in das Anweisungsregister übernommen, das wiederum die Verknüpfung im Steuerwerk und die Erstellung des Verknüpfungsergebnisses initialisiert. Das gebildetete Verknüpfungsergebnis kann direkt zum Ansteuern der Ausgangskarte über den Datenbus gesendet werden, oder das Verknüpfungsergebnis wird in eine Ausgangsmatrix (Prozeßabbild der Ausgänge) eingegeben, deren Inhalt erst am Ende des Programms zu den Ausgabebaugruppen transferiert wird. Die Realisation der Programmbearbeitung in der Zentralbaugruppe ist wiederum herstellerabhängig, die Verwendung von Ein- und Ausgangssignal-Matrizen ist dagegen ein Standard. Eine direkte Abfrage der Eingangsbaugruppe zum Zeitpunkt der

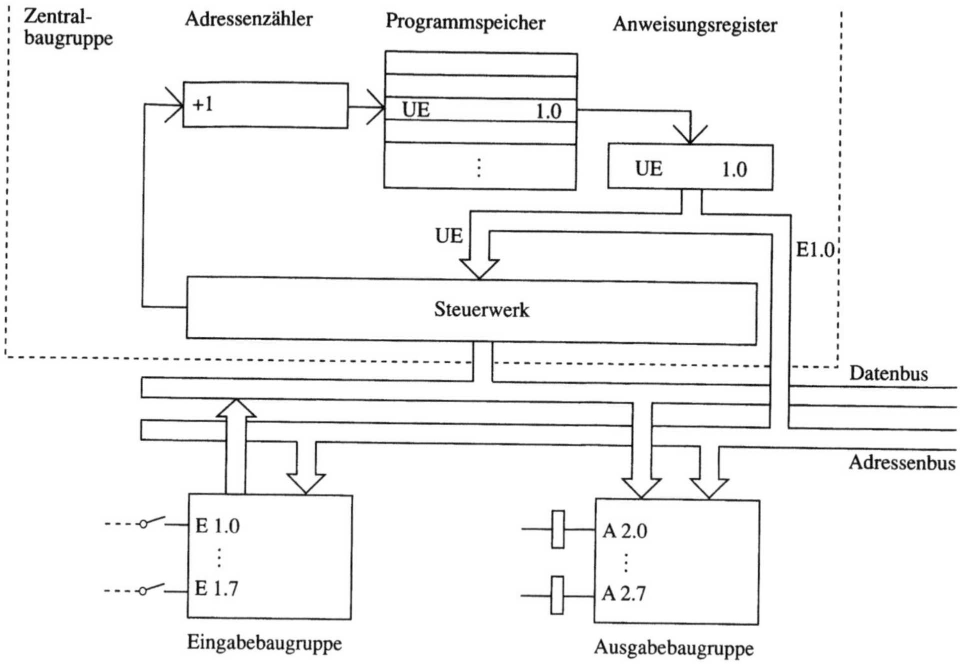

Bild 12.1-37 Bit-Verarbeitung in der Zentralbaugruppe

Befehlsbearbeitung ist bei verschiedenen Systemen möglich, ist jedoch aufgrund einer hohen Befehlslaufzeit unüblich. (Bild 12.1–37).

12.1.9.11 Die Signalausgabe mit Output-Baugruppen

Die *Signalausgabe* kann wiederum durch einzelne Ausgabebaugruppen erfolgen, die modular im Geräteträger eingesetzt werden können oder durch kompakte Ausgabeeinheiten, die dezentral aufgebaut über einen Feldbus angesteuert werden.

Zur Ausgabe des Verknüpfungsergebnisses bedarf es einer Pegelangleichung zwischen dem SPS-Signal und der gewünschten Steuerspannung und des gewünschten Ausgangsstromes. In frühen Systemen wurden durch Koppelglieder die geringen Ausgangsströme (häufig $I_a = 0{,}1$ A) und Ausgangsleistungen auf höhere Ebenen umgesetzt. Mit den heutigen Ausgabebaugruppen werden bei 24 V Steuerspannung verschiedene Ausgangströme zur Verfügung gestellt, wobei die Ausgangsstromstärke 0.5...2.0 A durch Transistorschaltungen (u. U. in Darlington-Schaltung) und bis 5 A über Relais erreicht wird. Die Zuführung von Hilfsenergie ist i. a. unumgänglich und wird durch zusätzliche Lastnetzteile zur Verfügung gestellt. Wiederum können potentialgebundene und potentialgetrennte Baugruppen verwendet werden, wobei die Ausgänge in kurzschlußfester Ausführung vorhanden sind. Die Anzahl der auf einer Baugruppe vorhandenen Ausgänge liegt bei Zusammenfassung von 4 oder 8 Ausgängen zu einer Gruppe zwischen 4 und 32. Diese Gruppierung läßt eine einfache Adressierung der Ausgänge im SPS-Programm als Ausgangsnibble, -byte oder -wort zu und wird von vielen Herstellern verwendet. Bei gleichzeitigem Ansteuern mehrerer Ausgänge muß der entsprechende Gleichzeitigkeitsfaktor der Baugruppe beachtet werden. Trotz relativ hoher Ausgangsströme werden die Signale der Ausgangsbaugruppen in vielen Fällen zusätzlich auf Koppelglieder geführt, die kann eine Leistungsanpassung auf höhere Ebenen ermöglichen. Verschiedene Versionen für Steuerspannungen von 230 V ermöglichen das direkte Schalten von Verbrauchern in dieser Spannungsebene, wobei die Baugruppen Ausgangsströme von 0.5...2.0 A aufweisen. Die Schaltfrequenz, mit der der Ausgang angesprochen wird, ist ein weiteres Merkmal der Ausgabebaugruppen, die in Abhängigkeit von der Art der Belastung (ohmsch, ohmschinduktiv i. a.) ein weiteres Auswahlkriterium ist.

12.1.9.12 Die Programmerstellung und -bearbeitung in der SPS

Das in der Fachsprache erstellte Programm wird grundsätzlich in den entsprechenden Zwischencode (Operationscode) des Prozessors bei der Compilation oder der Interpretation gewandelt und bearbeitet. Für die folgenden Betrachtungen wird die Vereinfachung angenommen, daß das Programm als AWL abgearbeitet wird. Ferner wird die Bearbeitung des Systemprogrammes und das Bilden der Eingangssi-

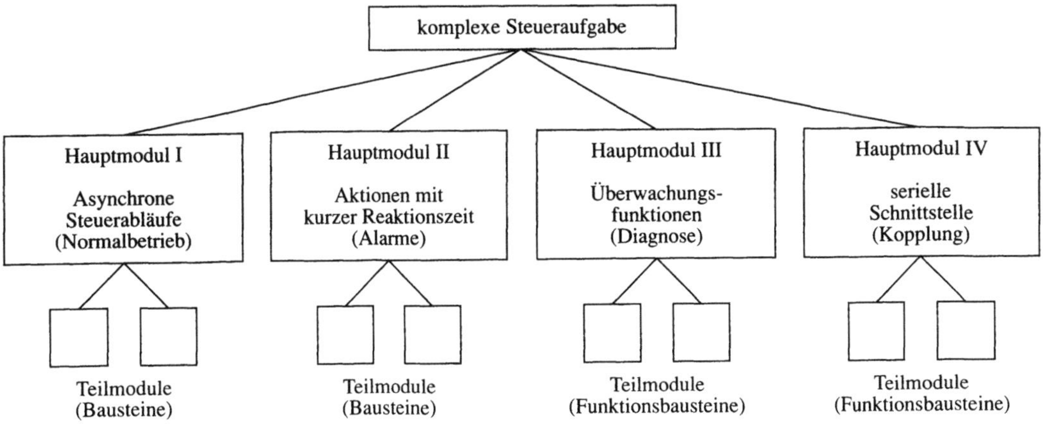

Bild 12.1-38 Strukturierte Programmierung

gnal-Matrix bzw. der Ausgangssignal-Matrix und die Übertragung dieser Werte von bzw. zu den Peripherie-Baugruppen vernachlässigt, da dieses Verfahren herstellerabhängig ist.

12.1.9.13 Die serielle Programmbearbeitung in der SPS

Grundsätzlich wird ein SPS-Programm als lineare Reihung der Programmbefehlszeilen im Hauptspeicher betrachtet, die einzeln durch den Programmadreßzähler adressiert und von dem Prozessor bearbeitet werden. Die serielle Programmiertechnik richtet sich nach dieser Art der Programmbearbeitung. Das Anwenderprogramm besteht aus einer Befehlsreihung. Eine Strukturierung des Anwenderprogrammes ist nicht gegeben und die Laufzeit des Gesamtprogrammes ist als Summe der Befehlslaufzeiten definiert. Eine mehrfache Zuweisung des Verknüpfungsergebnisses ist bei Systemen, die mit Ausgangsabbildern arbeiten, nicht möglich, da hier das letzte zugewiesene Ergebnis maßgeblich für den Zustand des Ausganges nach dem betrachteten Programmzyklus ist.

Die serielle Erstellung eines Anwenderprogrammes ist programmtechnisch veraltet und wird in SPS-Systemen verwendet, die keine Sprungbefehle zu Bausteinen, Marken oder Unterprogrammen im Sprachumfang enthalten.

12.1.9.14 Die strukturierte Programmbearbeitung in der SPS

Eine Strukturierung des Anwenderprogrammes wird i. a. nur durch den Einsatz von Befehlen erreicht, die die Adresse im Programmadreßzähler erhöhen. Die serielle Abarbeitung des Operationscodes wird an der entsprechenden Adresse fortgesetzt und es werden hierbei Operationen übersprungen, die Laufzeit des Gesamtprogrammes wird entsprechend reduziert.

Die Realisation dieser Strukturierung ist herstellerabhängig und wird durch die Verwendung von Bausteinen, die modular ergänzt werden können, Programmmarken oder Unterprogramme erreicht (Bild 12.1–38).

Die Bearbeitung der Bausteine wird im SIMATIC-S5-System durch spezielle Organisationsbausteine (OB) festgelegt, wobei der OB 1 als Zuteilungsbaustein definiert ist. In weiteren Systemen werden diese Aufgaben durch Systembefehle wahrgenommen, oder der Programmierer erstellt Programmweichen, die unter einem entsprechenden Signal das Unterprogramm oder die Marke aufrufen (Bild 12.1–39).

Die strukturierte Programmiertechnik ist fortschrittlich und Stand der Technik bei der Erstellung von SPS-Programmen.

12.1.9.15 Die Erstellung eines modularen Programmes mit Parameterübergabe aus dem Hauptprogramm

In den neueren SPS-Systemen werden zusätzlich im Bereich der strukturierten Bausteinprogrammierung Module angeboten, in denen spezielle Befehle die adressenunabhängige, parameterbezogene Programmierung ermöglichen. Diese Funktionsbausteine enthalten eine vorgeschaltete Parameterdefinition und einen mit Parametern adressierten Programmteil, der den allgemeingültigen Einsatz des Bausteins in verschiedenen Anwenderprogrammen ermöglicht. Diese Bausteine sind z. T. vom Hersteller im SPS-System bereits integriert, werden als Option zusätzlich angeboten oder können vom Anwender erstellt werden.

Die Erstellung eines sogenannten Funktionsbausteins erfordert i. a. drei Schritte bei der Programmierung durch den Anwender.

1. Der zu verwendende Parametersatz wird definiert, d. h., die Variablen der zu substituierenden Ein-

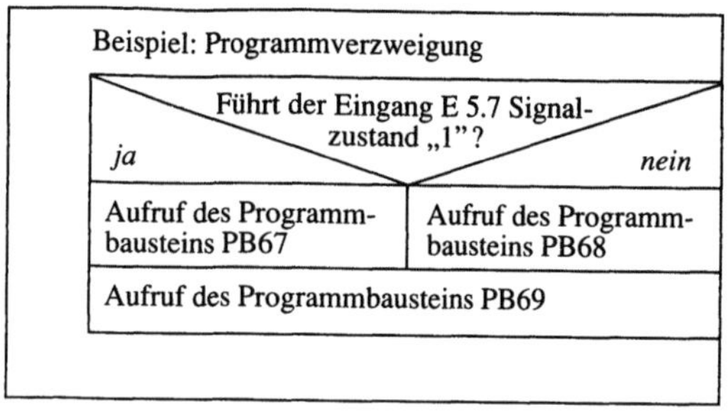

a)

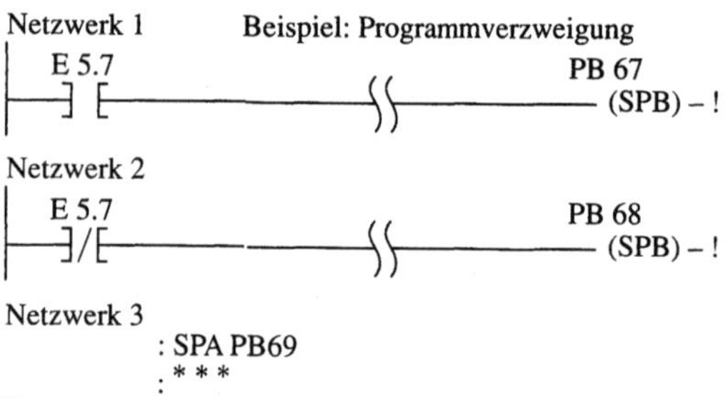

b)

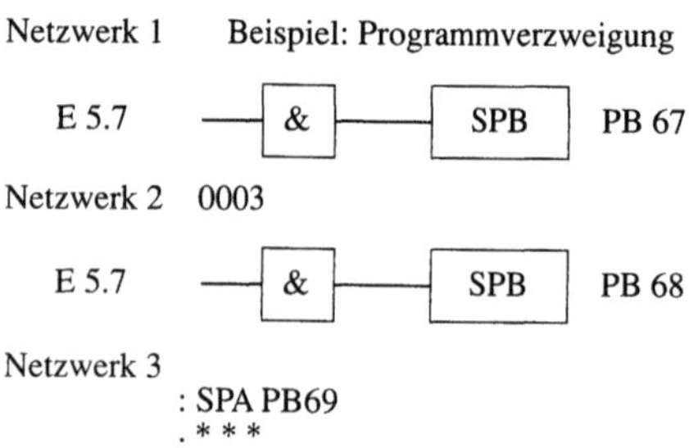

c)

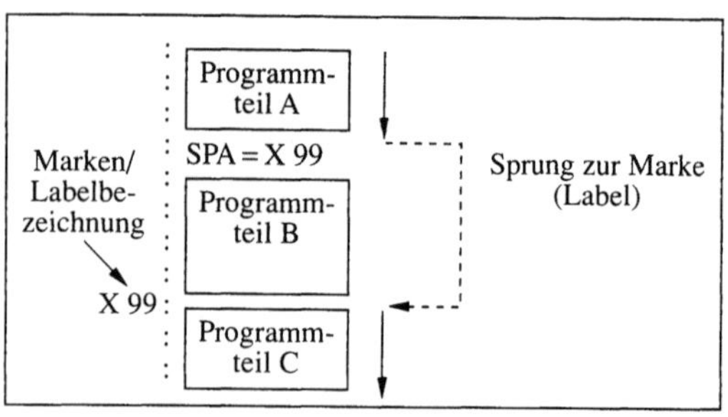

d)

Bild 12.1-39 Hilfsmittel Struktogramm und Umsetzung in KOP, FUP, Darstellung einer Strukturierung mit Marken (Labelfunktion)

a) Struktogramm,

b) Programm in Kontaktplandarstellung,

c) Programm in Funktionsplandarstellung,

d) Programmbearbeitung

und Ausgangsadressen werden festgelegt, wobei eine weitere Eingrenzung in den Bit-, Byte- oder 16-bit-Wortbereich vorgenommen wird.

2. Das Programm wird nicht mit den Ein- und Ausgangsbezeichnungen erstellt, sondern mit den vorher definierten Parametern.

3. Eine Zuweisung der aktuellen Ein- und Ausgänge zu den verwendeten Parametern wird außerhalb des Bausteins im Hauptprogramm erstellt.

Der Vorteil dieser Programmiertechnik ist die Erstellung allgemeingültiger Routinen oder allgemeingültiger Bausteine, die in verschiedenen Projekten erneut verwendet werden können. Ein Beispiel für die Erstellung eines Funktionsbausteins im SIMATIC-S5-System zeigt Bild 12.1–40.

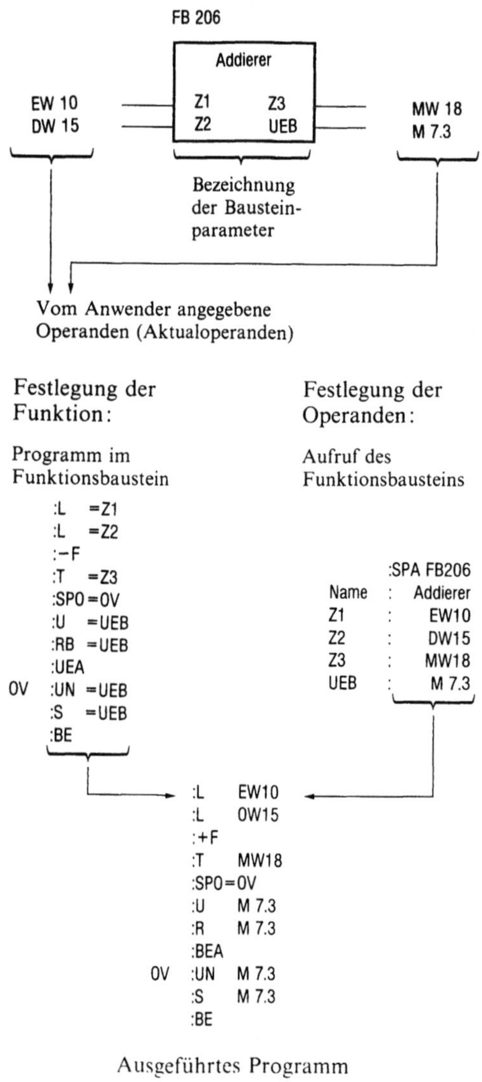

Bild 12.1-40 Funktionsbausteine

12.1.9.16 Betrachtungen zu Programmzykluszeiten und Reaktionszeiten in SPS-Systemen – Definitionen

Die *Zykluszeit* einer SPS ist die Summe aus der Bearbeitungszeit für den Betriebssystemdurchlauf, des Bildens eines Eingangsabbildes, der Programmzykluszeit, der Ausgabe des Prozeßausgangsabbildes an den Prozeß und die Summe aller Verzögerungszeiten in der Hardware der Peripheriebaugruppen. Bei Systemen ohne Prozeßabbilder wird die Signallaufzeit der I/O-Signale der Programmzykluszeit zugeschlagen.

Die *Programmzykluszeit* ist die Summe aller Befehlslaufzeiten des erstellten Anwenderprogramms.

Die *Reaktionszeit* ist die Zeit, die verstreicht bis auf eine Eingangssignaländerung eine programmtechnische Ausgangssignaländerung an den Prozeß übertragen wird. Die Reaktionszeit kann maximal dem zweifachen Wert der Zykluszeit entsprechen.

12.1.9.17 Betrachtungen zur zeitlichen Bearbeitung des Anwenderprogrammes

Nach der Definition ist die *Programmzykluszeit* von der Länge und der Strukturierung eines Programmes abhängig. Ein serielles Programm wird linear abgearbeitet, eine Verringerung der Programmzykluszeit kann durch Baustein- oder Markensprünge erreicht werden. Die Programmzykluszeit ist bei strukturierten Programmen nicht fest, sondern ändert sich im Rahmen der statistischen Bearbeitung der Teilprogramme.

Die *Befehlslaufzeiten* in unterschiedlichen, einsetzbaren Zentralprozessoren eines SPS-Systems sind von der Leistungsfähigkeit des jeweiligen Zentralprozessors abhängig, gleiche Programme können somit verschiedene Gesamtlaufzeiten besitzen. In den SPS-Systemen werden weiterhin Möglichkeiten angeboten, die programmtechnisch die Bearbeitungszeit verkürzen und die Zykluszeit des Systems minimieren. Hierbei handelt es sich z. T. um Hardware-Interrupte, die den Hauptzyklus des Systems unterbrechen und einen verkürzten Nebenzyklus starten (Prozeß- oder Zeitalarme, ereignisgesteuerte Unterbrechung), oder im Vorfeld der Programmierung wird das Anwenderprogramm auf die im System vorhandenen verschiedenen hardwareabhängigen SPS-Bearbeitungszyklen aufgeteilt (Zeitscheiben). Zeitkritische Programmteile werden von einem schnellen Zyklus bearbeitet, und z. B. unkritische Erwärmungsmessungen können in einer langsamen Zyklusbearbeitung realisiert werden. Die Untersuchung der Programmbearbeitung für 1024 Anweisungen, in einem Mix aus reinen Verknüpfungen (70%) und digitalen Wortanweisungen (30%), liefert Werte für die Laufzeit eines Programmes im Bereich von 0,5...70 ms und mehr. Diese Angaben beziehen sich z. T. nur auf Programmbearbeitung und beinhalten i. a. nicht die Verzögerungen der Ein- und Ausgangshardware, der Ansprech- und Abfallverzögerungen der Sensoren und Aktoren. Bei der Optimierung von Laufzeiten einer SPS-gesteuerten Anlage ist dieses zu beachten.

12.1.10 Die Programmierung von Grundfunktionen der Steuerungstechnik

12.1.10.1 Allgemeines

Das SIMATIC-S5-SPS-System ist eines der am weitest verbreiteten SPS-Systeme und zeichnet sich neben einem großen Gerätespektrum durch einen umfangreichen Befehlssatz aus.

Im weiteren Verlauf sollen deshalb die steuerungstechnischen Grundfunktionen exemplarisch an der Sprache STEP 5 von Siemens erläutert werden. Aufgrund der Orientierung des Befehlsaufbaus nach DIN 19239, können die Befehle einfach in weitere SPS-Dialekte übersetzt werden. Eine Umsetzung auf andere SPS-Systeme ist somit gegeben.

Die Sprache STEP 5 ist bausteinorientiert, d. h., der Programmierer strukturiert das Programm in einzelne Programm-, Funktions-, Schritt- und Datenbausteine und organisiert die Bearbeitung des Programmes in einem Zuteilungsbaustein (Organisationsbaustein OB 1). Die interpretative Sprache gliedert sich, nach Tabelle 12.1–10 in die Teile:

- *Grundfunktionen*, darstellbar in AWL, KOP, FUP und verwendbar in allen Bausteinen,
- *ergänzende Funktionen*, darstellbar nur in AWL und verwendbar nur in Funktionsbausteinen,
- *Systemfunktionen*, wie die ergänzenden Funktionen, die die Manipulation des Betriebssystemes ermöglichen. Die Systemfunktionen werden herstellerseitig u. a. in den Sonderfunktionen der Organisationsbausteine verwendet.

Der Aufbau einer STEP-5-Anweisung entspricht der DIN 19239 und gliedert sich nach Bild 12.1–41. Die Adressierung erfolgt mit einer 16 Bit Wortadresse, die in zwei Byteadressen (zu je 8 Bit) unterteilt ist. Der Operandenteil verwendet, neben dem Kennzeichen des Operanden, die Byte- und Bitadresse des verwendeten Parameters. Die Byteadresse wird vorangestellt und mit einem Punkt von der Bitadresse getrennt.

Zur Erstellung des Programmes werden meist IBM-kompatible Programmiergeräte eingesetzt, die als Basis multiuser- und multitaskingfähige Betriebssysteme (PCP/M, FLEXOS) verwenden und mit menü- und maskengeführten Bedien- und Erstellungswerkzeugen das Programmieren ermöglichen.

Das SIMATIC-S5-System verwendet Prozeßabbilder für die Ein- und Ausgangssignale im Bereich der Hardwareadressen von Byte 0 bis Byte 127, die byteweise angesprochen werden. Die Adressen von Byte 128 bis Byte 255 werden als 16 Bit Worte direkt in den Akku geladen und digital verknüpft. Neben dem Peripheriebereich (P-Bereich) mit den Adressen 0 bis 255, der standardmäßig in jedem SIMATIC–Gerät vorhanden ist, kann bei komplexeren SIMATIC-Systemen mit Erweiterungsgeräten der sogenannte Q-Peripheriebereich verwendet werden. Dieser Bereich wird wortweise mit den Adressen 0 bis 255 im Akku digital verknüpft. (Bild 12.1–42.)

Tabelle 12.1–10: Programmiersprache STEP 5 – Klassifizierung der Operationen

Die Programmiersprache STEP 5		
a) Grundoperationen: – in allen Bausteinen anwendbar, – Darstellungsarten FUP, KOP und AWL Anwendung: – für anlagenabhängige Funktionen	*b) ergänzende Operationen:* – nur in Funktionsbausteinen anwendbar, – Darstellungsart nur AWL Anwendung: – für standardisierte Funktionen, – Aufbau von Baustein-Bibliotheken für anlegenunabhängige Funktionen	*c) Systemoperationen:* – nur in Funktionsbausteinen anwendbar, – Darstellungsart nur AWL, – nur für Anwender mit sehr guten Systemkenntnissen. Anwendung: – systemnahes Programmieren komplexer Funktionen

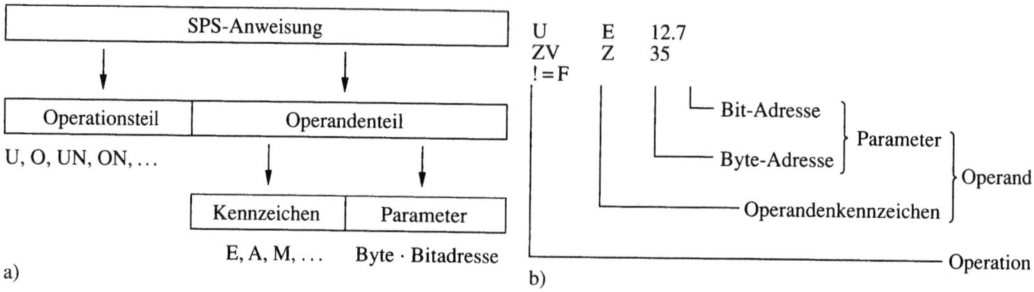

Bild 12.1-41 Aufbau einer STEP-5-Anweisung
a) prinzipieller Aufbau, b) Beispiel einer Anweisung

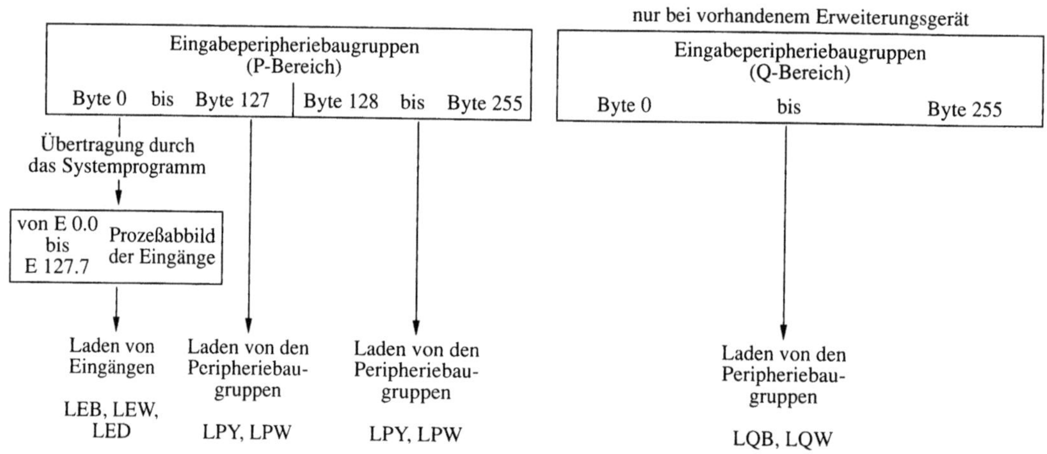

Bild 12.1-42 Byte-Wortverarbeitung von Eingangssignalen
LEB lade Eingangsbyte,
LEW lade Eingangswort,
LED lade Eingangsdoppelwort,
LPY lade Peripheriebyte,
LPW lade Peripheriewort

Eine Aufstellung der Gesamtfunktionen des Gerätes AG 155 U, in Tabelle 12.1–11 kennzeichnet die Leistungsfähigkeit des Systems.

Tabelle 12.1–11: Operations umfang der Sprachl STEP 5

I. Operanden

Operanden-kennzeichen	Bedeutung	
A	Ausgang (im Prozeßabbild)	0.0 bis 127.7
AB	Ausgangsbyte (im Prozeßabbild)	0 bis 127
AW	Ausgangswort (im Prozeßabbild)	0 bis 126
D	Bit mit Datenwort	0.0 bis 255.15
DB	Datenbaustein	2 bis 255
DL	linkes Byte im Datenwort	0 bis 255
DR	rechtes Byte im Datenwort	0 bis 255
DW	Datenwort	0 bis 255
E	Eingang (im Prozeßabbild)	0.0 bis 127.7
EB	Eingangsbyte (im Prozeßabbild)	0 bis 127
EW	Eingangswort (im Prozeßabbild)	0 bis 126
FB	Funktionsbaustein	0 bis 255
KB	Konstante „1-Byte-Zahl“	0 bis 255
KC	Konstante „Charakter“ (2 Zeichen)	ASCII-Zeichensatz
KF	Konstante „Festpunktzahl“	−32768 bis +32767
KH	Konstante „Sedezimalzahl“	0 bis FFFF
KM	Konstante „Bitmuster“	16 bit
KT	Konstante „Zeitwert“ (BCD-codiert)	0.0 bis 999.3
KY	Konstante „2-Byte-Zahl“	0 bis 255 je byte
KZ	Konstante „Zahlenwert“ (BCD-codiert)	0 bis 999
M	Merker	0.0 bis 255.7
MB	Merkerbyte	0 bis 255
MW	Merkerwort	0 bis 254
OB	Organisationsbaustein	1 bis 255
PB	Programmbaustein (bei SPA, SPB)	0 bis 255
PY	Peripheriebyte (unter Umgehung des Prozeßabbildes) – Digitaleingaben und -ausgaben – Analogeingaben und -ausgaben	 0 bis 127 128 bis 255
PW	Peripheriewort (unter Umgehung des Prozeßabbildes) – Digitaleingaben und -ausgaben – Analogeingaben und -ausgaben	 0 bis 126 128 bis 254
T	Zeitglied (Time) Bit im Zeitglied (bei Bitoperationen)	0 bis 127 0.0 bis 127.7
Z	Zähler Bit im Zähler (bei Bitoperationen)	0 bis 127 0.0 bis 127.7

Formaloperand	besteht aus max. 4 Zeichen, wobei das erste ein Buchstabe sein muß

Tabelle 12.1–11: Fortsetzung

II. Grundfunktionen

Operation Darstellung als Anwei-sungs-liste AWL	Funktionsplan FUP	Kontaktplan KOP	Operanden-kennzeichen (zulässig)	Beschreibung AWL FUP	KOP
Verknüpfungsoperationen					
U	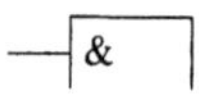	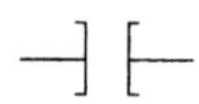	E A M T Z	Abfrage auf Signalzustand „1" und Verknüpfung nach UND	Reihenschaltung von „Schließern"
UN	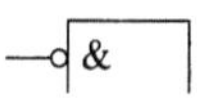		E A M T Z	Abfrage auf Signalzustand „0" und Verknüpfung nach UND	Reihenschaltung von „Öffnern"
O	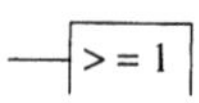	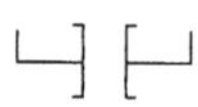	E A M T Z	Abfrage auf Signalzustand „1" und Verknüpfung nach ODER	Parallelschaltung von „Schließern"
ON	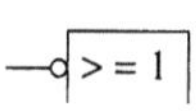	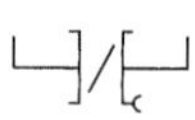	E A M T Z	Abfrage auf Signalzustand „0" und Verknüpfung nach ODER	Parallelschaltung von „Öffnern"
O		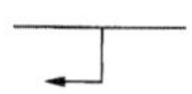		ODER-Verknüpfung von UND-Funktionen	Rückführung zu Parallelschaltung von Strompfaden
U(				UND-Verknüpfung von Klammer-ausdrücken (6 Klammerebenen)	Öffen eines Abzweiges
O(				ODER-Verknüpfung von Klammer-ausdrücken (6 Klammerebenen)	Rückführung und Öffnen eines Abzweiges
)				Klammer zu (Abschluß eines Klammerausdruckes)	Schließen des Abzweiges

Tabelle 12.1–11: Fortsetzung

Operation Darstellung als Anweisungsliste AWL	Funktionsplan FUP	Kontaktplan KOP	Operandenkennzeichen (zulässig)	Beschreibung AWL FUP | KOP
Speicheroperationen				
S	—[S]	—(S)—	E A M	Setzen bei Verknüpfungsergebnis „1"; bei „0" keine Wirkung
R	—[R]	—(R)—	E A M	Rücksetzen bei Verknüpfungsergebnis „1"; bei „0" keine Wirkung
=	[ ]—	—( )—	E A M	Zuweisen Signal „1" bei Verknüpfungsergebnis „1"; Zuweisen Signal „0" bei Verknüpfungsergebnis „0"
Ladeoperationen				
L			EB AB	Laden eines Byte aus dem Prozeßabbild
L			EW AW	Laden eines Wortes aus dem Prozeßabbild
L			PY	Laden eines Byte aus einer Eingangsbaugruppe (unter Umgehung des Prozeßabbildes)
L	Diese Anweisungen sind als AWL einzugeben	Diese Anweisungen sind als AWL einzugeben	PW	Laden eines Wortes aus einer Eingabebaugruppe (unter Umgehung des Prozeßabbildes)
L			MB	Laden eines Merkerbyte
L			MW	Laden eines Merkerwortes
L			DL	Laden des linken Byte eines Datenwortes des aktuellen Datenbausteins
L			DR	Laden des rechten Byte eines Datenwortes des aktuellen Datenbausteins
L			DW	Laden eines Datenwortes des aktuellen Datenbausteins
L			KB	Laden einer Konstanten (1-Byte-Zahl)
L			KC KF	Laden einer Konstanten (Charakter, Festpunktzahl)
L			KH KM	Laden einer Konstanten (Sedezimalzahl, Bitmuster)
L			KY KT	Laden einer Konstanten (2-Byte-Zahl, Zeitwert)
L			KZ	Laden einer Konstanten (Zählerwert)

Tabelle 12.1–11: Fortsetzung

Operation Darstellung als Anweisungsliste AWL	Funktionsplan FUP	Kontaktplan KOP	Operandenkennzeichen (zulässig)		Beschreibung
Ladeoperationen					
L	Diese Anweisungen sind als AWL einzugeben	Diese Anweisungen sind als AWL einzugeben	T	Z	Laden des Inhalts eines Zeitgliedes bzw. Zählers (dual-codiert)
LC			T	Z	Laden – BCD-codiert – des Inhalts eines Zeitgliedes bzw. Zählers
Transferoperationen					
T			EB	AB	Transferieren eines Byte zum Prozeßabbild
T			EW	AW	Transferieren eines Wortes zum Prozeßabbild
T	Diese Anweisungen sind als AWL einzugeben	Diese Anweisungen sind als AWL einzugeben	PY		Transferieren eines Byte zu einer Ausgabebaugruppe (Das Prozeßabbild wird mitverändert)
T			PW		Transferieren eines Wortes zu einer Ausgabebaugruppe (Das prozeßabbild wird mitverändert)
T			MB		Transferieren eines Byte zu den Merkern
T			MW		Transferieren eines Wortes zu den Merkern
T			DL		Transferieren eines Byte links in ein Datenwort des aktuellen Datenbausteins
T			DR		Transferieren eines Byte rechts in ein Datenwort des aktuellen Datenbausteins
T			DW		Transferieren eines Wortes in ein Datenwort des aktuellen Datenbausteins
Zeitoperationen					
SI	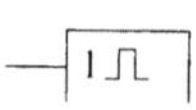	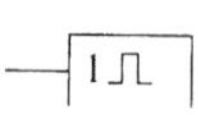	T		Starten einer Zeit im Impuls bei positivem Signalwechsel des VKE (Signalbegrenzung); bei VKE „0" wird das Zeitglied auf Null gesetzt.

Tabelle 12.1–11: Fortsetzung

Operation Darstellung als Anweisungsliste AWL	 Funktionsplan FUP	 Kontaktplan KOP	Operandenkennzeichen (zulässig)	Beschreibung
SV	1 ⎍ V	1 ⎍ V	T	Starten einer Zeit als verlängerter Impuls bei positivem Signalwechsel des VKE (Signalbegrenzung und -verlängerung); bei VKE „0" bleibt das Zeitglied unbeeinflußt.
SE	T — 0	T — 0	T	Starten einer Zeit als Einheitsverzögerung bei positivem Signalwechsel des VKE; bei VKE „0" wird das Zeitglied auf Null gesetzt.
SS	S — 0	S — 0	T	Starten einer Zeit als speichernde Einschaltverzögerung bei positivem Signalwechsel des VKE; bei VKE „0" bleibt das Zeitglied unbeeinflußt.
SA	0 — 1	0 — T	T	Starten einer Zeit als Ausschaltverzögerung bei negativem Signalwechsel des VKE; bei VKE „1" wird das Zeitglied auf Null gesetzt.
R	R	—(R)—	T	Rücksetzen (auf Null) eines Zeitgliedes bei Verknüpfungsergebnis „1", bei „0" keine Wirkung
Zähleroperationen				
ZV	ZV	ZV	Z	Zählen vorwärts eines Zählers um 1 bei positivem Signalwechsel des Verknüpfungsergebnisses
ZR	ZR	ZR	Z	Zählen rückwärts eines Zählers um 1 bei positivem Signalwechsel des Verknüpfungsergebnisses
S	S	—(S)—	Z	Setzen eines Zählers bei Verknüpfungsergebnis „1"; der Wert ist vorher in den Akku zu laden; bei „0" keine Wirkung
R	R	—(R)—	Z	Rücksetzen (auf Null) eines Zählers bei Verknüpfungsergebnis „1", bei „0" keine Wirkung
Vergleichsoperationen				
!=F	Z1 F := Z2 Q	Z1 F := Z2 Q		Vergleich auf gleich; vorheriger Inhalt Akku = zuletzt geladener Wert?
><F	Z1 F >< Z2 Q	Z1 F >< Z2 Q		Vergleich auf ungleich; vorheriger Inhalt Akku = zuletzt geladener Wert?

Tabelle 12.1–11: Fortsetzung

Operation Darstellung als Anweisungsliste AWL	Funktionsplan FUP	Kontaktplan KOP	Operandenkennzeichen (zulässig)	Beschreibung
>F	Z1 F > Z2 Q	Z1 F > Z2 Q		Vergleich auf größer; vorheriger Inhalt Akku > zuletzt geladener Wert?
>=F	Z1 F >= Z2 Q	Z1 F >= Z2 Q		Vergleich auf größer oder gleich; vorheriger Inhalt Akku ≥ zuletzt geladener Wert?
< F	Z1 F < Z2 Q	Z1 F < Z2 Q		Vergleich auf kleiner; vorheriger Inhalt Akku < zuletzt geladener Wert?
<=F	Z1 F <= Z2 Q	Z1 F <= Z2 Q		Vergleich auf kleiner oder gleich; vorheriger Inhalt Akku ≤ zuletzt geladener Wert?
Rechenoperationen				
+F	Diese Anweisungen sind als AWL einzugeben	Diese Anweisungen sind als AWL einzugeben		Addition von Festpunktzahlen; vorheriger Inhalt Akku + zuletzt geladener Wert
−F				Subtraktion von Festpunktzahlen; vorheriger Inhalt Akku − zuletzt geladener Wert
Bausteinaufrufoperationen				
SPA	FB	FB	FB	absoluter Aufruf eines Funktionsbausteins
SPB	FB	FB	FB	bedingter Aufruf eines Funktionsbausteins
SPA	SB	SB	SB	absoluter Aufruf eines Schrittbausteins
SPB	SB	SB	SB	bedingter Aufruf eines Schrittbausteins
SPA	Diese Anweisungen sind als AWL einzugeben		PB	absoluter Aufruf eines Programmbausteins
SPB			PB	bedingter Aufruf eines Programmbausteins
A			DB	Aufruf eines Datenbausteins
Bausteinendeoperationen				
BE	BE	BE		Bausteinende (letzte Operation in einem Baustein)
BEB	BEB	BEB		Bausteinende bedingt

Tabelle 12.1–11: Fortsetzung

Operation Darstellung als Anweisungsliste AWL	Funktionsplan FUP	Kontaktplan KOP	Operandenkennzeichen (zulässig)	Beschreibung
BEA	BEA	BEA		Bausteinende absolut (innerhalb eines Bausteins, z. B. bei Inbetriebnahme; nicht im Organisationsbaustein)
Null-, Stopp-, Bildaufbau-Operationen				
NOP 0	Diese Anweisungen sind als AWL einzugeben			Nulloperation; alle Bits auf „0"
NOP 1				Nulloperation; alle Bits auf „1"
STP	STP	STP		Stopp; der Zyklus wird noch beendet und anschließend werden die Ausgänge gesperrt.
BLD	BLD	BLD		Bildaufbaubefehle für das Programmiergerät. Der Programmablauf im Automatisierungsgerät wird nicht beeinflußt.

III. Ergänzende Operationen

Operation nur gültig in Funktionsbausteinen Anweisungsliste AWL	Operandenkennzeichen Formaloperand	absoluter Operand	(als Aktualoperand) bzw. absoluter Operand zulässig					Beschreibung
Verknüpfungsoperationen								
U=	X		E	A	M	T	Z	Abfrage auf Signalzustand „1" und Verknüpfung nach UND
UN=	X		E	A	M	T	Z	Abfrage auf Signalzustand „0" und Verknüpfung nach UND
O=	X		E	A	M	T	Z	Abfrage auf Signalzustand „1" und Verknüpfung nach ODER
ON=	X		E	A	M	T	Z	Abfrage auf Signalzustand „0" und Verknüpfung nach ODER

Tabelle 12.1–11: Forsetzung

Operation nur gültig in Funktionsbausteinen Anweisungsliste AWL	Operandenkennzeichen Formaloperand	absoluter Operand	(als Aktualoperand) bzw. absoluter Operand zulässig			Beschreibung
UW						UND-Verknüpfung (digital) des vorherigen Inhalts des Akku mit dem zuletzt geladenen Wert
OW						ODER-Verknüpfung (digital) des vorherigen Inhalts des Akku mit dem zuletzt geladenen Wert
XOW						Exklusiv-ODER-Verknüpfung (digital) des vorherigen Inhalts des Akku mit dem zuletzt geladenen Wert
Speicheroperationen						
S=			E	A	M	Setzen (binär) bei Verknüpfungsergebnis „1"
RB=	X		E	A	M	Rücksetzen (binär) bei Verknüpfungsergebnis „1"
= =	X		E	A	M	Zuweisen (binär) des Verknüpfungsergebnisses
RD=	X		T	Z		Rücksetzen (digital) bei Verknüpfungsergebnis „1"
Bitoperationen						
P		X	D	T	Z	Prüfen Bit auf Signalzustand „1"
PN		X	D	T	Z	Prüfen Bit auf Signalzustand „0"
SU		X	D	T	Z	Setzen Bit unbedingt
RU		X	D	T	Z	Rücksetzen Bit unbedingt

Tabelle 12.1–11: Fortsetzung

Operation nur gültig in Funktionsbausteinen Anweisungsliste AWL	Operandenkennzeichen Formaloperand	absoluter Operand	(als Aktualoperand) bzw. absoluter Operand zulässig			Beschreibung
Lade- und Transferoperationen						
L=	X		EB	EW	T	Laden des Operandenwertes in den Akku
L=	X		AB	AW	Z	Laden des Operandenwertes in den Akku
LC=	X		T	Z		Laden des Operandenwertes BCD-codiert in den Akku
LW=	X		K			Laden einer Konstanten als KF, KH, KM[2]), KY, KC[2]), KT, KZ in den Akku (siene Beschreibung Seite 6/6)
T=	X		EB	EW		Transferieren des Inhalts des Akku zum Operanden
T=	X		AB	AW		Transferieren des Inhalts des Akku zum Operanden
Zeit- und Zähloperationen						
FR		X	T	Z		Freigabe Neustart: Wiederholung von Start. Setzen oder Zählen bei positivem Signalwechsel des Verknüpfungsergebnisses, wenn bei der entsprechenden Operation das Verknüpfungsergebnis noch „1" ist.
FR=	X		T	Z		
SI=	X		T			Starten einer Zeit als Impuls
SE=	X		T			Starten einer Zeit als Einschaltverzögerung
SVZ=	X		T	Z		Starten einer Zeit als verlängerter Impuls bzw. Setzen eines Zählers
SSV=	X		T	Z		Starten einer Zeit als speichernde Einschaltverzögerung bzw. Vorwärtszählen eines Zählers
SAR=	X		T	Z		Starten einer Zeit als Ausschaltverzögerung bzw. Rückwärtszählen eines Zählers

Tabelle 12-1–11: Fortsetzung

Operation nur gültig in Funktionsbausteinen Anweisungsliste AWL	Operandenkennzeichen Formaloperand	absoluter Operand	(als Aktualoperand) bzw. absoluter Operand zulässig	Beschreibung
Umwandlungsoperationen				
KEW				Bilden des Einer-Komplements im Akku (Wort)
KZW				Bilden des Zweier-Komplements im Akku (Wort)
Schiebeoperationen				
SLW		X	0 bis 15 (n)	Schieben Inhalt des Akku (Wort) links
SRW		X	0 bis 15 (n)	Schieben Inhalt des Akku (Wort) rechts
Sprungoperationen				
SPA=	X			Sprung unbedingt
SPB=	X		max. 4 Zeichen symbolische Adresse	Sprung bedingt bei Verknüpfungsergebnis „1“
SPZ=	X		max. 4 Zeichen symbolische Adresse	Sprung bei Ergebnis Null
SPN=	X		max. 4 Zeichen symbolische Adresse	Sprung bei Ergebnis nicht Null
SPP=	X		max. 4 Zeichen symbolische Adresse	Sprung bei Ergebnis größer Null
SPM=	X		max. 4 Zeichen symbolische Adresse	Sprung bei Ergebnis kleiner Null
SPO=	X			Sprung bei „Überlauf“

Tabelle 12.1–11: Fortsetzung

Operation nur gültig in Funktions-bausteinen Anweisungsliste AWL	Operandenkennzeichen Formaloperand	absoluter Operand	(als Aktualoperand) bzw. absoluter Operand zulässig		Beschreibung
IV. Systemperationes					
AS					Alarmausgabe Sperren
AF					Alarmausgabe Freigeben
D		X	0 bis 255		Dekrementieren Inhalt des Akku (Bit 0 bis 7) um einen Wert zwischen 0 und 255
I		X	0 bis 255		Inkrementieren Inhalt des Akku (Bit 0 bis 7) um einen Wert zwischen 0 und 255
B=	X		A DB	SPA PB	Baustein Bearbeiten
B=	X		SPA SB	SPA FB	Baustein Bearbeiten
B		X	DW		Datenwort Bearbeiten: Die nachfolgende Operation wird mit dem im Wort angegebenen Paramter kombiniert.
B		X	MW		Merkerwort Bearbeiten: Die nachfolgende Operation wird mit dem im Wort angegebenen Parameter kombiniert.

12.1.10.2 Die Programmierung der Grundfunktionen

Die Grundfunktionen werden, ausgehend vom Stromlaufplan, in den Darstellungsarten AWL, KOP und FUP beschrieben.

Vereinbarung: Die im Prozeßabbild stehenden binären Signale der Ein- und Ausgänge der Hardware werden in den folgenden Abschnitten als Operandenbezeichnungen verwendet.

12.1.10.3 Die binären Grundoperationen

1. Die UND-Funktion

Die *UND-Funktion* entspricht der Reihenschaltung von Kontakten. Überträgt man die Gesetze der Boolschen Algebra auf die mathematischen Gesetzmäßigkeiten in den Bereich der reellen Zahlen, so entspricht die UND-Funktion der Multiplikation. Die UND-Funktion ist erfüllt, d. h., der Ausgang A1.0 erhält HIGH-Potential, wenn der Eingang E0.1 und der Eingang E0.2 den Wert 1 besitzen (Bild 12.1–43).

Stromlaufplan	AWL	Signalzustand von A 1.0		
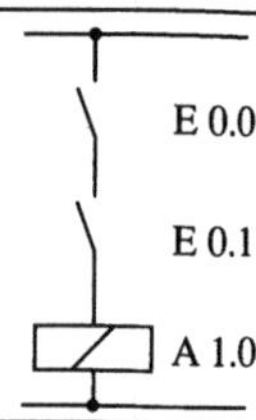		E 0.0	E 0.1	A 1.0
E 0.0	*U* E 0.0	0	0	0
E 0.1	*U* E 0.1	0	1	0
A 1.0	= A 1.0	1	0	0
		1	1	1

KOP

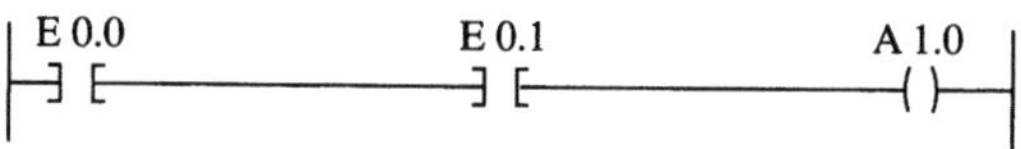

FUP

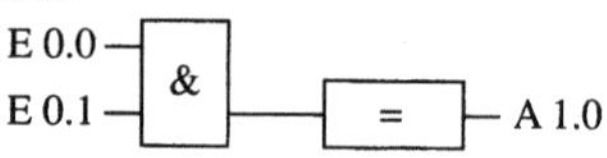

Bild 12.1-43 UND-Verknüpfung (Beispiel)

2. Die ODER-Funktion

Die *ODER-Funktion* entspricht der Parallelschaltung von Kontakten. Die boolsche ODER-Funktion entspricht der mathematischen Addition. Im Gegensatz zur UND-Funktion bedarf es bei der ODER-Funktion nur der Erfüllung einer Bedingung: Der Ausgang erhält eine logische 1 (HIGH-Potential), wenn der E 0.3 oder der E 0.4 eine logische 1 besitzt (Bild 12.1-44).

Stromlaufplan	AWL	Signalzustand von A 1.1		
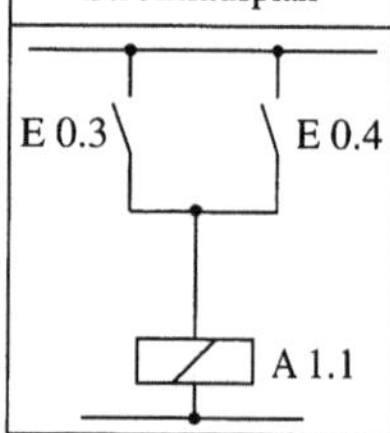		E 0.3	E 0.4	A 1.1
E 0.3, E 0.4	*O* E 0.3	0	0	0
	O E 0.4	0	1	1
A 1.1	= A 1.1	1	0	1
		1	1	1

KOP

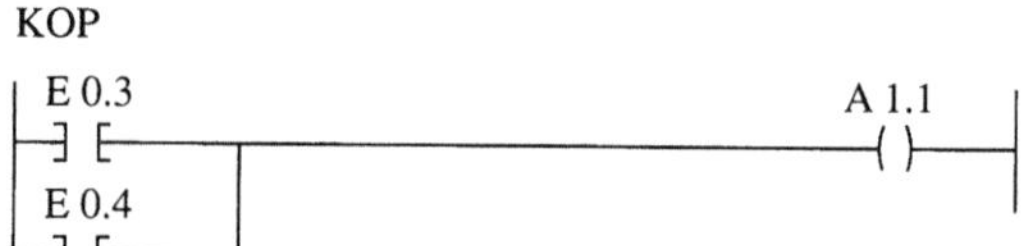

FUP

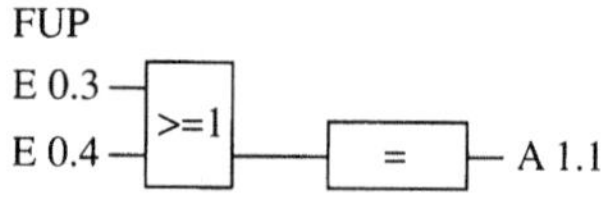

Bild 12.1-44 ODER-Verknüpfung (Beispiel)

3. Die NICHT-Funktion als Negation

Eine *Negation* ist die Inversion des im Prozeßabbild stehenden binären Signales bei der Verknüpfung. Die Anwendung auf logisch 1 führt zu logisch 0 und umgekehrt. Diese Funktion wird z. B. verwendet, wenn im Prozeß ein nichtbetätigter Öffner (liefert Spannung an die Eingabebaugruppe) im Programm auf Betätigung abgefragt werden soll. Die Betätigung des Öffners bedeutet den Signalwechsel an der Eingabebaugruppe zu logisch 0. Da die Betätigung vorliegt, entsteht durch die NICHT-Funktion bei der Verknüpfung das Signal logisch 1. Die Abfrage kann betätigungsrichtig erfolgen, wobei die Verwendung eines Öffners im Prozeß die Drahtbruchsicherheit gewährleistet. Die Negation wird durch die in Bild 12.1-45 dargestellten Symbole in FUP, KOP, AWL gekennzeichnet.

a) Abfrage auf Signalzustand „1"

AWL: FUP: KOP:

U E 1.0

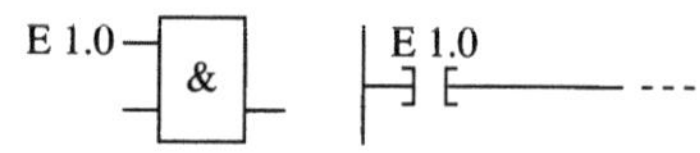

b) Abfrage auf Signalzustand „0" – Negation

AWL: FUP: KOP:

UN E 1.0

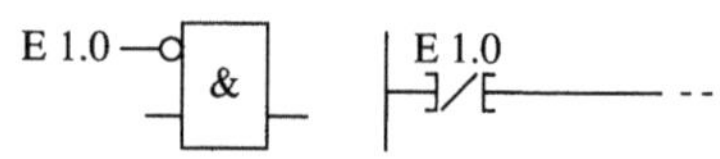

Bild 12.1-45 Negation eines Signals (Beispiel), Abfrage von Signalständen

12.1.10.4 Zusammengesetzte binäre Grundfunktionen

Die binären Grundfunktionen lassen sich beliebig zu komplexeren Funktionen zusammensetzen, wobei Regeln der Klammersetzung zu beachten sind.

1. Die EXKLUSIV-ODER-Funktion

Betrachtet man den Stromlaufplan des Bildes 12.1-46, so wird aufgrund der Wirkungslinien der Ausgang A 1.0 nur dann durchgeschaltet, wenn entweder E 0.0 oder E 0.1 betätigt wird. Die Betätigung von beiden Eingängen zur gleichen Zeit bedeutet Trennung des Stromkreises. Die EXKLUSIV-ODER-Funktion ist erfüllt, wenn *entweder* E 0.0 und E 0.1 nicht *oder* E 0.0 nicht und E 0.1 betätigt ist.

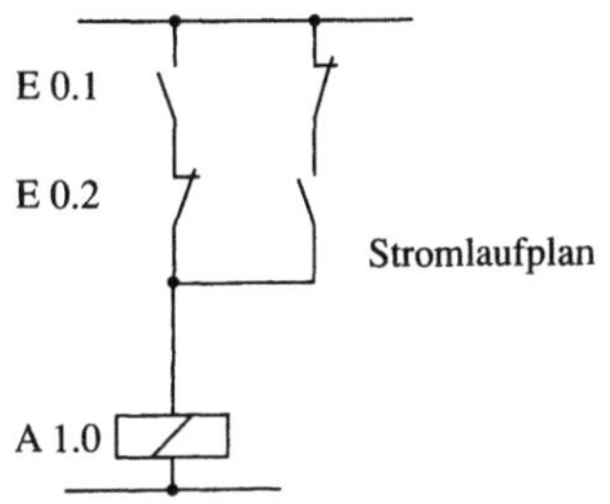

AWL

```
:U  E 0.1
:UN E 0.2
:O
:UN E 0.1
:U  E 0.2
:=  A 1.0
:BE
```

KOP

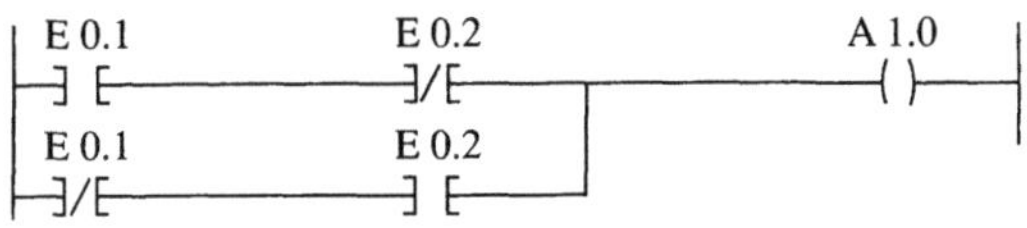

FUP

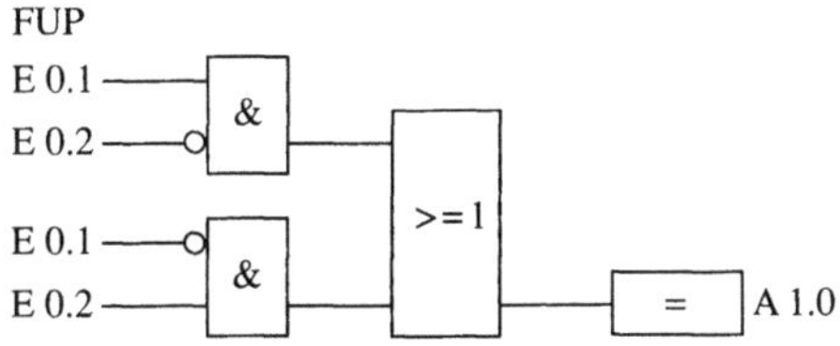

Bild 12.1-46 EXCLUSIV-ODER-Funktion (Beispiel)

Stromlaufplan	AWL	Signalzustand von A 1.1
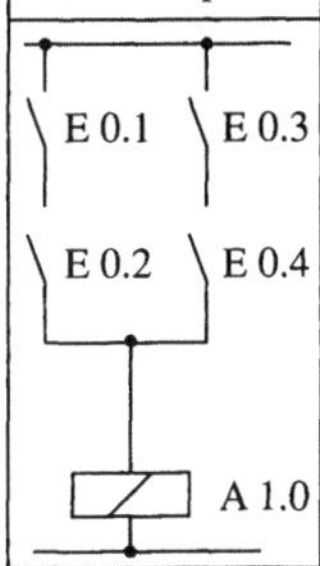	U E 0.1 U E 0.2 O U E 0.3 U E 0.4 =A 1.0	siehe unten

E 0.1	E 0.2	E 0.3	E 0.4	A 1.0
×	×	1	1	1
1	1	×	×	1

× Signalzustandbeliebig, In allen anderen Fällen führt der Ausgang 1.0 Signal „0".

KOP

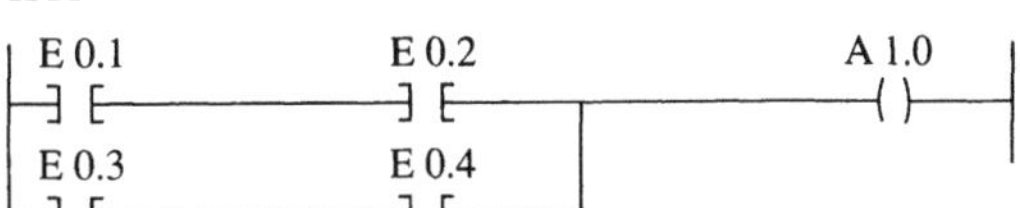

FUP

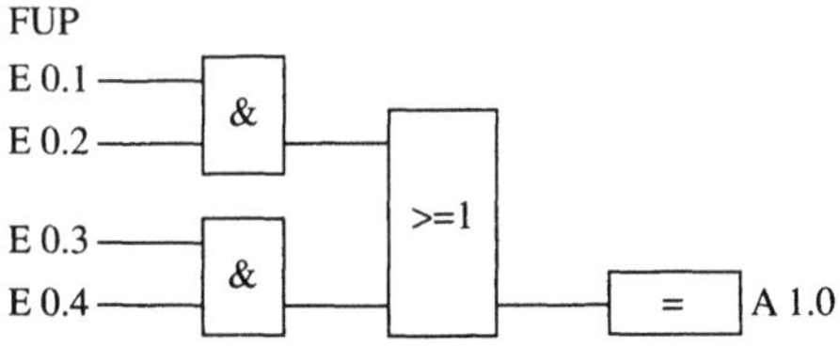

Bild 12.1-47 UND- vor ODER-Funktion (Beispiel)

2. Die UND- vor ODER-Funktion

Sie entspricht der vorrangigen Parallelschaltung in Reihe geschalteter Kontakte. Die Funktion ist erfüllt, wenn E 0.0 und E 0.1 *oder* E 0.2 und E 0.3 betätigt sind. Kennzeichen der UND- vor ODER-Funktion ist das separat stehende ODER. Betrachtet man die boolsche Algebra, so entspricht die UND- vor ODER- Funktion einem $a \cdot b + c \cdot d$-Term, wobei die Klammerung entfällt (Bild 12.1–47).

3. Die ODER- vor UND-Funktion

Sie entspricht der vorrangigen Reihenschaltung parallelgeschalteter Kontakte. Die Funktion ist erfüllt, wenn E 0.1 oder E 0.2 *und* E 0.3 oder E 0.4 betätigt sind. Eine Klammerung jeder ODER-Funktionen ist notwendig, wobei die Funktion *U* verwendet wird. Die Funktion entspricht dem $(a+b) \cdot (c+d)$-Term, wobei die Klammern, entgegen der Mathematik, in der SPS-Technik zwingend gesetzt werden (Bild 12.1–48).

Stromlaufplan	AWL	Signalzustand von A 1.0
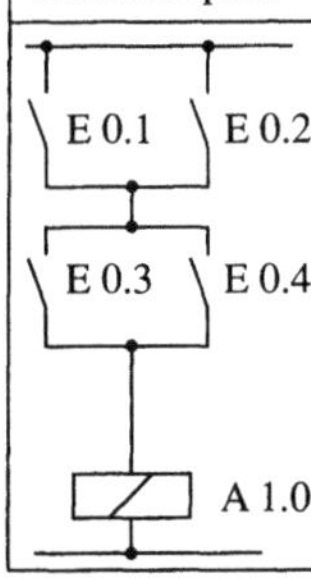	U (O E 0.1 O E 0.2) U (O E 0.3 O E 0.4) =A 1.0	siehe unten

E 0.1	E 0.2	E 0.3	E 0.4	A 1.0
1	×	×	1	1
1	×	1	×	1
×	1	×	1	1
×	1	1	×	1

× Signalzustandbeliebig, In allen anderen Fällen führt der Ausgang 1.0 Signal „0".

KOP

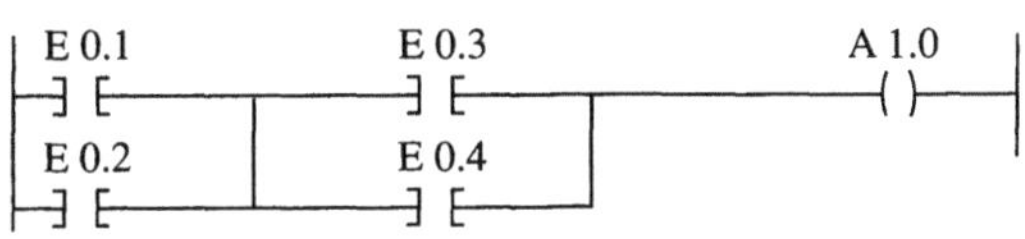

FUP

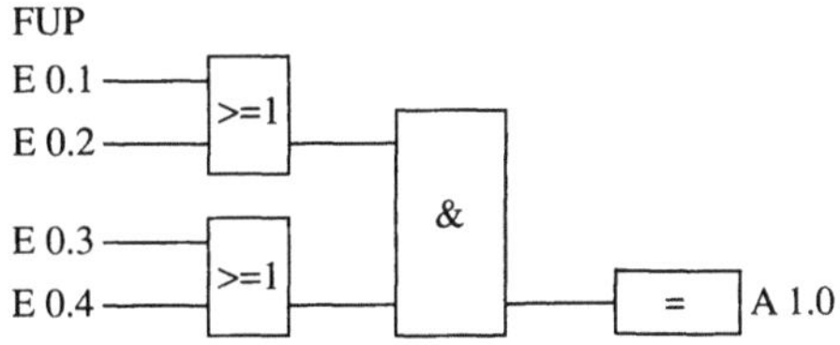

Bild 12.1-48 ODER- vor UND-Funktion (Beispiel)

12.1.10.5 Die binäre Zuweisungsfunktion

Die Funktion „=" entspricht der *mathematischen Zuweisung* des, in diesem Fall binären, Ergebnisses zur Variablen. Das entsprechend adressierte Bit des

Prozeßabbildes der Ausgänge erhält das Ergebnis der Verknüpfung. Zugewiesene Ergebnisse im Prozeßabbild der Ausgänge können in folgenden Programmschritten weiterverknüpft werden, da es sich hierbei um Speicherstellen der Ausgangsabbild-Matrix handelt und nicht um reale Ausgänge auf der Peripheriekarte. Hieraus folgt die Möglichkeit der Programmierung einer konventionellen Selbsthaltungsschaltung in der SPS-Technik.

12.1.10.6 Die Selbsthaltung mit vorher zugewiesenen Ausgängen oder Merkern

In Bild 12.1–49 ist eine *Selbsthaltungs-Schaltung* der konventionellen Steuerungstechnik als SPS-Lösung aufgezeigt, die den, im ersten Bearbeitungszyklus zugewiesenen Ausgang A 1.0, im zweiten Zyklus als Selbsthaltekontakt verwendet. Diese Kombination beschränkt sich nicht nur auf den Einsatz von Ausgängen des Prozeßabbildes, sondern kann auch mit den Bits des hierfür reservierten Systemspeichers der *Merker* durchgeführt werden. Im allgemeinen bietet das SIMATIC-System 2048 Merker, die als Merker M 0.0 bis M 127.7 (durch den Anwender remanent oder nicht remanent) und als Merker M 128.0 bis M 255.7 (grundsätzlich nicht remanent nach Spannungsausfall) verwendet werden können. Der Begriff des remanenten Merkers wird hierbei für nullspannungssichere Merker verwendet, die, bei Netzausfall, durch die Pufferbatterie ihre Wertzuweisung behalten.

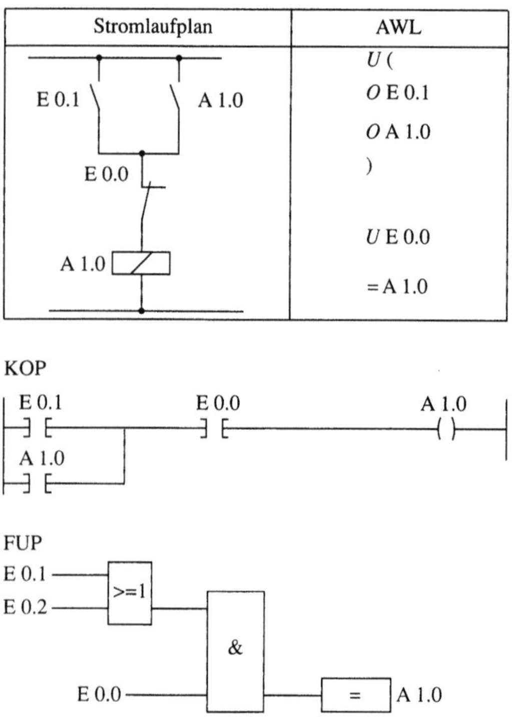

Bild 12.1-49 Klassische Selbsthaltung mit Hilfskontakt (A 1.0)

12.1.10.7 Die RS-Flipflop-Funktion zur Speicherung binärer Ergebnisse

Eine weitere Programmierung der Selbsthaltung ermöglicht die Verwendung eines *statischen RS-Flipflop-Speichers,* der durch das Verknüpfungsergebnis „1" der vorherigen Torschaltung am „S"-Eingang (set) den logischen Wert 1 solange speichert bis an dem „R"-Eingang (reset) das Verknüpfungsergebnis „1" das Löschen des Speichers bewirkt.

In Bild 12.1–50 wird die Funktion einer prinzipiellen RS-Speicherfunktion erläutert, bei der der A 1.7 durch E 0.6 gesetzt und durch E 0.7 zurückgesetzt werden kann. Bei Betätigung beider Eingänge zur gleichen Zeit wird aufgrund der seriellen Abarbeitung des Programmes der Ausgang auf der Peripheriekarte gelöscht, da die Übertragung des Prozeßabbildes zur Peripherie nach dem Ende des Programmes erfolgt

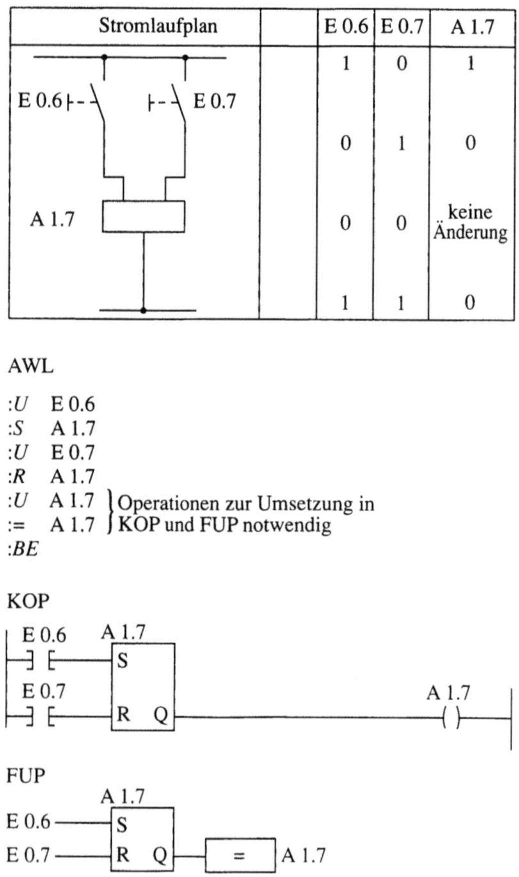

Bild 12.1-50 Speicherfunktion mit vorrangigem Rücksetzen des Ausgangs

und zu diesem Zeitpunkt die entsprechende Bitstelle mit dem logischen Wert 0 belegt ist. Bei Vertauschung des S- und R-Befehles unter Beibehaltung der Reihenfolge der Zeilen würde bei gleichzeitiger Betätigung der Eingänge E 0.6 und E 0.7 nach Programmende eine logische 1 zur Peripheriekarte übertragen werden (Bild 12.1–51).

Stromlaufplan		E 0.6	E 0.7	A 1.7
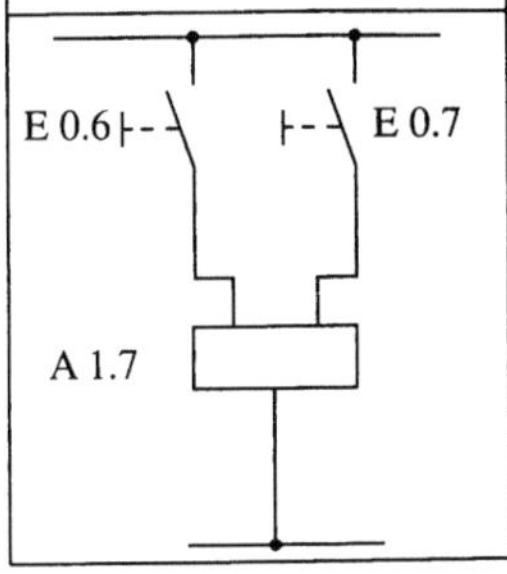		1	0	0
		0	1	1
		0	0	keine Änderung
		1	1	1

AWL

```
:U  E 0.6
:R  A 1.7
:U  E 0.7
:S  A 1.7
:U  A 1.7  } Operationen zur Umsetzung in
:=  A 1.7  } KOP und FUP notwendig
:BE
```

KOP

FUP

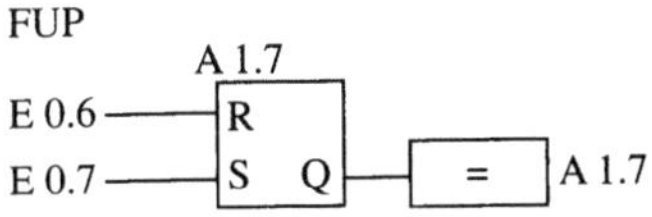

Bild 12.1-51 Speicherfunktion mit vorrangigem Setzen des Ausgangs

Eine zwingende Unterscheidung des RS-Befehls in die Funktion des *dominierenden Setzens* und des *dominierenden Rücksetzens* eines statischen RS-Flipflop-Speichers ist aufgrund der seriellen Bearbeitung und der Benutzung der Prozeßabbilder notwendig. Ein Befehlsspeicher für das Einschalten von Prozeßfunktionen wird grundsätzlich mit einem dominierenden Rücksetzen erstellt, wobei der entsprechende Geber für das AUS-Signal bzw. Rücksetzsignal hardwaremäßig als Öffner vorzusehen ist. Eine Negation bei der Abfrage des Öffners im Programm ist erforderlich (Bild 12.1–52).

AWL

```
:U  E 0.6
:S  A 1.7
:UN E 0.7
:R  A 1.7
:U  A 1.7
:=  A 1.7
:BE
```

KOP

FUP

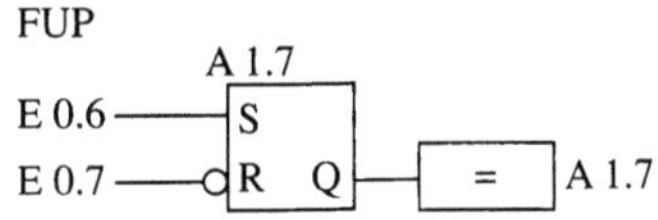

Bild 12.1-52 Speicherfunktion mit Drahtbruch-Überwachung, vorrangig rücksetzend; Befehlsspeicher für Stellgeräte mit dominantem AUS-Befehl in drahtbruchsicherer Schaltung mit E 0.7 als Öffner

12.1.10.8 Die Erkennung eines Signalwechsels am Eingang (Flanke)

AWL

```
:U  E   0.0
:U  M 100.0
:=  M 200.0
:U  M 200.0
:R  M 100.0
:UN E   0.1
:S  M 100.0
:U  M 100.0
:=  M 100.0
:BE
```

Funktionsdiagramm

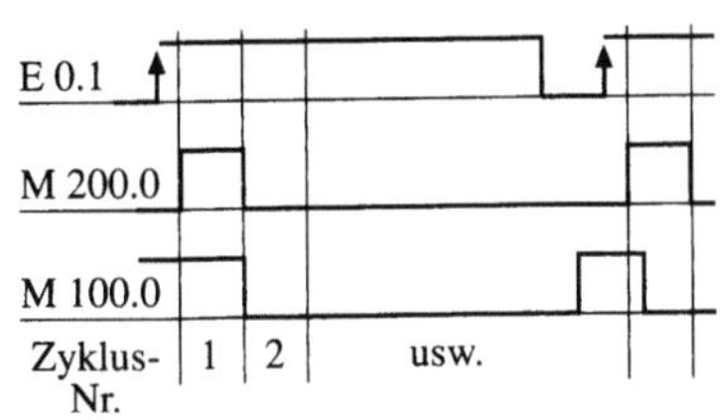

KOP

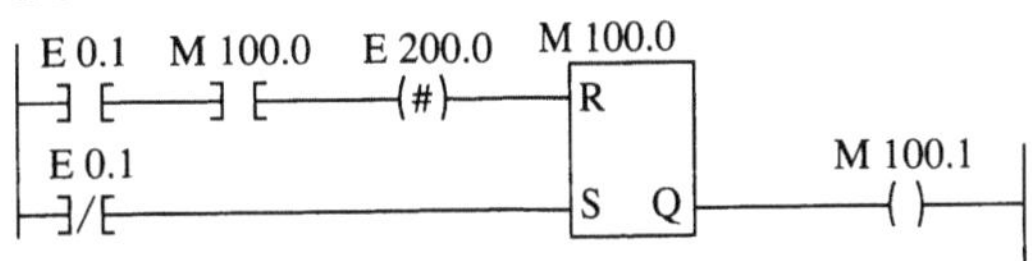

FUP

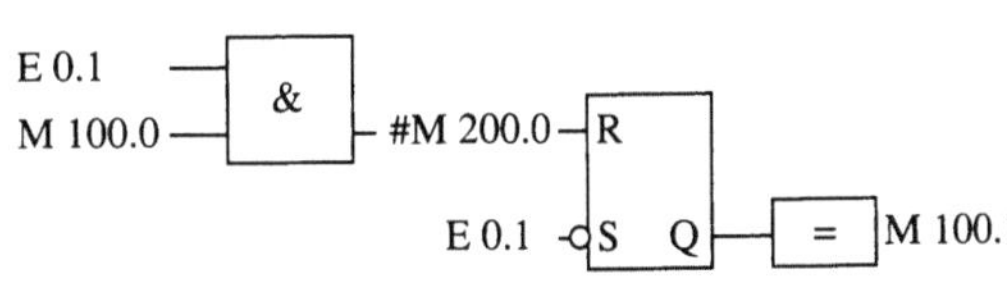

Bild 12.1-53 Flankenauswertung der Eingangssignale

Mit Hilfe von RS-Speicherfunktionen werden die statischen Signale an den Eingängen gespeichert. Die Auswertung eines Signalwechsels von „0" nach „1" (positiver Flankenwechsel) und eines Wechsels von „1" nach „0" (negativer Flankenwechsel) erfordert die Erstellung einer zusammengesetzten Funktion nach Bild 12.1–53.

Der Merker 200.0 wird als *Impulsmerker* bezeichnet und führt, nach erfolgter *positiver Flanke,* für einen Zyklus den logischen Wert 1. Dieser Merker wird im Programm zur Erkennung der Flanke benutzt und entsprechend weiterverknüpft. In den Darstellungsarten KOP und FUP wird der Impulsmerker durch das Zeichen „#" gekennzeichnet. Eine negative Flanke wird entsprechend programmiert, wobei an jeder verwendeten Stelle E 0.1 negiert werden muß. Der Merker M 100.1 wird nur zur durchgängigen Darstellung der Bilder in KOP und FUP verwendet und hat keine weitere Bedeutung.

12.1.10.9 Die Vorgabe von Zahlenwerten und Parametern – die Befehle Laden und Transferieren

Dies wird mit Hilfe des Befehls *Laden* (L) durchgeführt, wobei der zu ladende Wert in einem bestimmten Format angegeben wird. Für die Zähler- und Zeitfunktionen werden die Konstanten *KZ,* mit den Werten zwischen 0 und 999, bzw. *KT,* mit dem Zeitbereich von 1/100...9990 s, zur Verfügung gestellt. Weitere Konstanten ermöglichen die Verarbeitung von Festpunktzahlen (KF) (Integer-Zahl), Hexadezimalzahlen (KH) oder in größeren Systemen die Verarbeitung von Gleitpunktzahlen (KG) (Floating Point-Zahl). Der Zahlenbereich der Festpunktdarstellung umfaßt die ganzzahligen Werte aus dem Bereich −32 768 bis +32 767, die Hexadezimalzahlen werden im Bereich 0000 bis FFFF verwendet. Zur Darstellung gebrochener Werte werden Gleitpunktzahlen herangezogen, die im Bereich −10 EXP 38 bis −10 EXP −38 und +10 EXP −38 bis +10 EXP +38 die Verarbeitung ermöglichen.

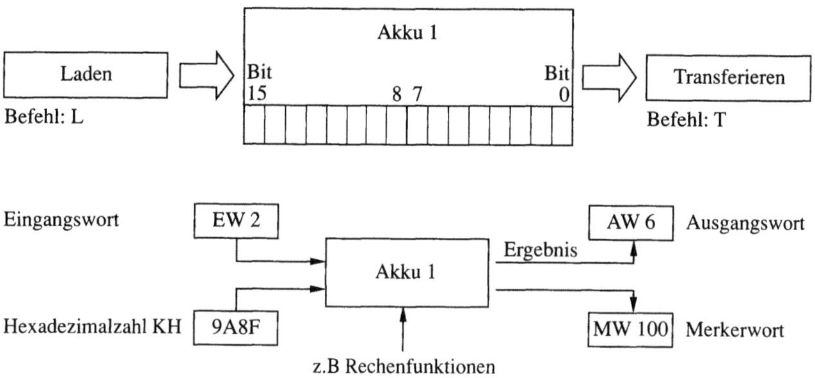

Bild 12.1-54 Behandlung des Akkus 1 (unterer Leistungsbereich)

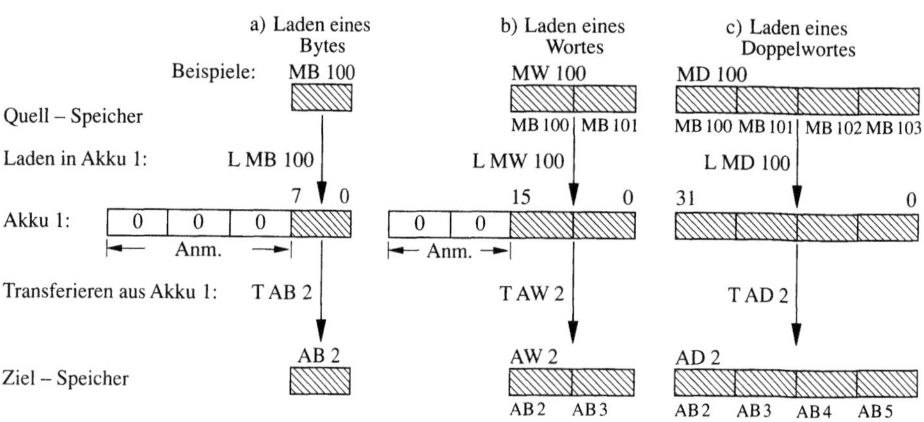

Anm.: nicht verwendete Akkubereiche werden mit dem Wert 0 belegt.

Bild 12.1-55 Behandlung 32-bitbreiter Akkus (oberer Leistungsbereich)

Zur Berechnung interner Speicheradressen werden i. a. HEX-Zahlen verwendet, Festpunktzahlen ermöglichen die Sollwertvorgabe für Zähler, und Gleitpunktzahlen zeigen z. B., in hoher Genauigkeit, die Position eines Antriebes als Istwert an.

Der geladene Zahlenwert steht im Akku 1 des Systems und kann hier verarbeitet und anschließend mit dem Befehl *Transfer* ausgegeben werden (Bild 12.1–54).

In Bild 12.1–55 werden die L/T-Funktionen für die Systeme mit 32-Bit-breitem Akku dargestellt.

12.1.10.10 Die Programmierung von Zählern

In den SIMATIC-S5-Systemen werden i. a. 128 Zähler zur Verfügung gestellt, die der Anwender als Vor- oder Rückwärtszähler konfigurieren kann. Eine Sollwertvorgabe wird über die Vorgabe der Konstanten KZ im Bereich von 0 bis 999 ermöglicht. Die Anzeige des momentanen Wertes kann *dual-* oder *BCD-codiert* über die 16-bit-Ausgänge DU bzw. DE erfolgen, wobei die Zählerwerte dual (L) bzw. BCD-codiert (LC) in den Akku 1 geladen und in das Merkerwort 100 bzw. 200 transferiert werden. Der S-Eingang setzt den Zähler auf den Wert 5 vor, der Ausgang Q des Zählers ist HIGH-geschaltet. Mit dem ZR-Eingang des Zählers werden die Impulse des E 0.2 erfaßt und der Zählerstand wird dekrementiert, d. h. um den Wert 1 verringert.

Wird der Zählerwert 0, so wechselt der Ausgang Q zum LOW-Potential, ein negativer Zählerwert kann nicht erreicht werden. Der ZV-Eingang wertet die Impulse des E 0.1 aus und inkrementiert, d. h. erhöht den Zählerstand, der Ausgang Q wird HIGH, sobald der Zählerstand größer null wird. Die Beschaltung des R-Einganges mit logisch 1 führt zum sofortigen Rücksetzen des Zählerstandes und des Ausgangs Q. Ein dynamisches Vor- und Rückwärtszählen ist möglich (Bild 12.1–56).

Die duale Kodierung des Zählerwertes am Ausgang DU kann z. B. zur weiteren Verarbeitung für Vergleichsfunktionen verwendet werden. Eine direkte Anzeige des momentanen Zählerstandes auf einer binärcodierten Dezimalanzeige (BCD-Anzeige) kann über den Ausgang DE erfolgen.

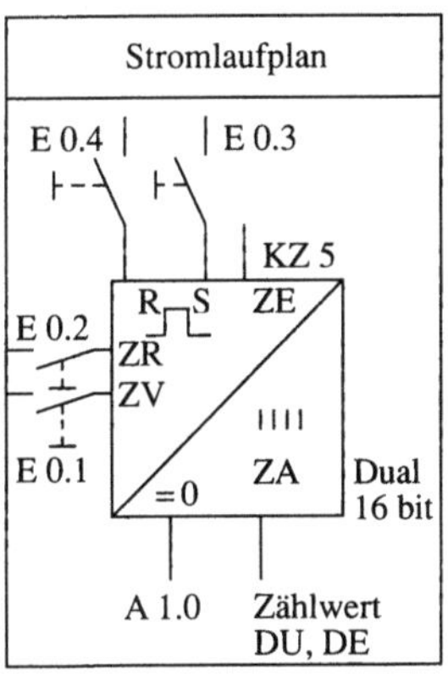

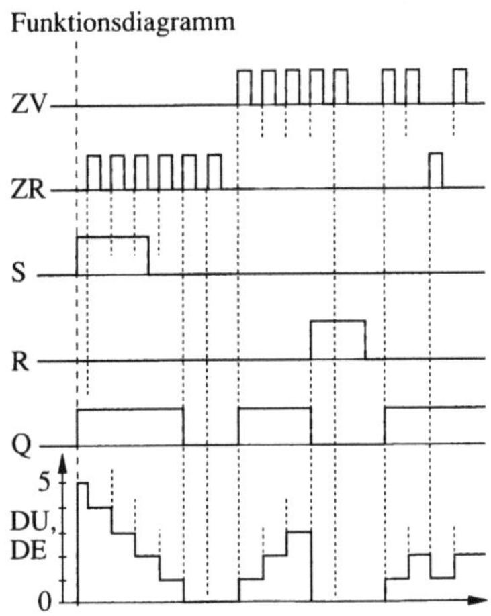

Bild 12.1-56
Programmierung von Zählern

```
:U  E 0.1
:ZV Z 1
:U  E 0.2
:ZR Z 1
:U  E 0.3
:L  KZ 005
:S  Z 1
:U  E 0.4
:R  Z 1
:L  Z 1
:T  MW 100
:LC Z 1
:T  MW 200
:U  Z 1
:=  A 1.0
:BE
```

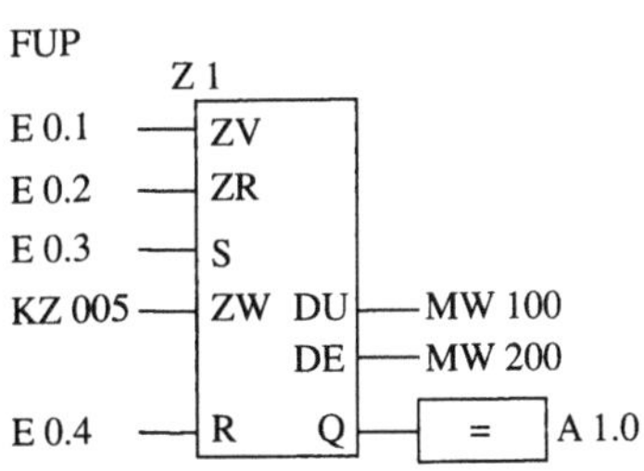

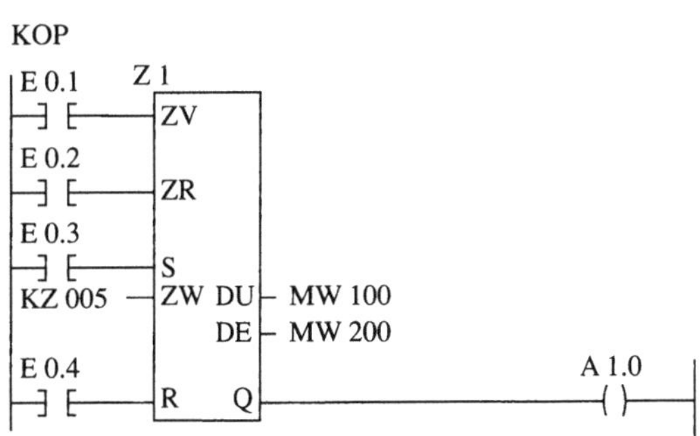

12.1.10.11 Die Programmierung von Zeitfunktionen

Die Anzahl der Zeitfunktionen ist wiederum von der Größe des verwendeten SIMATIC-S5-Gerätes abhängig, i. a. werden 128 Zeitglieder zur Verfügung gestellt. Die Funktionen der Zeitglieder beinhalten, neben den obligatorischen Ein- und Ausschaltverzögerungen in den SPS-Systemen, Funktionen für Impulse, verlängerte Impulse und speichernde Einschaltverzögerungen. Die Zeitwerte werden vor der Verarbeitung dem Akku 1 in einem bestimmten Raster zur Verfügung gestellt. Eine Ausgabe des momentanen Zeitwertes erfolgt über die 16-Bit-Ausgänge DU, DE als dualer bzw. BCD-codierter Wert.

12.1.10.12 Die Darstellung der Zeit im Format KT

Die gewünschte Zeitdauer kann nicht direkt in den Einheiten Millisekunde und Sekunde eingeben werden, sondern wird in einer Konstanten mit einer dreistelligen BCD-Zahl von 0 bis 999 und einer Zeitbasis mit den Werten 0 = 1/100 s, 1 = 1/10 s, 2 = 1 s und 3 = 10 s in den Akku 1 geladen. Der Zeitwert wird durch einen Punkt von der Zeitbasis getrennt.

■ *Beispiel:*
KT 150.1 = 150 · 1/10 s = 15 s.

12.1.10.13 Die allgemeine Darstellung eines Zeitgliedes

Die Programmierung der Zeitglieder in AWL ermöglicht sehr kurze Darstellungen, die jedoch nicht in die Darstellungsarten KOP und FUP umgesetzt werden können. Eine Anweisungsliste, die auch nach KOP und FUP gewandelt werden kann, bedarf der korrekten Einhaltung der Reihenfolge der Programmierung: 1. Starten, 2. Rücksetzen, 3. Abfragen der Ausgänge DU und DE sowie 4. binäre Abfrage. In Bild 12.1–57 ist die Anweisungsliste des Startens der Zeit als Impuls wiedergegeben. Die digitale und binäre Abfrage des Zeitgliedes kann durch eine *Blindoperation NOP* 0 ersetzt werden, wobei jede Kombination aus L/T, LC/T, U/= durch ein NOP 0 ersetzt werden muß. Die veränderte AWL beeinflußt die Bearbeitung der Zeitfunktion nicht, kann aber trotzdem in die grafischen Darstellungsarten gewandelt werden. Gleiches gilt für die Zählerfunktionen des voherigen Kapitels.

Das Zeitglied wird i. a. mit einer positiven Flanke am Starteingang in Funktion gesetzt, die Funktion wird ausgeführt und das Zeitglied kann erneut durch eine positive Flanke aktiviert werden. Die Zeitglieder sind nicht freilaufend, d. h., die Zeitglieder starten bei anstehendem Signal nicht erneut, sondern werden mit einer Flanke am Starteingang aktiviert.

In den folgenden Abschnitten werden die Zeitglieder schematisch dargestellt, es wird auf die Darstellung der Ausgänge DU, DE verzichtet, die entsprechende Darstellung ist nicht konvertierbar.

12.1.10.14 Das Starten einer Zeit als Impuls (SI)

Durch eine positive Flanke des Eingangs E 0.0 wird die Zeitfunktion aktiviert. Der Ausgang Q wird sofort auf HIGH-Potential geschaltet und bleibt bis zum Ablauf der eingestellten Zeitdauer von 5 s erhalten, *sofern der Starteingang weiterhin auf HIGH-Potential liegt* (1,2). Wird der Starteingang vorzeitig

AWL

```
:U  E 0.0
:L  KT 005.2
:SI T 1
:U  E 0.1
:R  T 1

:L  T 1
:T  MW 100
:LC T 1
:T  MW 200

:U  T 1
:=  A 4.0
:***
```

Funktionsdiagramm für das Starten einer Zeit als Impuls

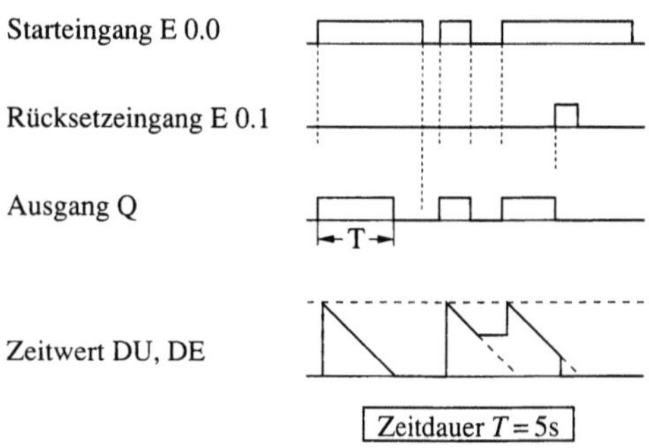

Bild 12.1-57
Programmierung von Zeitfunktionen (allgemeine Darstellung)

FUP

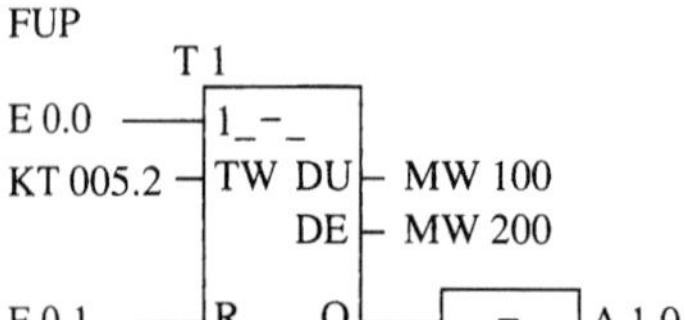

KOP

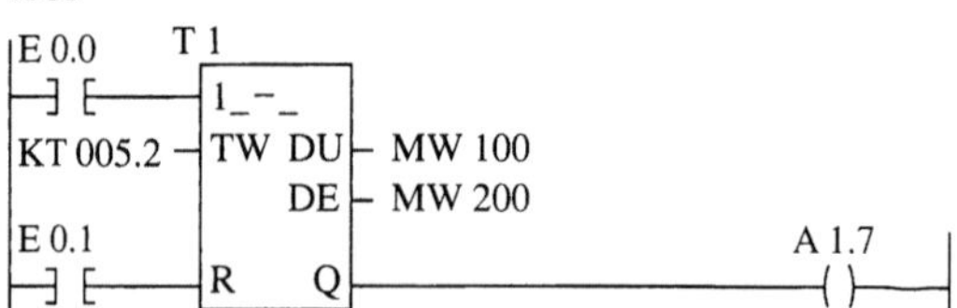

auf LOW gelegt, so wird der Ablauf des Zeitgliedes unterbrochen, der Ausgang Q wechselt nach LOW und das Zeitglied muß neu gestartet werden (3). Wird bei einem ordnungsgemäßen Ablauf der R-Eingang mit einem HIGH-Signal versehen, so wird das Zeitglied und der Ausgang Q zurückgesetzt. Ein Neustart des Zeitgliedes ist erst bei LOW-Potential des R-Eingangs möglich (4) (Bild 12.1–58).

12.1.10.15 Das Starten einer Zeit als verlängerter Impuls (SV)

Der Ablauf des Zeitgliedes entspricht prinzipiell der im Abschnitt 12.1.10.14 beschriebenen Funktion, jedoch kann der Starteingang E 0.0 hierbei als Impulseingang verwendet werden, da *die Zeit verlängert abläuft* (4). Eine Triggerung des Zeitgliedes ist möglich, die letzte positive Flanke ist maßgeblich für den Ablauf der Zeit (5) (Bild 12.1–59).

12.1.10.16 Das Starten einer Zeit als Einschaltverzögerung (SE)

Das Zeitglied wird mit einem positiven Signalwechsel am Eingang E 0.0 gestartet, das anschließende statische HIGH-Signal ist erforderlich. Die eingegebene Einschaltverzögerung von 5s läuft ab und der Ausgang Q wird auf HIGH-Potential geschaltet. Der Wert des Ausgangs Q bleibt erhalten, bis der Eingang E 0.0 auf LOW-Potential wechselt (1,2). Das Zeitglied SE verhält sich bei Beschaltung des Rücksetzeingangs R wie unter 12.1.10.14 besprochen (3).

Wird das statische Signal des Eingangs E 0.0 nach dem Start vorzeitig auf LOW gelegt, so bleibt der Ausgang Q auf LOW (4) (Bild 12.1–60).

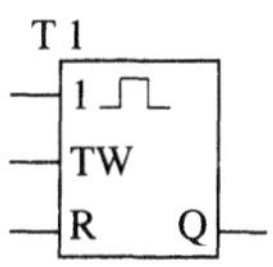


```
U  E 0.0
L  KT 005.2
SI T 1
U  E 0.1
R  T 1
U  T 1
=  A 4.0
```

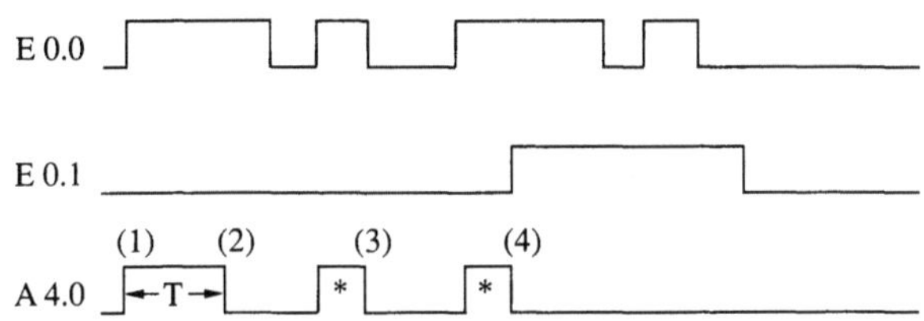

Bild 12.1-58 Impulszeitglied SI

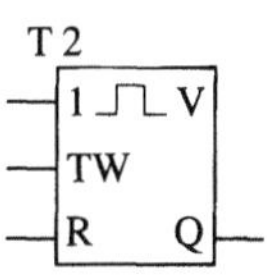


```
U  E 0.0
L  KT 005.2
SV T 2
U  E 0.1
R  T 2
U  T 2
=  A 4.0
```

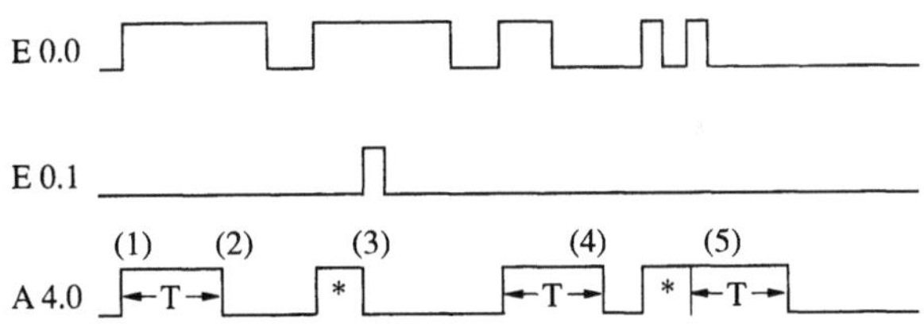

Bild 12.1-59 Verlängerter Impuls SV

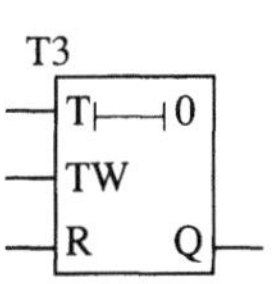


```
U  E 0.0
L  KT 005.2
SE T 3
U  E 0.1
R  T 3
U  T 3
=  A 4.0
```

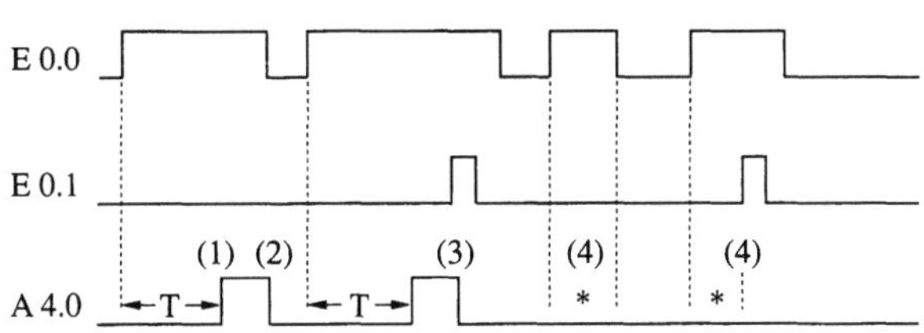

Bild 12.1-60 Einschaltverzögerung SE

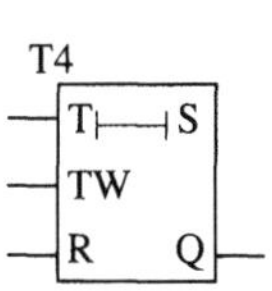


```
U  E 0.0
L  KT 005.2
SS T 4
U  E 0.1
R  T 4
U  T 4
=  A 4.0
```

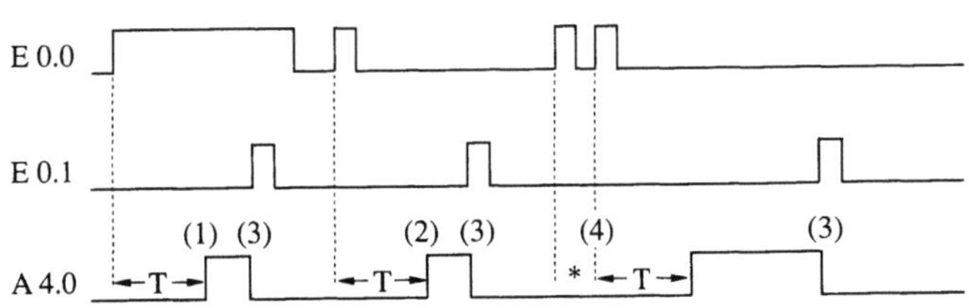

Bild 12.1-61 Speichernde Einschaltverzögerung SS

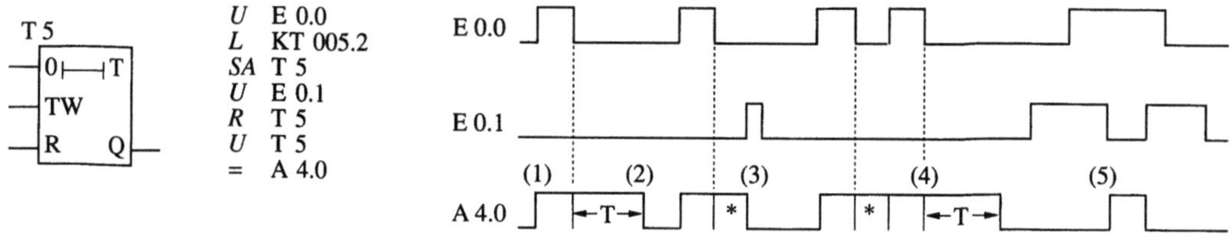

Bild 12.1-62 Ausschaltverzögerung SA

12.1.10.17 Das Starten einer Zeit als speichernde Einschaltverzögerung (SS)

Die Funktion entspricht i. a. der im Abschnitt 12.1.10.16 beschriebenen Einschaltverzögerung. Die Unterschiede bestehen in der besonderen Bedeutung des R-Eingangs, mit dem der Ausgang Q zwingend zurückgesetzt wird (3) und in der Möglichkeit den Starteingang als Impuls auszuführen (2). Eine Triggerung des Zeitgliedes ist vorhanden, die letzte positive Flanke des Starteinganges ist maßgebend (4) (Bild 12.1–61).

12.1.10.18 Das Starten einer Zeit als Ausschaltverzögerung (SA)

Im Gegensatz zu den bisherigen Zeitgliedern wird bei der Ausschaltverzögerung der negative Flankenwechsel des Starteingangs E 0.0 zur Aktivierung der Zeitfunktion verwendet. Der Ausgang Q befindet sich auf HIGH-Potential, wenn der Starteingang E 0.0 logisch 1 besitzt (1). Fällt der E 0.0 auf logisch 0 zurück, so bleibt der Ausgang Q über die eingegebene Zeitdauer von 5s auf HIGH-Potential und fällt anschließend auf LOW-Potential zurück (2).

Bezüglich der Beschaltung des R-Einganges verhält sich das Zeitglied äquivalent zu den bisherigen Betrachtungen (3). Maßgeblich für den Ablauf der Zeitfunktion bei mehrfacher Betätigung des Starteinganges ist hier die letzte negative Flanke des Starteinganges E 0.0 (4) (Bild 12.1–62).

12.1.11 Die digitalen Grundfunktionen im Bereich der Funktionsbausteine

Die Funktionen des ergänzenden Operationsvorrates können nur als AWL in dem Bereich der Funktionsbausteine programmiert werden. Die Darstellung komplexer Funktionsbausteine kann in den grafischen Darstellungsarten KOP und FUP als *black box* erfolgen. Die digitalen Grundfunktionen werden mit Hilfe der in den Akku 1 und Akku 2 geladenen Werte ausgeführt. Es handelt sich hierbei um 16- oder 32-bitbreite Wortoperationen.

Als Beispiele der digitalen Funktionen werden die digitalen Verknüpfungen und die Schiebefunktionen erwähnt, weitere Operationen können den Handbüchern entnommen werden.

12.1.11.1 Digitale Verknüpfungen im 16-Bit-Wortbereich

Operation	Funktionsbeschreibung
UW	Bitweise UND-Verknüpfung von Akku 1 und Akku 2
OW	Bitweise ODER-Verknüpfung von Akku 1 und Akku 2
XOW	Bitweise Exklusiv-ODER-Verknüpfung von Akku 1 und Akku 2

Wortweise UND-Verknüpfung „UW"

	EW 90 (15 … 0)	
LEW 90	0 1 1 1 0 0 0 1 1 0 0 1 1 1 0 0	Akku 2
	UND	
LKH 00FF	0 0 0 0 0 0 0 0 1 1 1 1 1 1 1 1	Akku 1
	Ergebnis	
UW	0 0 0 0 0 0 0 0 1 0 0 1 1 1 0 0	Akku 1

Wortweise ODER-Verknüpfung „OW"

	EW 3 (15 … 0)	
LEW 3	1 1 1 0 0 1 0 0 1 1 0 0 0 1 1 0	Akku 2
	ODER	
LKH 00FF	0 0 0 0 0 0 0 0 1 1 1 1 1 1 1 1	Akku 1
	Ergebnis	
OW	1 1 1 0 0 1 0 0 1 1 1 1 1 1 1 1	Akku 1

Wortweise Exklusiv-ODER-Verknüpfung „XOW"

	EW 71 (15 … 0)	
LEW 71	0 0 0 1 1 0 1 1 0 1 1 0 1 1 0 0	Akku 2
	EW 5 X-ODER	
LEW 5	1 0 0 1 1 0 0 1 1 1 0 0 0 1 1 0	Akku 1
	Ergebnis	
XOW	1 0 0 0 0 0 1 0 1 0 1 0 1 0 1 0	Akku 1

Bild 12.1-63 Digitale Wortverknüpfungen

Die boolschen Verknüpfungen im Wortbereich ermöglichen die Verarbeitung von 16 Bits des Akkus 1 mit 16 Bits des Akkus 2 nach den Funktionen UND, ODER und EXKLUSIV ODER in einem Schritt. Die Operanden werden nacheinander in den Akku 1 geladen, wobei durch eine Betriebssystem-Funktion der zu erst geladene Wert dem Akku 2 zugeteilt wird. Die nachfolgende Verknüpfung *UND WORT (UW), ODER WORT (OW)* oder *EXKLUSIV ODER WORT (XOW)* verarbeitet die Bits entsprechend. Das Ergebnis wird aus dem Akku 1 zur weiteren Verarbeitung mit einem Transfer-Befehl in einen Speicherbereich (z. B. in einem Merkerwort MW 100) gesichert (Bild 12.1–63).

12.1.11.2 Die Akku-Schiebefunktionen

Die Manipulation des Akku-1-Inhaltes beschränkt sich nicht nur auf die Verknüpfungen mit dem Inhalt des Akkus 2. Durch die Funktionen *SCHIEBE LINKS WORT (SLW n)* bzw. *SCHIEBE RECHTS WORT (SRW n)* kann der Inhalt des Akku 1 µm $n = 1 \dots 15$ Stellen nach rechts oder links verschoben werden, wobei die neuhinzukommenden Bitstellen mit Nullen aufgefüllt werden. Eine Prüfung des zuletzt herausgeschobenen Bits ist mit der Sprungfunktion zu einer Marke *Sprung bei Zero (SPZ = Marke)* auf den Wert 0 oder mit *Sprung bei Positiv (SPP = Marke)* auf den Wert 1 möglich. Weitere Schiebefunktionen und deren Auswertungen sind in den Gerätehandbüchern erläutert (Bild 12.1–64).

12.1.11.3 Die organisatorischen Funktionen

Unter den organisatorischen Funktionen versteht man in erster Linie die unbedingten und bedingten Sprungbefehle *(SPA, SPB)* sowie die hierzu entsprechenden unbedingten und bedingten Endbefehle *(BEA, BEB)*. Die Funktionen zur Strukturierung eines Programmes durch Sprünge zu Marken (*SPA* = Marke, *SPB* = Marke) und zur Auswertung des Rechenregisters (z. B. *SPZ* = Marke, *SPP* = Marke) können nur im Funktionsbausteinbereich als AWL programmiert werden. Durch den Einsatz der Organisationsbausteine *(OB)* ergeben sich weitere Strukturierungsmöglichkeiten des Programmes (*OB2* = ereignisgesteuerte Unterbrechung, *OB13* = zeitgesteuerte Unterbrechung), die jedoch von der Leistungsfähigkeit des Gerätes abhängen.

12.1.11.4 Die Sprungbefehle und Bausteinendbefehle

Die SIMATIC S5 ermöglicht, neben der reinen linearen Programmierung, die Verwendung von Bausteinstrukturen (Programmbaustein PB, Funktionsbaustein FB, Schrittbaustein SB, Organisationsbaustein OB und Datenbaustein DB) (Bild 12.1–65.) Ausgehend vom Organisationsbaustein OB 1, der als Zuteilungsbaustein die zyklische Programmbearbeitung ermöglicht, führen bedingte oder unbedingte Sprunganweisungen zu den, im Adressenregister indizierten, Bausteinen. Die Rücksprungadresse wird in einem

Operation	Funktionsbeschreibung
SLW n	Schiebe nach links (Wort) um n Stellen
SRW n	Schiebe nach rechts (Wort) um n Stellen n = 0 ... 15

Schieben nach rechts „SRW"

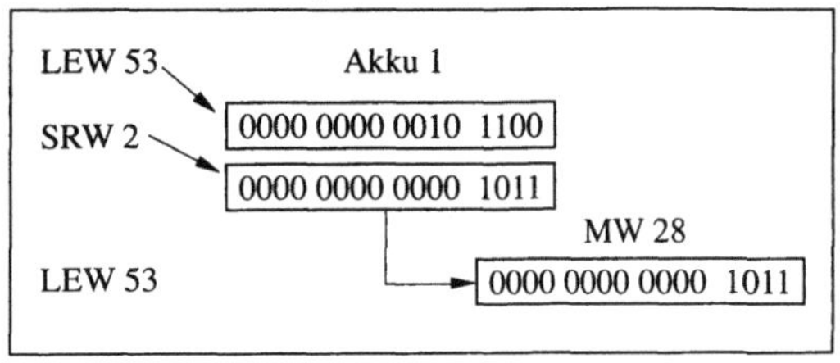

Schieben nach links „SLW"

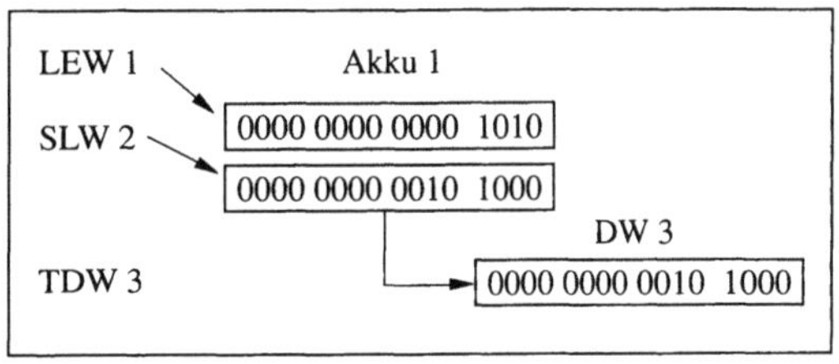

Anzeigenbildung bei Schiebeoperationen

Der Wert des zuletzt hinausgeschobenen Bits ist:	Anzeigen		Folgende Sprungfunktionen können ausgeführt werden
	ANZ 1	ANZ 0	
„0"	0	0	SPZ
„1"	1	0	SPN, SPP

Bild 12.1-64 Akku-Schiebefunktionen

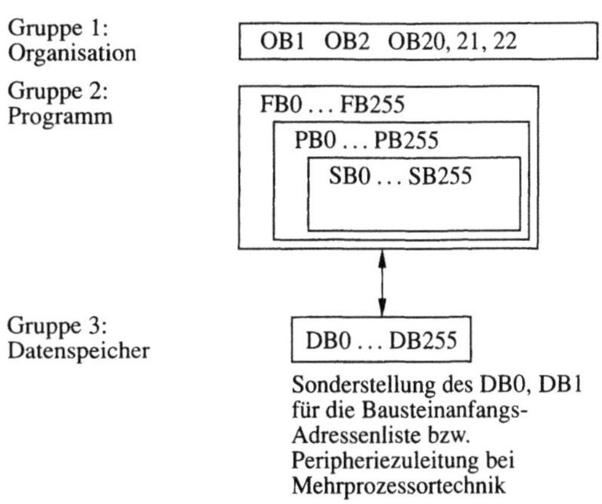

Bild 12.1-65 Organisatorische Funktionen, Bausteine der Sprache Step 5 – Bausteinklassen

Kellerspeicher (Bausteinstack *BSTACK*) zur weiteren Verarbeitung durch den Bausteinendbefehl abgelegt. Der unbedingte, *absolute Sprung SPA* wird unabhängig vom vorherigen Verknüpfungsergebnis, unter Mitnahme des Verknüpfungsergebnisses in den Zielbaustein, ausgeführt. Das Verknüpfungsergebnis bleibt im Zielbaustein bis zur nächsten Abfrage erhalten. Der Zielbaustein wird über den *Bausteinendbefehl BE* unter Mitnahme des aktuellen Verknüpfungsergebnisses verlassen. Die Rücksprungadresse ergibt sich durch Auswertung des BSTACKS mit anschließender Löschung des Eintrags. Der *bedingte Sprung SPB* zu einem Baustein wird nur bei vorherigem Verknüpfungsergebnis „1" ausgeführt. Das Verknüp-

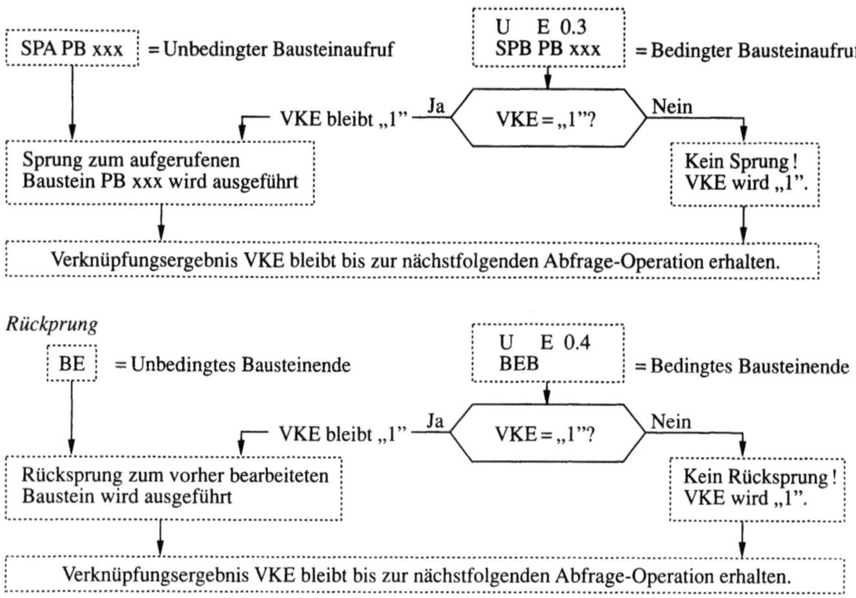

Bild 12.1-66 Sprungbefehle für Bausteinwechseloperationen

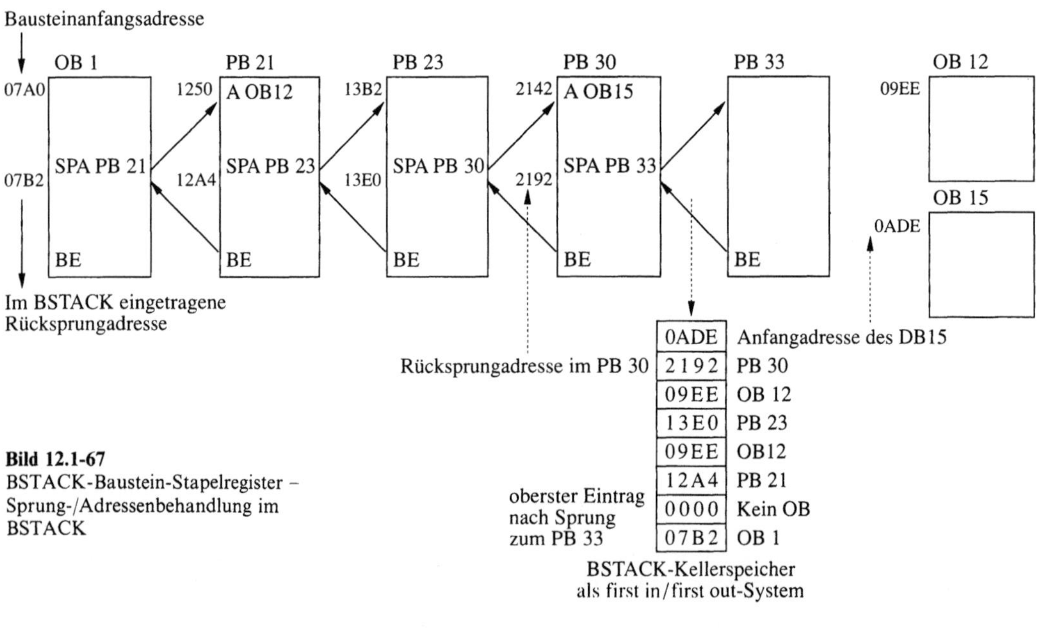

Bild 12.1-67
BSTACK-Baustein-Stapelregister – Sprung-/Adressenbehandlung im BSTACK

fungsergebnis „0“ bewirkt keine Verzweigung und wird in der Programmzeile nach dem Sprung automatisch auf den Wert „1“ gesetzt (Bild 12.1–66). Die Markensprungbefehle verhalten sich, bezüglich des Verknüpfungsergebnisses, entsprechend und ermöglichen eine Fortsetzung des Programmes innerhalb eines Funktionsbausteines. Die Sprungdistanz beträgt maximal 127 Programmzeilen und kann nicht überschritten werden. Das, durch die Sprungmarke indizierte, Unterprogramm wird durch einen unbedingten oder bedingten Bausteinendbefehl (BEA, BEB) von der nächsten Marke getrennt. Die Bearbeitung dieser Endbefehle verhält sich äquivalent zu den Sprungbefehlen.

In Bild 12.1–67 ist die Adressen-Behandlung und der Aufbau des BSTACKs bei der Durchführung der Sprungfunktionen dargestellt.

12.1.11.5 Die Programmstrukturierung mittels Organisationsbausteinen

Die Anzahl der Organisationsbausteine ist von der Leistungsfähigkeit des verwendeten SIMATIC-Gerätes abhängig. Im allgemeinen sind die Bausteine OB 1 und die Anlaufbausteine nach Neustart und Netzwiederkehr OB 20 bis OB 22 (je nach Gerätetyp) vorhanden.

Eine Strukturierung des Programmes erfolgt mit dem OB 1, wobei die Anlaufbedingungen in den OB 20 bis OB 22 programmiert werden. Eine Verteilung des Programmes auf eine oder mehrere „Zeitscheiben“ des Grundtaktes von 10 ms ermöglichen die Bausteine OB 10 bis OB 18, wobei i. a. der OB 13 in den Geräten vorhanden ist. Eine alarmgesteuerte Programmbearbeitung wird in den Bausteinen OB 2 bis OB 9 ermöglicht, wobei der OB 2 in fast allen Geräten zur Verfügung steht. Weitere Organisationsbausteine des Gerätes AG 155 U sind in der Tabelle 12.1–11 aufgeführt. Das Bild 12.1–68 stellt anschaulich die Unterbrechung des Systemprogrammes dar, wobei der entsprechende Organisationsbaustein einmalig bearbeitet wird.

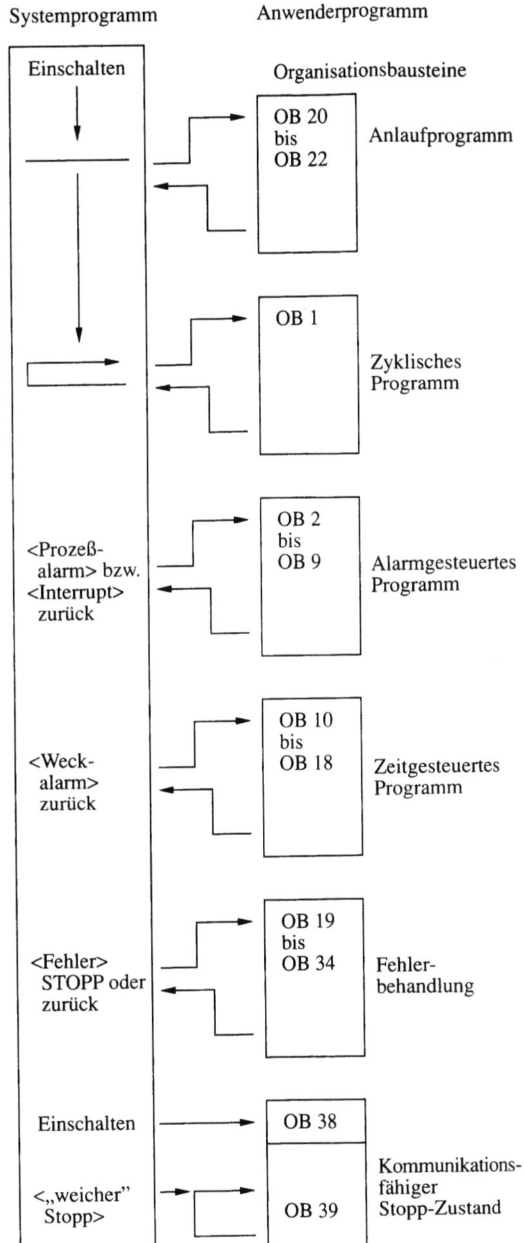

Bild 12.1-68 Unterbrechung des Systemprogrammes durch Organisationsbausteine (Beispiel)

12.1.11.6 Die Behandlung der analogen Peripherie

Neben der reinen Verarbeitung der binären Signale der digitalen Ein- und Ausgangsperipherie können Analogwerte ein- und ausgegeben werden. Die entsprechenden Peripheriekarten werden als 16-Bit-Worte direkt über Laden und Transferieren angesprochen und liegen i. a. außerhalb der Prozeßabbilder (ab der Peripheriewort-Adresse PW 128). Die Analog/Digital-Wandlung erfolgt nach einem Integrationsverfahren (DUAL SLOPE).

In Bild 12.1–69 ist das Prinzip der A/D-Wandlung dargestellt. Dargestellt ist der Zustand der Messung, wobei hier die Eingangsspannung U_e auf den Integrator für die, vom Taktgenerator vorgegebene, Zeit $t_0 \ldots t_1$ geschaltet wird. Die Spannung im Kondensator wird aufgebaut und nach dem Ende der Messung durch die entgegen gerichtete, hochgenaue Referenzspannung U_{ref} abgebaut. Die Ausgangsspannung U_a verändert sich entsprechend (Meßauswertung). Mit Hilfe des Nullindikators Y2 wird bei laufendem Zäh-

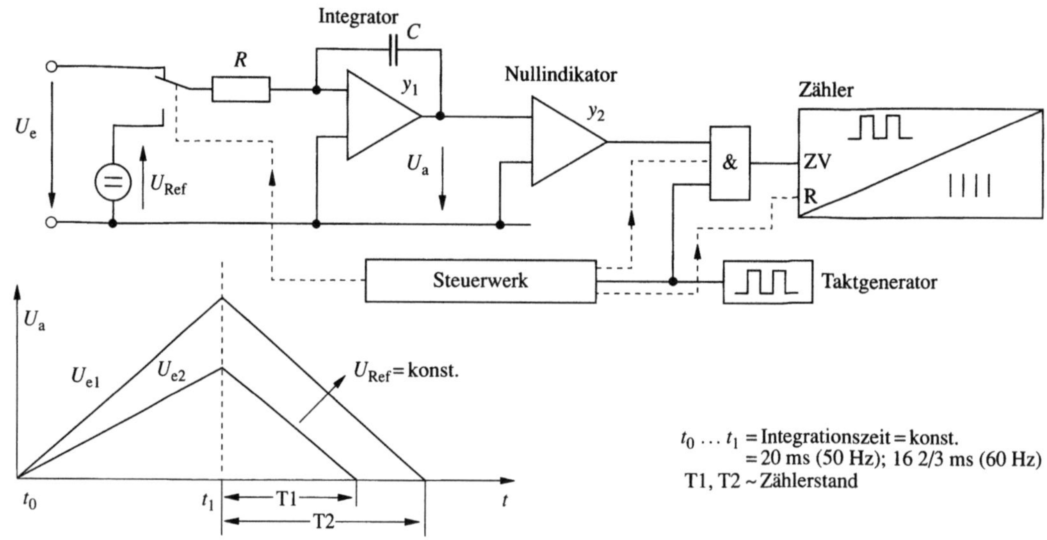

Bild 12.1-69 Prinzip der Analogwertverarbeitung

ler der Zeitpunkt für $U_a = 0$ V ausgewertet, der Zähler wird durch das Steuerwerk in diesem Zeitpunkt gesperrt. Die Anzahl der Zählimpulse ist proportional zu U_a und zu U_e, der Proportionalitätsfaktor ist baugruppenabhängig. Die verschiedenen Baugruppen ermöglichen eine 12-Bit-Auflösung bei Wandelzeiten von 35 µs bis 60 ms.

In Bild 12.1–70 ist der prinzipielle Aufbau einer Analogeingabe-Baugruppe dargestellt, die über einen Kanalmultiplexer die Werte liest, wandelt, im Ergebnisspeicher zwischenspeichert und auf den Rückwandbus der SIMATIC schaltet.

Die Werte der Baugruppen werden durch Lade-Befehle im Akku 1 abgelegt und weiterverarbeitet.

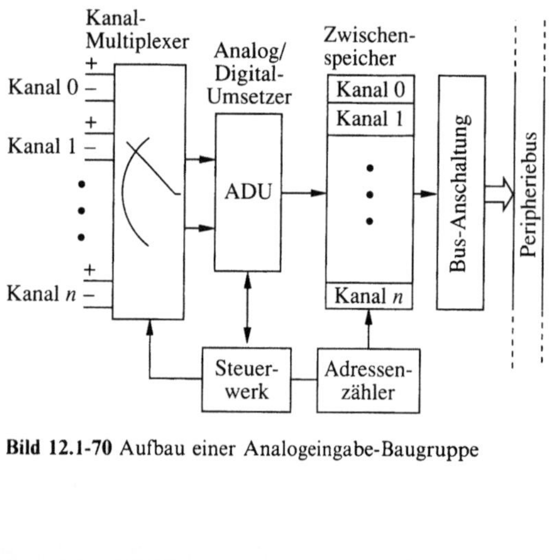

Bild 12.1-70 Aufbau einer Analogeingabe-Baugruppe

Die Darstellung des analogen Wertes in Bild 12.1–71 zeigt die zusätzlichen Bits für die Hardwareüberwachung dieser intelligenten Baugruppe. Diese Bits stehen, nach dem Laden des Peripheriewortes PW 128, an der niederwertigen Position im Akku 1 und müssen mit dem Schiebebefehl SRW um drei Stellen verschoben werden. Der analoge Wert kann im Akku 1 weiterverarbeitet und, durch einen Transfer zu einer analogen Ausgabebaugruppe, dem Prozeß zur Verfügung gestellt werden. Die analoge Ausgangsperipherie wird ebenfalls im Peripheriebereich adressiert.

Byte 0								Byte 1								
7			PY128				0	7			PY129				0	
2^{12}	2^{11}	2^{10}	2^9	2^8	2^7	2^6	2^5	2^4	2^3	2^2	2^1	2^0	T	F	Ü	PW128
Bit 15															Bit 0	

Bild 12.1-71 Meßwertdarstellung im Akku 1 nach einem Ladebefehl

Ü Überlaufbit,
F Fehlermeldung,
T Tätigkeits bit bei Einzelabtastung,
PW Peripheriewort,
PY Peripheriebyte

Der analoge Ausgangswert ergibt sich als Summenstrom der Teilströme, die durch, den Bitstellen entsprechend reziproken, Widerstände fließen (Bild 12.1–72).

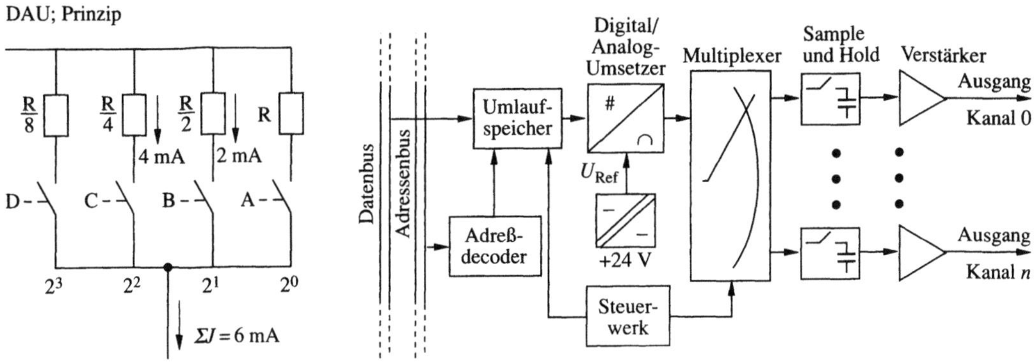

Bild 12.1-72 Prinzip der Analogausgabe und Aufbau einer Analogausgabe-Baugruppe

12.1.12 Zusammenstellung aller STEP 5 Operationen des Systems 115U

In der Tabelle 12.1–12 sind die Grund-, Ergänzenden- und Systemoperationen der Sprache STEP 5 dargestellt.

Tabelle 12.1–12: Organisations-Bausteine

Organisations-baustein	wird vom Systemprogramm aufgerufen bei	
OB 1	zyklischer Programmbearbeitung	
	alarmgesteuerter Programmbearbeitung im 150U-Mode	interruptgesteuerter Programmbearbeitung im 155U-Mode
OB 2	Signalzustandswechsel des Eingangs E 0.0	Aktivierung der Interruptleitung IRA bzw. IRB
OB 3	Signalzustandswechsel des Eingangs E 0.1	Aktivierung der Interruptleitung IRE
OB 4	Signalzustandswechsel des Eingangs E 0.2	Aktivierung der Interruptleitung IRF
OB 5	Signalzustandswechsel des Eingangs E 0.3	Aktivierung der Interruptleitung IRG
OB 6	Signalzustandswechsel des Eingangs E 0.4	-
OB 7	Signalzustandswechsel des Eingangs E 0.5	-
OB 8	Signalzustandswechsel des Eingangs E 0.6	-
OB 9	Signalzustandswechsel des Eingangs E 0.7	-
	zeitgesteuerter Programmbearbeitung im Zeitraster 1	im Zeitraster 2
OB 10	Grundtakt	Grundtakt
OB 11	Grundtakt × 2	Grundtakt × 2
OB 12	Grundtakt × 5	Grundtakt × 4
OB 13	Grundtakt × 10	Grundtakt × 8
OB 14	Grundtakt × 20	Grundtakt × 16
OB 15	Grundtakt × 50	Grundtakt × 32
OB 16	Grundtakt × 100	Grundtakt × 64
OB 17	Grundtakt × 200	Grundtakt × 128
OB 18	Grundtakt × 500	Grundtakt × 256
	Anlaufbearbeitung	
OB 20	manuellem Neustart bzw. automatischem Neustart	
OB 21	manuellem Wiederanlauf	
OB 22	automatischem Wiederanlauf	
	Fehlerbehandlung	
OB 19	Aufruf eines nicht geladenen Bausteins	
OB 23	Quittungsverzug beim direkten Zugriff auf Peripheriebaugruppen im Anwenderprogramm	
OB 24	Quittungsverzug beim Aktualisieren des Prozeßabbilds oder der Koppelmerker	
OB 25	Adressierfehler	
OB 26	Zykluszeitüberschreitung	

Tabelle 12.1–12: Fortsetzung

Organisations-baustein	wird vom Systemprogramm aufgerufen bei
OB 27	Substitutionsfehler
OB 28	Quittungsverzug beim Zugriff auf das Eingangsbyte EB 0 (Aktualisierung der Prozeßalarme im 150U-Mode)
OB 29	Quittungsverzug beim Zugriff auf die dezentrale Peripherie im erweiterten Adressenbereich
OB 30	Parityfehler und Quittungsverzug beim Zugriff auf den Anwenderspreicher
OB 32	Transfer- und Ladefehler
OB 33	Weckfehler
OB 34	Fehler beim Erzeugen von Datenbausteinen
	„weicher“ (kommunikationsfähiger) Stoppzustand
OB 38	Anlaufprogrammbearbeitung im „weichen” Stoppzustand (nach Netzspannungswiederkehr)
OB 39	zyklische Programmbearbeitung im „weichen“ Stoppzustand

12.1.13 Zusammenfassung und Ausblick

Durch den Einsatz der SPS-Systeme ist die Erstellung einer Steuerung einfach und jederzeit änderbar. Die Programmierung der SPS-Systeme erfordert die Kenntnis der Sprache des Systems. Die Vielzahl der Hersteller bedingt eine Vielzahl artverwandter Dialekte, die, trotz Normung im DIN, die spezifischen Eigenarten der SPS dem Programmierer zur Verfügung stellen, wobei diese Befehlssätze nicht im Bereich der Grundfunktionen angesiedelt sind und deshalb ebenfalls nicht in die Darstellungsarten KOP und FUP gewandelt werden können.

Als Beispiel soll hier der Aufruf eines Bausteins im Programm erwähnt werden, der im System der Firma Klöckner Möller als Unterprogramm (LABEL) mit JUMP, bei Siemens mit SPA und bei AEG mit Bausteinaufruf BA durchgeführt wird.

Ein zukünftiger Entwicklungsschritt im Bereich der Steuerungstechnik ist die Programmierung des SPS-Systems mit übergeordneter Systemsoftware mit Precompiler-Modulen für die, vom Anwender ausgewählte, SPS-Steuerung. Eine Programmierung in FUP und KOP ist aufgrund der Erstellung einer Zeichnung aufwendiger als eine Eingabe einer AWL, zukünftige SPS-Operationssysteme sind somit AWL-gestützte Programme, die eine problemlose Umsetzung in KOP und FUP ermöglichen.

nach DIN 19 226 die Regelung durch den geschlossenen Wirkungsablauf, den *Regelkreis*, gekennzeichnet.

Die *Steuerung* zeigt, im Gegensatz dazu, einen offenen Wirkungsablauf, die *Steuerkette*. Die Komponenten des Regelkreises werden als *Blöcke* dargestellt. Diese Blöcke sind zur Kennzeichnung der Signalflußrichtung über Linien miteinander verbunden. Das daraus entstehende *Blockschaltbild* ist eine sinnbildliche Darstellung zur Kennzeichnung des Signalflusses und der Funktionen in einem Regelkreis (Bild 12.2–1).

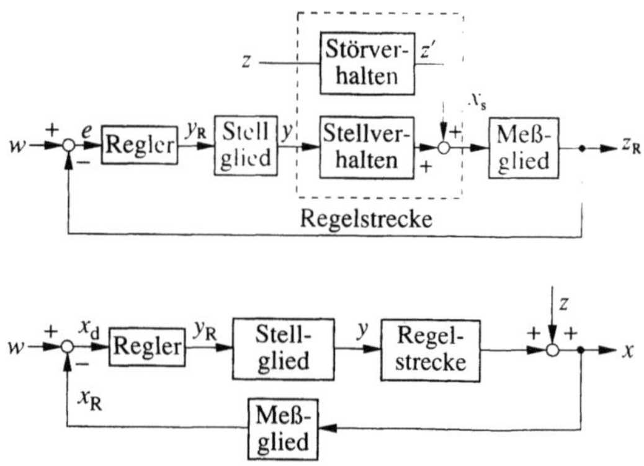

Bild 12.2-1 Blockschaltbild des Regelkreises

12.2 Regelungstechnik

12.2.1 Allgemeines

Technische Regelungen sind Bestandteile von Anlagen, die eingesetzt werden, physikalische Größen und/oder Qualitätskenngrößen technischer Prozesse konstant zu halten oder nach gegebenen Vorschriften zu verändern und dieses weitgehend unabhängig von Störeinflüssen. Zur Erfüllung dieser Forderungen ist

Die einzelnen Blöcke sind die Glieder des Regelkreises und kennzeichnen die Komponenten *Regler, Stellglied, Regelstrecke* und *Meßglied*, die für die Funktion einer Regelung erforderlich sind. Diese Komponenten sind gerichtete, rückwirkungsfreie *Übertragungsglieder* für die Signale. Ihre Eigenschaften werden durch Kennfunktionen beschrieben, die von grundlegender Bedeutung für die Analyse und Synthese einer Regelung sind. Die Verknüpfung der Signale erfolgt über Symbole (Tabelle 12.2–1).

Tabelle 12.2–1: Symbole zur Signalverknüpfung im Blockschaltbild

Bezeichnung	Symbol	Operation
Verzweigungsstelle	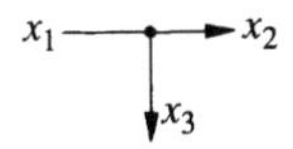	$x_1 = x_2 = x_3$
Summationsstelle	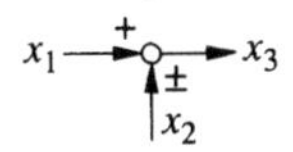	$x_3 = x_1 \pm x_2$
Multiplikation	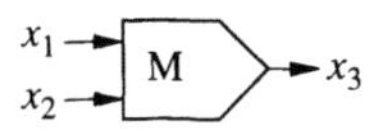	$x_3 = x_1 \cdot x_2$
Division	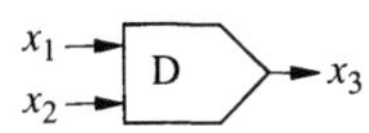	$x_3 = \frac{x_1}{x_2}$
allgemeine Operation	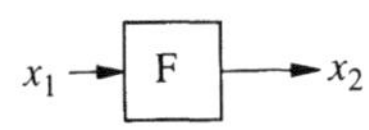	$x_2 = F(x_1)$

Die Signale im Regelkreis sind entsprechend DIN 19 226 und den international üblichen Bezeichnungen gekennzeichnet und verwendet. Falls nicht anders angegeben, sind die Signale Funktionen einer Veränderlichen, der Zeit t. Es sind dies:

x Regelgröße, w Führungsgröße,
y Stellgröße, z Störgröße,
$x_d = e = w - x$ Regeldifferenz.

Ist die Funktion eines oder mehrerer Übertragungsglieder bekannt, so kann der Einfluß einer Eingangsgröße auf eine in der Wirkungsrichtung liegende Ausgangsgröße berechnet werden.

■ *Beispiel:*
Der Verlauf der Ausgangsspannung $u_a(t)$ eines RC-Netzwerks, als Strecke, bei einer Eingangsspannung $u_e(t)$.

Auf den Regelkreis angewandt, wobei die Eingangsgröße die Führungsgröße ist, handelt es sich um eine *Festwertregelung* falls $w(t)$ = konstant, bzw. um eine *Folgeregelung* falls $w(t) \neq$ konstant ist.

Die Komponenten im Regelkreis (Bild 12.2–1) haben nach DIN 19 226 folgende Aufgaben:

- Regler: Eingangsgröße x_d, (e), Ausgangsgröße y_R, Aufgabe: Aus der Regeldifferenz wird aufgrund der vorgegebenen Funktion die Stellgröße y_R bestimmt (s. Abschnitt 12.2.4).

- Stellglied: Eingangsgröße y_R, Ausgangsgröße y, Aufgabe: Anhebung der Eingangsgröße auf das Leistungsniveau der Regelstrecke.

  ■ *Beispiel:*
  Stromrichter (Abschnitt 8.3), Stellventil.

- Regelstrecke: Eingangsgröße y, Ausgangsgröße x, Aufgabe: Veränderung der Prozeßgrößen unter der Einwirkung der Stellgröße entsprechend den physikalischen Gesetzen der Regelstrecke.

  ■ *Beispiel:*
  Drehzahlverstellung über die Spannung/Frequenz bei Antrieben.

- Meßglied: Eingangsgröße x, Ausgangsgröße x_R, Aufgabe: Erfassen und Umformen der Regelgröße x in eine für den Regler und die Anzeige auswertbare Darstellung.

  ■ *Beispiel:*
  Umformung der Drehzahl in eine Spannung oder Impulsfolge.

Die Struktur in Bild 12.2–1 stellt den Standardregelkreis dar. Er bildet die Basis für die Analyse- und Syntheseverfahren, die in den folgenden Abschnitten behandelt werden.

■ *Beispiel:*
Die Wirkungsweise einer Regelung wird an der Drehzahlregelung eines Gleichstrommotors erläutert. Bild 12.2–2 zeigt den schematischen Aufbau des Regelkreises. Der Regler R vergleicht die Solldrehzahl n_w mit der Istdrehzahl n_x und verstellt über den Stromrichter SR die Ankerspannung U_A. Weicht n_x von n_w ab, z. B. bedingt durch Momentenänderungen, reagiert der Regler und versucht, die Abweichung zu beseitigen. Die Skizze läßt den geschlossenen Wirkungsablauf der Regelung erkennen.

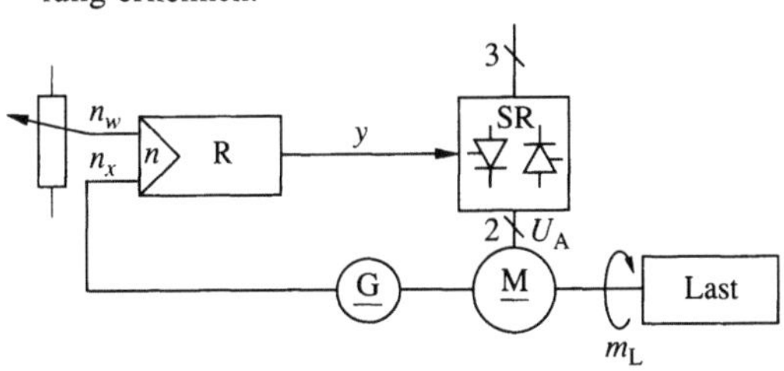

Bild 12.2-2 Aufbau einer Drehzahlregelung

12.2.2 Übertragungsglieder

Analyse und Synthese eines Regelkreises erfordern weitgehende Kenntnisse über die Funktion der Übertragungsglieder, da sich die Entwurfsverfahren der Regelungstechnik an den Eigenschaften und dem Verhalten der Regelkreisglieder orientieren. Die Systeme werden entsprechend ihren Eigenschaften klassifiziert und die Gesetzmäßigkeit zwischen Eingangs- und Ausgangsgrößen, das Übertragungsverhalten, mittels mathematischer Methoden beschrieben.

12.2.2.1 Eigenschaften der Übertragungsglieder

Im Einzelnen lassen sich aufgrund der Eigenschaften der Übertragungsglieder folgende Systemklassen bilden:

1. Lineare Systeme

Sind Überlagerungs- und Verstärkungsprinzip erfüllt, ist das System linear (s. Abschnitt 12.2.2.2).

1. Zeitinvariante Systeme
   Sind die Systemparameter (Verstärkungen und Zeitkonstanten) zeitlich konstant, ist das *System zeitinvariant.* Ist diese Bedingung nicht erfüllt, handelt es sich um ein *zeitvariantes System.*

■ *Beispiel:*
Temperaturabhängige Bauelemente, Raketen mit veränderlicher Masse sind zeitvariante Systeme

2. Zeitkontinuierliche Systeme
   Sind die Systemgrößen zu jedem beliebigen Zeitpunkt gegeben und innerhalb gewisser Grenzen stetig veränderbar, so liegt ein *zeitkontinuierliches System* vor.

■ *Beispiel:*
Das Ausgangssignal eines Operationsverstärkers innerhalb des Frequenzbandes ist zeitkontinuierlich.

3. Zeitdiskontinuierliche Systeme
   Sind die Systemgrößen nur zu diskreten Zeitpunkten gegeben, so liegt ein *zeitdiskontinuierliches System* vor.

■ *Beispiel:*
Ausgangssignal eines A/D Wandlers. Das Ausgangssignal ist quantisiert und digitalisiert. Derartige Systeme werden auch als Abtastsysteme bezeichnet.

4. Mehrgrößensysteme
   Hat ein System mehrere Eingangs- und Ausgangsgrößen, wird es als *Mehrgrößensystem* bezeichnet, ansonsten liegt bei einer Ein- und Ausgangsgröße ein Eingrößensystem vor.

2. Nichtlineare Systeme

Systeme, welche das Überlagerungs- und das Verstärkungsprinzip nicht erfüllen, sind nichtlinear. Sie werden in den Abschnitten 12.2.2.3. und 12.2.2.7. beschrieben.

■ *Beispiel:*
Regelkreis mit unstetiger Kennlinie oder Zweipunktregler.

Die vordringliche Aufgabe beim Entwurf von Regelkreisen ist deshalb, die Eigenschaften der verwendeten Glieder oder geplanten Geräte und Verfahren zu erkunden und davon ausgehend, das richtige Reglerentwurfsverfahrens zu wählen.

12.2.2.2 Kennfunktionen linearer, elementarer Übertragungsglieder

1. Eigenschaften linearer Übertragungsglieder

Lineare Übertragungsglieder erfüllen das Verstärkungs- und das Überlagerungsprinzip. Diese Kriterien sollen an dem Übertragungsglied in Bild 12.2–3 gezeigt werden. Reagiert das Übertragungsglied auf das Eingangssignal $x_{e1}(t)$ mit der Ausgangsgröße $x_{a1}(t)$ und auf $x_{e2}(t)$ mit $x_{a2}(t)$, dann reagiert es auf $x_e(t) = x_{e1}(t)+x_{e2}(t)$ mit $x_a(t) = x_{a1}(t)+x_{a2}(t)$, falls es sich linear verhält. Es erfüllt das *Überlagerungsprinzip.*

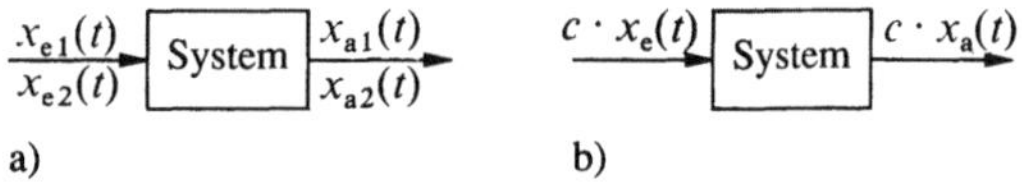

Bild 12.2-3 Lineares Übertragungsglied mit dem Überlagerungsprinzip (a) und dem Verstärkungsprinzip (b).

Das Übertragungsglied erfüllt das *Verstärkungsprinzip,* falls die mit der Konstanten c multiplizierte Eingangsgröße $cx_e(t)$, die mit c multiplizierte Ausgangsgröße $cx_a(t)$ erzeugt. Diese Kriterien werden von den Übertragungsgliedern erfüllt, die eine über den Ansteuerbereich konstante Verstärkung

$$K = \frac{\Delta x_a}{\Delta x_e} = \text{konstant} \tag{12.2–1}$$

zeigen.

2. Beschreibung linearer Übertragungsglieder

In der Regelungstechnik haben sich zur Beschreibung linearer Systeme die Methoden

- *Differentialgleichung* (Dgl.) zur Beschreibung eines Systems im Zeitbereich,
- *Übergangsfunktion* $h(t)$: Ausgangssignal eines Systems auf den Einheitssprung $\sigma(t)$ am Eingang,
- *Übertragungsfunktion* $G(s)$: Verhältnis der Laplacetransformierten der Ausgangsgröße $x_a(t)$ und der Eingangsgröße $x_e(t)$ eines Systems,
- *Frequenzgang* $G(j\omega)$: Verhältnis der Fouriertransformierten der Ausgangsgröße $x_a(t)$ und der Eingangsgröße $x_e(t)$ mit der Darstellung als Ortskurve und im Bodediagramm,

- *Zustandsgleichungen* zur Beschreibung eines Systems im Zustandsraum,
- *Differenzengleichung* und *z-Übertragungsfunktion* $G_z(z)$ zur Beschreibung der Abtastsysteme,

als brauchbare Werkzeuge bewährt. Laplace-Transformation (L-) und Fourier-Transformation (F-) sind in Kap. 1 erläutert.

a) Frequenzgang

Die Anwendung der Fouriertransformation auf die Dgl.

$$a_n \frac{d^n x_a(t)}{dt^n} + \ldots + a_1 \frac{dx_a(t)}{dt} + a_0 x_a(t) = \qquad (12.2\text{–}2)$$

$$= b_m \frac{d^m x_e(t)}{dt^m} + \ldots + b_1 \frac{dx_e(t)}{dt} + b_0 x_e(t), \qquad m \leqslant n$$

eines linearen Übertragungsglieds liefert den Frequenzgang

$$G(j\omega) = \frac{X_a(j\omega)}{X_e(j\omega)} = \frac{b_m(j\omega)^m + \ldots + b_1 j\omega + b_0}{a_n(j\omega)^n + \ldots + a_1 j\omega + a_0} \qquad (12.2\text{–}3)$$

mit $X_a(j\omega)$, $X_e(j\omega)$ als Fouriertransformierte der Ausgangsfunktion $x_a(t)$ und der Eingamgsfunktion $x_e(t)$. Gl. (12.2–3) in Polardarstellung ergibt für den Frequenzgang

$$G(j\omega) = |G(j\omega)|\, e^{j\varphi(\omega)}. \qquad (12.2\text{–}4)$$

Stellt man den Zeiger in der komplexen G-Ebene dar und variiert ω im Bereich $0 \leqslant \omega \leqslant \infty$, beschreibt die Spitze des Zeigers eine Kurve, die Ortskurve des Frequenzgangs. Aus der Ortskurve kann man für jeden ω-Wert die Verstärkung und die Phasenverschiebung des Übertragungsglieds ablesen.

Eine einfache Darstellung des Frequenzgangs erhält man, wenn $G(j\omega)$ in Betrag und Phase aufgeteilt wird und beide im Bodediagramm über der logarithmisch geteilten Frequenzachse (ω-Achse) dargestellt werden. Für den Betrag wird der logarithmische Verlauf, der *Amplitudengang*

$$|G(j\omega)|_{dB} = 20 \log |G(j\omega)| \qquad (12.2\text{–}5)$$

im linearen Maßstab (10 mm = 10 dB) aufgetragen.

Der *Phasen*verlauf *(-gang)* $\varphi(\omega)$ wird linear in Grad über der ω-Achse dargestellt. Amplituden- und Phasengang werden als Frequenzkennlinien bezeichnet.

b) Übertragungsfunktion

Die Anwendung der Laplacetransformation auf die Dgl. eines linearen Übertragungsglieds liefert, wenn alle Anfangsbedingungen gleich Null sind, dessen Übertragungsfunktion in der Form

$$G(s) = \frac{X_a(s)}{X_e(s)} = \frac{b_m s^m + \ldots + b_1 s + b_0}{a_n s^n + \ldots + a_1 s + a_0} = \frac{Z(s)}{N(s)}. \qquad (12.2\text{–}6)$$

Die Nullstellen von $N(s)$ sind die Polstellen von $G(s)$. Enthält das Übertragungslied eine Totzeit, erweitert sich Gl. (12.2–6) zu

$$G(s) = G(s) e^{-T_t s}, \qquad (12.2\text{–}7)$$

c) Einige wichtige Übertragungsglieder

Aufbauend auf den Grundfunktionen

- *Proportionales* (P-)Verhalten,
- *Integrierendes* (I-)Verhalten,
- *Differenzierendes* (D-)Verhalten,
- *Verzögerndes* (PT-)Verhalten,

sind in Tabelle 12.2–2 diese und die daraus zusammengesetzten Übertragungsglieder mit ihren Kennwerten dargestellt und mit einem Beispiel versehen. Einige, in technischen Systemen häufig vorkommende Übertragungsglieder sind:

α) PT_1-Glied

Das Verzögerungsglied 1. Ordnung (PT_1) enthält einen Energiespeicher und wird durch die Differentialgleichung

$$T\dot{x}_a(t) + x_a(t) = K x_e(t) \qquad (12.2\text{–}8)$$

beschrieben, mit K als Verstärkung und T als Zeitkonstante

■ *Beispiel:*
RC – Tiefpaß mit $K = 1$ und $T = RC$.

Mit $x_a(t=0) = 0$ erhält man nach Anwendung der L-Transformation die Übertragungsfunktion

$$G(s) = \frac{K}{1 + sT} \qquad (12.2\text{–}9)$$

und mit $s = j\omega$ den Frequenzgang

$$G(j\omega) = \frac{K}{1 + j\omega T} \qquad (12.2\text{–}10)$$

mit der Eckfrequenz $\omega_e = 1/T$. Aus $G(j\omega)$ folgt der Amplitudengang in logarithmischer Darstellung und der Phasengang

$$|G(j\omega)|_{dB} = 20 \log K - 20 \log \sqrt{1 + \left(\frac{\omega}{\omega_e}\right)^2}, \qquad (12.2\text{–}11)$$

$$\varphi(\omega) = -\arctan \frac{\omega}{\omega_e}.$$

Amplitudengang und Phasengang sind in Bild 12.2–4 dargestellt. Der Amplitudengang läßt sich durch 2 Asymptoten annähern, deren Schnittpunkt bei der Eckfrequenz ω_e vom exakten Verlauf um -3 dB abweicht. Tabelle 12.2–3 enthält einige Werte für $|G(j\omega)|_{dB}$ und $\varphi(\omega)$ im Bereich der Eckfrequenz.

Tabelle 12.2–2: Lineare Übertragungsglieder und ihre Kennwerte

Lfd. Nr.	Glied	Übergangs-funktion $h(t)$	Gl. der Übergangs-funktion	Übertragungs-funktion	Ortskurve	Bode – Dia-gramm $\lvert G(\omega)\rvert_{dB}$ und $\varphi(\omega)$	Pole (x) und Null-stellen (0) in s-Ebene	Beispiel
1	P	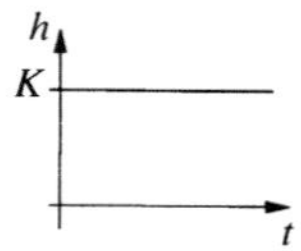	$h(t)=K$	$G(s)=K$	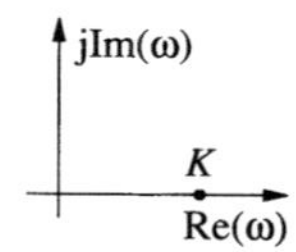	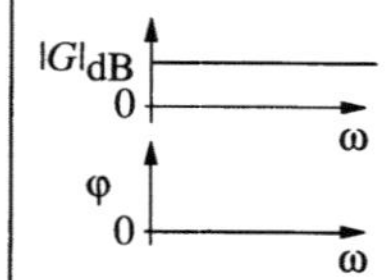	keine Pol- und Nullstellen	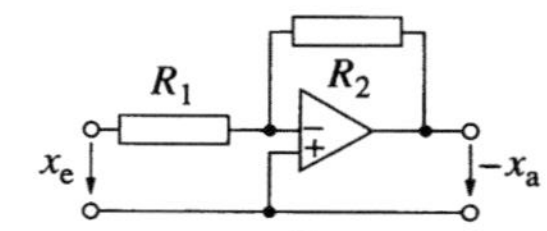 $K=\frac{R_2}{R_1}$
2	I	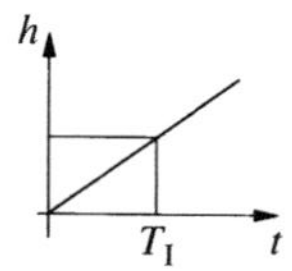	$h(t)=\frac{t}{T_I}$	$G(s)=\frac{1}{sT_I}$	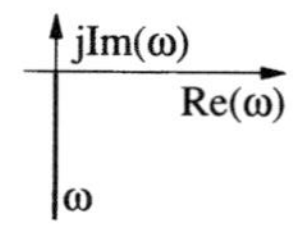	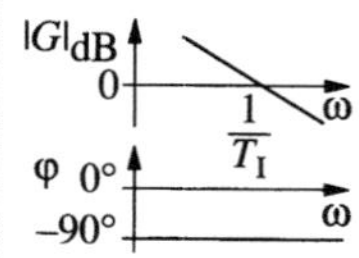	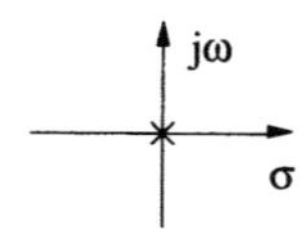	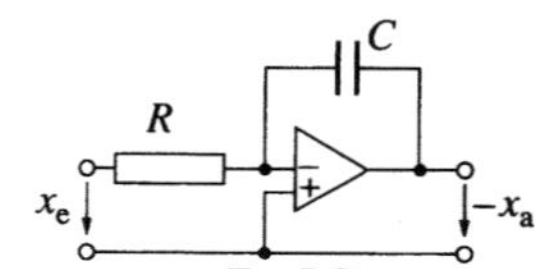 $T_I=RC$
3	D	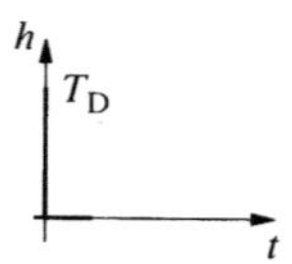	$h(t)=T_D\delta(t)$	$G(s)=sT_D$	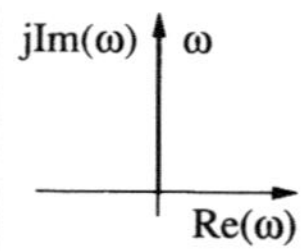	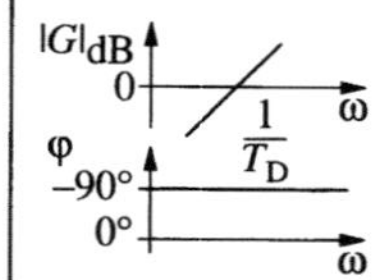	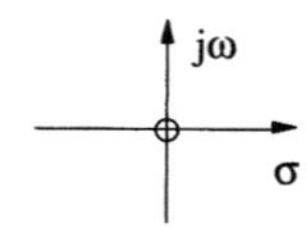	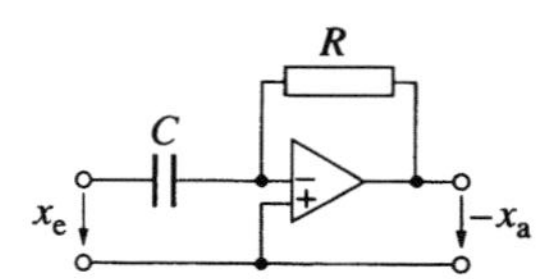 $T_D=RC$
4	PT_1	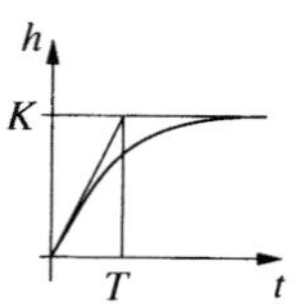	$h(t)=K(1-e^{-\frac{t}{T}})$	$G(s)=\frac{K}{1+sT}$	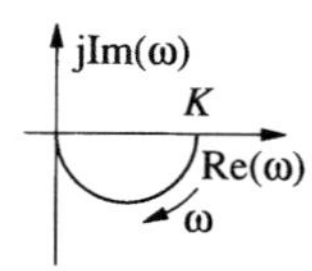	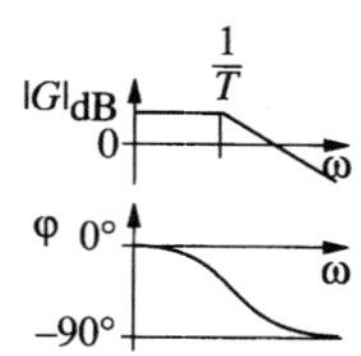	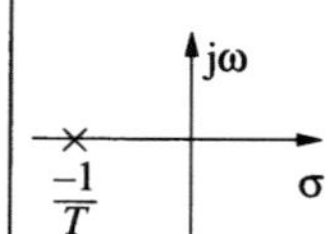	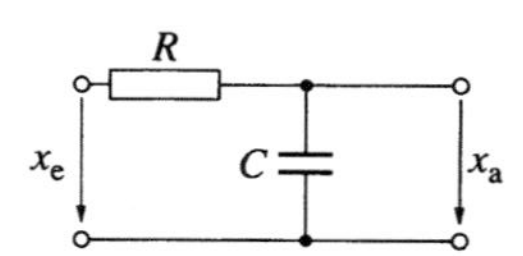 $K=1$ $T=RC$

Tabelle 12.2–2: Fortsetzung

Lfd. Nr.	Glied	Übergangs-funktion $h(t)$	Gl. der Übergangs-funktion	Übertragungs-funktion	Ortskurve	Bode – Dia-gramm $\lvert G(\omega)\rvert_{dB}$ und $\varphi(\omega)$	Pole (x) und Null-stellen (0) in s-Ebene	Beispiel
5	PT_2 $d>1$	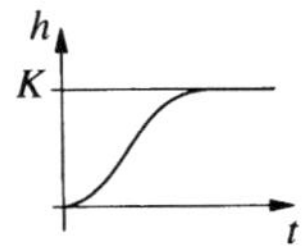	$h(t)=K\left(1-\frac{T_1}{T_1-T_2}e^{-\frac{t}{T_1}}\cdot\frac{T_2}{T_1-T_2}e^{-\frac{t}{T_2}}\right)$	$G(s)=\frac{K}{(1+sT_1)(1+sT_2)}$	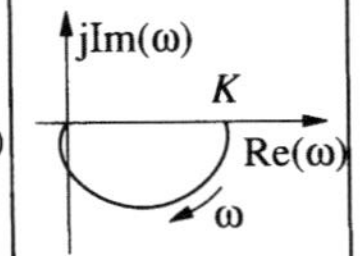	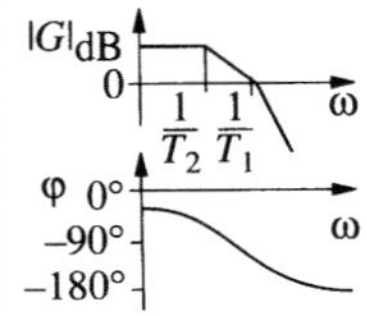	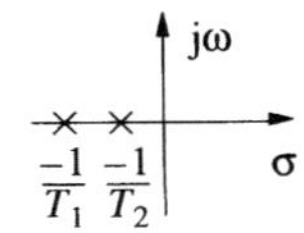	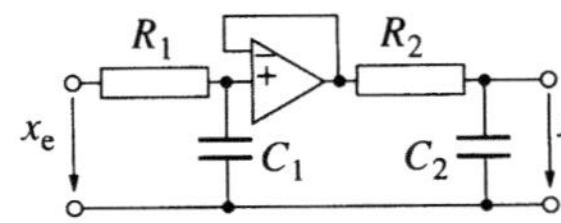 $T_1=R_1C_1$ $T_2=R_2C_2$ $K=1$
6	PT_2 $d<1$	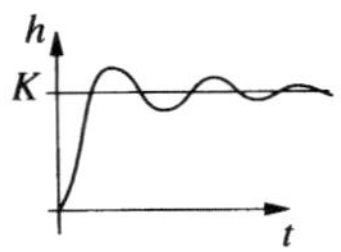	$h(t)=K\{1-e^{-d\omega_0 t}$ $\lvert\cos(\sqrt{1-d^2}\,\omega_0 t)+\frac{1}{\sqrt{1-d^2}}$ $\sin(\sqrt{1-d^2}\,\omega_0 t)\rvert\}$	$G(s)=\frac{K}{1+2\frac{d}{\omega_0}s+\frac{1}{\omega_0^2}s^2}$ $d<1$	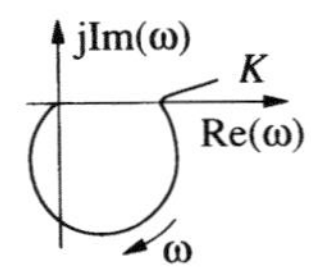	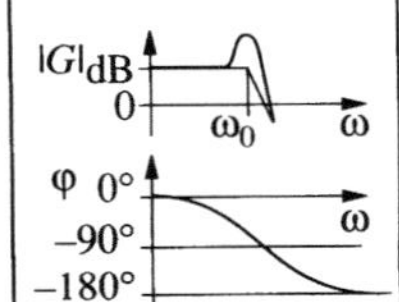	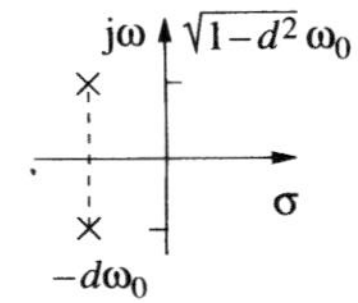	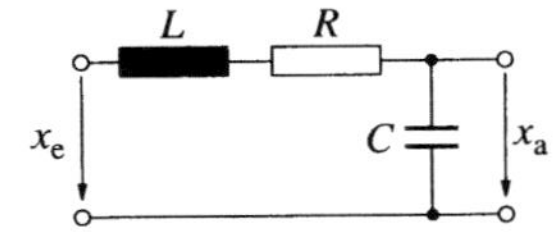 $\omega_0=\frac{1}{\sqrt{LC}}$ $d=\frac{R}{2}\sqrt{\frac{C}{L}}$
7	IT_1	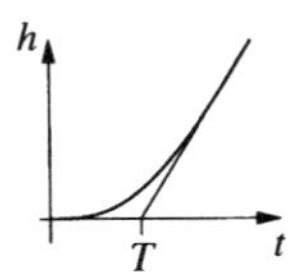	$h(t)=\frac{t}{T_I}+$ $+\frac{T}{T_I}\left(e^{-\frac{t}{T}}-1\right)$	$G(s)=\frac{1}{T_I s(1+sT)}$	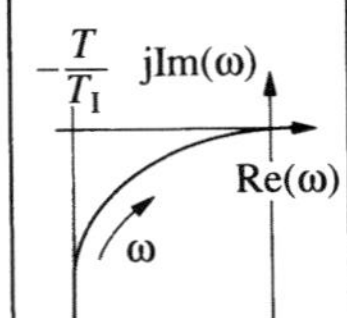	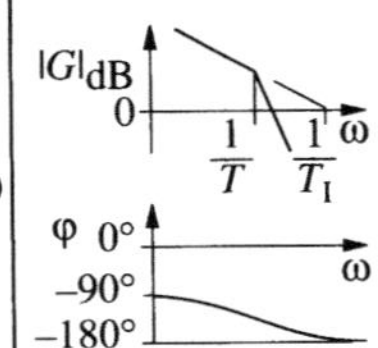	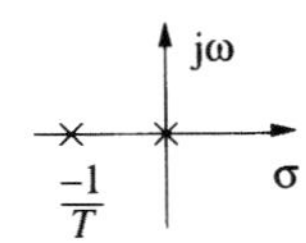	$T_I=R_1(C_1+C_2)$ $T=\frac{C_1C_2R_2}{(C_1+C_2)}$ 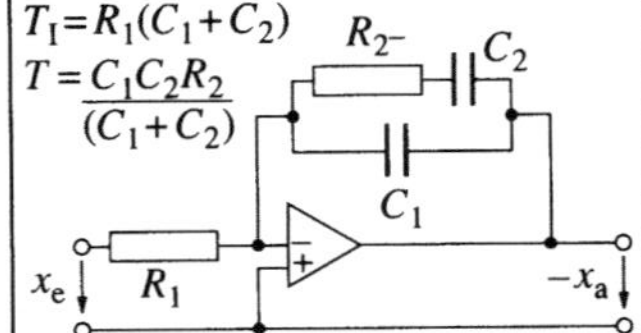
8	DT_1	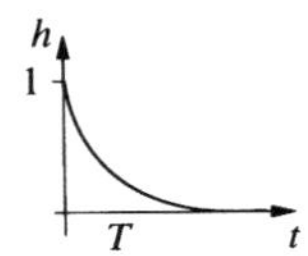	$h(t)=e^{-\frac{t}{T}}$	$G(s)=\frac{sT}{1+sT}$	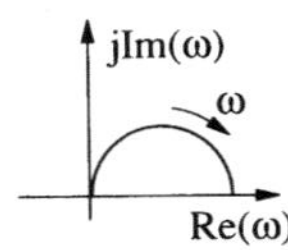	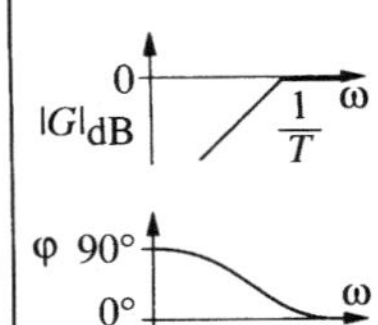	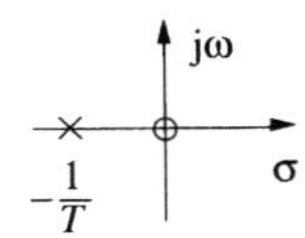	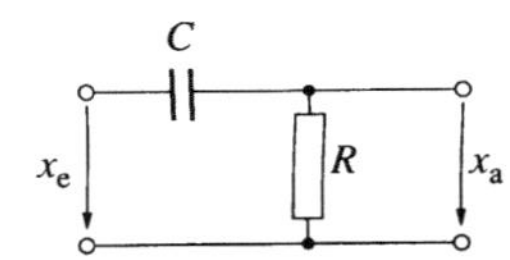 $T=RC$

Tabelle 12.2–2: Fortsetzung

Lfd. Nr.	Glied	Übergangs-funktion $h(t)$	Gl. der Übergangs-funktion	Übertragungs-funktion	Ortskurve	Bode – Dia-gramm $\lvert G(\omega)\rvert_{dB}$ und $\varphi(\omega)$	Pole (x) und Null-stellen (0) in s-Ebene	Beispiel
9	PD	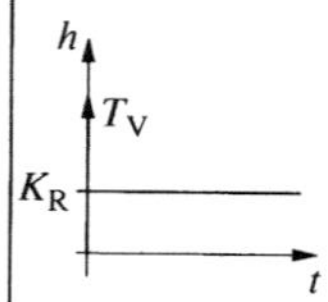	$h(t)=K\left(1+T_V\delta(t)\right)$	$G(s)=K(1+sT_V)$	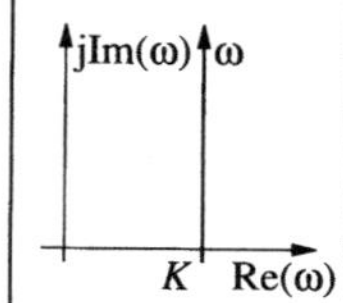	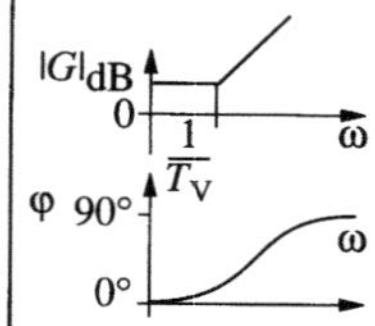	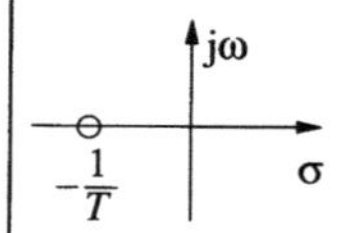	$T=RC$ $K=\frac{R_2}{R_1}$ 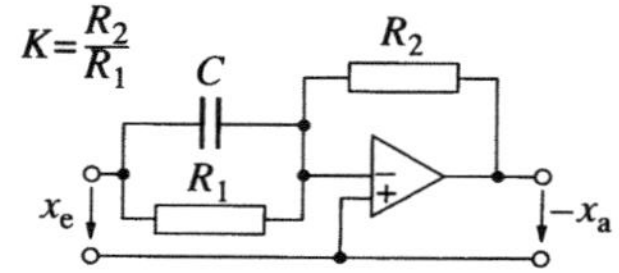
10	PI	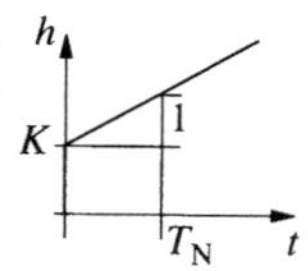	$h(t)=K\left(1+\frac{t}{T_N}\right)$	$G(s)=K\,\frac{1+sT_N}{sT_N}$	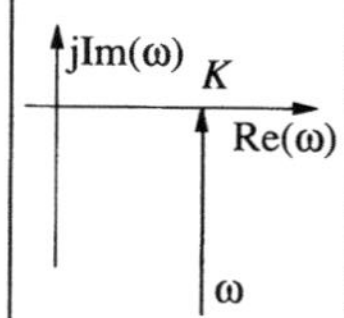	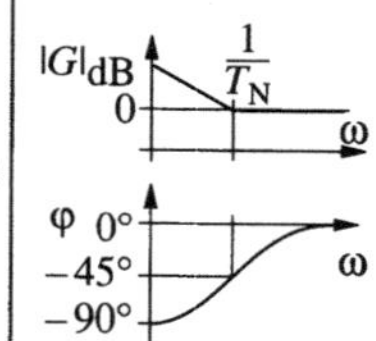	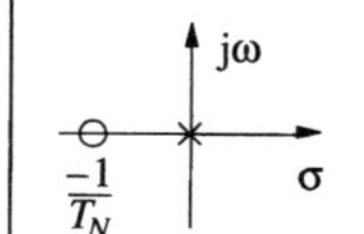	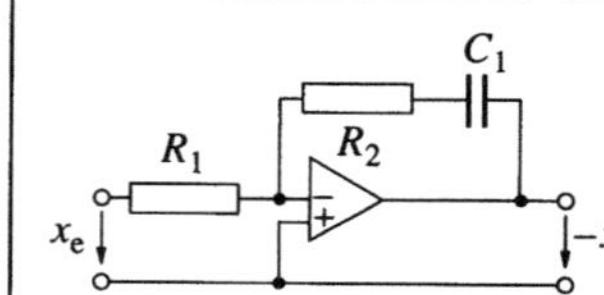 $K=\frac{R_2}{R_1}:T=R_2C_1$
11	PID	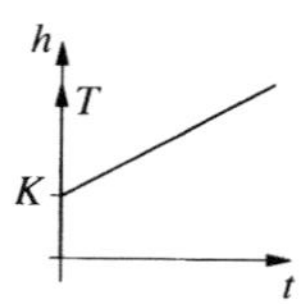	$h(t)=K\left(1+\frac{t}{T_N}+\right.$ $\left.+T_V\delta(t)\right)$	$G(s)=$ $K\frac{1+sT_N+s^2T_VT_N}{sT_N}$	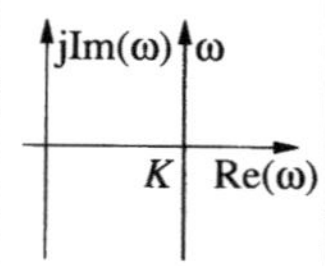	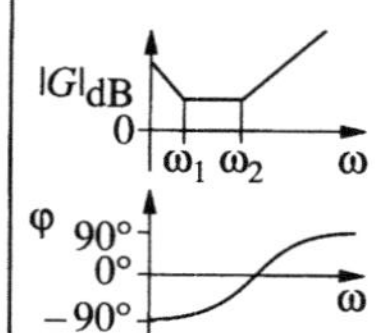	$4T_V\leq T_N$ 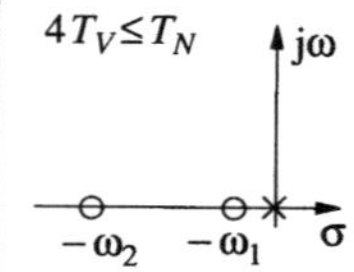	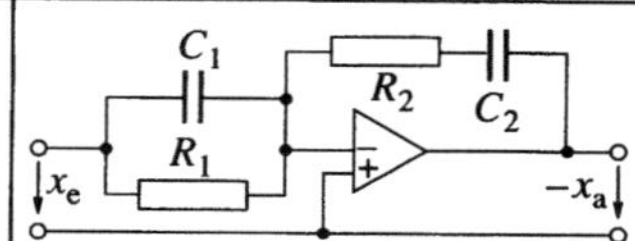 $K=\frac{C_2R_2+R_1C_1}{C_2R_1}:T_V=\frac{C_1R_1C_2R_2}{C_1R_1+C_2R_2}$ $T_N=C_1R_1+C_2R_2$
12	PT_t	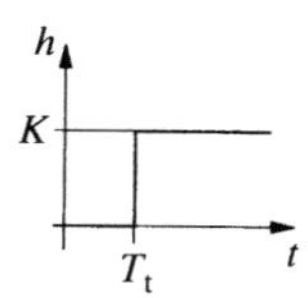	$h(t)=K\cdot s(t-T_t)$ $h(t)=0 \quad t<T_t$	$G(s)=K\,e^{-sT_t}$	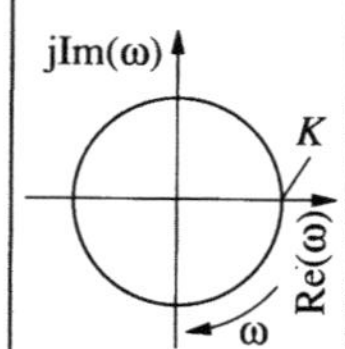	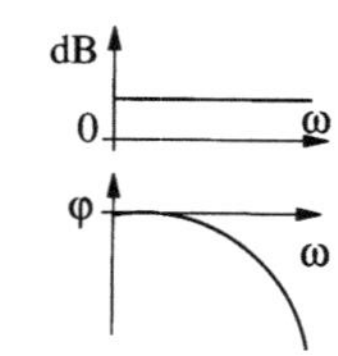	—	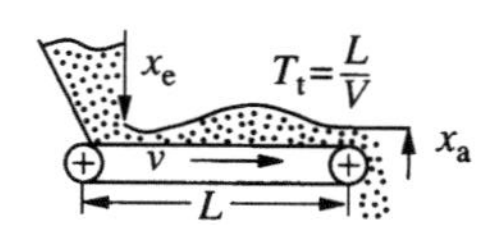

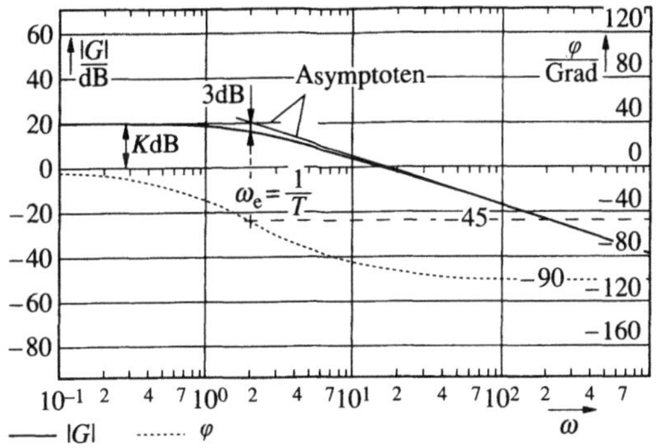

Bild 12.2-4 Amplitudengang $|G(j\omega)|_{dB}$ und Phasengang $\varphi(\omega)$ für das PT_1-Glied

Tabelle 12.2–3: Verstärkungs- und Phasenwerte für ein PT_1-Glied im Bereich der Eckfrequenz ω_e

$\frac{\omega}{\omega_e}$	$\lvert G\rvert_{dB}$	$\varphi(\omega)$	$\Delta\lvert G\rvert_{dB}$
0,05	20	− 3°	0
0,1	19,96	− 6°	−0,04
0,3	19,6	−17°	−0,4
1,0	17	−45°	−3,0
4,0	7,7	−76°	−0,3
10,0	− 0,04	−84°	−0,04
40,0	−12	−88°	0

Die Ortskurve des Frequenzgangs nach Gl. (12.2–10) ergibt einen Halbkreis mit den Werten $G(j\omega = 0) = K$ und $G(j\omega \to \infty) = 0$ und ist in Bild 12.2–5 dargestellt. Aus Gl. (12.2–8) erhält man mit $x_e(t) = \sigma(t)$ die Übergangsfunktion $h(t) = x_a(t)$ zu

$$h(t) = K(1 - e^{-t/T}), \qquad (12.2\text{–}12)$$

deren Verlauf Bild 12.2–6 zeigt. K und T lassen sich aus dem Verlauf der Übergangsfunktion ermitteln. K erhält man aus $h(t \to \infty) = h_\infty$ zu $K = h_\infty$ und T aus $h(t = T) = 0{,}63\, h_\infty$ bzw. mit der Tangente im Punkt $h(t = 0)$.

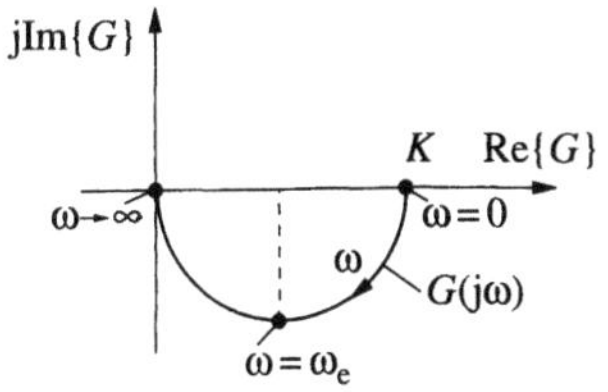

Bild 12.2-5 Frequenzgangortskurve $G(j\omega)$ für das PT_1-Glied

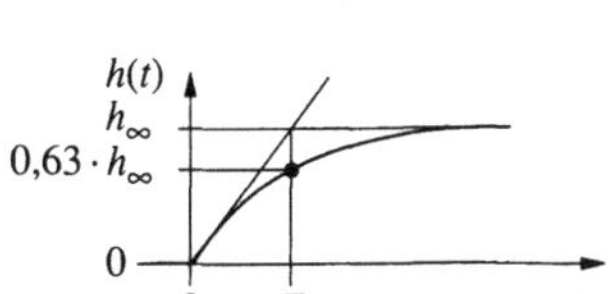

Bild 12.2-6 Übergangsfunktion $h(t)$ für das PT_1-Glied

β) PT_2-Glied

Das Verzögerungsglied 2. Ordnung enthält 2 unabhängige Energiespeicher und wird durch die Differentialgleichung

$$T_2^2 \ddot{x}_a(t) + T_1 \dot{x}_a(t) + x_a(t) = K x_e(t) \qquad (12.2\text{–}13)$$

beschrieben. Abhängig von den Dämpfungseigenschaften unterscheidet man zwischen *periodischem* und *aperiodischem Verhalten.*

■ *Beispiel:*
RLC Schwingkreis mit $T_2^2 = LC$, $T_1 = RC$ und $K = 1$.

Mit verschwindenden Anfangswerten $x_a(0) = \dot{x}_a(0) = 0$, erhält man nach Anwendung der L-Transformation auf Gl. (12.2–13) die Übertragungsfunktion

$$G(s) = \frac{K}{1 + T_1 s + T_2^2 s^2}. \qquad (12.2\text{–}14)$$

Führt man die Dämpfung d ein mit $d = T_1/2T_2$ und die Eigenfrequenz der ungedämpften Schwingung $\omega_0 = 1/T_2$ und setzt $T = T_2$, erhält man aus Gl. (12.2–14)

$$G(s) = \frac{K}{1 + 2dTs + T^2 s^2}. \qquad (12.2\text{–}15)$$

Mit $s = j\omega$ folgt der Frequenzgang des PT_2-Glieds zu

$$G(j\omega) = \frac{K}{1 + 2dj\frac{\omega}{\omega_0} - \left(\frac{\omega}{\omega_0}\right)^2}. \qquad (12.2\text{–}16)$$

Aus $G(j\omega)$ folgen der Amplitudengang und der Phasengang zu

$$|G(j\omega)|_{dB} = $$

$$= 20 \log K - 20 \log \sqrt{\left(1 - \frac{\omega^2}{\omega_0^2}\right)^2 + \left(2d\frac{\omega}{\omega_0}\right)^2},$$

$$\varphi(\omega) = -\arctan \frac{2d\frac{\omega}{\omega_0}}{1 - \left(\frac{\omega}{\omega_0}\right)^2}. \qquad (12.2\text{–}17)$$

Amplitudengang und Phasengang mit der Dämpfung d als Parameter sind in Bild 12.2–7 im Bodediagramm dargestellt. Der Amplitudengang läßt sich durch zwei Asymptoten annähern, deren Schnittpunkt an der mit ω_0 normierten Kreisfrequenz $\omega/\omega_0 = 1$ liegt. Der exakte Verlauf des Amplitudengangs im Bereich $\omega/\omega_0 \cong 1$ hängt wesentlich vom Wert der Dämpfung d ab und liegt für $d < 0{,}5$ oberhalb und für $d > 0{,}5$ unterhalb des Asymptotenschnittpunkts.

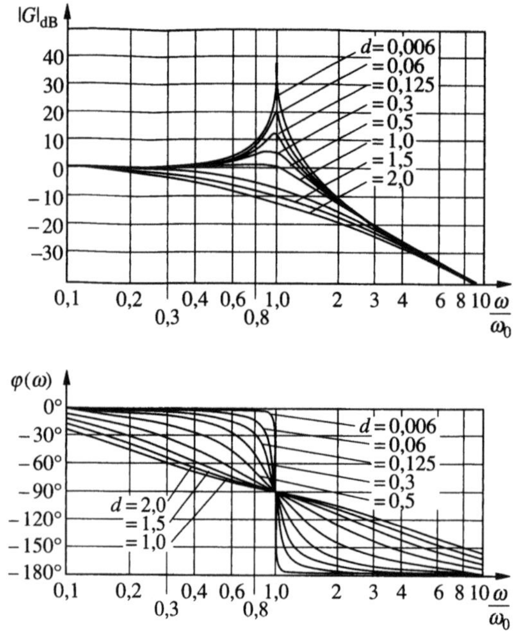

Bild 12.2-7 Amplitudengang $|G(j\omega)|_{dB}$ und Phasengang $\varphi(\omega)$ für das PT_2-Glied

Für $0 < d < 1/\sqrt{2}$ (periodischer Fall) tritt im Amplitudengang bei der Resonanzfrequenz

$$\omega_r = \omega_0\sqrt{1-2d^2} \tag{12.2–18}$$

ein Maximalwert $|G(j\omega)|_{dB\,Max}$ auf, der bei $K=1$ den Amplitudenwert

$$|G(j\omega)|_{dB\,Max} = 20\log\frac{1}{2d\sqrt{1-d^2}} \tag{12.2–19}$$

annimmt. Der Schnittpunkt des Amplitudengangs mit der 0-dB-Linie liegt dann für $K=1$ bei

$$\omega_s = \omega_0\sqrt{2(1-2d^2)}. \tag{12.2–20}$$

Für $d \geqslant 1$ (aperiodischer Fall) kann das PT_2-Glied als Reihenschaltung zweier PT_1-Glieder der Form

$$G(s) = \frac{K}{(1+sT_1)(1+sT_2)} \tag{12.2–21}$$

mit den Zeitkonstanten

$$T_{1/2} = T(\mathrm{d} \pm \sqrt{d^2-1}) \tag{12.2–22}$$

dargestellt werden. Für $d=1$ ergeben sich zwei identische PT_1-Glieder.

Die Ortskurve des Frequenzgangs für den aperiodischen Fall zeigt Bild 12.2–8a, für den periodischen Fall Bild 12.2–8b.

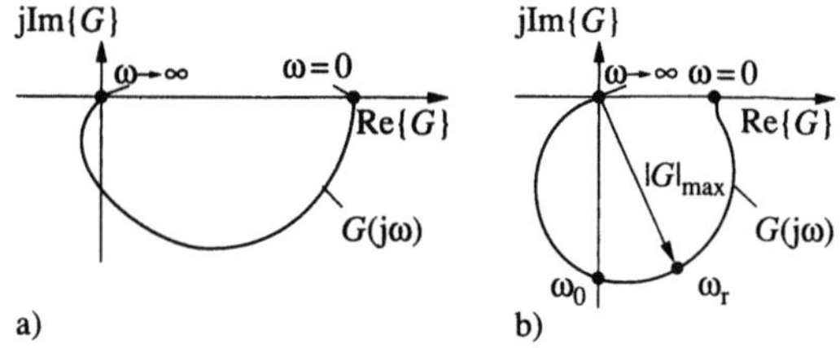

Bild 12.2-8 Frequenzgangortskurve $G(j\omega)$ für das PT_2-Glied (schwingungsfähig)

Aus der Gl. (12.2–13) erhält man mit $x_e(t) = \sigma(t)$ die Übergangsfunktion $h(t)$, die in Abhängigkeit von der Dämpfung d unterschiedliche Verläufe annimmt:

I. $0 < d < 1$

$$h(t) = K\left\{1 - \mathrm{e}^{-d\omega_0 t}\left[\cos(\omega_0\sqrt{1-d^2}\,t) + \frac{d}{\sqrt{1-d^2}}\sin(\omega_0\sqrt{1-d^2}\,t)\right]\right\}. \tag{12.2–23}$$

Aus dem Verlauf der Übergangsfunktion in Bild 12.2–9 folgt die Verstärkung K zu $K = h_\infty$, das logarithmische Dekrement $\vartheta = \ln(A_1/A_2)$ und die Dämpfung d zu

$$d = \frac{\vartheta}{\sqrt{4\pi^2+\vartheta^2}}. \tag{12.2–24}$$

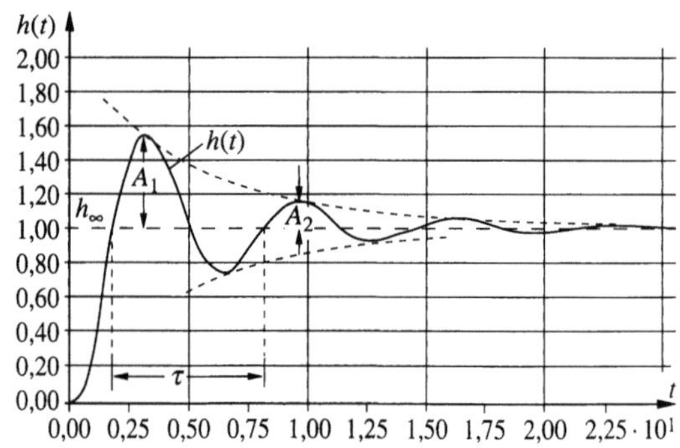

Bild 12.2-9 Übergangsfunktion $h(t)$ für das PT_2-Glied (schwingungsfähig)

Aus der Periodendauer τ der gedämpften Schwingung ergibt sich die Zeitkonstante T zu

$$T = \frac{\tau}{2\pi}\sqrt{1-d^2}. \tag{12.2–25}$$

II. $d=1$

Die Übergangsfunktion für den aperiodischen Grenzfall lautet

$$h(t) = K[1 - \mathrm{e}^{-\omega_0 t}(1+\omega_0 t)] \tag{12.2–26}$$

mit $\omega_0 = 1/T$.

III. $d > 1$

Für den aperiodischen Fall hat die Übergangsfunktion die Form

$$h(t) = K\left[1 - \frac{T_1 e^{-t/T_1} - T_2 e^{-t/T_2}}{T_1 - T_2}\right] \qquad (12.2\text{–}27)$$

mit T_1 und T_2 entsprechenden Gl. (12.2–22), $T_1 \neq T_2$.

γ) IT_1–Glied

Das Integrierglied mit Verzögerung 1. Ordnung besteht aus I-Glied und PT_1-Glied. Seine Übertragungsfunktion lautet

$$G(s) = \frac{1}{sT_I(1+sT)}. \qquad (12.2\text{–}28)$$

Mit $s = j\omega$ erhält man den Frequenzgang mit der Eckfrequenz $\omega_e = 1/T$ sowie $\omega_I = 1/T_I$. Aus dem Frequenzgang den Amplitudengang und den Phasengang

$$|G(j\omega)|_{dB} = 20 \log \omega T_I - 20 \log \sqrt{1 + \left(\frac{\omega}{\omega_e}\right)^2}, \qquad (12.2\text{–}29)$$

$$\varphi(\omega) = -\frac{\pi}{4} - \arctan\frac{\omega}{\omega_e}.$$

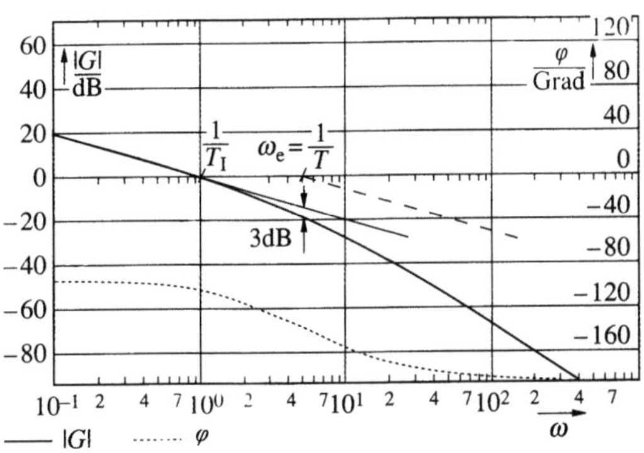

Bild 12.2-10 Amplitudengang $|G(j\omega)|_{dB}$ und Phasengang $\varphi(\omega)$ für das IT_1-Glied

Im Amplitudengang tritt an der Stelle ω_e eine Abweichung von -3 dB gegenüber dem Asymptotenschnittpunkt auf. Die Frequenzkennlinien zeigt Bild 12.2–10, die Ortskurve Bild 12.2–11. Die Übergangsfunktion gibt Bild 12.2–12 wieder. Sie lautet

$$h(t) = \frac{t}{T_I} + \frac{T}{T_I}(e^{-t/T} - 1). \qquad (12.2\text{–}30)$$

T und T_I lassen sich aus der Übergangsfunktion $h(t)$ ermitteln. $1/T_I$ ist die Steigung von $h(t)$ für $t \to \infty$. Die Tangente an $h(t)$ mit dieser Steigung schneidet die t-Achse bei $t = T$.

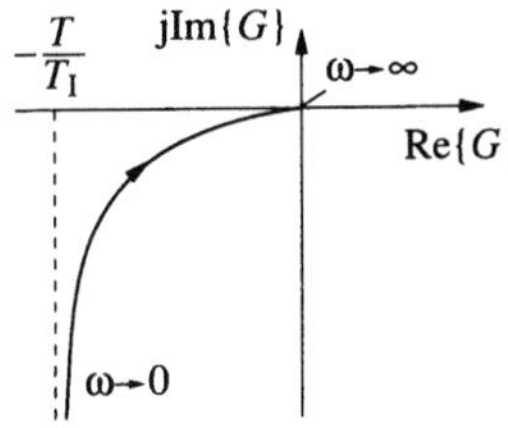

Bild 12.2-11 Frequenzgangortskurve $G(j\omega)$ für das IT_1-Glied

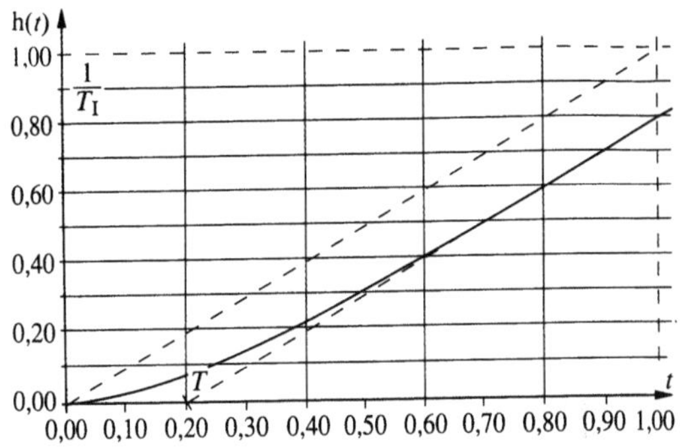

Bild 12.2-12 Übergangsfunktion $h(t)$ für das IT_1-Glied

12.2.2.3 Das Zusammenschalten linearer Übertragungsglieder

Beschreibt man den geschlossenen Regelkreise nach Bild 12.2–1, treten die Strukturen *Reihenschaltung, Parallelschaltung* und *Kreisschaltung* von Übertragungsliedern auf. Für eine Reihenschaltung nach Bild 12.2–13 erhält man die Übertragungsfunktion

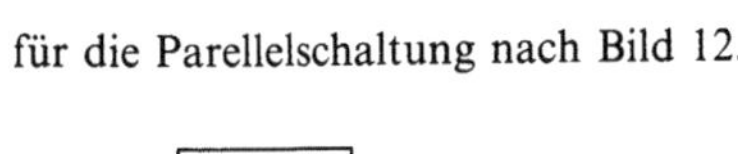

Bild 12.2-13 Reihenschaltung von Übertragungsgliedern

$$G(s) = \frac{X_a(s)}{X_e(s)} = \prod_{i=1}^{n} G_i(s), \qquad (12.2\text{–}31)$$

für die Parellelschaltung nach Bild 12.2–14

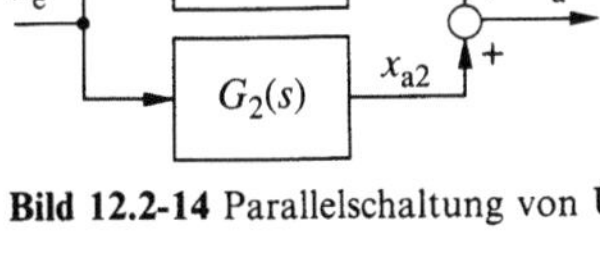

Bild 12.2-14 Parallelschaltung von Übertragungsgliedern

$$G(s) = \frac{X_a(s)}{X_e(s)} = \sum_{i=1}^{n} G_i(s) \qquad (12.2\text{–}32)$$

und für die Kreisschaltung nach Bild 12.2–15

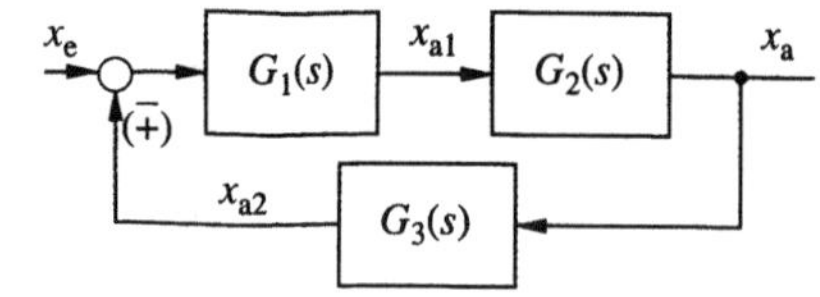

Bild 12.2-15 Kreisschaltung von Übertragungsgliedern Mitkopplung (+), Gegenkopplung (−)

$$G(s) = \frac{X_a(s)}{X_e(s)} = \frac{G_1(s)G_2(s)}{1 \pm G_1(s)G_2(s)G_3(s)}, \qquad (12.2\text{–}33)$$

worin das Pluszeichen für die negative Rückführung *(Gegenkopplung)* und das Minuszeichen für die positive Rückführung *(Mitkopplung)* steht.

12.2.2.4 Nichtlineare Übertragungsglieder

Nichtlineare Übertragungsglieder erfüllen das Überlagerungs- und das Verstärkungsprinzip nicht, da ihre Verstärkung

$$K = \frac{\Delta x_a}{\Delta x_e} = f(x_e) \qquad (12.2\text{–}34)$$

von der Ansteuerung abhängt. Ein typisches Beispiel ist die Kennlinie $x_a = f(x_e)$ in Bild 12.2–16, deren Steigung sich mit der Ansteuerung x_e ändert. Derartige Kennlinien lassen sich, falls die Ansteuerung in einem engen Bereich um einen Arbeitspunkt x_{e0}, x_{a0} bleibt, durch die Tangente in diesem Arbeitspunkt beschreiben. Für die linearisierte Kennlinie erhält man aus Bild 12.2–16 mit

$$x_a = x_{a0} + \Delta x_{a0} \qquad (12.2\text{–}35)$$

und im Arbeitspunkt $x_{a0} = f(x_{e0})$ mit der Steigung $\mathrm{d}f/\mathrm{d}x_e$

$$\Delta x_{a0} = \left.\frac{\mathrm{d}f(x_e)}{\mathrm{d}x_e}\right|_{x_e = x_{e0}} \Delta x_{e0} = K^* \, \Delta x_{e0}. \qquad (12.2\text{–}36)$$

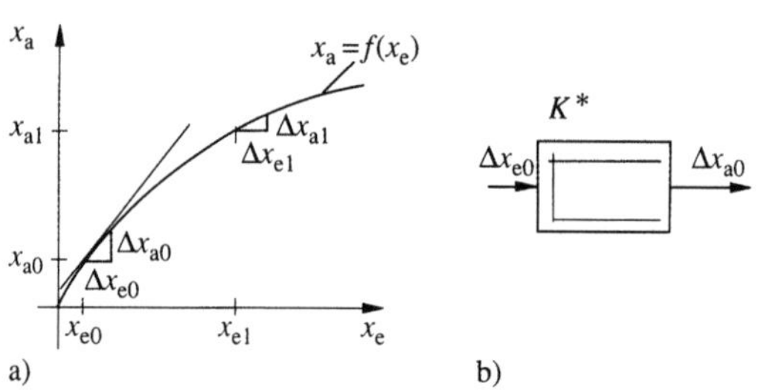

Bild 12.2-16 a) Nichtlineare Kennlinie mit der Tangente im Arbeitspunkt x_{e0}, x_{a0}, b) Blockschaltbild der linearisierten Kennlinie

Dieses Ergebnis erhält man auch aus der Taylorreihenentwicklung der Funktion $x_a = f(x_e)$ im Arbeitspunkt x_{e0}, x_{a0}, bei Beschränkung auf die linearen Reihenglieder. Die linearisierte Kennlinie läßt sich dann als P–Glied mit der konstanten Verstärkung K^*, wie in Bild 12.2–16 gezeigt, beschreiben. Bei Kennlinien der Form $x_a = f(x_{e1}, x_{e2}, \ldots, x_{en})$, die von mehreren Eingangsgrößen abhängen, sind bei der Linearisierung die partiellen Ableitungen zu bilden [12.47]. Enthält die Kennlinie Sprung- oder Knickstellen (z. B. Schaltkennlinien) ist keine Linearisierung in diesem Bereich möglich. Derartige Kennliniennglieder sind in Tabelle 12.2–17 dargestellt.

12.2.3 Regelstrecken

Die Beschreibung eines technischen Systems als *Regelstrecke* (im folgenden kurz Strecke genannt) erfolgt, wenn Struktur und Parameter bekannt sind, anhand der die physikalischen Zusammenhänge beschreibenden Differentialgleichungen. Durch Anwendung der Operatorenrechnung erhält man daraus den Frequenzgang $G_S(\mathrm{j}\omega)$ bzw. die Übertragungsfunktion $G_S(s)$. Im allgemeinen läßt sich das Gesamtverhalten der Strecke unter Verwendung der in Abschnitt 12.2.2 behandelten elementaren Übertragungsglieder darstellen. Neben der Beschreibung im Frequenzbereich wird die Beschreibung im Zeitbereich mit der Übergangsfunktion und der Zustandsraumdarstellung benutzt.

12.2.3.1 Beschreibung linearer Strecken im Frequenzbereich

Lassen sich für das System die Differtialgleichungen formulieren, so kann das Übertragungsverhalten bei linearen Strecken mit der Übertragungsfunktion $G_S(s)$, bzw. bei nichtlinearen Strecken mit Teilübertragungsfunktionen $G_{Si}(s)$ und Kennliniengliedern beschrieben werden.

- *Beispiel:*
  Die Vorgehensweise soll am fremderregten Gleichstrommotor gezeigt werden. Aus dem Prinzipschaltplan nach Bild 12.2–17 erhält man im Zeitbereich für den Ankerkreis [12.48], [12.49]

$$u_A = u_I + R_A i_A + L_A \frac{\mathrm{d}i_A}{\mathrm{d}t},$$

u_A, u_I	i_A	R_A	L_A	t
V	A	Ω = V/A	H = Vs/A	s

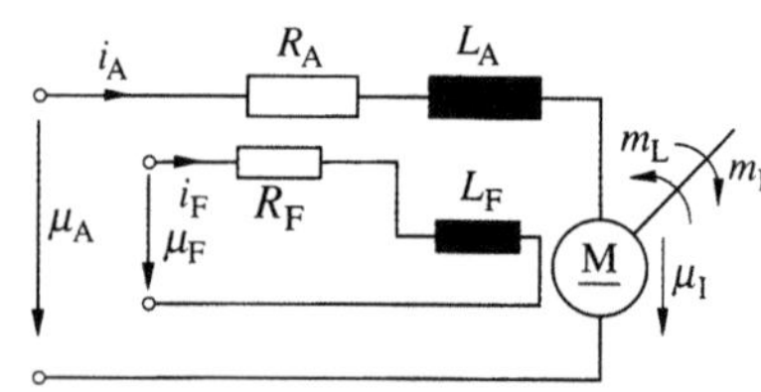

Bild 12.2-17 Elektrisches Ersatzschaltbild der fremderregten Gleichstrommaschine

und für den Feldkreis mit $\Phi_F = f(i_F)$

$$u_F = R_F i_F + \frac{d\Phi_F}{dt}.$$

u_F	i_F	R_F	Φ_F	t
V	A	Ω = V/A	Wb = Vs	s

Für die induzierte Spannung im Ankerkreis ergibt sich

$$u_I = k\Omega\Phi_F$$

u_I	Ω	Φ_F	k
V	1/s	Wb = Vs	1

und für das Beschleunigungsmoment m_B aus Motor- und Lastmoment

$$m_B = J\frac{d\Omega}{dt} = m_M \pm m_L$$

Ω	m_B, m_M, m_L	J	t
1/s	Nm	kgm²	s

mit der Winkelgeschwindigkeit $\Omega = 2\pi\ n/60$ und dem Motormoment

$$m_M = k i_A \Phi_F,$$

m_M	k	i_A	Φ_F
Nm	1	A	Wb = Vs

Anwendung der L-Transformation auf die Gleichungen des Ankerkreises und normieren der Gleichungen mit den Nenngrößen bzw. Leerlaufgrößen U_{Ar}, I_{Ar}, M_r und N_0 ergibt im Bildbereich für den Ankerstrom

$$I_A(s) = \frac{K_A}{1 + T_A s}(U_A(s) - U_I(s))$$

$I_A(s)$	K_A	T_A	$U_A(s)$, $U_I(s)$
1	1	s	1

mit der Verstärkung $K_A = U_{Ar}/(I_{Ar}R_A)$ und der Zeitkonstanten $T_A = L_A/R_A$, sowie für die Drehzahl des Motors

$$N(s) = \frac{1}{T_H s}(M_M(s) - M_L(s))$$

$N(s)$	T_H	$M_M(s)$, $M_L(s)$
1	s	1

mit der Hochlaufzeit $T_H = 2\pi J N_0/(60\ M_r)$, $[N_0] = 1/\text{min}$. Das Gleichungssystem ist aufgrund der Erregerkennlinie nichtlinear und kann bei Annahme konstanter Erregung $\Phi_F = \Phi_{Fr}$ als lineares System dargestellt werden. Bild 12.2–18 zeigt das Blockschaltbild des als lineares System beschriebenen Motors.

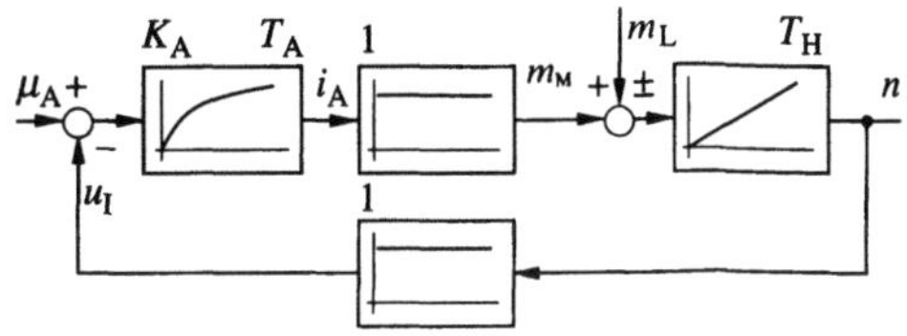

Bild 12.2-18 Blockschaltbild der fremderregten Gleichstrommaschine bei Nennerregung

Für $N(s)/U_A(s)$ erhält man die Übertragungsfunktion ($M_L = 0$) zu

$$G_S(s) = \frac{1}{1 + \frac{T_H}{K_A}s + \frac{T_H T_A}{K_A}s^2}.$$

Sie zeigt PT_2-Verhalten mit der Dämpfung

$$d = \frac{1}{2}\sqrt{T_H/(K_A T_A)}$$

und der Zeitkonstanten

$$T = \sqrt{T_A T_H/K_A}.$$

Bei GS-Motoren mit $T_H < 4T_A K_A$ liegt ein schwingungsfähiges System vor.

12.2.3.2 Approximation linearer Regelstrecken

In vielen praktischen Anwendungen sind die physikalischen Zusammenhänge in der Strecke nur näherungsweise bekannt und schließen damit eine exakte Systembeschreibung aus. Es liegt nahe, derartige Strecken dann näherungsweise mit einem *Modell* zu beschreiben. Da bei vielen Strecken in der Verfahrenstechnik, das Verhalten im wesentlichen von der *(Proportional-)*Verstärkung K_S, von ein oder zwei Zeitkonstanten T_1, T_2 und einer Totzeit T_t bestimmt wird, ergeben sich bereits bei Verwendung einfacher Modelle brauchbare Näherungen.

Hat die Strecke proportionales Verhalten ($PT_1 - T_t$, $PT_n - T_t$ und PT_2), so handelt es sich um eine *Strecke mit Ausgleich,* liegt integrales Verhalten ($IT_n - T_t$) vor, um eine *Strecke ohne Ausgleich.* Daher ist es oft zweckmäßig, eine experimentelle Identifikation der Strecke, zur Bestimmung eines Modells vorzunehmen, die aus 3 Phasen besteht:

- Festlegung eines Testsignals als Eingangsgröße,
- Durchführung der Messung,
- Auswertung der Messung zur Bestimmung der Modellparameter.

Wird als Testsignal die Sprungfunktion $x_e(t) = x_{e0}\sigma(t)$ gewählt und die auf x_{e0} bezogene Übergangsfunktion $h_S(t) = x_a(t)/x_{e0}$ der Regelstrecke aufgezeichnet, so lassen sich aus $h_S(t)$, für das gewählte Streckenmodell $G_m(s)$, die Parameter durch Messung bestimmen.

1. Identifikation und Beschreibung der Strecken mit Ausgleich.

a) Küpfmüller-Approximation

Das als *Küpfmüller-Approximation* bezeichnete Verfahren geht für aperiodische Strecken von einem Modell der Form

$$G_m(s) = \frac{K_m}{1+T_m s}\,e^{-T_{tm}s} \qquad (12.2\text{–}37)$$

aus und bestimmt aus der Übergangsfunktion nach Bild 12.2–19 die Parameter *Verzugszeit* T_u, *Ausgleichszeit* T_g und *Streckenverstärkung* K_S. Mit $T_m = T_g$, $K_m = K_S$ und $T_{tm} = T_u$ erhält man eine brauchbare Approximation für PT_n- und $(PT_n - T_t)$-Strecken. Der Quotient T_u/T_g gibt einen Hinweis auf die Regelbarkeit einer Strecke. Eine Strecke ist für

$T_u/T_g < 0{,}1$ gut regelbar,
$T_u/T_g \cong 0{,}2$ noch regelbar,
$T_u/T_g > 0{,}3$ schwer regelbar.

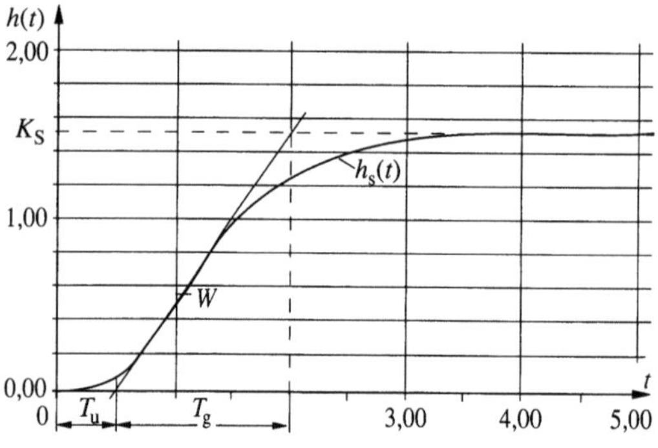

Bild 12.2-19 Übergangsfunktion $h_S(t)$ einer Strecke mit den Kennwerten T_u, T_g und K_S.

b) Verfahren von Strejc

Eine Verbesserung dieser Approximation liefert das *Verfahren von Strejc*. Aus der Übergangsfunktion $h_S(t)$ werden die Parameter der Modellstrecke nach Gl. (12.2–37) derart bestimmt, daß die Übergangsfunktion $h_m(t)$, $h_S(t)$ in den Punkten $P_1(h_{S1}, t_1)$ und $P_2(h_{S2}, t_2)$ schneidet. Bild 12.2–20 zeigt die Anwendung des Verfahrens. Mit $K_m = h_S(t \to \infty) = K_S$ und den Zeitkonstanten

$$T_m = \frac{t_2 - t_1}{\ln \dfrac{K_S - h_{S1}}{K_S - h_{S2}}} \qquad (12.2\text{–}38)$$

und

$$T_{tm} = T_m \ln\left(1 - \frac{h_{S1}}{K_S}\right) + t_1 \qquad (12.2\text{–}39)$$

erhält man die Parameter für Gl. (12.2–37) und damit eine Näherung für PT_n- und $(PT_n - T_t)$-Strecken.

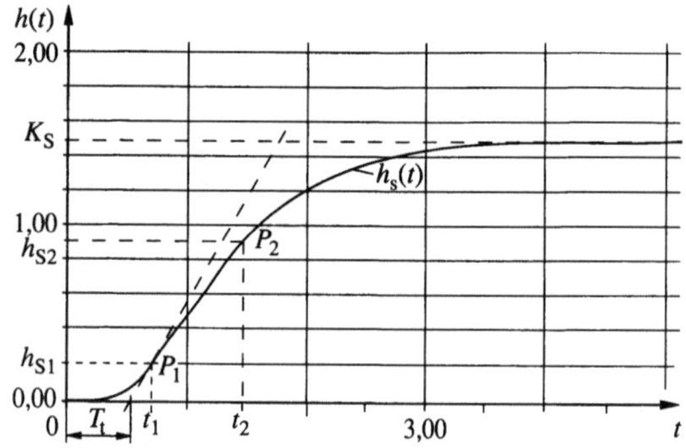

Bild 12.2-20 Übergangsfunktion $h_S(t)$ einer Strecke mit der Auswertung nach Strejc

c) Zeitprozentkennwert-Verfahren

Mit *Zeitkennwerten* t_{10}, t_{50} und t_{90}, zu denen die Übergangsfunktion $h_S(t)$ einen prozentualen Anteil des stationären Endwerts $h_S(t \to \infty) = h_{S\infty}$ erreicht hat, arbeitet das in [12.40] vorgestellte Verfahren. Es geht von einer PT_n-Modellstruktur der Form

$$G_m(s) = \frac{K_m}{(1+T_m s)^n} \qquad (12.2\text{–}40)$$

aus. Aus dem Endwert $h_{S\infty}$ erhält man $K_m = K_S = h_{S\infty}$. Mit den Funktionswerten $h_S(t_{10}) = 0{,}1\,h_{S\infty}$, $h_S(t_{50}) = 0{,}5\,h_{S\infty}$ und $h_S(t_{90}) = 0{,}9\,h_{S\infty}$ der Übergangsfunktion nach Bild 12.2–21, ergeben sich die Zeitkennwerte t_{10}, t_{50} und t_{90} und der Quotient $k' = t_{10}/t_{90}$. Aus der Tabelle 12.2–4 ist der Wert k, der k' am nächsten liegt, zu bestimmen, daraus die Ordnungszahl n, und die Koeffizienten α_{10}, α_{50} und α_{90}.

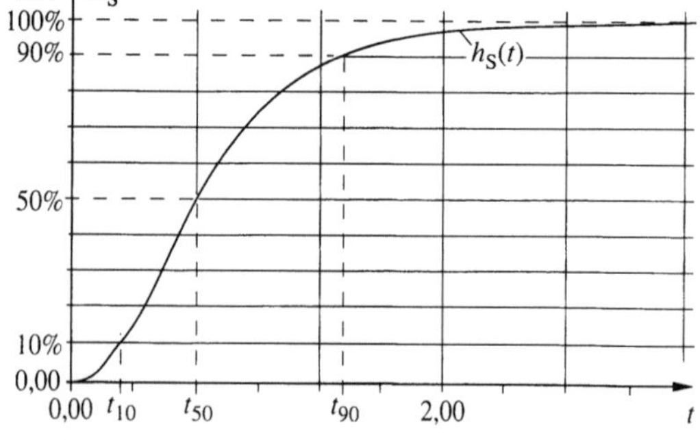

Bild 12.2-21 Bestimmung der Zeitkennwerte aus der Übergangsfunktion $h_S(t)$

Tabelle 12.2–4: Zeitprozentkennwert-Verfahren: Ordnungszahl n und Koeffizienten k, α_i einer PT_n-Strecke

k	n	α_{10}	α_{50}	α_{90}
0,046	1	9,491	1,443	0,434
0,137	2	1,880	0,596	0,257
0,207	3	0,907	0,374	0,188
0,261	4	0,573	0,272	0,150
0,304	5	0,411	0,214	0,125
0,340	6	0,317	0,176	0,108

Mit den Koeffizienten und den Zeitkennwerten ergibt sich die Zeitkonstante T_m zu

$$T_m = \frac{1}{3}(\alpha_{10}t_{10} + \alpha_{50}t_{50} + \alpha_{90}t_{90}). \qquad (12.2\text{–}41)$$

d) Approximation bei Strecken mit periodischer Übergangsfunktion

Strecken mit *periodischer Übergangsfunktion* $h_S(t)$ können mittels Streckenmodell der Form

$$G_m(s) = \frac{K_m}{1 + 2d_m T_m s + T_m^2 s^2} e^{-T_{tm}s} \qquad (12.2\text{–}42)$$

mit $0 < d_m < 1$ approximiert werden. Aus der gemessenen Übergangsfunktion nach Bild 12.2–22 lassen sich nach Abschnitt 12.2.2 mit dem logarithmischen Dekrement sowie den Gln. (12.2–23) und (12.2–24), die Dämpfung d_m und die Zeitkonstante T_m bestimmen. Die Verstärkung $K_m = K_S = h_{S\infty}$ und die Totzeit $T_{tm} = T_t$ lassen sich nach Bild 12.2–22 aus $h_S(t)$ ablesen.

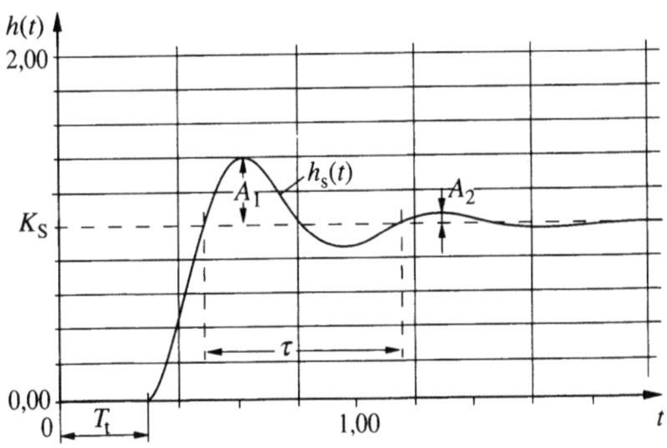

Bild 12.2-22 Übergangsfunktion $h_S(t)$ einer schwingungsfähigen Strecke mit Totzeit

2. Identifikation und Beschreibung der Strecken ohne Ausgleich

Da die Übergangsfunktion der Strecken ohne Ausgleich theoretisch unbegrenzt steigt, lassen sich solche Strecken mittels einer Modellstrecke der Form

$$G_m(s) = \frac{1}{sT_{Im}(1 + sT_m)^n} e^{-T_{tm}s} \qquad (12.2\text{–}43)$$

beschreiben. Die Zeitkonstante T_{Im} erhält man aus der Steigung der Übergangsfunktion $h_S(t)$ für $t \to \infty$ nach Bild 12.2–23 zu

$$T_{Im} = \frac{\Delta t}{\Delta h_s} \qquad (12.2\text{–}44)$$

und mit $h_S(t = T_V + T_t) = h_{SV}$ folgt aus Tabelle 12.2–5 die Ordnung n der Verzögerung sowie die Zeitkonstante T_V und daraus

$$T_m = \frac{T_V}{n} \qquad (12.2\text{–}45)$$

die Zeitkonstante des PT_n-Glieds. Die Modelltotzeit wird zu $T_{tm} = T_t$ in Bild 12.2–23 aus der Übergangsfunktion $h_S(t)$ abgelesen.

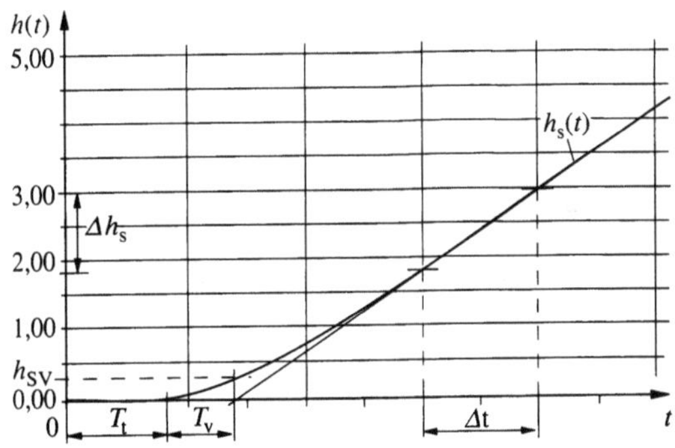

Bild 12.2-23 Übergangsfunktion $h_s(t)$ einer IT_t-Strecke

Tabelle 12.2–5: $(IT_n - T_t)$-Strecke: Ordnungszahl n und Zeitkonstante T_V

$h_{SV}T_{Im}/T_V$	n
0,368	1
0,271	2
0,224	3
0,195	4

3. Vereinfachung einer Strecke höherer Ordnung

Liegt die Übertragunsfunktion $G_S(s)$ einer Strecke vor und zeigt sie PT_n-, IT_n-Verhalten, so läßt sich als Näherung eine vereinfachte Übertragungsfunktion nach folgender Vorgehensweise ermitteln.

a) Setzt sich die Strecke aus einer Reihenschaltung von PT_1-Gliedern mit unterschiedlichen Zeitkonstanten zusammen, läßt sich diese, falls ihre Zeitkonstanten die Bedingung $T_1 > T_2, T_3, \ldots, T_n$ erfüllen, mit einem PT_2-Glied der Form

$$G_m(s) = \frac{K_m}{(1 + T_{1m}s)(1 + T_{2m}s)} \qquad (12.2\text{–}46)$$

näherungsweise beschreiben. Aus der Streckenverstärkung $K_s = \prod_{i=1}^{n} K_i$ folgt $K_m = K_s$, sowie für die Zeitkonstanten

$$T_{1m} = T_1, \quad T_{2m} = \sum_{i=2}^{n} T_i. \tag{12.2–47}$$

b) Zeigt die Strecke IT_n-Verhalten und erfüllen die Zeitkonstanten die Bedingung $T_I > T_2, T_3, \ldots, T_n$, so wird das PT_1-Glied mit T_{1m} in Gl. (12.2–46) durch ein I-Glied ersetzt ($T_{1m} = T_I$) das zweite PT_1-Glied erhält als Zeitkonstante $T_{2m} = \sum_{i=2}^{n} T_i$.

12.2.3.3 Beschreibung linearer Regelstrecken im Zustandsraum

Die Beschreibung linearer Regelstrecken mit der Übertragungsfunktion kennzeichnet das Eingangs-Ausgangsverhalten. Sollen jedoch auch innere Größen der Strecke kontrolliert und gezielt beeinflußt werden, so ist es erforderlich, zur Beschreibung der Strecke zusätzliche Größen x_i einzuführen, die den Zustand der Strecke kennzeichnen. Diese Größen x_i werden als Zustandsvariablen bezeichnet [12.36], [12.37], [12.47].

Die Verwendung der Zustandsvariablen zur Streckenbeschreibung liefert die Zustandsgleichungen, die bei linearen Strecken mit

i Eingangsgrößen $u_i(t)$,
$(i = 1, 2, \ldots, k)$,
p Ausgangsgrößen $y_p(t)$
$(p = 1, 2, \ldots, m)$ und
q Zustandsgrößen $x_q(t)$
$(q = 1, 2, \ldots, n)$

im Zeitbereich, in Vektorschreibweise die Form

$$\dot{\vec{x}} = \boldsymbol{A}\vec{x} + \boldsymbol{B}\vec{u} \tag{12.2–48}$$

haben. Die Ausgangsgleichung lautet

$$\vec{y} = \boldsymbol{C}\vec{x} + \boldsymbol{D}\vec{u}. \tag{12.2–49}$$

$\boldsymbol{A}$ ist die $(n \cdot n)$ *Systemmatrix*, $\boldsymbol{B}$ die $(n \cdot k)$ *Eingangsmatrix*, $\boldsymbol{C}$ die $(m \cdot n)$ *Ausgangsmatrix* und $\boldsymbol{D}$ die $(m \cdot k)$ *Durchgangsmatrix*. Eingangs-, Ausgangs- und Zustandsgrößen sind Vektoren.

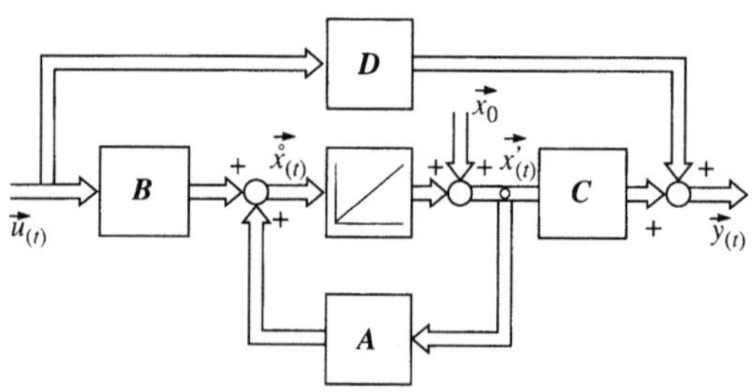

Bild 12.2-24 Blockschaltbild einer Strecke als Mehrgrößensystem in Zustandsdarstellung

Bild 12.2–24 zeigt das Blockschaltbild einer Strecke in Zustandsdarstellung. Bei Strecken mit einer Eingangs- und einer Ausgangsgröße sind $\boldsymbol{B}$ und $\boldsymbol{C}$ Vektoren, $\boldsymbol{D}$ ist ein Skalar.

Die Zustandsgleichungen lauten dann mit $b = \boldsymbol{B}$ und $d = \boldsymbol{D}$

$$\dot{\vec{x}} = A\vec{x} + b\vec{u}, \tag{12.2–50}$$

$$\vec{y} = c^T\vec{x} + d\vec{u}. \tag{12.2–51}$$

Die Wahl der Zustandsgrößen orientiert sich im allgemeinen an der Anzahl der Energiespeicher in der Strecke. Die Struktur einer mit Zustandsgleichungen beschriebenen Strecke läßt sich mit den elementaren P- und I-Gliedern darstellen, wobei die Zustandsvariablen als Ausgangsgrößen der I-Glieder auftreten, deren Eingangsgrößen die zeitlichen Ableitungen der Zustandsvariablen sind.

■ *Beispiel:*

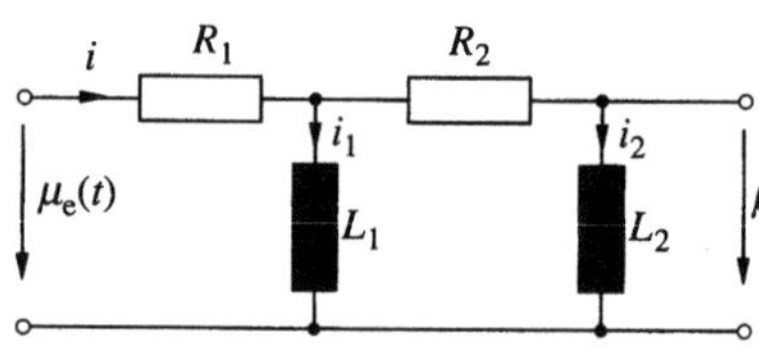

Bild 12.2-25 Beispiel *RL*-Netzwerk zur Berechnung der Zustandsgleichungen

Am *RL*-Netzwerk in Bild 12.2–25 soll die Aufstellung der Zustandsgleichungen für eine Strecke gezeigt werden. Als Zustandsvariablen werden die Ströme $i_1(t)$ und $i_2(t)$ in den Induktivitäten gewählt. Man erhält damit die Gleichungen für die Maschen 1 und 2 und den Stromknoten

$$u_e(t) - R_1 i_1(t) - L_1 \dot{i}_1(t) = 0,$$

$$L_1 \dot{i}_1(t) - R_2 i_2(t) - L_2 \dot{i}_2(t) = 0,$$

$$u_a(t) = L_2 \dot{i}(t),$$

worin der Punkt über i die erste Ableitung der Ströme nach der Zeit kennzeichnet. Umformung der Gleichungen ergibt die Zustandsdifferentialgleichungen

$$\dot{i}_1(t) = \frac{u_e}{L_1} - \frac{R_1}{L_1} i_1(t) - \frac{R_1}{L_1} i_2(t),$$

$$\dot{i}_2(t) = \frac{u_e}{L_2} - \frac{R_1}{L_2} i_1(t) - \left(\frac{R_1}{L_2} + \frac{R_2}{L_2}\right) i_2(t),$$

$$u_a(t) = u_e(t) - R_1 i_1(t) - (R_1 + R_2) i_2(t).$$

In Vektorschreibweise lauten diese

$$\begin{pmatrix} \dot{i}_1 \\ \dot{i}_2 \end{pmatrix} = \begin{pmatrix} -\dfrac{R_1}{L_1} & -\dfrac{R_1}{L_1} \\ -\dfrac{R_1}{L_2} & -\left(\dfrac{R_1}{L_2} + \dfrac{R_2}{L_2}\right) \end{pmatrix} \begin{pmatrix} i_1 \\ i_2 \end{pmatrix} + \begin{pmatrix} \dfrac{1}{L_1} \\ \dfrac{1}{L_2} \end{pmatrix} u_e.$$

Für die Ausgangsgleichung mit $y(t) = u_a(t)$ erhält man

$$y = u_a = [-R_1, \ -(R_1 + R_2)]\begin{pmatrix} i_1 \\ \vdots \\ i_2 \end{pmatrix} + u_e.$$

Eine für Regelstrecken mit einer Eingangs- und Ausgangsgröße recht anschauliche Form der Zustandsgleichungen ist die *Regelungsnormalform*. Sie läßt sich aus der Differentialgleichung oder der Übertragungsfunktion $G_S(s)$ der Strecke ermitteln. Ausgehend von der Übertragungsfunktion der Form

$$G_S(s) = \frac{b_0 + b_1 s + \ldots + b_m s^m}{a_0 + a_1 s + \ldots + a_n s^n} = \frac{Y(s)}{U(s)} \qquad (12.2\text{–}52)$$

mit $m = n$ für sprungfähige und $m < n$ für nicht sprungfähige Strecken, erhält man nach [12.37] die Zustandsdifferentialgleichungen in Regelungsnormalform zu

$$\begin{pmatrix} \dot{x}_1 \\ \dot{x}_2 \\ \vdots \\ \dot{x}_n \end{pmatrix} = \begin{pmatrix} 0 & 1 & 0 & 0 \ldots 0 \\ 0 & 0 & 1 & 0 \ldots 0 \\ \ldots & \ldots & \ldots & \ldots \\ -\frac{a_0}{a_n} & -\frac{a_1}{a_n} & \ldots\ldots & -\frac{a_{n-1}}{a_n} \end{pmatrix} \vec{x} + \begin{pmatrix} 0 \\ 0 \\ \vdots \\ \frac{1}{a_n} \end{pmatrix} u. \qquad (12.2\text{–}53)$$

Die Ausgangsgleichung dazu lautet

$$y = \left[\left(b_0 - \frac{a_0}{a_n} b_n\right), \left(b_1 - \frac{a_1}{a_n} b_n\right), \ldots, \left(b_{n-1} - \frac{a_{n-1}}{a_n} b_n\right)\right] \vec{x} + \frac{b_n}{a_n} u. \qquad (12.2\text{–}54)$$

■ *Beispiel:*
Die Erstellung der Regelungsnormalform soll am *RL*-Netzwerk nach Bild 12.2–25 gezeigt werden, dessen Übertragungsfunktion

$$G(s) = \frac{L_1 L_2 s^2}{R_1 R_2 \left[\frac{L_1 L_2}{R_1 R_2} s^2 + s\left(\frac{L_1}{R_1} + \frac{L_2}{R_2} + \frac{L_1}{R_2}\right) + 1\right]}$$

lautet. Mit $T_1 = \frac{L_1}{R_1}$, $T_2 = \frac{L_2}{R_2}$ und $T_{12} = \frac{L_1}{R_2}$ erhält man die Zustandsgleichungen in Regelungsnormalform im Zeitbereich zu

$$\begin{pmatrix} \dot{i}_1 \\ \vdots \\ \dot{i}_2 \end{pmatrix} = \begin{pmatrix} 0 & 1 \\ -\frac{1}{T_1 T_2} & -\frac{T_1 + T_2 + T_{12}}{T_1 T_2} \end{pmatrix} \vec{i} + \begin{pmatrix} 0 \\ \frac{1}{T_1 T_2} \end{pmatrix} u_e,$$

$$y = u_a = [-1, \ -(T_1 + T_2 + T_{12})]^T \vec{i} + u_e.$$

Mit der Beschreibung der Regelstrecke im Zustandsraum sind einige Begriffe von Bedeutung

- Die mit den Gln. (12.2–48) und (12.2–49) beschriebene Regelstrecke ist nach [12.36] zustandssteuerbar, falls der Rang der Matrix $\boldsymbol{S}_1$ die folgende Bedingung erfüllt

  $$\text{Rang } \boldsymbol{S}_1 = \text{Rang } [\boldsymbol{B} | \boldsymbol{A} \cdot \boldsymbol{B} | \ldots | \boldsymbol{A}^{n-1} \cdot \boldsymbol{B} |] = \boldsymbol{n}. \qquad (12.2\text{–}55)$$

  Ist n die Ordnung des Systems, so muß die Matrix $\boldsymbol{S}_1$ n linear unabhängige Spaltenvektoren enthalten.
- Die Regelstrecke nach den Gln. (12.2–48) und (12.2–49) ist beobachtbar, falls der Rang der Matrix $\boldsymbol{S}_2$ die Bedingung

  $$\text{Rang } \boldsymbol{S}_2^T = \text{Rang } [\boldsymbol{C}^T | (\boldsymbol{C} \cdot \boldsymbol{A})^T | \ldots | (\boldsymbol{C} \cdot \boldsymbol{A}^{n-1})^T] = n \qquad (12.2\text{–}56)$$

  erfüllt.

Steuerbarkeit und Beobachtbarkeit sind in den Fällen für eine Strecke erfüllt, in denen eine Überführung der Zustandsgleichungen in die Übertragungsfunktion und umgekehrt möglich ist. Bei nicht steuer- und/oder beobachtbaren Strecken stimmt die Ordnung von $G(s)$ mit der von $\boldsymbol{A}$ nicht überein, da sich dann Pole von $G(s)$ mit Nullstellen kürzen.

12.2.4 Regler

Der *Regler* hat die Aufgabe, abhängig von der Regeldifferenz $x_d(t) = e(t) = w(t) - x(t)$ seine Stellgröße $y_R(t)$ so einzustellen, daß der Regelkreis und somit die Regelgröße $x(t)$ das geforderte Verhalten zeigen. Realisierung und Struktur des Reglers werden von der Anwendung und den Anforderungen an den Regelkreis bestimmt. Zur Anwendung in der Praxis kommen

- kontinuierliche (analoge) Regler mit linearer Kennlinie,
- kontinuierliche Regler mit nichtlinearer Kennlinie (s. Abschnitt 12.2.7),
- diskontinuierliche (digitale) Regler (s. Abschnitt 12.2.6),
- Zustandsregler.

12.2.4.1 Kontinuierliche (analoge) Regler

Regler mit kontinuierlicher Signalverarbeitung können aus elektronischen Verstärkern mit passiver Beschaltung aufgebaut werden und benötigen für ihre Funktion elektrische Hilfsenergie, also eine Speisespannung. Bild 12.2–26 zeigt einen invertierend beschalteten Verstärker. Die Regeldifferenz $e(t)$, als Eingangsspannung U_e, wird abhängig von der Eingangsimpedanz $Z_e(s)$ und der Rückkopplungsimpedanz $Z_r(s)$ zur Ausgangsspannung U_a, der Stellgröße $y_R(t)$, verarbeitet. Mit der idealisierten Beschreibung des

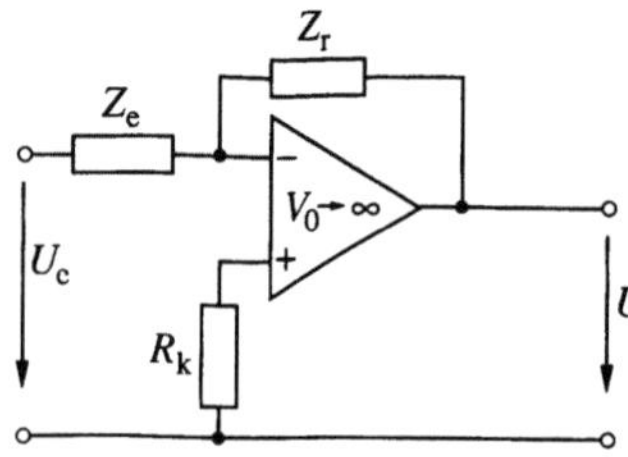

Bild 12.2-26 Invertierend beschalteter Operationsverstärker

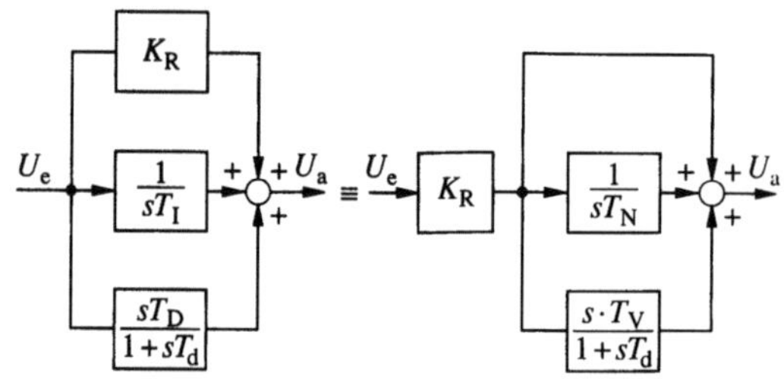

Bild 12.2-27 Äquivalente Blockschaltbilder des $PIDT_1$-Reglers in Parallelform

Verstärkers erhält man für diesen, als Regler, die Übertragungsfunktion

$$G_R(s) = -\frac{U_a(s)}{U_e(s)} = \frac{Z_r(s)}{Z_e(s)}. \qquad (12.2\text{–}57)$$

Hat der verwendete Verstärker eine entsprechend große *Bandbreite* ω_b (ω_b ist die Frequenz bei der die Dämpfung 3 dB beträgt), so sind die Signale nur von der äußeren Beschaltung abhängig. Innerhalb der Stellgrenzen (± 10 V bei Spannungssignalen, 4...20 mA bei Stromsignalen) arbeitet dieser Verstärker als lineares Übertragungsglied.

Die wichtigsten Standardregler mit ihren Einstellwerten und Übertragungsfunktionen sind in Tabelle 12.2–6 zusammengestellt. Als universeller Regler ist der *$PIDT_1$-Regler* zu sehen, da er P-, I- und D-Verhalten in sich vereint und alle anderen Reglertypen daraus ableitbar sind. Der $PIDT_1$-Regler ist wie in Bild 12.2–27 gezeigt als Parallelschaltung aus P-, I- und DT_1-Glied aufgebaut. Seine Übertragungsfunktion lautet somit

$$G_R(s) = K_R + \frac{1}{sT_I} + \frac{sT_D}{1 + T_d s} \qquad (12.2\text{–}58)$$

mit K_R als (Proportional-)Verstärkung, T_I als *Integrierzeit*, T_D als *Differenzierzeit* und T_d als *Dämpfungszeit* des D-Anteils. Ausklammern von K_R ergibt die Form

$$G_R(s) = K_R\left(1 + \frac{1}{sT_N} + \frac{sT_V}{1 + T_d s}\right) \qquad (12.2\text{–}59)$$

mit der *Nachstellzeit* $T_N = K_R T_I$ und der *Vorhaltzeit* $T_V = T_D/K_R$. Bild 12.2–28 zeigt die Übergangsfunktion $h(t)$ des $PIDT_1$-Reglers, aus der die Reglerparameter abzulesen sind. Für den Entwurf von Regelkreisen nach der Kompensationsmethode (s. Abschnitt 12.2.5) läßt sich der $PIDT_1$-Regler in der *Produktform*

$$G_R(s) = K_{Rp}\frac{(1 + T_{Np}s)(1 + T_{Vp}s)}{T_{Np}s(1 + T_d s)} \qquad (12.2\text{–}60)$$

darstellen, die für $T_V \leqslant T_N/4$ zu der *Parallelform* äquivalent ist. Die Parameter der Produktform sind mit denen der Parallelform nach Gl. (12.2–59) über die Beziehungen $T_N = T_{Np} + T_{Vp} - T_d$, $T_V = T_{Np}T_{Vp}/T_N - T_d$, $K_R = K_{Rp}T_N/T_{Np}$ verknüpft.

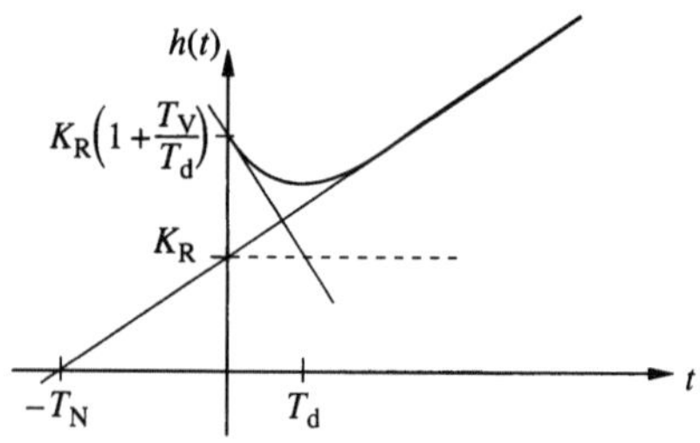

Bild 12.2-28 Übergangsfunktion $h(t)$ des $PIDT_1$-Reglers

Die Reglerparameter werden dazu benutzt, das Verhalten des geschlossenen Regelkreises in gezielter Weise zu beenflussen. Das PT_1-Glied mit T_d begrenzt die Verstärkung hochfrequenter Störungen im Regler und ermöglicht die Einstellung der maximalen Amplitude der Stellgröße y_R, falls e_{max} bekannt ist, auf

$$y_{R\,max} = K_R\left(1 + \frac{T_V}{T_d}\right)e_{max}. \qquad (12.2\text{–}61)$$

Als Richtwert für T_d wird oft $T_d = (0{,}5...0{,}1)\ T_V$ gewählt.

Proportionalbereich

Der *Proportionalbereich* kennzeichnet den Aussteuerberich des Reglers. Er ist definiert als

$$x_p = \frac{y_{Rh}}{K_R} \qquad (12.2\text{–}62)$$

mit y_{Rh} als Stellgrößenbereich und K_R als Verstärkung. Bild 12.2–29 zeigt den Proportionalbereich eines Reglers. Bezieht man x_p auf den Stellbereich der Regeldifferenz x_{dh} und multipliziert mit 100%, erhält man den Proportionalbereich in Prozent.

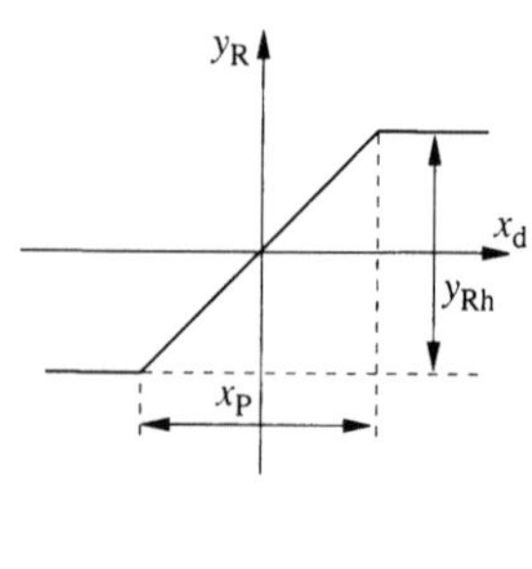

Bild 12.2-29 Proportionalbereich eines Reglers

Tabelle 12.2–6: Kontinuierliche, analoge Standardregler und ihre Realisierung mit Operationsverstärkern

Reglertyp	Schaltung	Übertragunsfunktion	Einstellwerte
P	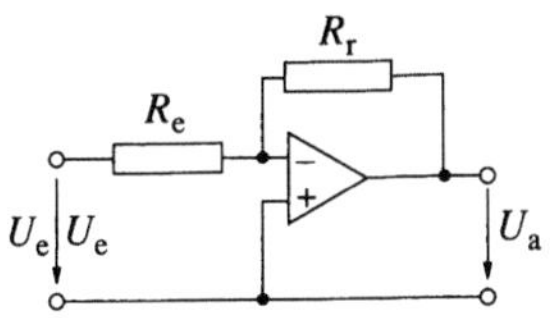 	$G_R(s) = -\frac{U_a(s)}{U_e(s)} = \frac{R_r}{R_e}$	Verstärkung $K_R = \frac{R_2}{R_1}$
I	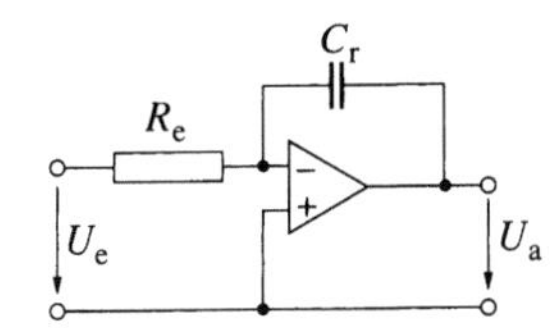 	$G_R(s) = -\frac{U_a(s)}{U_e(s)} = \frac{\frac{1}{sC_r}}{R_e}$ $= \frac{1}{sR_eC_r}$	Integrationszeit $T_I = R_eC_r$
PI	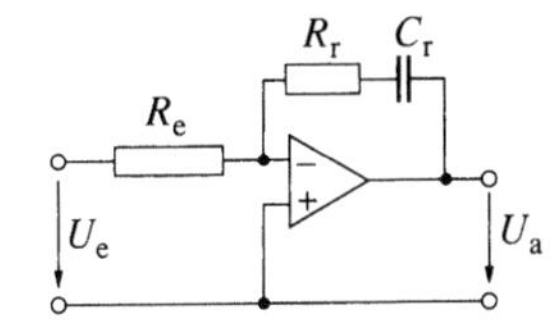 	$G_R(s) = -\frac{U_a(s)}{U_e(s)} = -\frac{\frac{1}{sC_r} + R_R}{R_e}$ $= \frac{R_r}{R_e}\left(1 + \frac{1}{sR_rC_r}\right)$	Verstärkung $K_R = \frac{R_r}{R_e}$ Nachstellzeit $T_N = R_rC_r$
PD	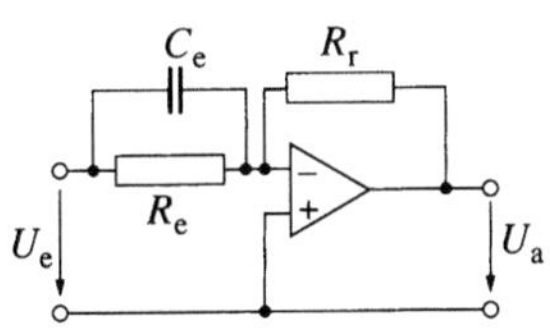 	$G_R(s) = -\frac{U_a(s)}{U_e(s)} = \frac{R_r}{\frac{R_e}{1+sR_eC_e}}$ $= \frac{R_r}{R_e}(1+sR_eC_e)$	Verstärkung $K_R = \frac{R_r}{R_e}$ Vorhaltezeit $T_V = R_eC_e$
PID	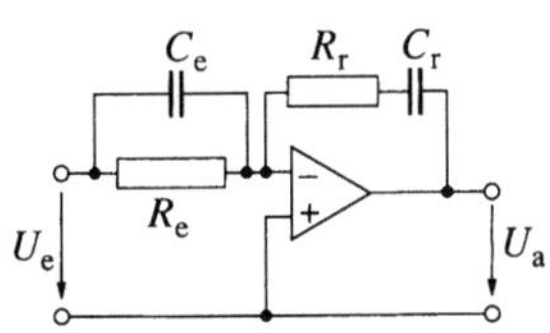 	$G_R(s) = -\frac{U_a(s)}{U_e(s)} = \frac{R_r + \frac{1}{sC_r}}{\frac{R_e}{1+sR_eC_e}}$ $= \frac{R_r}{R_e}\,\frac{(1+sC_r\cdot R_r)(1+sC_eR_e)}{sC_r\cdot R_r}$	Verstärkung $K_R = \frac{R_r}{R_e}$ Nachstellzeit $T_{Np} = C_rR_r$ Vorhaltezeit $T_{Vp} = C_eR_e$
$PIDT_1$	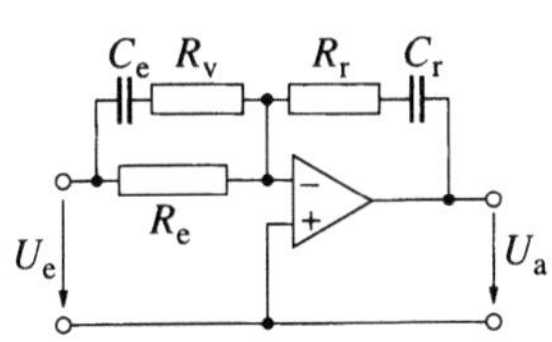 	$G_R(s) = -\frac{U_a(s)}{U_e(s)} = \frac{R_r + \frac{1}{C_r\cdot s}}{\frac{R_e(1+sC_eR_v)}{1+sC_e(R_v+R_e)}}$ $= \frac{R_r}{R_e}\,\frac{(1+s\,C_rR_r)(1+s\,C_e(R_v+R_e))}{s\cdot C_r\cdot R_r(1+s\,C_e\cdot R_v)}$	Verstärkung $K_R = \frac{R_r}{R_e}$ Nachstellzeit $T_{Np} = C_rR_r$ Vorhaltezeit $T_{Vp} = C_eR_e$ Dämpffungszeit $T_d = C_e\cdot R_r$

12.2.4.2 Zustandsregler

Aus den Zustandsgleichungen der Strecke nach den Gln. (12.2–48) und (12.2–49) folgt bei Rückführung des Zustandsvektors $\vec{x}$ über eine $(r \cdot n)$-*Reglermatrix* $\boldsymbol{R}$ und Verwendung eines $(r \cdot m)$-Vorfilters $\boldsymbol{V}$ für den Stellvektor $\vec{u}$ (s. Bild 12.2–30)

$$\vec{u} = \boldsymbol{V}\vec{w} - \boldsymbol{R}\vec{x}. \qquad (12.2\text{–}63)$$

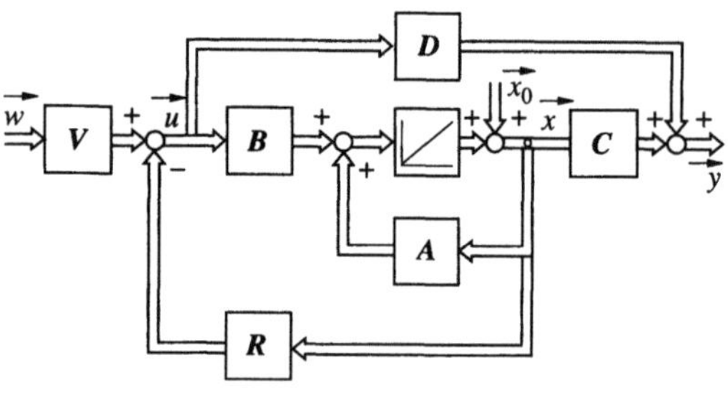

Bild 12.2-30 Blockschaltbild eines Regelkreises in Zustandsdarstellung

Wird diese Gleichung in die Gln. (12.2–48) und (12.2–49) eingesetzt, kann z. B. mit dem Verfahren der Polvorgabe, für den geschlossenen Kreis die Reglermatrix $\boldsymbol{R}$ und die *Vorfiltermatrix* $\boldsymbol{V}$ berechnet werden.

1. Berechnung der Reglermatrix $\boldsymbol{R}$ *mittels Polvorgabe*

Für ein Eingrößensystem mit den Zustandsgleichungen in Regelungsnormalform nach den Gln. (12.2–50) und (12.2–51), hat die Stellgröße u nach Gl. (12.2–63) die Form

$$u = Vw - \vec{r}^T\vec{x} \qquad (12.2\text{–}64)$$

mit dem Reglervektor $\vec{r}^T = (r_1, r_2, \ldots, r_n)$.

Der Entwurf des Reglers mit Polvorgabe zielt dahin, die Polstellen des geschlossenen Regelkreises an bestimmte Stellen der s-Ebene zu legen (s. Abschnitt 12.2.5) und damit das Einschwingverhalten des Kreises zu bestimmen. Bei vorgegebenen Polstellen lassen sich die Reglerparameter berechnen. Mit der charakteristischen Gleichung des geschlossenen Regelkreises zu

$$P(s) = |s\boldsymbol{I}_n - (\boldsymbol{A} - \vec{b}\vec{r}^T)| = \qquad (12.2\text{–}65)$$

$$= s^n + \frac{(a_{n-1} + r_n)a^{n-1}}{a_n} + \ldots + \frac{a_0 + r_1}{a_n} = 0$$

mit $\boldsymbol{I}_n$ als $(n \times n)$ Einheitsmatrix mit den Elementen $I_{i,k}$ $(i, k = 1, 2, \ldots, n)$, die für $i = k$ den Wert 1 und sonst 0 haben. Die Größen a_i $(i = 0 \ldots n)$ sind die Koeffizienten des Nennerpolynoms der Übertragungsfunktion bzw. die Elemente der Matrix $\boldsymbol{A}$ in Regelungsnormalform mit $a_n = 1$.

Das Polynom $P_v(s)$ enthält die für den geschlossenen Kreis vorgegebenen Polstellen s_i.

$$P_v(s) = p_n s^n + p_{n-1}s^{n-1} + \ldots + p_0 = 0. \qquad (12.2\text{–}66)$$

Division der Gl. (12.2–66) durch p_n (falls $p_n \neq 1$) und Koeffizientenvergleich mit Gl. (12.2–65) ergibt die Parameter des Reglervektors $\vec{r}^T$ zu

$$r_i = \frac{p_{i-1}}{p_n} a_n - a_{i-1},\ i = 1, 2, \ldots, n \qquad (12.2\text{–}67)$$

und damit den Vektor des Zustandsreglers zu

$$\vec{r}^T = \left[\frac{p_0}{p_n} a_n - a_0, \frac{p_1}{p_n} a_n - a_1, \ldots, \frac{p_{n-1}}{p_n} a_n - a_{n-1}\right]. \qquad (12.2\text{–}68)$$

■ *Beispiel:*

Gegeben ist die Übertragungsfunktion $G(s)$ eines RL-Netzwerks mit $T_1 = L_1/R_1 = 4\,s$, $T_2 = L_2/R_2 = 3\,s$ und $T_{12} = L_1/R_2 = 2\,s$

$$G(s) = \frac{1}{\frac{L_1 L_2}{R_1 R_2} s^2 + \left(\frac{L_1}{R_1} + \frac{L_1}{R_2} + \frac{L_2}{R_2}\right) s + 1} = \frac{1}{12s^2 + 9s + 1}.$$

Daraus erhält man die Zustandsgleichungen in Regelungsnormalform zu

$$\begin{pmatrix} \dot{x}_1 \\ \vdots \\ \dot{x}_2 \end{pmatrix} = \begin{pmatrix} 0 & 1 \\ -\frac{1}{12} & -\frac{3}{4} \end{pmatrix} \vec{x} + \begin{pmatrix} 0 \\ \frac{1}{12} \end{pmatrix} u_e,$$

$$y = u_a = [1,\ \ 0]\vec{x}.$$

Da $\boldsymbol{D} = 0$ ist das System nicht sprungfähig.

Mit der Polvorgabe $s_{1/2} = -2 \pm \mathrm{j}$, erhält man $P_v(s)$ zu

$$P_v(s) = (s + 2 - \mathrm{j})(s + 2 + \mathrm{j}) = s^2 + 4s + 5 = 0$$

mit $p_0 = 5$, $p_1 = 4\,s$, $p_2 = 1\,s^2$.

Die charakteristische Gleichung des Systems lautet

$$P(s) = T_1 T_2 s^2 + s(T_1 + T_2 + T_{12}) + 1 = \\ = 12s^2 + 9s + 1 = 0$$

mit $a_0 = 1$, $a_1 = 9s$, $a_2 = 12s^2$.

Aus Gl. (12.2–67) erhält man die Reglerkoeffizienten zu

$$r_1 = \frac{p_0}{p_2} a_2 - a_0 = 5 \cdot 12 - 1 = 59,$$

$$r_2 = \frac{p_1}{p_2} a_2 - a_1 = 4 \cdot 12s - 9s = 39s.$$

2. Berechnung der Vorfiltermatrix V

Soll für den geschlossenen Regelkreis im stationären Zustand die Ausgangsgröße $\vec{y}$ mit der Führungsgröße $\vec{w}$ übereinstimmen, so erhält man nach [12.36] bei $\boldsymbol{D}=0$ für die Vorfiltermatrix

$$\boldsymbol{V} = [\boldsymbol{C}(\boldsymbol{BR}-\boldsymbol{A})^{-1}\boldsymbol{B}]^{-1}. \qquad (12.2\text{–}69)$$

Für Eingrößensysteme ergibt die Vorfiltermatrix $\boldsymbol{V}$ einen Skalar v_1, der mit der Bedingung, daß im stationären Zustand die Ausgangsgröße y mit der Führungsgröße w übereinstimmen soll, sich mit dem Endwertsatz der L-Transformation berechnen läßt.

■ *Beispiel:*
Für das *RL*-Netzwerk des Beispiels erhält man damit

$$\lim_{s\to 0} v_1 G(s) = v_1 \frac{1}{1+r_1} = 1$$

$$v_1 = 1+r_1 = 1+59 = 60.$$

12.2.5 Lineare kontinuierliche Regelungen

Das Verhalten einer Regelung wird am Beispiel des Standardregelkreises Bild 12.2–1 beschrieben. Geht man davon aus, daß außer der Führungsgröße $w(t)$, Störgrößen $z(t)$ an beliebiger Stelle im Kreis einwirken können, so besteht die vorwiegende Aufgabe beim Entwurf einer Regelung, die Auswirkungen dieser Größen auf die Regelgröße $x(t)$ zu untersuchen und zu beeinflussen. Die Reaktion des Regelkreises auf sprungförmige Änderungen der Führungsgröße und/oder der Störgrößen kann, mittels der Kennwerte

- *Anregelzeit* t_{an},
- *Ausregelzeit* t_{aus} ($\approx t_e$),
- *Überschwingweite* $h_m = h(t_m) - h_\infty$ in Prozent,
- *bleibende Regeldifferenz* $x_{d\infty} = e_\infty$ in Prozent

charakterisiert werden. Bild 12.2–31 zeigt die Übergangsfunktion eines geschlossenen Regelkreises als Reaktion auf eine Führungsgrößenänderung und die Kennwerte t_{aus}, t_{an}, h_m und $x_{d\infty}$.

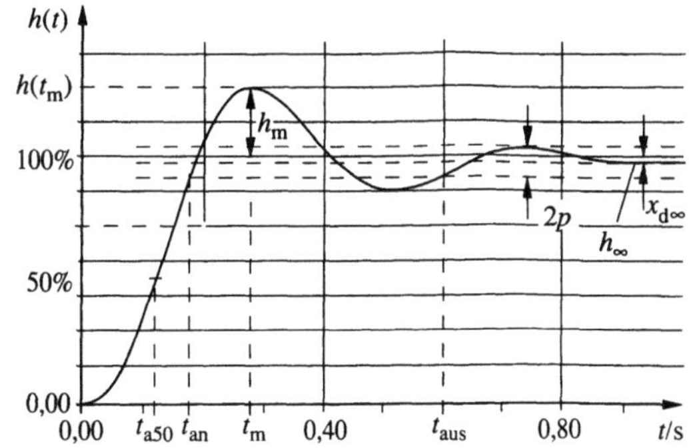

Bild 12.2-31 Führungsübergangsfunktion $h_w(t)$ eines geschlossenen Regelkreises mit den Kennwerten t_{an}, t_{aus}, h_m und $x_{d\infty}$

12.2.5.1 Übertragungsverhalten des Regelkreises

Mit den Gln. (12.2–31) bis (12.2–33) läßt sich für den Standardregelkreis, wobei das Meßglied in der Strecke enthalten ist, die Führungsübertragungsfunktion $G_w(s)$, mit $Z(s)=0$, zu

$$G_w(s) = \frac{X(s)}{W(s)} = \frac{G_R(s)G_S(s)}{1+G_R(s)G_S(s)} \qquad (12.2\text{–}70)$$

sowie mit $W(s)=0$ die Störungsübertragungsfunktion $G_z(s)$ zu

$$G_z(s) = \frac{X(s)}{Z(s)} = \frac{1}{1+G_R(s)G_S(s)} \qquad (12.2\text{–}71)$$

bestimmen. Störgrößen mit unterschiedlichen Eingriffsorten lassen sich nach [12.35] zu einer einzigen Gesamtstörgröße $Z(s) = \sum_i G_{Szi}(s)\, Z_i$ zusammenfassen, die am Ausgang der Regelstrecke eingreift. $G_w(s)$ und $G_z(s)$ enthalten den dynamischen *Regelfaktor*

$$R(s) = \frac{1}{1+G_0(s)} \qquad (12.2\text{–}72)$$

mit $G_0(s) = G_R(s)G_S(s)$ als Übertragungsfunktion des offenen Regelkreises. Für die Regeldifferenz $E(s)$ erhält man

$$E(s) = \frac{1}{1+G_0(s)} X_e(s) \qquad (12.2\text{–}73)$$

mit $X_e(s) = W(s)$ für das Führungsverhalten und $X_e(s) = -Z(s)$ für das Störverhalten, woraus sich die bleibende Regeldifferenz e_∞ mit dem Endwertsatz der L-Transformation berechnen läßt.

12.2.5.2 Stabilitätskriterien für Regelkreise

Voraussetzung für eine funktionsfähige Regelung ist die *Stabilität des Regelkreises.* Ausgehend von dem Begriff der Übertragungsstabilität nach [12.35], [12.37] läßt sich die Stabilität eines Übertragungsglieds anhand der Übertragungsfunktion prüfen. Aus der Übertragungsfunktion nach Gl. (12.2–6) erhält man die charakteristische Gleichung zu

$$N(s) = a_n s^n + a_{n-1}s^{n-1} + \ldots + a_1 s + a_0 = 0, \qquad (12.2\text{–}74)$$

deren Lösungen s_i, die *Polstellen* von $G(s)$, bei stabilen Übertragungsgliedern, alle in der linken s-Halbebene liegen müssen.

1. Stabilitätsprüfung nach Hurwitz

Eine Möglichkeit der Stabilitätsprüfung anhand der charakteristischen Gl. (12.2–74) liefert das *Verfahren von Hurwitz,* das folgende Bedingungen enthält

1. Alle a_i in $N(s)$ müssen vorhanden und von Null verschieden sein.
2. Alle a_i haben positives Vorzeichen.
3. Die n Determinanten D_i ($i=1\dots n$) sind positiv

$$D_1 = a_1 > 0, \quad D_2 = \begin{vmatrix} a_1 & a_0 \\ a_3 & a_2 \end{vmatrix} > 0,$$

$$D_3 = \begin{vmatrix} a_1 & a_0 & 0 \\ a_3 & a_2 & a_1 \\ a_5 & a_4 & a_3 \end{vmatrix} > 0, \text{ usw. bis}$$

$$D_n = a_n D_{n-1} > 0 \tag{12.2–75}$$

Das Hurwitz-Kriterium läßt sich auf den geschlossenen Kreis übertragen, wenn man mit den Gln. (12.2–70) und (12.2–71)

$$X(s) = \frac{G_0(s)}{1+G_0(s)} W(s) + \frac{1}{1+G_0(s)} Z(s) \tag{12.2–76}$$

schreibt und $G_0(s) = Z_0(s)/N_0(s)$ setzt. Daraus folgt

$$X(s) = \frac{Z_0(s)}{N_0(s)+Z_0(s)} W(s) + \frac{N_0(s)}{N_0(s)+Z_0(s)} Z(s). \tag{12.2–77}$$

Zur Prüfung der Stabilität ist das Hurwitz-Kriterium auf das Nennerpolynom in Gl. (12.2–77)

$$N(s) = N_0(s) + Z_0(s) \tag{12.2–78}$$

anzuwenden. Das Ergebnis hat sowohl für Führungs- als auch für Störverhalten Gültigkeit, liefert jedoch nur eine qualitative Aussage (stabil – instabil).

2. Stabilitätsprüfung nach Nyquist

Eine quantitative Stabilitätsaussage läßt sich mit dem *Nyquist-Kriterium* aus der Ortskurve des Frequenzgangs $G_0(j\omega)$ des offenen Regelkreises ableiten. Hat die Übertragungsfunktion $G_0(s) = Z_0(s)/N_0(s)$ des offenen Kreises nur Polstellen s_i in der linken s-Halbebene, dann ist der offene Kreis stabil.

■ *Beispiel:*

$$G_0(s) = \frac{2}{(1+2s)(1+0.5s)(1+3s+4s^2)},$$

$\rightarrow s_1 = -1/2, \quad s_2 = -2, \quad s_{3,4} = -3/8 \pm j\sqrt{7}/8,$

$\rightarrow$ stabiler offener Kreis.

Unter diesen Voraussetzungen läßt sich das *vereinfachte Nyquist-Kriterium* anwenden:

Der geschlossene Kreis ist asymptotisch stabil, wenn die Ortskurve des offenen Kreises $G_0(j\omega)$ für $0 \leqslant \omega \leqslant \infty$, den Punkt $(-1, j0)$ der G_0-Ebene weder umkreist noch durchdringt.

Bild 12.2–32a zeigt Beispiele, für die Anwendung des vereinfachten Nyquist-Kriteriums. Hat die Übertragungsfunktion $G_0(s)$ des offenen Kreises

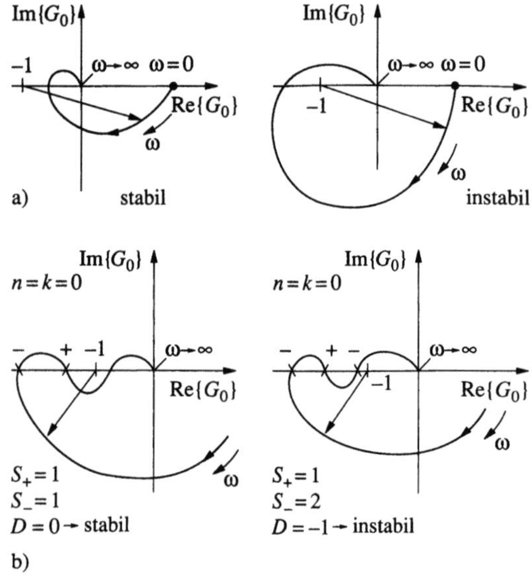

Bild 12.2-32 Anwendung des Nyquistkriteriums auf die Frequenzgangortskurve $G_0(j\omega)$
a) einfaches Nyquistkriterium,
b) Schnittpunktbedingung

– k Polstellen in der rechten s-Halbebene, bzw.
– n Polstellen auf der imaginären Achse,

so ist der offene Kreis instabil.

■ *Beispiel:*

$$G_0(s) = \frac{1}{3s(1+5s)(s-4)}$$

$\rightarrow s_1 = 0, \quad s_2 = -1/5, \quad s_3 = 4,$

$\rightarrow k = 1, \quad n = 1 \quad \rightarrow$ instabiler offener Kreis.

Unter diesen Voraussetzungen ist das *allgemeine Nyquist-Kriterium* anzuwenden:

Der geschlossene Kreis ist asymptotisch stabil, wenn der vom Punkt $(-1, j0)$ ausgehende Strahl an die Ortskurve $G_0(j\omega)$ des offenen Kreises, für $0 \leqslant \omega \leqslant \infty$, den Winkel

$$\Delta\alpha = (k + n/2)\pi \tag{12.2–79}$$

zurücklegt.

Bild 12.2–32b zeigt Beispiele zur Anwendung des allgemeinen Nyquist-Kriteriums.

Eine einfache Auswertung des allgemeinen Nyquist-Kriteriums liefert die daraus abgeleitete *Schnittpunktbedingung*. Bewertet man die Schnittpunkte der Ortskurve $G_0(j\omega)$ mit der negativen, reellen Achse links vom Punkt $(-1, j0)$ mit

- $S_+ = 1$, falls $G_0(j\omega)$ von oben nach unten schneidet,
- $S_- = 1$, falls $G_0(j\omega)$ von unten nach oben schneidet,
- $S_+ = 1/2$, falls $G_0(j\omega)$ für $\omega \to 0$ unterhalb der negativen, reellen Achse beginnt,
- $S_- = 1/2$, falls $G_0(j\omega)$ für $\omega \to 0$ oberhalb der negativen, reellen Achse beginnt,

so ist der geschlossene Kreis stabil, falls die Bedingung

$$D = S_+ - S_- = \frac{k}{2}, \quad \text{für } n=0,1$$
$$D = S_+ - S_- = \frac{k+1}{2}, \quad \text{für } n=2 \qquad (12.2\text{–}80)$$

erfüllt ist. Ist $n=k=0$ folgt $D=0$, die Aussage des vereinfachten Nyquist-Kriteriums.

Ein Maß zur quantitativen Abschätzung der Stabilitätsgüte ist der Abstand der Ortskurve vom kritischen Punkt $(-1, j0)$. Die *Amplitudenreserve* (–rand) A_R

$$A_R = \frac{1}{|G_0(j\omega)|_{\varphi=-180°}} \qquad (12.2\text{–}81)$$

kennzeichnet die verbleibende Verstärkung bis zur Stabilitätsgrenze. Die *Phasenreserve* (–rand) φ_R

$$\varphi_R = 180° + \varphi_0(\omega) \qquad (12.2\text{–}82)$$

den verbleibenden Phasenwinkel bis zur Stabilitätsgrenze $\varphi = -180°$. Bild 12.2–33 zeigt A_R und φ_R für einen stabilen Regelkreis.

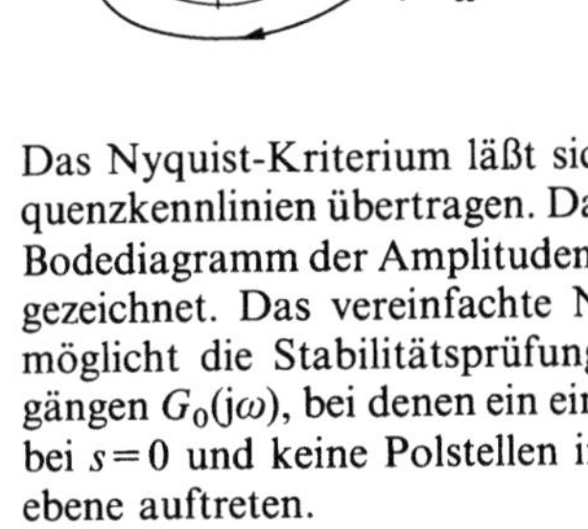

Bild 12.2-33 Frequenzgangortskurve $G_0(j\omega)$, Amplitudenreserve A_R und Phasenreserve φ_R eines stabilen Regelkreises

Das Nyquist-Kriterium läßt sich direkt auf die Frequenzkennlinien übertragen. Dazu wird für $G_0(j\omega)$ im Bodediagramm der Amplituden- und der Phasengang gezeichnet. Das vereinfachte Nyquist-Kriterium ermöglicht die Stabilitätsprüfung auch an Frequenzgängen $G_0(j\omega)$, bei denen ein ein- oder zweifacher Pol bei $s=0$ und keine Polstellen in der rechten s-Halbebene auftreten.

Der geschlossene Kreis ist asymptotisch stabil, falls der Frequenzgang $G_0(j\omega)$ an der Durchtrittsfrequenz ω_D bei $|G_0(j\omega_D)|_{dB} = 0$ dB einen Phasenwinkel $\varphi(\omega_D) > -180°$ hat.

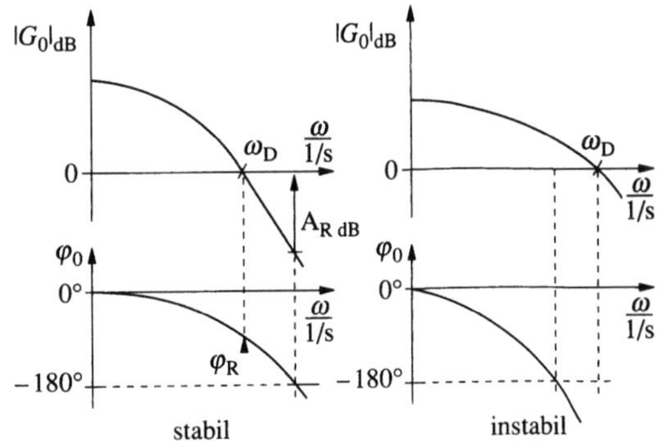

Bild 12.2-34 Frequenzkennlinien von $G_0(j\omega)$ mit A_R und φ_R, Anwendung des vereinfachten Nyquistkriteriums zur Stabilitätsuntersuchung

Bild 12.2–34 zeigt die Anwendung des vereinfachten Nyquist-Kriterium im Bodediagramm.

Schneidet der Amplitudengang die 0-dB-Kennlinie bzw. der Phasengang die ± 180°-Kennlinie mehrmals, so ist die Schnittpunktbedingung des allgemeinen Nyquist-Kriteriums in das Bodediagramm zu übertragen. Bild 12.2–35 zeigt die Anwendung der Schnittpunktbedingung an den Frequenzkennlinien. Amplitudenreserve A_R und Phasenreserve φ_r lassen sich, wie Bild 12.2–34 zeigt, im Bodediagramm darstellen.

$$A_{R\,dB} = -20 \log |G_0(j\omega)|_{\varphi=-180°} = -|G_0(j\omega)|_{dB} \qquad (12.2\text{–}83)$$

kennzeichnet den Abstand des Amplitudengangs von der 0-dB-Kennlinie, φ_R den Abstand des Phasengangs von der –180°-Kennlinie.

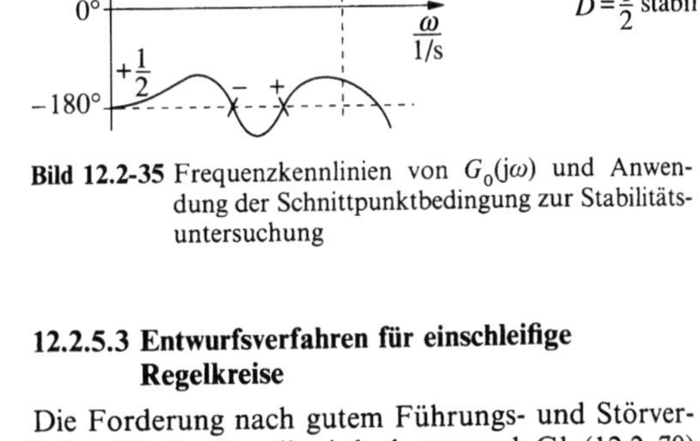

Bild 12.2-35 Frequenzkennlinien von $G_0(j\omega)$ und Anwendung der Schnittpunktbedingung zur Stabilitätsuntersuchung

12.2.5.3 Entwurfsverfahren für einschleifige Regelkreise

Die Forderung nach gutem Führungs- und Störverhalten für den Regelkreis bedeutet nach Gl. (12.2–70)

$G_W(s) = 1$, und nach Gl. (12.2–71) $G_Z(s) = 0$. Der hierzu erforderliche Regler ist im allgemeinen nicht realisierbar, da Stellgrößenbegrenzungen die erforderlichen Stellamplituden nicht zulassen und eine hohe Kreisverstärkung, für das Führungsverhalten, eine große Überschwingweite bewirkt. Der Regler soll deshalb so ausgelegt werden, daß der Regelkreis entweder auf

- Führungsverhalten oder
- Störverhalten

eingestellt ist.

1. Entwurf von Kompensationsreglern

Das Verfahren geht von der Übertragungsfunktion der Strecke (einschließlich Meß- und Stellglied) aus. Es ist eine Reglerstruktur zu wählen (PI, PID) und die Reglerparameter sind so zu bestimmen, daß der geschlossene Regelkreis das gewünschte Verhalten mit den Kennwerten h_m, t_{an}, t_{aus} und e_∞ erfüllt. Das Entwurfsverfahren bedient sich dabei der Frequenzkennlinien im Bodediagramm *(Frequenzkennlinien-Verfahren)*.

Der geschlossene Regelkreis soll das periodische Übergangsverhalten des PT_2-Glieds zeigen und damit hat der offene Kreis IT_1-Verhalten. Dann wird nach [12.35], [12.40] aus Tabelle 12.2–6 ein Regler gewählt, der nach Tabelle 12.2–7 eine verschwindende Regelabweichung sicherstellt und $G_0(j\omega)$, in der Umgebung der *Durchtrittsfrequenz* ω_D, einen mit 20 dB/Dekade abfallenden Amplitudengang verleiht. Nach [12.35], [12.40] erhält man aus dem Einschwingverhalten des Regelkreises auf einen Führungsgrößensprung nach Bild 12.2–31 die bezogene Überschwingweite h_m/h_∞ und die *Einschwingzeit* t_{ep} ($\approx t_{aus}$), woraus sich die dem PT_2-Verhalten entsprechende Dämpfung d zu

$$d = \frac{-\ln\left(\frac{h_m}{h_\infty}\right)}{\sqrt{\pi^2 + \left[\ln\left(\frac{h_m}{h_\infty}\right)\right]^2}} \qquad (12.2\text{–}84)$$

berechnen läßt, falls $0 < h_m/h_\infty \leqslant 1$ ist. Aus d folgt die Phasenreserve φ_R und die Durchtrittsfrequenz ω_D zu

$$\varphi_R = 90° - \frac{180°}{\pi}\arctan\left[\frac{1}{2d}\sqrt{\sqrt{4d^4+1}-2d^2}\right] \qquad (12.2\text{–}85)$$

und

$$\omega_D = \frac{1}{t_{ep}d}\ln\left(\frac{100}{p}\frac{1}{\sqrt{1-d^2}}\right)\sqrt{\sqrt{4d^4+1}-2d^2}, \qquad (12.2\text{–}86)$$

worin p in Prozent, die halbe Breite des Toleranzbandes und t_{ep} die Einschwingzeit in das *Toleranzband* ist.

Tabelle 12.2–7: Bleibende Regeldifferenz e_∞ bei unterschiedlichem $G_0(s)$ und verschiedenen Eingangsgrößen $X_e(s)$

Eingangsgröße $X_e(s)$ / $G_0(s)$	Sprung $\frac{X_{e0}}{s}$	Rampe $\frac{X_{e1}}{s^2}$	Parabel $\frac{X_{e2}}{s^3}$
P-Verhalten	$\frac{1}{1+K_0}X_{e0}$	∞	∞
I-Verhalten	0	$\frac{T_I}{K_0}X_{e1}$	∞
I^2-Verhalten	0	0	$\frac{T_I^2}{K_0}X_{e2}$

Für $4\% \leqslant h_m \leqslant 50\%$ folgt für die Dämpfung $0{,}72 \geqslant d \geqslant 0{,}22$. Somit können bei Vorgabe von h_m, die Werte d und φ_R aus Bild 12.2–36 abgelesen werden.

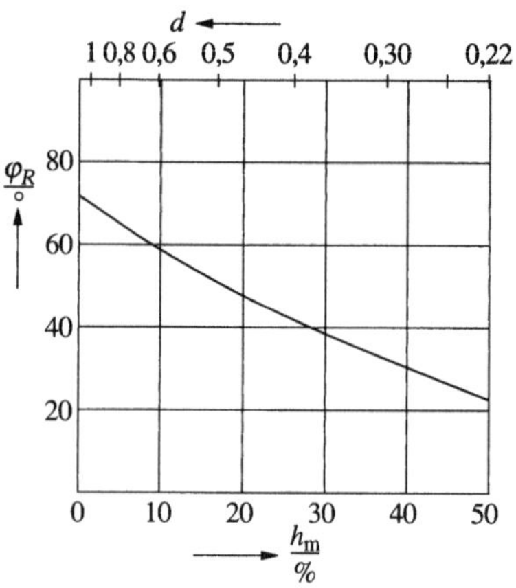

Bild 12.2-36 Abhängigkeit der Kenngrößen d und φ_R von der Überschwingweite h_m des geschlossenen Regelkreises.

Bild 12.2–37 liefert bei Vorgabe von d und p einen Wert für $\omega_D t_{ep}$. Gute Näherungswerte für die gleichen Bereiche erhält man nach [12.35] aus

$$\omega_D \approx \frac{1}{T_{a50}}\left(1{,}5 - \frac{h_m}{250}\right) \qquad (12.2\text{–}87)$$

und

$$\varphi_R \approx 70° - h_m. \qquad (12.2\text{–}88)$$

T_{a50} ist die Zeitkonstante, bei der $h_w(t)$ 50% des Sollwerts erreicht hat ($T_{a50} \approx 0{,}5t_{an}$).

Diese Gleichungen ergeben auch für Regelkreise höherer Ordnung brauchbare Einstellwerte.

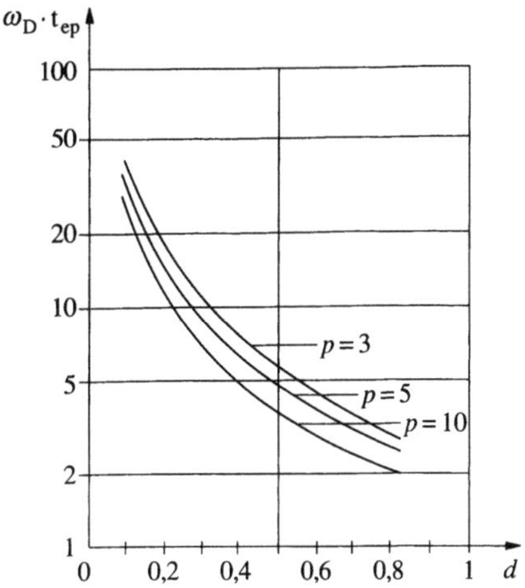

Bild 12.2-37 Abhängigkeit des Produkts $\omega_D t_{ep}$ von der Dämpfung d des geschlossenen Regelkreises.

α) PT_3-Strecke und $PIDT_1$-Regler

Hat die Strecke die Übertragungsfunktion

$$G_S(s) = \frac{K_S}{(1+T_1 s)(1+T_2 s)(1+T_3 s)} \tag{12.2–89}$$

mit $T_1 \geqslant T_2 > T_3$, so sind für den Entwurf nach dem Frequenzkennlinien-Verfahren folgende Schritte erforderlich:

1. Wahl eines $PIDT_1$-Reglers nach Gl. (12.2–60) zu

$$G_R(s) = K_{Rp} \frac{(1+T_{Np}s)(1+T_{Vp}s)}{T_{Np}s(1+T_d s)}, \tag{12.2–90}$$

sowie die φ_R-Berechnung anhand der Überschwingweite nach Gl. (12.2–85), oder Vorgabe des Phasenrands.

2. Berechnung der Parameter T_{Np}, T_{Vp}. Eine einfache Entwurfsmethode besteht darin, mit den Reglernullstellen dominante Streckenpolstellen zu kompensieren. Die Reglerzeitkonstanten werden also gleich den größten Streckenzeitkonstanten gewählt, daraus folgt

$$T_{Np} = T_1,\ T_{Vp} = T_2. \tag{12.2–91}$$

3. Anhand der Übertragungsfunktion des offenen Kreises ohne das PT_1-Glied zur D-Begrenzung folgt

$$G_0(s) = \frac{K_{Rp}K_s}{T_{Np}s(1+T_3 s)}, \tag{12.2–92}$$

womit die Frequenzkennlinien für $K_{Rp} = 1$ gezeichnet werden.

4. Berechnung von ω_D für den offenen Kreis nach Gl. (12.2–86) ermöglicht die Bestimmung von T_d zu

$$T_d = \frac{1}{\omega_D} \tan\,[90° - \varphi_R - \arctan(\omega_D T_3)]. \tag{12.2–93}$$

5. Korrektur der Frequenzkennlinien mit dem PT_1-Glied mit $T = T_d$, ergibt einen korrigierten Amplitudengang aus dem bei ω_D der Wert $|G_0(j\omega_D)|_{dB}$ abzulesen ist, woraus die Proportionalverstärkung K_{Rp} zu

$$K_{Rp} = -\,|G_0(j\omega_D)|_{dB} \tag{12.2–94}$$

berechnet wird.

6. Mit K_{Rp}, T_{Np}, T_{Vp} und T_d wird der Regler realisiert und die Übergangsfunktion des geschlossenen Kreises aufgenommen.

■ *Beispiel:*
Für eine Strecke mit der Übertragungsfunktion

$$G_S(s) = \frac{6}{(1+T_1 s)(1+T_2 s)(1+T_3 s)}$$

mit $T_1 = 4$ s, $T_2 = 2$ s, $T_3 = 1$ s, soll ein $PIDT_1$-Regler ausgelegt werden. Mit der Reglerübertragungsfunktion nach Gl. (12.2–90) folgt für $T_{Np} = 4$ s, $T_{Vp} = 2$ s. Soll für den geschlossenen Kreis $h_m = 5\%$ sein, folgt nach Gl. (12.2–84) $d = 0{,}69$ und mit Gl. (12.2–85) $\varphi_R \approx 65°$. Unter den gegebenen Voraussetzungen erhält man mit der Durchtrittsfrequenz $\omega_D = 0{,}3\ s^{-1}$ für T_d nach Gl. (12.2–93)

$$T_d = \frac{1}{0{,}3} \tan\,(90° - 65° - \arctan(0{,}3 \cdot 1)) = 0{,}47\ s.$$

Die Frequenzkennlinien des offenen Kreises (Bild 12.2–38)

$$G_0(j\omega) = \frac{K_{Rp}6}{j\omega\, 4(1+j\omega\, 1)(1+j\omega\, 0{,}47)}$$

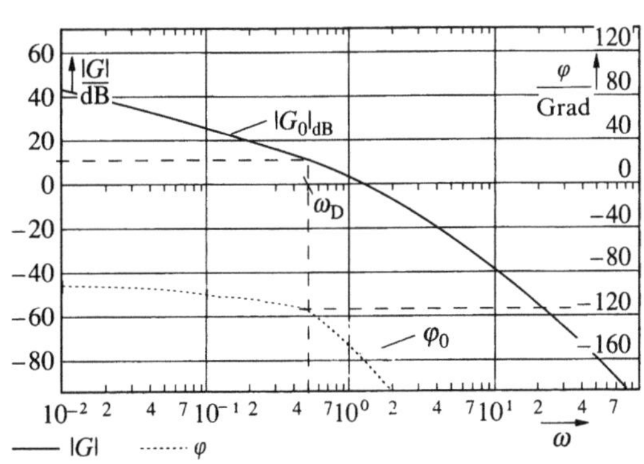

Bild 12.2-38 Beispiel PT_3-Strecke mit $PIDT_1$-Regler, Frequenzkennlinien $G_0(j\omega)$

ergeben mit $K_{Rp}=1$ bei $\omega_D=0{,}3\ s^{-1}$, $|G_0(j\omega_D)|_{dB}$ = = 13,5 dB. Damit erhält man die Proportionalverstärkung des Reglers zu $K_{Rp}=-13{,}5\ dB \equiv 0{,}21$. Mit $K_{Rp}=0{,}21$, $T_{Np}=4$ s, $T_{Vp}=2$ s und $T_d=0{,}47$ s ist der $PIDT_1$-Regler bestimmt. Der Regelkreis zeigt das Führungsverhalten mit $t_{ep}\approx 12$ s bei $p=3\%$.

Zeigt die Übergangsfunktion das gewünschte Verhalten, ist die Einstellung abgeschlossen, ansonsten ist der Entwurf unter Vorgabe korrigierter Kennwerte mit den Schritten 4 bis 6 zu wiederholen.

Die Vorgehensweise nach Schritt 1 bis 6 ist auch mit PI- und PDT_1-Reglern durchführbar, wobei dann nur eine Streckenzeitkonstante zu kompensieren ist. Die restlichen Reglerparameter ergeben sich aus φ_R, bzw. φ_R und ω_D.

Bei Strecken ohne Ausgleich, ist das Kompensationsverfahren mit einem Regler mit I-Anteil aus Stabilitätsgründen nicht vorteilhaft (2 I-Glieder im offenen Kreis). Die Wahl des Reglers erfolgt dann anhand einer vorgegebenen Phasenkennlinie.

2. Betragsoptimum

Das als *Betragsoptimum* bezeichnete Verfahren zum Reglerentwurf ist auf Strecken mit Ausgleich und reellen Polstellen anwendbar, wenn die Strecke außer 1 oder 2 großen Zeitkonstanten, weitere kleine Zeitkonstanten enthält.

Nach Abschnitt 12.2.3. sowie den Gln. (12.2–46) und (12.2–47) können derartige Strecken bei einer großen Zeitkonstante näherungsweise mit der Übertragungsfunktion

$$G_m(s) = \frac{K_m}{(1+T_{1m}s)(1+T_{2m}s)} \tag{12.2–95}$$

beschrieben werden. Ist $T_{2m} < T_{1m} \leqslant 4T_{2m}$ wählt man einen PI-Regler mit

$$T_N = T_{1m}, \quad K_R = \frac{T_{1m}}{2K_m T_{2m}} \tag{12.2–96}$$

und erhält aufgrund der Phasenreserve $\varphi_R=66°$, einen Regelkreis, der auf sprungförmige Führungsgrößenänderungen mit $h_m\approx 4\%$ reagiert.

3. Symmetrisches Optimum

Das als *symmetrisches Optimum* bezeichnete Verfahren zum Reglerentwurf nach Kessler ist bei Antriebsregelungen recht verbreitet. Es ist auf Strecken mit und ohne Ausgleich und reellen Polstellen anwendbar, wenn die Strecke außer 1 oder 2 großen Zeitkonstanten, weitere kleine Zeitkonstanten enthält. Nach Abschnitt 12.2.3. sowie den Gln. (12.2–46) und (12.2–47) können derartige Strecken bei einer großen Zeitkonstante näherungsweise mit der Übertragungsfunktion nach Gl. (12.2–95) bzw. mit

$$G_m(s) = \frac{K_m}{T_{1m}s(1+T_{2m}s)} \tag{12.2–97}$$

beschrieben werden. Ist $T_{1m} \gg T_{2m}$ (mindestens $T_{1m} > 4T_{2m}$) und wählt man einen PI-Regler mit

$$T_N = 4T_{2m}, \quad K_R = \frac{T_{1m}}{2K_m T_{2m}} \tag{12.2–98}$$

so erhält man für $G_0(j\omega_D)$, $\varphi_R=37°$ und aufgrund des PD-Anteils in $G_w(j\omega)$ einen Regelkreis, der auf sprungförmige Führungsgrößenänderungen mit $h_m\approx 43\%$ reagiert, dafür aber Störgrößen schnell ausregelt.

Legt man in den Führungszweig zur Glättung der Sollwertänderungen ein PT_1-Glied mit $K_g=1$ und $T_g=T_N$, so wird $h_m=4\%$, das Störverhalten hingegen bleibt unverändert. Der Regelkreis läßt sich, einschließlich dem PT_1-Glied, aufgrund der Dämpfung $d\approx 0{,}72$, näherungsweise mit einem PT_1-Glied zu

$$G_w(s) = \frac{1}{1+4T_{2m}s} \tag{12.2–99}$$

beschreiben.

Enthält die Strecke 2 große Zeitkonstanten, kann sie mit

$$G_m(s) = \frac{K_m}{(1+T_{1m}s)(1+T_{2m}s)(1+T_{3m}s)} \tag{12.2–100}$$

angenähert werden, wobei T_{1m}, $T_{2m} \gg T_{3m}$ sind. Naheliegend wird dann ein $PIDT_1$-Regler verwendet mit

$$T_{Np} = 8T_{3m}, \quad T_{Vp} = 8T_{3m}, \tag{12.2–101}$$

$$K_{Rp} = \frac{T_{1m}T_{2m}}{16K_m T_{3m}^2}.$$

Die Zeitkonstante T_d der D-Begrenzung wird nach Gl. (12.2–61) bestimmt.

4. Empirische Verfahren zum Reglerentwurf

Bei vielen Anwendungen der Regelungstechnik (Klimatechnik, Verfahrenstechnik) ist die Strecke aufgrund ihrer komplexen Struktur nur näherungsweise beschreibbar. Auf dieser Basis wurden auf empirischem Weg Verfahren und Einstellregeln für den Reglerentwurf entwickelt, die von einer Modellübertragungsfunktion nach Abschnitt 12.2.3 ausgehen. Die daraus hervorgehenden Reglerparameter sind deshalb als Startwerte für die Optimierung anzusehen.

α) Einstellregeln nach Ziegler–Nichols

Strecken mit Ausgleich, die PT_n, PT_1-T_t-Verhalten mit aperiodischer Übergangsfunktion zeigen, lassen sich mit einem Modell nach Gl. (12.2–37) annähern. Die *Einstellregeln nach Ziegler–Nichols* gehen von der Reglerrealisierung in Parallelform nach Gl. (12.2–59) aus. Sie sind primär für Störverhalten bestimmt, wobei der Störort am Streckeneingang angenommen wird und ergeben für das Führungsverhalten Überschwingweiten von 20...30%. Eine Absenkung der Reglerverstärkung K_R reduziert die Überschwingweite.

Für den Reglerentwurf nach Ziegler–Nichols gibt es 2 Möglichkeiten:

1. Für die Einstellung nach dem Stabilitätsrand sind folgende Schritte erforderlich:
   - Der im geschlossenen Regelkreis enthaltene Regler wird als P-Regler beschaltet.
   - Die Verstärkung K_R des Reglers wird solange erhöht, bis die Regelgröße mit konstanter Amplitude schwingt.
   - Der eingestellte K_R-Wert wird als kritische Reglerverstärkung K_{Rkrit} bezeichnet, die Periodendauer der Schwingung $\tau = T_{krit}$ gemessen.
   - Nach Tabelle 12.2–8 sind aus K_{Rkrit} und T_{krit} für die gewählte Reglerstruktur die Parameter K_R, T_N und T_V zu berechnen.
2. Einstellung nach der Übergangsfunktion: Kann der Regelkreis nicht an der Stabilitätsgrenze betrieben werden, wird die Übergangsfunktion nach Bild 12.2–19 gemessen und daraus K_S, T_u und T_g bestimmt. Tabelle 12.2–8 ergibt für die gewählte Reglerstruktur die Parameter K_R, T_N und T_V. Wird die Approximation der Übergangsfunktion mit dem Verfahren nach Strejc oder den Zeitkennwerten anhand Bild 12.2–21 durchgeführt, sind K_s, T_u und T_g durch K_m, T_{tm} und T_m zu ersetzen.

β) Einstellregeln nach Chien, Hrones und Reswick

Auf Strecken mit Ausgleich, mit PT_n-, PT_1-T_t-Verhalten und aperiodischer Übergangsfunktion, lassen sich zum Reglerentwurf die von *Chien, Hrones und Reswick* vorgeschlagenen Einstellregeln in Tabelle 12.2–9 anwenden. Die Regeln ermöglichen den Kreis auf

- aperiodisches Führungs- bzw. Störverhalten ($h_m = 0\%$),
- Führungs- bzw. Störverhalten mit $h_m = 20\%$

einzustellen und gehen von einer Reglerrealisierung in Parallelform nach Gl. (12.2–59) aus.

Tabelle 12.2–8: Einstellregeln nach Ziegler-Nichols

	Reglertypen	Reglereinstellwerte K_R	T_N	T_V
Einstellung nach dem Stabilitätsrand	P	$0{,}5K_{R\,krit}$	–	–
	PI	$0{,}45K_{R\,krit}$	$0{,}85T_{krit}$	–
	PID	$0{,}6K_{R\,krit}$	$0{,}5T_{krit}$	$0{,}12T_{krit}$
Einstellung nach der Übergangsfunktion	P	$\frac{T_g}{K_S\,T_u}$	–	–
	PI	$\frac{0{,}9T_g}{K_S\,T_u}$	$3{,}33T_u$	–
	PID	$\frac{1{,}2T_g}{K_S\,T_u}$	$2T_u$	$0{,}5T_u$

Tabelle 12.2–9: Einstellregeln nach Chien, Hrones und Reswick

Regler	Parameter	Überschwingweite h_m 0%		Überschwingweite h_m 20%	
		Störverhalten	Führungsverhalten	Störverhalten	Führungsverhalten
P	K_R	$0{,}3\frac{T_g}{T_u \cdot K_S}$	$0{,}3\frac{T_g}{T_u \cdot K_S}$	$0{,}7\frac{T_g}{T_u \cdot K_S}$	$0{,}7\frac{T_g}{T_u \cdot K_S}$
PI	K_R T_N	$0{,}6\frac{T_g}{T_u \cdot K_S}$ $4T_u$	$0{,}35\frac{T_g}{T_u \cdot K_S}$ $1{,}2T_g$	$0{,}7\frac{T_g}{T_u \cdot K_S}$ $2{,}3T_u$	$0{,}6\frac{T_g}{T_u \cdot K_S}$ $1T_g$
PID	K_R T_N T_V	$0{,}95\frac{T_g}{T_u \cdot K_S}$ $2{,}4T_u$ $0{,}42T_u$	$0{,}6\frac{T_g}{T_u \cdot K_S}$ $1 \cdot T_g$ $0{,}5T_u$	$1{,}2\frac{T_g}{T_u \cdot K_S}$ $2T_u$ $0{,}42T_u$	$0{,}95\frac{T_g}{T_u \cdot K_S}$ $1{,}35 \cdot T_g$ $0{,}47T_u$

Mit den Werten K_S, T_u und T_g aus der Übergangsfunktion nach Bild 12.2–19, bzw. mit den Zeitkennwerten nach Bild 12.2–21 berechneten K_m, T_{tm} und T_m werden die Reglerparameter K_R, T_N und T_V berechnet.

Für Strecken ohne Ausgleich lassen sich die Einstellregeln verwenden, wenn in Tabelle 12.2–9 der Faktor $T_g/(K_S T_u)$ durch T_{Si}/T_u ersetzt wird.

12.2.5.4 Kriterien zur Reglerauswahl

Zu einer gegebenen Strecke den brauchbaren Regler zu bestimmen, hängt davon ab, welches Verhalten mit welchen Kennwerten vom Regelkreis erwartet wird. Zur grundsätzlichen Orientierung bei der Reglerauswahl kann deshalb die für den Kreis geforderte Dynamik und bleibende Regeldifferenz benutzt werden. Tabelle 12.2–7 zeigt den Zusammenhang zwischen dem Verhalten des offenen Regelkreises und der bleibenden Regeldifferenz e_∞ im geschlossenen Kreis, bei unterschiedlicher Eingangsgröße $X_e(s)$. Dies trifft sowohl für Führungsgrößen als auch für Störgrößen zu, falls alle Störgrößen auf den Ausgang der Strecke bezogen sind. Für verschiedene Regelstrecken sind in Tabelle 12.2–10 die verwendbaren Reglerstrukturen (Standardregler) angegeben. Tabelle 12.2–10 kann zur Vorabauswahl bei der Regelkreisoptimierung dienen, womit bei einigen Strecken brauchbare Ergebnisse erzielt werden, bei manchen Strecken die Auswahl jedoch auch von den Streckenparametern abhängt.

Tabelle 12.2–10: Hinweise zur Auswahl eines Reglers, abhängig vom Streckenverhalten

Regler / Strecke	P	I	PI	PD	PID-T_1
P	–	+	+	–	–
PT_1	+	○	+	+	+
$PT_2 \ldots PT_n$	○	○	+	–	+
PT_t	–	+	○	–	–
PT_1-T_t	–	+	+	–	○
I	+	–	○	+	+
I-T_1	+	–	○	+	+
I-T_t	○	–	○	–	–
I^2	–	–	–	–	○

In Tabelle 12.2–10 sind mit „+“ die geeigneten, mit „–“ die ungeeigneten Kombinationen gekennzeichnet und mit „○“ diejenigen, bei denen die Streckenparameter und die geforderte Regelgüte mitentscheidend sind [12.41], [12.42].

Die Wirkung der unterschiedlichen Reglertypen nach Tabelle 12.2–6 im Zusammenhang mit einer PT_3-Strecke zeigt Bild 12.2–39 für einen Führungssprung $w(t) = w_0\sigma(t)$, Bild 12.2–40 für einen Störungssprung $z(t) = z_0\sigma(t)$. Tabelle 12.2–11 enthält die für das Regelverhalten relevanten Größen.

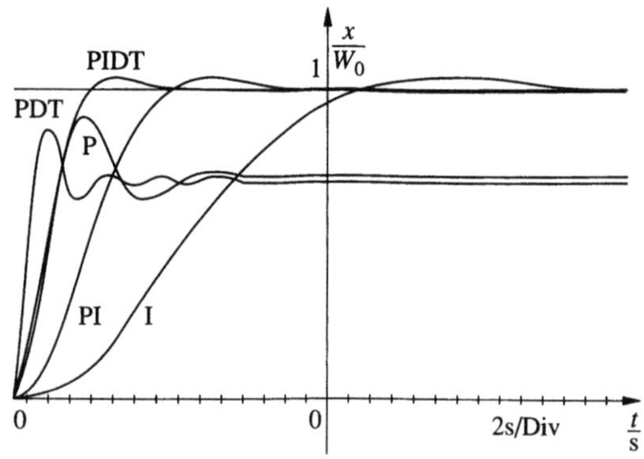

Bild 12.2-39 Führungsübergangsfunktionen einer PT_3-Strecke mit unterschiedlichen Reglern

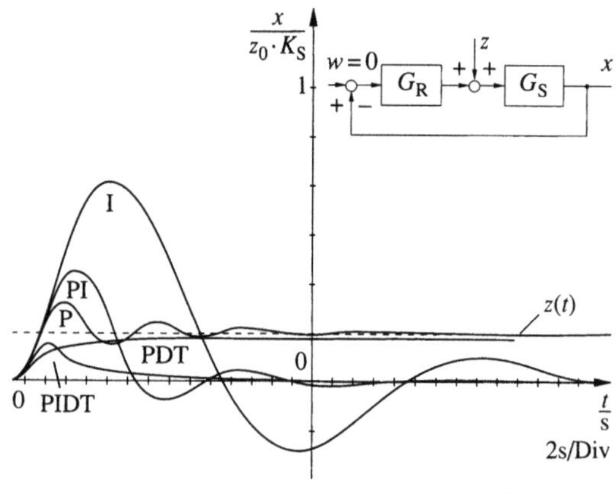

Bild 12.2-40 Störübergangsfunktionen einer PT_3-Strecke mit unterschiedlichen Reglern

12.2.5.5 Entwurfsverfahren für mehrschleifige Regelkreise

Die Verfahren zum Reglerentwurf nach Abschnitt 12.2.5.3 können, da sie von einem Regler maximal 2. Ordnung (PID) ausgehen, bei Regelstrecken höherer Ordnung ($n > 3$) den Anforderungen bezüglich Überschwingweite, Anregel- und Ausregelzeit nicht immer gerecht werden. Eine Verbesserung des Regelverhaltens erreicht man durch Verkürzung der Signalwege zwischen Stelleingriffsort und Störgrößenort, bzw. mit einer unterlagerten Regelschleife also mit mehrschleifigen Regelkreisen.

Tabelle 12.2–11: Kennwerte des Führungs- und Störverhaltens einer PT_3-Strecke bei verschiedenen Reglertypen

Führungsverhalten								
Regler	$h_m/\%$	$x_{d\infty}/\%$	t_{an}/s	t_{aus3}/s	K_{Rp}	T_a/s	T_b/s	T_d/s
$PIDT_1$	5	–	6,4	11	0,21	4	2	0,5
PI	5	–	14	23	0,1	4	–	–
PDT_1	–	28	–	–	0,42	–	4	0,41
I	5	–	30	50	–	90	–	–
P	–	30	–	–	0,43	–	–	–
Störverhalten								
Regler	$x_{max}/\%$	$x_{d\infty}/\%$	t_{an}/s	t_{aus3}/s	K_{Rp}	T_a/s	T_b/s	T_d/s
$PIDT_1$	12	–	9	9	0,96	4	2	0,18
PI	29	–	11	21	0,29	4	–	–
PDT_1	15	14	12	12	0,93	–	4	0,2
I	65	–	20	52	–	35	–	–
P	25	16	7	15	0,79	–	–	–

1. Störgrößenaufschaltung auf die Stellgröße

Die *Störgrößenaufschaltung* auf die Stellgröße ist in Bild 12.2–41 dargestellt. Für die Regelgröße x folgt

$$X(s) = \frac{G_R(s)G_S(s)}{1+G_R(s)G_S(s)}W(s) + \frac{G_{Sz}(s)-G_{St}(s)G_S(s)}{1+G_R(s)G_S(s)}Z(s). \qquad (12.2\text{–}102)$$

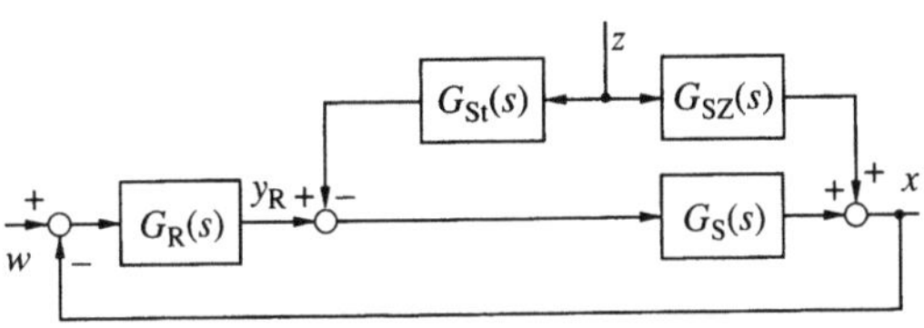

Bild 12.2-41 Blockschaltbild der Störgrößenaufschaltung auf die Stellgröße y_R

Ist die Störgröße meßbar und wählt man

$$G_{St}(s) = \frac{G_{Sz}(s)}{G_S(s)}, \qquad (12.2\text{–}103)$$

so kann man den Einfluß der Störgröße auf die Regelgröße kompensieren, falls die Übertragungsfunktion $G_{St}(s)$ realisierbar ist. Bereitet die Realisierung des Steuerglieds $G_{St}(s)$ aufgrund des Verzögerungsverhaltens der Strecke Schwierigkeiten, so ist mit einer statischen Kompensation mit einem P-Glied der Form

$$G_{St}(s) = \frac{K_{Sz}}{K_S} \qquad (12.2\text{–}104)$$

Abhilfe möglich. K_{Sz} und K_S sind die Verstärkungen in den Übertragungsfunktionen $G_{Sz}(s)$ und $G_S(s)$.

2. Kaskadenregelung

Eine wesentliche Verbesserung des Regelverhaltens bei Strecken höherer Ordnung ermöglicht die Einführung unterlagerter Regelschleifen. Bild 12.2–42 zeigt eine *Kaskadenregelung* mit der Hilfsregelgröße X_1, der Regelgröße X_2, dem Hilfsregler $G_{R1}(s)$, dem Hauptregler $G_{R2}(s)$ und den Streckenübertragungsfunktionen $G_{S1}(s)$, $G_{S2}(s)$.

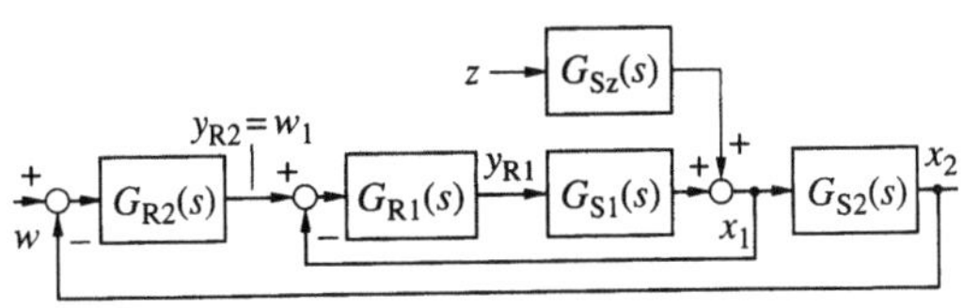

Bild 12.2-42 Blockschaltbild einer Kaskadenregelung mit Hilfsregelgröße x_1 und Regelgröße x_2

Der Entwurf der Kaskadenregelung kann in folgenden Schritten durchgeführt werden:

1. Wählt man die Hilfsregelgröße X_1 so, daß die Streckenübertragungsfunktion $G_{S1}(s)$ von 2. oder 3. Ordnung wird und nimmt man für $G_{R1}(s)$ einen PI- oder PID-Regler, dann kann im inneren, geschlossenen Kreis PT_2-Verhalten eingestellt werden. Für die Hilfsregelgröße X_1 folgt

$$X_1(s) = \frac{G_{R1}(s)G_{S1}(s)}{1+G_{R1}(s)G_{S1}(s)}W_1(s) + \frac{G_{Sz}(s)}{1+G_{R1}(s)G_{S1}(s)}Z(s). \qquad (12.2\text{–}105)$$

Legt man den inneren Kreis auf Störverhalten aus, indem man für $G_{R1}(s)$ eine große Verstärkung wählt, was eine hohe Durchtrittsfrequenz ω_{D1} bewirkt, so entsteht ein schneller Kreis, der im Frequenzbereich $0 < \omega < \omega_{D1}$ das Verhalten

$$G_{w1}(s) = \frac{G_{R1}(s)G_{S1}(s)}{1+G_{R1}(s)G_{S1}(s)} \approx 1 \qquad (12.2\text{–}106)$$

und

$$G_{z1}(s) = \frac{G_{Sz}(s)}{1+G_{R1}(s)G_{S1}(s)} \ll 1 \qquad (12.2\text{–}107)$$

zeigt. Die Dynamik der inneren Schleife und die Störgröße Z_1 haben dann auf den äußeren Kreis mit X_2 kaum Einfluß.

2. Der äußere Kreis wird nun entsprechend den Anforderungen auf Führungs- bzw. Störverhalten ausgelegt, wobei dem Entwurf die Streckenübertragungsfunktion

$$G_S(s) = G_{w1}(s)G_{S2}(s) \approx G_{S2}(s) \qquad (12.2\text{–}108)$$

zugrunde gelegt werden kann. Mittels dem Frequenzkennlinien-Verfahren oder nach Chien, Hrones, Reswick kann nun $G_{R2}(s)$ bestimmt werden.

Der Aufbau einer Kaskadenregelung vereinfacht die Inbetriebnahme des Regelkreises und verbessert bei Strecken hoher Ordnung das dynamische Verhalten mit Hilfe einfacher PI-, PID-Standardregler.

12.2.6 Lineare digitale Abtastregelungen

12.2.6.1 Beschreibung diskontinuierlicher Signale

Digitale Regelungen entstehen, wenn die Erfassung und Verarbeitung der Signale im Regelkreis nicht mehr kontinuierlich, sondern zu bestimmten, *diskreten* Zeitpunkten $t_k = kT$, $k = 0, 1, 2, \ldots$, den *Abtastzeiten* stattfindet.

Eine derartige Diskretisierung der Zeit ergibt sich bei der Verwendung von Rechnern (Prozeß-, Mikrorechner) als Regler. Da die Signale dann nur zu den Abtastzeitpunkten t_k bekannt sind, entsteht aus der kontinuierlichen Zeitfunktion $f(t)$ ein *diskontinuierliches* Signal *(Abtastsignal)*, das durch eine Zahlenfolge

$$f(t_k) = \{f(0), f(T), f(2T), \ldots\} \qquad (12.2\text{–}109)$$

$t_k = kT$ beschrieben wird. T ist die Abtastzeit, $\omega_T = 2\pi/T$ die Abtastfrequenz. Mit der Abtastung einher geht die Quantisierung und digitale Darstellung der Zahlenwerte $f(t_k)$ im Rechner. Bild 12.2–43 zeigt den Aufbau einer digitalen Regelung (Abtastregelkreis). Für die mathematische Beschreibung eines solchen Systems werden die Abtastsignale durch eine *Impulsfolgefunktion*

$$f^*(t) = \sum_{k=0}^{\infty} f(kT)\,\delta(t-kT) \qquad (12.2\text{–}110)$$

beschrieben, die mittels δ-Abtaster aus der Funktion $f(t)$ ermittelt wird.

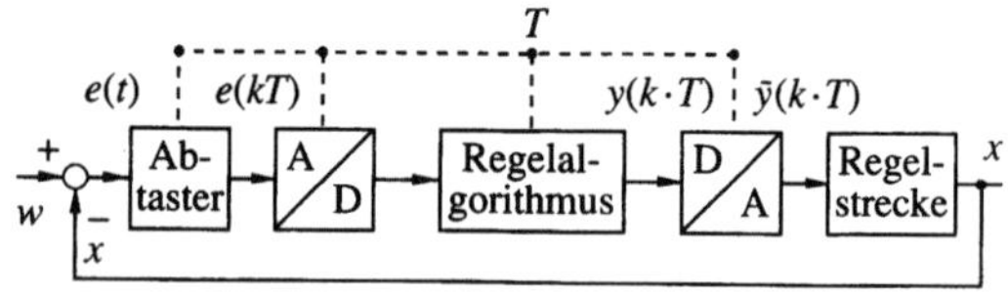

Bild 12.2-43 Aufbau einer digitalen Regelung

Die mit den Funktionswerten $f(kT)$ gewichteten Impulse $\delta(t-kT)$ werden einem *Halteglied* aufgeschaltet, das aus der Impulsfolgefunktion $f^*(t)$ eine *Treppenfunktion* $\bar{f}(t)$ erzeugt, bestehend aus Rechteckimpulsen der Breite T und der Höhe $f(kT)$. Bild 12.2–44 zeigt diesen Vorgang.

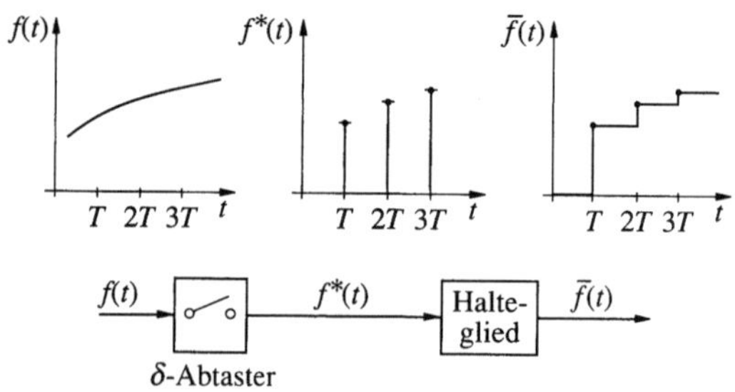

Bild 12.2-44 Darstellung des Abtast- und Speichervorgangs

Wendet man auf die Treppenfunktion $\bar{f}(t)$ die Laplace-Transformation an, ergibt sich

$$\bar{F}(s) = \frac{1-e^{-Ts}}{s} \sum_{k=0}^{\infty} f(kT)\,e^{-kTs}, \qquad (12.2\text{–}111)$$

die Bildfunktion der Treppenfunktion $\bar{f}(t)$. $\bar{F}(s)$ läßt sich in zwei Teile zerlegen

– die Bildfunktion der Impulsfolgefunktion

$$F^*(s) = \sum_{k=0}^{\infty} f(kT)\,e^{-kTs}, \qquad (12.2\text{–}112)$$

– die Übertragungsfunktion des Halteglieds

$$G_H(s) = \frac{1-e^{-Ts}}{s}. \qquad (12.2\text{–}113)$$

Um der Eigenschaft des Abtasthaltevorgangs gerecht zu werden, wird die *z-Transformation* zur Beschreibung des Abtastsystems verwendet.

Wird in Gl. (12.2–112) $z = e^{Ts}$ gesetzt, folgt daraus

$$F_z(z) = \sum_{k=0}^{\infty} f_k z^{-k} \tag{12.2–114}$$

oder in Kurzform $\mathfrak{z}\{f^*(t)\} = F_z(z)$ die z-Transformierte der Impulsfolgefunktion $f^*(t)$.

Zur Anwendung der z-Transformation sind bestimmte Regeln zu beachten. Hierzu wird auf die Literatur [12.36], [12.38], [12.40] verwiesen. Zur Bestimmung der z-Transformierten einfacher Zeitfunktionen steht die Tabelle 12.2–12 zur Verfügung.

12.2.6.2 z-Übertragungsfunktion linearer Systeme

Das Übertragungsverhalten von Abtastsystemen läßt sich einfach beschreiben, wenn man es in elementare Teilsysteme zerlegt, die aus δ-Abtaster und linearem Übertragungssystem bestehen.

Ein derartiges Teilsystem zeigt Bild 12.2–45. Mit der z-Übertragungsfunktion $G_z(z)$ lautet

$$X_{az}(z) = G_z(z) X_{ez}(z). \tag{12.2–115}$$

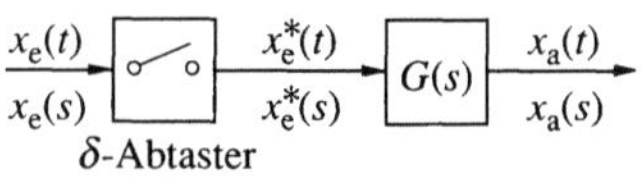

Bild 12.2-45 δ-Abtaster und lineares Übertragungsglied als lineares Abtastglied. $X_{az}(z) = G_z(z) X_{ez}(z)$

Ist ein System durch *Differenzengleichungen* beschrieben, ergibt sich $G_z(z)$ direkt durch Anwendung der z-Transformation.

Das Eingangssignal muß dann eine Zahlen- oder Impulsfolge sein, was mittels δ-Abtaster erreicht werden kann. Ist das System durch Differentialgleichungen beschrieben oder liegt die Übertragungsfunktion $G(s)$ vor, dann ist $G_z(z)$ durch Anwendung der z-Transformation auf die Gewichtsfolge $g(k)$ bzw. auf $G(s)$ zu ermitteln.

Ist dem Abtaster ein Halteglied nachgeschaltet und wird dies in $G_z(z)$ einbezogen, erhält man

$$G_z(z) = \frac{z-1}{z} \mathfrak{z}\left\{\frac{G(s)}{s}\right\}. \tag{12.2–116}$$

$G(s)$ ist die Übertragungsfunktion des linearen Übertragungsglieds. Bild 12.2–46, Teil 1 zeigt die Reihenschaltung aus Teilsystem und Abtaster beschrieben mittels

$$G_z(z) = G_{1z}(z) G_{2z}(z). \tag{12.2–117}$$

Bild 12.2–46, Teil 2 zeigt die Reihenschaltung von Teilsystemen ohne Abtaster wofür jedoch gilt

$$G_z(z) = \mathfrak{z}\{G_1(s) G_2(s)\}. \tag{12.2–118}$$

1	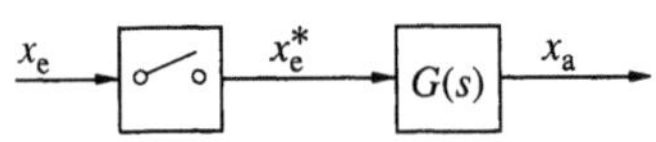	$x_{az} = G_z \cdot x_{ez}$
2	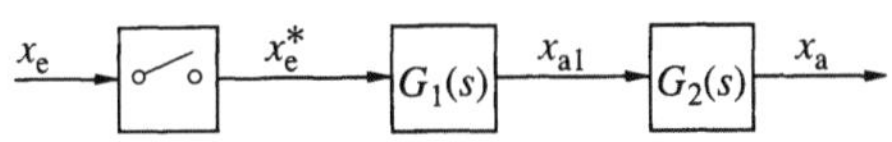	$x_{az} = \zeta\{G_1(s) \cdot G_2(s)\} \cdot x_{ez}$
3	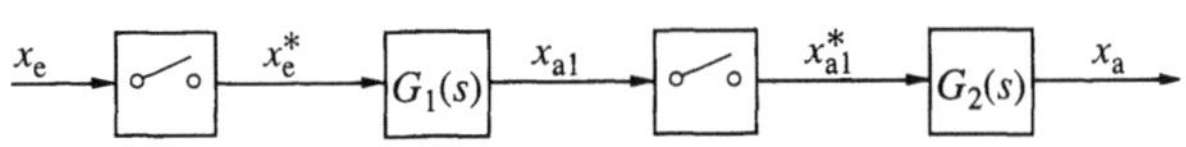	$x_{az} = G_{1z} \cdot G_{2z} \cdot x_{ez}$
4	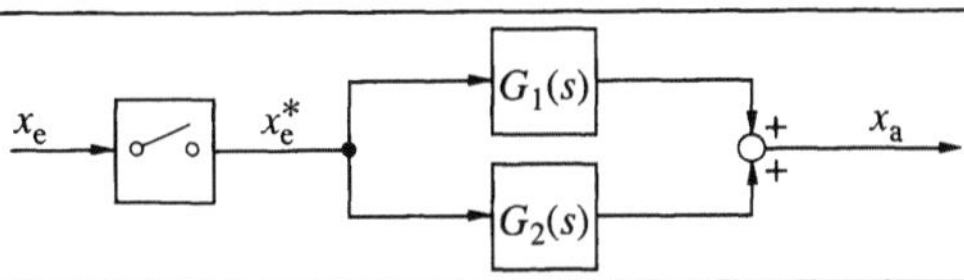	$x_{az} = (G_{1z} + G_{1z})\, x_{ez}$
5	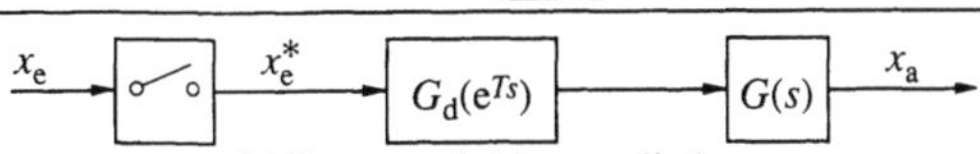 Differenzengleichungsglied	$x_{az} = G_{dz} \cdot G_z \cdot x_{ez}$
6	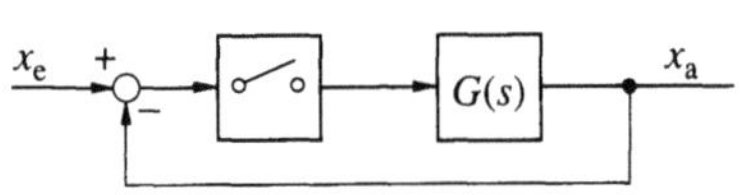	$x_{az} = \dfrac{G_z}{1+G_z} x_{ez}$

Bild 12.2-46 Blockschaltbilder zusammengesetzter Abtastglieder

Tabelle 12.2–12: Korrespondenzen der z-Transformierten

Nr.	$F(s)$	$f(t)$	$F_z(z)$
1	$\frac{1}{s}$	$\sigma(t)$	$\frac{z}{z-1}$
2	$\frac{1}{s^2}$	t	$T\frac{z}{(z-1)^2}$
3	$\frac{2!}{s^3}$	t^2	$T^2 z\frac{z+1}{(z-1)^3}$
4	$\frac{3!}{s^4}$	t^3	$T^3 z\frac{z^2+4z+1}{(z-1)^4}$
5	$\frac{1}{s-\alpha}$	$e^{\alpha t}$	$\frac{z}{z-e^{\alpha T}}$
6	$\frac{1}{(s-\alpha)^2}$	$te^{\alpha t}$	$Te^{\alpha T}\frac{z}{(z-e^{\alpha T})^2}$
7	$\frac{1}{(s-\alpha)^3}$	$\frac{1}{2!}t^2e^{\alpha t}$	$\frac{1}{2}T^2e^{\alpha T}z\frac{z+e^{\alpha T}}{(z-e^{\alpha T})^3}$
8	$\frac{\omega_0}{s^2+\omega_0^2}$	$\sin(\omega_0 t)$	$z\frac{\sin(\omega_0 T)}{z^2-2z\cos(\omega_0 T)+1}$
9	$\frac{s}{s^2+\omega_0^2}$	$\cos(\omega_0 t)$	$z\frac{z-\cos(\omega_0 T)}{z^2-2z\cos(\omega_0 T)+1}$
10	$\frac{\omega_0}{(s-\alpha)^2+\omega_0^2}$	$e^{\alpha t}\sin(\omega_0 t)$	$z\frac{e^{\alpha T}\sin(\omega_0 T)}{z^2-2ze^{\alpha T}\cos(\omega_0 T)+e^{2\alpha T}}$
11	$\frac{s-\alpha}{(s-\alpha)^2+\omega_0^2}$	$e^{\alpha t}\cos(\omega_0 t)$	$z\frac{z-e^{\alpha T}\cos(\omega_0 T)}{z^2-2ze^{\alpha T}\cos(\omega_0 T)+e^{2\alpha T}}$
12	$\frac{1}{s-\frac{1}{T}\ln a}$	$a^{t/T}$	$\frac{z}{z-a}$
13	e^{-mTs}	$\delta(t-mT)$	z^{-m}
14	$\frac{b_0+b_1e^{-Ts}+\ldots+b_m\cdot e^{-mTs}}{a_0+a_1e^{-Ts}+\ldots+a_ne^{-nTs}}$	–	$\frac{b_0+b_1z^{-1}+\ldots+bm\cdot z^{-m}}{a_0+a_1z^{-1}+\ldots+a_n\cdot z^{-n}}, \quad a_0\neq 0$

Bild 12.2–46, Teil 3 zeigt eine Parallelschaltung, die mit

$$G_z(z) = G_{1z}(z)+G_{2z}(z) \qquad (12.2\text{–}119)$$

beschrieben wird.

Damit läßt sich der einschleifige Abtastregelkreis in Bild 12.2–47 darstellen. Verschiebt man den δ-Abtaster in den Eingangs- und Ausgangszweig, so läßt sich Gl. (12.2–117) auf den offenen Kreis anwenden. Dessen z-Übertragungsfunktion lautet dann

$$G_{0z}(z) = \frac{z-1}{z}\,G_{Rz}(z)\,\mathfrak{z}\left\{\frac{G(s)}{s}\right\}, \qquad (12.2\text{–}120)$$

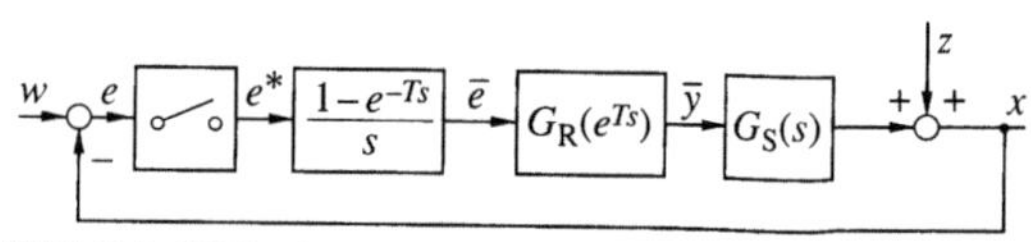

Bild 12.2-47 Blockschaltbild eines linearen Abtastregelkreises

$G_{Rz}(z)$ ist z-Übertragungsfunktion des *Regelalgorithmus*. Unter Berücksichtigung der Eingriffsstelle der Störgröße z erhält man für den geschlossenen Kreis

$$X_z(z) = \frac{G_{0z}(z)}{1+G_{0z}(z)}W_z(z)+\frac{1}{1+G_{0z}(z)}Z_z(z), \qquad (12.2\text{–}121)$$

worin $G_{wz}(z) = G_{0z}/(1+G_{0z})$ die *z-Führungsübertragungsfunktion* und $G_{zz}(z) = 1/(1+G_{0z})$ die *z-Störübertragungsfunktion* darstellt.

12.2.6.3 Stabilität digitaler Abtastsysteme

Stabilitätsuntersuchungen verlaufen bei Abtastsystemen ähnlich wie bei linearen kontinuierlichen Systemen. Wendet man den Begriff der Übertragungsstabilität an, so muß bei beschränktem Eingangssignal auch das Ausgangssignal einem endlichen Wert zustreben [12.38]. Dabei ist es vorteilhaft, zur Prüfung der Stabilität, von $G_z(z)$ des gegebenen Systems auszugehen.

Ein Abtastsystem mit der z-Übertragungsfunktion $G_z(z) = \dfrac{M(z)}{N(z)}$, mit $M(z)$ als Zählerpolynom und $N(z)$ als Nennerpolynom, ist stabil, wenn alle Nullstellen von $N(z)$ innerhalb des Einheitskreises der z-Ebene liegen.

Bei der Anwendung der Stabilitätsbedingung auf Abtastregelungen ist $G_w(z)$ zu untersuchen, wobei die Lage der Nullstellen der charakteristischen Gleichung der Abtastregelung

$$1+G_{0z}(z) = 0 \qquad (12.2\text{–}122)$$

über die Stabilität entscheidet. Liegen die Nullstellen innerhalb des Einheitskreises, so ergeben sich abklingende Einschwingvorgänge und der Regelkreis ist stabil. Weitere Möglichkeiten der Stabilitätsprüfung liefern die Verfahren von Schur, Cohn und Jury. Siehe hierzu [12.36], [12.38].

12.2.6.4 Regelalgorithmen für digitale Abtastregelungen

Da als Regler bei Abtastsystemen im allgemeinen ein in einem Rechner abgelegter *Regelalgorithmus* verwendet wird, läßt sich der Zusammenhang zwischen der Eingangsgröße $x_{d,k} = e_k$ und der Ausgangsgröße y_k mittels einer Differenzengleichung n-ter Ordnung beschreiben. Diese hat bei $n=2$ die rekursive Form

$$y_k = d_0 e_k + d_1 e_{k-1} + d_2 e_{k-2} + c_1 y_{k-1} + c_2 y_{k-2} \qquad (12.2\text{–}123)$$

und wird als *Stellungsalgorithmus* bezeichnet, da in jedem Durchlauf die vollständige Stellgröße y_k berechnet wird. In Gl. (12.2–123) sind d_i und c_i die Reglerkoeffizienten. Anwendung der z-Transformation auf Gl. (12.2–123), ergibt die z-Übertragungsfunktion des Regelalgorithmus

$$G_{Rz}(z) = \frac{d_0 + d_1 z^{-1} + d_2 z^{-2}}{1 - c_1 z^{-1} - c_2 z^{-2}}. \qquad (12.2\text{–}124)$$

Sollen die von kontinuierlichen Systemen bekannten Verfahren und Einstellregeln übernommen werden, ist es naheliegend, die Regelalgorithmen so auszulegen, daß ihre Wirkung auf den Regelkreis möglichst gut mit der eines kontinuierlichen Reglers übereinstimmt. Dies führt dann zu brauchbaren *quasikontinuierlichen Regelalgorithmen,* wenn die Abtastzeit klein gegenüber den übrigen Zeitkonstanten ist [12.43].

Bei der Erstellung quasikontinuierlicher Regelalgorithmen, werden die für kontinuierliche Regler vorliegenden Gleichungen diskretisiert und z-transformiert. Der I-Anteil wird mit der Rechteck-Integration bzw. mit der Trapez-Integration (Tustin–Formel) approximiert. Als Ausgangsbasis dienen sowohl Summenform als auch Produktform der Übertragungsfunktion

1. Stellungsalgorithmen

Stellungsalgorithmen berechnen den Wert der Stellgröße und geben ihn an das Stellglied aus. Dies ist bei Stellgliedern, mit P-Verhalten erforderlich.

α) Regelalgorithmen für die Summenform mit Trapez-Approximation

Die Reglerbeschreibung in Summenform, die bei verschiedenen Entwurfsverfahren verwendet wird, läßt sich auf einen digitalen Regelalgorithmus übertragen. Ausgehend von der Übertragungsfunktion des kontinuierlichen PIDT$_1$-Reglers in Summenform

$$G_R(s) = K_R\left(1 + \frac{1}{T_N s} + \frac{T_V s}{1+T_d s}\right) \qquad (12.2\text{–}125)$$

mit der Nachstellzeit T_N, der Vorhaltzeit T_V, der Verstärkung K_R und der Dämpfungszeitkonstanten T_d, ergibt die Anwendung der z-Übertragungsfunktion der Trapez-Integration

$$\frac{1}{s} \approx \frac{T}{2}\frac{z+1}{z-1} \qquad (12.2\text{–}126)$$

auf Gl. (12.2–125) den rekursiven Stellungsalgorithmus nach Gl. (12.2–123) mit den Reglerkoeffizienten

$$\begin{aligned}
d_0 &= K_R\left(1 + \frac{T}{2T_N} + 2\frac{T_V}{T+2T_d}\right),\\
d_1 &= K_R\frac{T^2 - 4T_d T_N - 4T_N T_V}{T_N(T+2T_d)},\\
d_2 &= K_R\frac{4T_N T_V + (T-2T_d)(T-2T_N)}{2T_N(T+2T_d)},\\
c_1 &= -\frac{4T_d}{T+2T_d}, \quad c_2 = -\frac{T-2T_d}{T+2T_d},
\end{aligned} \qquad (12.2\text{–}127)$$

$T_d \geqslant T/2$.

Die Regelalgorithmen für andere Reglertypen lassen sich aus Tabelle 12.2–13 berechnen. Wie in [12.40] gezeigt wird, ist es vorteilhaft die Summenform zu verwenden.

Die Reglerparameter der Summenform sind mit denen der Produktform über die Formeln in Abschnitt 12.2.4.1 verknüpft.

Tabelle 12.2–13: Regelalgorithmen für die Summenform mit Trapez-Approximation

	Übertragungsfunktionen kontinuierlicher Regler	Regelalgorithmen	
PID	$G_R(s) = K_R\left(1+\frac{1}{T_N s}+T_V s\right)$	$y_k = d_0 e_k + d_1 e_{k-1} + d_2 e_{k-2} + c_1 y_{k-1}$	$d_0 = K_R\left(1+\frac{T}{2T_N}+\frac{T_V}{T}\right)$, $d_2 = K_R\frac{T_V}{T}$, $d_1 = K_R\left(\frac{T}{2T_N}-1-2\frac{T_V}{T}\right)$, $c_1 = -1$,
$PIDT_1$	$G_R(s) = K_R\left(1+\frac{1}{T_N s}+\frac{T_V s}{1+T_d s}\right)$	$y_k = d_0 e_k + d_1 e_{k-1} + d_2 e_{k-2} + c_1 y_{k-1} + c_2 y_{k-2}$	$d_0 = K_R\left(1+\frac{T}{2T_N}+2\frac{T_V}{T+2T_d}\right)$ $c_1 = -\frac{4T_d}{T+2T_d}$, $T_d \geqslant T/2$ $d_1 = K_R\frac{T^2-4T_d T_N-4T_N T_V}{T_N(T+2T_d)}$ $c_2 = -\frac{T-2T_d}{T+2T_d}$ $d_2 = K_R\frac{4T_N T_V+(T-2T_d)(T-2T_N)}{2T_N(T+2T_d)}$
		$y_k = y_{P,k} + y_{I,k} + y_{D,k}$ $y_{P,k} = K_R e_k$ $y_{I,k} = y_{I,k-1} + d_I(e_k + e_{k-1})$ $y_{D,k} = c_D y_{D,k-1} + d_D(e_k - e_{k-1})$	$d_I = K_R\frac{T/2}{T_N}$ $d_D = K_R\frac{T_V}{T_d+T/2}$, $c_D = \frac{T_d-T/2}{T_d+T/2}$

Tabelle 12.2–14: Regelalgorithmen für die Summenform mit Rechteck-Approximation

	Übertragungsfunktionen kontinuierlicher Regler	Regelalgorithmen	
PI	$G_R(s) = K_R\left(1+\frac{1}{T_N s}\right)$	$y_k = d_0 e_k + d_1 e_{k-1} + c_1 y_{k-1}$	$d_0 = K_R$, $d_1 = K_R\left(\frac{T}{T_N}-1\right)$, $c_1 = 1$,
PDT_1	$G_R(s) = K_R\left(1+\frac{T_V s}{1+T_d s}\right)$	$y_k = d_0 e_k + d_1 e_{k-1} + c_1 y_{k-1}$	$d_0 = K_R\left(1+\frac{T_V}{T+T_d}\right)$, $d_1 = -K_R\frac{T_d+T_V}{T_d+T}$, $c_1 = \frac{T_d}{T+T_d}$
PID	$G_R(s) = K_R\left(1+\frac{1}{T_N s}+T_V s\right)$	$y_k = d_0 e_k + d_1 e_{k-1} + d_2 e_{k-2} + c_1 y_{k-1}$	$d_0 = K_R\left(1+\frac{T_V}{T}\right)$, $d_1 = -K_R\left(1-\frac{T}{T_N}+2\frac{T_V}{T}\right)$ $d_2 = K_R\frac{T_V}{T}$, $c_1 = 1$,

β) Regelalgorithmen für die Summenform mit Rechteck-Approximation

Für einige Reglertypen sind die Regelalgorithmen für die Summenform unter Verwendung der z-Transformierten der Rechteck-Integration in Tabelle 12.2–14 zusammengestellt.

γ) Regelalgorithmen für die Produktform mit Trapez-Approximation

Für den kontinuierlichen PIDT$_1$-Regler in Produktform

$$G_R(s) = K_{Rp} \frac{1 + T_{Np}s}{T_{Np}s} \cdot \frac{1 + T_{Vp}s}{1 + T_d s} \qquad (12.2\text{–}128)$$

erhält man mit der Trapez-Integration, die Reglerkoeffizienten des digitalen PIDT$_1$-Stellungsalgorithmus nach Gl. (12.2–123) zu

$$\begin{aligned} d_0 &= K_{Rp} \frac{T_{Np} + T/2}{T_{Np}} \cdot \frac{T_{Vp} + T/2}{T_d + T/2}, \\ d_1 &= -2K_{Rp} \frac{T_{Np}T_{Vp} - (T/2)^2}{T_{Np}(T_d + T/2)}, \\ d_2 &= K_{Rp} \frac{T_{Np} - T/2}{T_{Np}} \cdot \frac{T_{Vp} - T/2}{T_d + T/2}, \\ c_1 &= \frac{2T_d}{T_d + T/2}, \quad c_2 = -\frac{T_d - T/2}{T_d + T/2}, \end{aligned} \qquad (12.2\text{–}129)$$

in denen die Abtastzeit T und die Parameter der Produktform Nachstellzeit T_{Np} , Vorhaltzeit T_{Vp}, Dämpfungszeitkonstante T_d und Verstärkung K_{Rp} enthalten sind. Die Übergangsfunktion des PIDT$_1$-Regelalgorithmus ist in Bild 12.2–48 dargestellt. Für einige Reglertypen sind die zugehörigen Algorithmen in Tabelle 12.2–15 zusammengestellt.

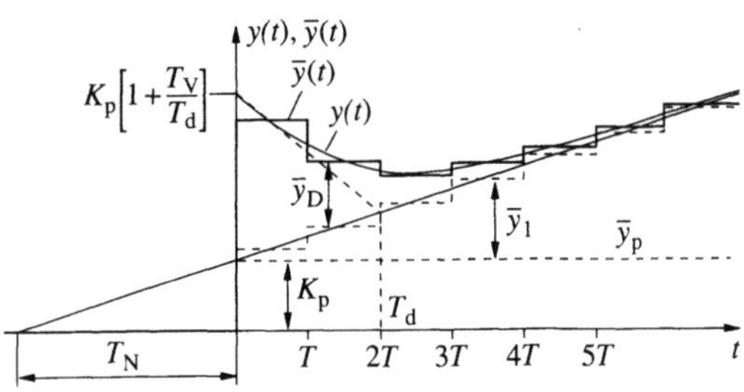

Bild 12.2-48 Übergangsfunktion $\bar{y}(t)$ des PIDT$_1$-Regelalgorithmus

2. Geschwindigkeitsalgorithmen

Werden integrierend wirkende Stellglieder verwendet (z. B. ein Schrittmotor), dann darf im Regelalgorithmus nur der Zuwachs der Stellgröße in einer Abtastperiode berechnet werden. Der Zuwachs Δy_k entsteht aus der Differenz zweier aufeinanderfolgender Stellgrößenwerte

$$\Delta y_k = y_k - y_{k-1}. \qquad (12.2\text{–}130)$$

Damit ergibt der *Geschwindigkeitsalgorithmus* für den PIDT$_1$-Regler in Produktform bei Verwendung der Trapez-Integration

$$\Delta y_k = d_0 e_k + d_1 e_{k-1} + d_2 e_{k-2} - c_2 \Delta y_{k-1} \qquad (12.2\text{–}131)$$

mit den Reglerkoeffizienten d_0, d_1, d_2 und c_2 nach Gl. (12.2–129). Für den PIDT$_1$-Regler in Summenform bei Verwendung der Trapez-Integration lautet der Algorithmus

$$\Delta y_k = d_0 e_k + d_1 e_{k-1} + d_2 e_{k-2} - c_1 \Delta y_{k-1} \qquad (12.2\text{–}132)$$

mit den Reglerkoeffizienten d_0, d_1, d_2, und c_1 nach Gl. (12.2–127).

3. Erweiterungen der Regelalgorithmen

Für den praktischen Einsatz ist es sinnvoll, zusätzliche Maßnahmen bei der Realisierung der Regelalgorithmen vorzusehen, um

- das Aufintegrieren über die Stellgrenze bei großen Regeldifferenzen e_k zu verhindern,
- die stoßfreie Umschaltung von Hand auf Automatikbetrieb zu ermöglichen,
- die Strukturumschaltung des Reglers vorzusehen.

1. Bei integrierenden Algorithmen (PI, PID) kann das übersteuernde Aufintegrieren (antireset windup) durch folgende Maßnahmen begrenzt werden [12.43]:
   - Nullsetzen des Integralanteils im Regelalgorithmus wenn $y_k \geqslant y_{max}$ wird,
   - Einschränkung der Integration auf $|e_k| < e_{max}$.
2. Stoßfreies Umschalten erfordert die Übereinstimmung der Handstellgröße $y_{k,M}$ und Reglerstellgröße $y_{k,R}$. Dies wird erreicht durch Mitführung der jeweils passiven Stellgröße, um dann im Umschaltzeitpunkt stoßfrei überzuleiten.
3. Strukturumschaltung des Reglers ist bei Anfahrvorgängen und bei strukturvariablen Reglern erforderlich. Bei einigen Regelalgorithmen in Tabelle 12.2–14 kann durch Zu- und Abschalten der Grundanteile P, PI, PID Verhalten eingestellt werden.

12.2.6.5 Entwurfsverfahren für digitale Abtastregelungen

Der Entwurf einer Abtastregelung wird von der Art der Strecke, dem geforderten Regelverhalten und der Wahl der Abtastzeit T beeinflußt.

- Soll die Abtastzeit weitgehend beliebig wählbar sein, so ist nach dem Kompensationsverfahren im z-Bereich ein Regelalgorithmus zu entwerfen.

Tabelle 12.2–15: Regelalgorithmen für die Produktform mit Trapez-Approximation

	Übertragungsfunktionen kontinuierlicher Regler	zugehörige Regelalgorithmen	
P	$G_R(s) = K_P$	$y_k = d_0 e_k$	$d_0 = K_P$
I	$G_R(s) = \frac{1}{T_I s}$	$y_k = d_0 e_k + d_1 e_{k-1} + c_1 y_{k-1}$	$d_0 = \frac{T/2}{T_I}$; $d_1 = \frac{T/2}{T_I}$; $c_1 = 1$
DT_1	$G_R(s) = \frac{T_D s}{1 + T_d s}$		$d_0 = \frac{T_D}{T_d + T/2}$; $d_1 = -\frac{T_D}{T_d + T/2}$; $c_1 = \frac{T_d - T/2}{T_d + T/2}$
PI	$G_R(s) = K_R \frac{1 + T_N s}{T_N s}$	$y_k = d_0 e_k + d_1 e_{k-1} + c_1 y_{k-1}$	$d_0 = K_R \frac{T_N + T/2}{T_N}, d_1 = -K_R \frac{T_N - T/2}{T_N}, c_1 = 1$
PDT_1	$G_R(s) = K_R \frac{1 + T_V s}{1 + T_d s}$		$d_0 = K_R \frac{T_V + T/2}{T_d + T/2}$, $d_1 = -K_R \frac{T_V - T/2}{T_d + T/2}$, $c_1 = \frac{T_d - T/2}{T_d + T/2}$
$PIDT_1$	$G_R(s) = K_{Rp} \frac{1 + T_{Np} s}{T_{Np} s} \cdot \frac{1 + T_{Vp} s}{1 + T_d s}$	$y_k = d_0 e_k + d_1 e_{k-1} + d_2 e_{k-2} + c_1 y_{k-1} + c_2 y_{k-2}$	$d_0 = K_{Rp} \frac{T_{Np} + T/2}{T_{Np}} \cdot \frac{T_{Vp} + T/2}{T_d + T/2}$, $d_1 = -2K_{Rp} \frac{T_{Np} T_{Vp} - (T/2)^2}{T_{Np}(T_d + T/2)}$, $d_2 = K_{Rp} \frac{T_{Np} - T/2}{T_{Np}} \cdot \frac{T_{Vp} - T/2}{T_d + T/2}$, $c_1 = \frac{2T_d}{T_d + T/2}$, $c_2 = -\frac{T_d - T/2}{T_d + T/2}$, $c_1 = 1 - c_2$

- Ist die Abtastzeit T wesentlich kleiner als die Streckenzeitkonstanten, so können quasikontinuierliche Regelalgorithmen verwendet werden.

1. Entwurf von Abtastregelungen im z-Bereich

Ist die Regelstrecke bekannt und liegt deren Übertragungsfunktion $G_S(s)$ vor, wird nach Gl. (12.2–120) die z-Übertragungsfunktion des offenen Kreises $G_{0z}(z)$ aufgestellt. Aus $G_{0z}(z)$ folgt die z-Führungsübertragungsfunktion $G_{wz}(z)$ nach Gl. (12.2–121), bzw die z-Störübertragungsfunktion $G_{zz}(z)$. Bei Vorgabe des Übertragungsverhaltens $K_w(z)$, läßt sich die z-Übertragungsfunktion des Regelalgorithmus $G_{Rz}(z)$ bestimmen zu

$$G_{Rz}(z) = \frac{1}{G_{Sz}(z)} \frac{K_w(z)}{1 - K_w(z)}. \qquad (12.2\text{–}133)$$

Dieser Weg führt zu *strukturoptimierten* Regelalgorithmen deren Ordnung von der Ordnung der Strecke und dem Übertragungsverhalten bestimmt wird [12.43]. $K_w(z) = 1$ ist aufgrund der Realisierbarkeit von $G_{Rz}(z)$ ausgeschlossen.

2. Regelung mit endlicher Einstellzeit

In kontinuierlichen Regelkreisen ist die Zeit, in der die Regelgröße den neuen Endwert erreicht, theoretisch unendlich. Abtastsysteme geben die Möglichkeit, die Regelgröße in endlicher Zeit auf den neuen Endwert einzustellen [12.38]. Hat ein kontinuierliches System folgende Übertragungsfunktion

$$G_S(s) = \frac{M(s)}{N(s)} e^{-T_t s}, \qquad (12.2\text{–}134)$$

dann ergibt sich die z-Übertragungsfunktion des Systems einschließlich Halteglied nach Gl. (12.2–116) zu

$$G_{Sz}(z) = \frac{z-1}{z} \mathfrak{Z}\left(\frac{G_S(s)}{s}\right) = \frac{1}{z^r} \frac{M_z(z)}{N_z(z)}, \qquad (12.2\text{–}135)$$

worin der Koeffizient $r = T_t/T$, r sei eine ganze Zahl, die Abtastzeit T und die Totzeit T_t, enthalten sind.

Der Regelalgorithmus für endliche Einstellzeit hat dann die z-Übertragungsfunktion

$$G_{Rz}(z) = \frac{z^r N_z(z)}{M_z(z=1)z^{r+n} - M_z(z)}, \qquad (12.2\text{–}136)$$

worin n ist die Ordnung der Strecke ist.

Bei Wahl eines derartigen Reglers benötigt die Regelgröße bei einem Sprung der Führungsgröße $w(z) = z/(z-1)$, $n+r$ Schritte um auf den Sollwert einzuschwingen, d. h., der Einschwingvorgang ist in endlicher Zeit abgeschlossen. Dieser Regler wird als *Führungs-Dead-Beat-Regler* bezeichnet. Stationäre Genauigkeit im Störungsfall ist nur bei Strecken mit Ausgleich erreichbar. Hat $G_{Rz}(z)$ gemeinsame Pol-Nullstellen, sind diese vor der Realisierung des Reglers zu kürzen.

Die Einschwingzeit $T_e = (n+r)T$ kann nicht beliebig klein gewählt werden, da sonst die Stellgröße y_k zu große Werte annimmt. Das Verfahren erfordert genaue Kenntnis der Strecke und reagiert auf Parameteränderungen. Sein Realisierungsaufwand wächst mit der Ordnung der Strecke.

3. Verwendung quasikontinuierlicher Regelalgorithmen

Eine einfache Vorgehensweise bei der Wahl des Reglers besteht darin, den Entwurf ähnlich dem bei kontinuierlichen Systemen durchzuführen, wobei die Regelstrecke z. B. mittels Frequenzgang beschrieben ist.

Der Entwurf führt zu *parameteroptimierten Reglern* 1. und 2. Ordnung, wobei die zu erzielende Regelgüte von der Wahl der Parameter abhängt.

α) Entwurf mittels Frequenzkennlinien

Wird beim Reglerentwurf der Abtasthaltevorgang, der im Abtastregelkreis auftritt, als Totzeitglied mit dem Frequenzgang

$$G_{AH}(j\omega) = e^{-j\omega T/2} \qquad (12.2\text{–}137)$$

berücksichtigt, so setzt sich der Frequenzgang des quasikontinuierlichen Abtastreglers $G_{AR}(j\omega)$ aus

$$G_{AR}(j\omega) = G_R(j\omega)G_{AH}(j\omega) \qquad (12.2\text{–}138)$$

zusammen. Der Reglerentwurf führt bei Einbeziehung des Abtasthalteglieds in den Regelkreis, zu einer Regelgüte, die der Vorgabe entspricht [12.40]. Als Regelalgorithmen stehen die Formeln aus Abschnitt 12.2.6.4 zur Verfügung. Es können Abtastzeiten bis zur Größe

$$T \approx 0{,}2 \sum_{i=1}^{n} T_{Si} \qquad (12.2\text{–}139)$$

gewählt werden. T_{Si} sind die Zeitkonstanten des Regelkreises. Wird der Abtasthaltevorgang nicht berücksichtigt, ist die Abtastzeit zu reduzieren. Richtwerte zur Einstellung der Abtastzeit T sind nach [12.43]

$$T \approx (1/6 \ldots 1/15)T_{95},$$
$$T \approx (1{,}2 \ldots 0{,}35)T_u \text{ für } 0{,}1 \leqslant T_u/T_S \leqslant 1,$$
$$T \approx (0{,}35 \ldots 0{,}22)T_u \text{ für } 1 \leqslant T_u/T_S \leqslant 10$$

mit T_{95} als die Zeit, in der die Übergangsfunktion der Strecke 95% ihres Endwerts erreicht und mit T_S als Streckenzeitkonstante

β) Empirische Verfahren

Brauchbare Ergebnisse beim Entwurf quasistetiger Regelungen, liefern die Regeln von Takahashi [12.44], welche ähnlich wie Ziegler–Nichols von einer PT_1-T_t-Strecke ausgehen. Die Parameter des Regelalgorithmus können entweder anhand der Kennwerte des geschlossenen Regelkreises an der Stabilitätsgrenze (Teil I) oder mit der Übergangsfunktion der Regelstrecke, (Teil II) der Tabelle 12.2–16, berechnet werden.

Die Einstellregeln setzen einen modifizierten PID-Regelalgorithmus der Form

$$y_k = y_{k-1} + K\left[x_{k-1} - x_k + \frac{T}{T_N} e_k + \frac{T_V}{T}(2x_{k-1} - x_{k-2} - x_k)\right] \qquad (12.2\text{–}140)$$

voraus, d. h., Führungsgrößenänderungen werden nur im I-Anteil berücksichtigt.

Zu messen sind der Verstärkungsfaktor des P-Reglers an der Stabilitätsgrenze K_{Rkrit} und die Periodendauer der Dauerschwingung T_{krit} (Teil I) oder die Verzugszeit T_u, die Ausgleichszeit T_g und die Verstärkung K_S (Teil II).

Weitere Einstellregeln sind in [12.43] für PT_n-Strekken angegeben.

4. Rechteck-Trapez-Approximation

Im allgemeinen nehmen die Koeffizienten der Regelalgorithmen bei Verwendung der Rechteck-Integration größere Werte an als bei der Trapez-Integration. Dieses Phänomen wird bei abnehmender Abtastzeit T verstärkt, so daß eine Begrenzung der Stellgröße eintritt. Es erscheint deswegen vorteilhaft,

- Algorithmen mit der Trapez-Integration,
- Algorithmen mit D-Begrenzung

zu verwenden [12.40], [12.43].

12.2.7 Nichtlineare Regelungen

Ein Regelkreis ist nichtlinear, wenn für ein Übertragungsglied das Überlagerungs- oder das Verstärkungsprinzip nicht erfüllt sind. Die Ursache dafür kann sein

- der Regelkreis oder Teile davon werden mit nichtlinearen Differentialgleichungen beschrieben, oder
- im Regelkreis kommen nichtlineare Kennlinienglieder vor.

Tabelle 12.2–16: Regelalgorithmus nach Takahashi

Teil I: Schwingungsversuch			
	K	$\frac{T}{T_N}$	$\frac{T_V}{T}$
P	$\frac{K_{Rkrit}}{2}$	–	–
PI	$0{,}45K_{Rkrit} - 0{,}27K_{Rkrit}\frac{T}{T_{Krit}}$ verkleinerte Werte falls $T \approx 4T_u$	$0{,}54\frac{K_{Rkrit}}{K}\frac{T}{T_{Krit}}$	
PID	$0{,}6K_{Rkrit} - 0{,}6K_{Rkrit}\frac{T}{T_{Krit}}$ Gültigkeitsbereich: $T \leqslant 2T_u$.	$1{,}2\frac{K_{Rkrit}}{K}\frac{T}{T_{Krit}}$ nicht empfehlenswert für $T_0 \approx 4T_u$.	$\frac{3}{40}\frac{K_{Rkrit}}{K}\frac{T_{Krit}}{T}$
Teil II: Übergangsfunktion			
	K	$\frac{T}{T_N}$	$\frac{T_V}{T}$
P	$\frac{1}{K_S}\frac{T_g}{T_u+T}$	–	–
PI	$\frac{1}{K_S}\left(\frac{0{,}9T_g}{T_u+T/2} - \frac{0{,}135T_gT}{(T_u+T/2)^2}\right)$	$\frac{0{,}27T_gT}{K(T_u+T/2)^2}$	–
PID	$\frac{1}{K_S}\left(\frac{1{,}2T_g}{T_u+T} - \frac{0{,}3T_gT}{(T_u+T/2)^2}\right)$ nicht anwendbar bei $T_u/T \to 0$	$\frac{0{,}6T_gT}{K(T_u+T/2)^2}$	$\frac{0{,}5}{K}\frac{T_g}{T}$

Tabelle 12.2–17: Nichtlineare Übertragungsglieder – Kennlinien und Beschreibungsfunktionen

	Nichtlineare Kennlinien	$N(\hat{x}_e)$	$N_J(\hat{x}_e) = -1/N(\hat{x}_e)$
1	Zweipunkt 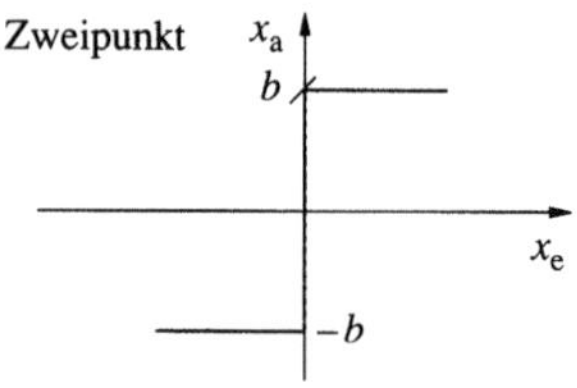	$= \frac{4 \cdot b}{\pi \cdot \hat{x}_e}$	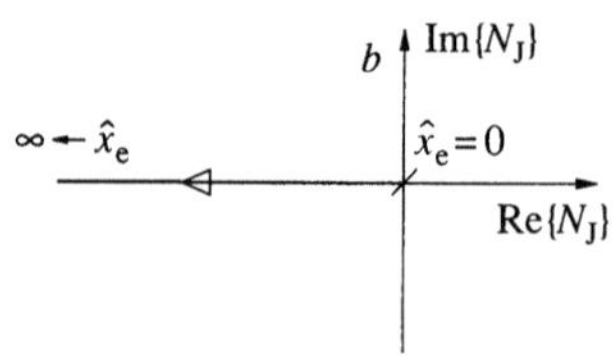
2	Begrenzung 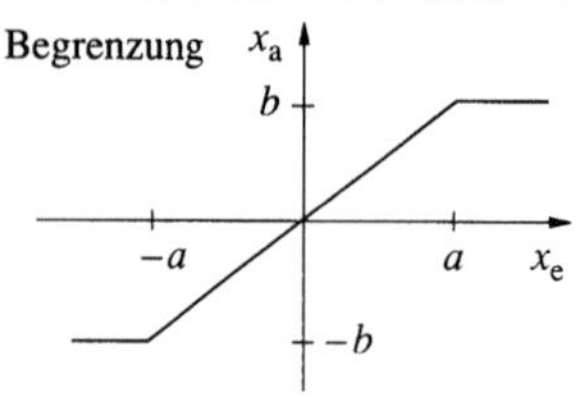	$= \frac{b}{a}, \; 0 \leq \hat{x}_e \leq a$ $= \frac{2 \cdot b}{\pi \cdot a}\left[\arcsin\left(\frac{a}{\hat{x}_e}\right) + \frac{a}{\hat{x}_e}\sqrt{1-\left(\frac{a}{\hat{x}_e}\right)^2}\right], \; a < \hat{x}_e$	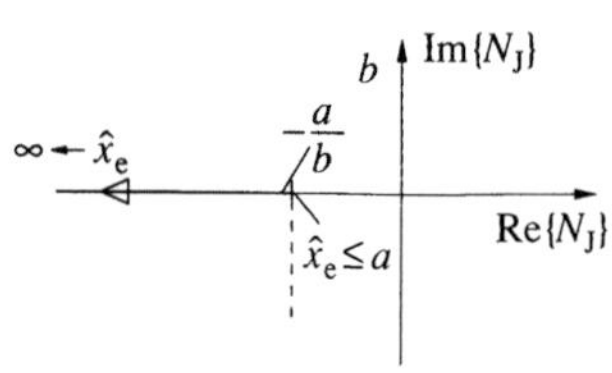
3	Dreipunkt 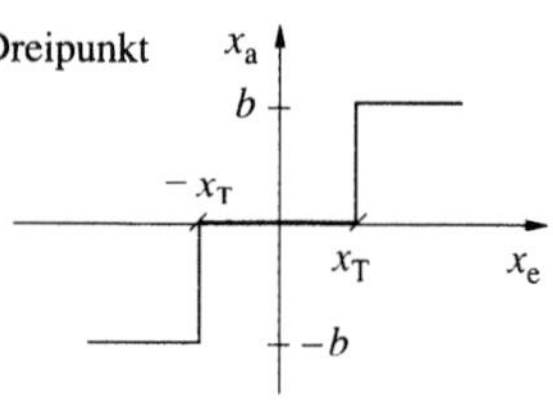	$= \frac{4 \cdot b}{\pi \cdot \hat{x}_e}\sqrt{1-\left(\frac{x_T}{\hat{x}_e}\right)^2}$, $x_T \leq \hat{x}_e < \infty$	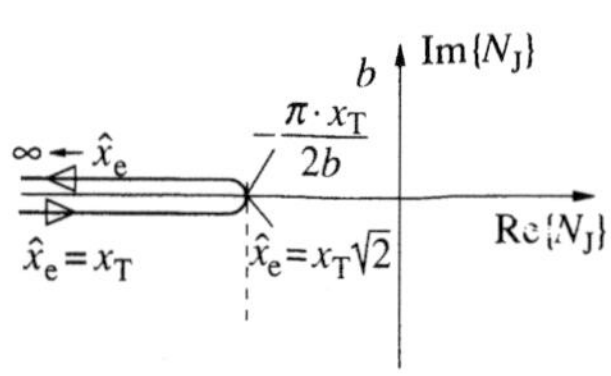

Tabelle 12.2–17: Fortsetzung

	Nichtlineare Kennlinien	$N(\hat{x}_e)$	$N_J(\hat{x}_e) = -1/N(\hat{x}_e)$
4	Tote Zone 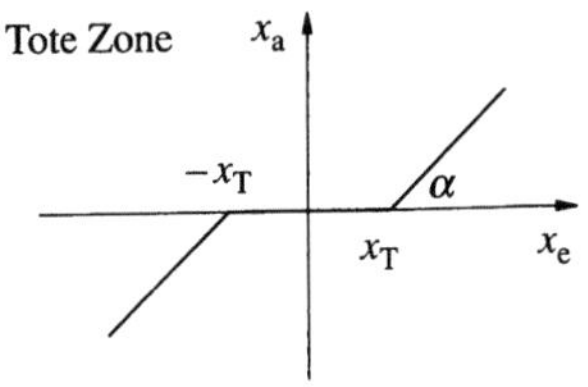	$= \tan\alpha\left[1-\frac{2}{\pi}\arcsin\left(\frac{x_T}{\hat{x}_e}\right)+\frac{x_T}{\hat{x}_e}\sqrt{1-\left(\frac{x_T}{\hat{x}_e}\right)^2}\right]$, $\hat{x}_e > x_T$	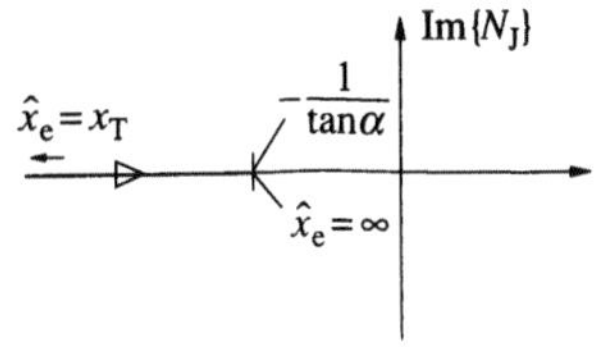
5	Zweipunkt mit Hysterese 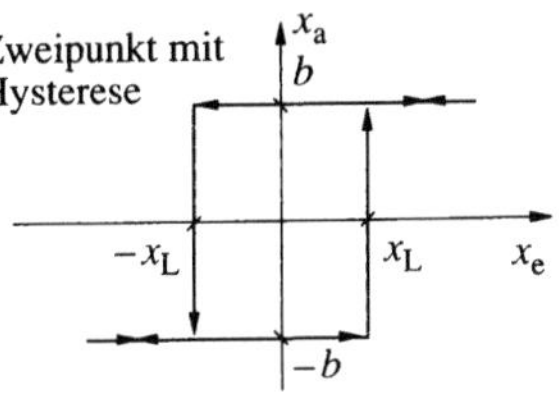	$= \frac{4 \cdot b}{\pi \cdot \hat{x}_e}\left[\sqrt{1-\left(\frac{x_L}{\hat{x}_e}\right)^2} - j\frac{x_L}{\hat{x}_e}\right]$, $\hat{x}_e > x_L$	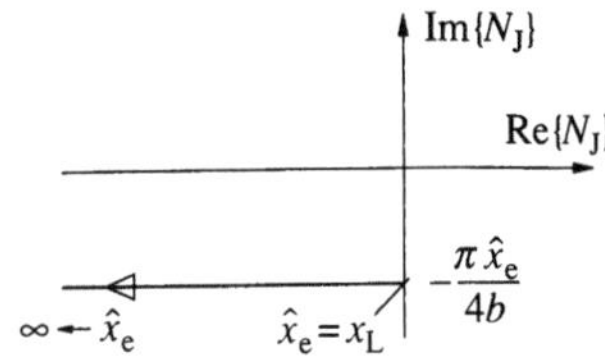
6	Dreipunkt mit Hysterese 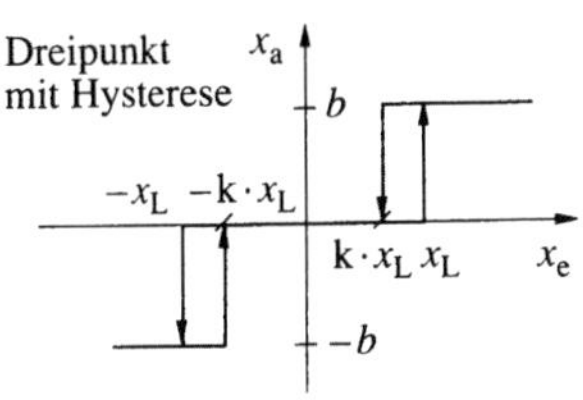	$= \frac{2b}{\pi \cdot \hat{x}_e}\left[\sqrt{1-\left(\frac{x_L}{\hat{x}_e}\right)^2}+\sqrt{1-\left(\frac{k \cdot x_L}{\hat{x}_e}\right)^2}\right]$, $-j\frac{2 \cdot b}{\pi \cdot \hat{x}_e}\left(\frac{x_L}{\hat{x}_e}-\frac{k \cdot x_L}{\hat{x}_e}\right)$, $\hat{x}_e \geq x_L$	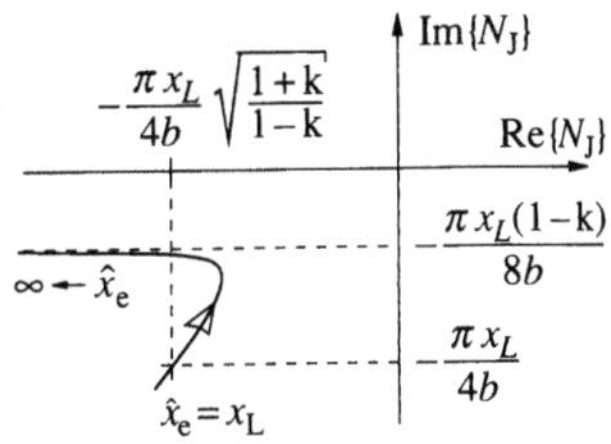
7	Vorspannung 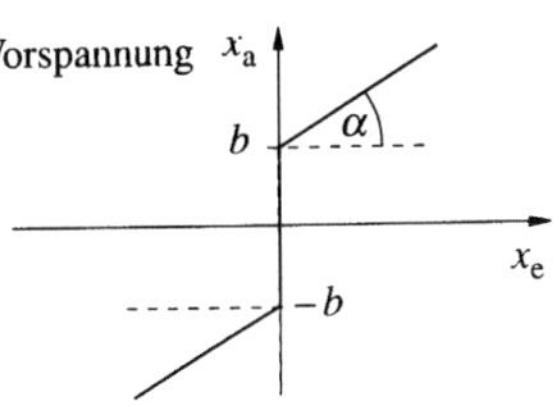	$= \tan\alpha + \frac{4b}{\pi \cdot \hat{x}_e}$	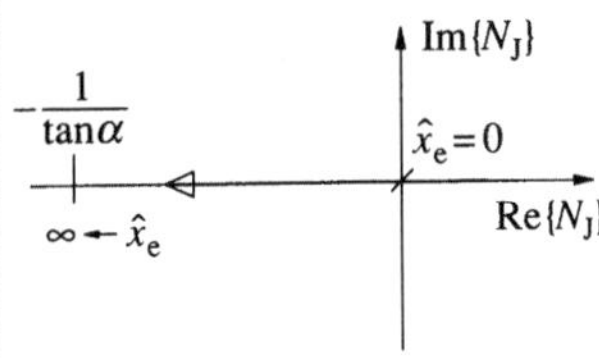
8	Getriebelose 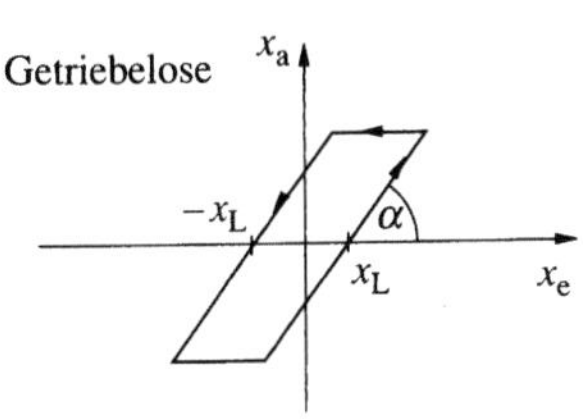	$= \frac{1}{\pi}\tan\alpha\left[\frac{\pi}{2}+\arcsin\left(\frac{\hat{x}_e-2x_L}{x_e}\right)+\frac{2x_L(\hat{x}_e-2x_L)}{\hat{x}_e{}^2}\sqrt{\frac{\hat{x}_e}{x_L}-1}\right]+$ $+j\frac{4}{\pi}\tan\alpha\left[\left(\frac{x_L}{\hat{x}_e}\right)^2-\frac{x_L}{\hat{x}_e}\right]$, $\hat{x}_e \geq x_L$	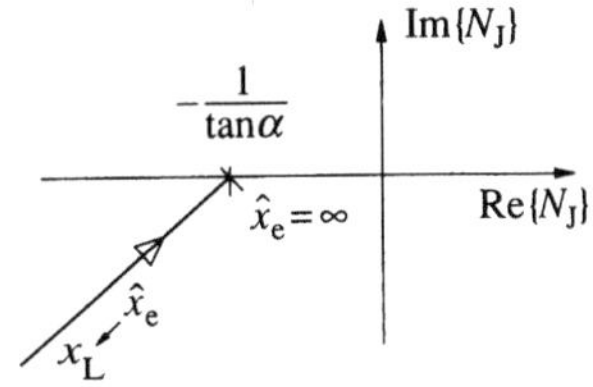
9	Quantisierung 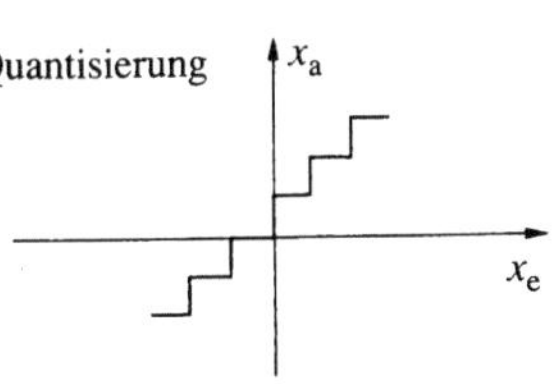	—	—

Aufgrund dieser unterschiedlichen Ursachen gibt es im Gegensatz zu den linearen Systemen zur Analyse und zum Entwurf nichtlinearer Regelkreise keine allgemeingültigen Verfahren [12.36]. Die Linearisierung stetiger nichtlinearer Kennlinien zeigt Abschnitt 12.2.1. Die Behandlung nichtlinearer Regelungen ist deshalb auf die Gebiete

- Verwendung nichtlinearer Übertragungsglieder als Regler und
- Stabilität nichtlinearer Regelkreise

konzentriert worden, um damit einen Zugang auf praxisnahe Anwendungen zu ermöglichen.

12.2.7.1 Unstetige nichtlineare Übertragungsglieder

Systeme in Technik und Natur zeichnen sich dadurch aus, daß ihre Systemgrößen begrenzt sind (z. B. Ausgangsspannung des Operationsverstärkers). Der Übergang in die Begrenzung stellt eine Unstetigkeitsstelle dar. Ähnlich ist es bei schaltenden Geräten deren Kennlinien $x_a = F(x_e)$ Sprungstellen beinhalten. Liegt eine Kennlinie mit Hysterese vor, z. B. eine Magnetisierungskennlinie, so ist deren Verlauf auch noch von der Änderung der Eingangsgröße $\dot{x}_e$ abhängig, d. h. $x_a = F(x_e, \dot{x}_e)$.

Tabelle 12.2–17 zeigt eine Zusammenstellung unstetiger, nichtlinearer Übertragungsglieder und deren Beschreibung. Das Verhalten der Regelkreise, die derartige Übertragungsglieder enthalten, soll an einigen exemplarischen Beispielen gezeigt werden.

12.2.7.2 Regelkreise mit nichtlinearen Reglern

Nichtlineare unstetige Übertragungsglieder werden, da sie einfach aufzubauen und preiswert sind, in vielen Anwendungsfällen als Regler eingesetzt. An einigen in der Praxis häufig vorkommenden Streckentypen wird die Anwendung der Zweipunkt- und Dreipunktkennlinien als Regler gezeigt. Anwendungen für Zweipunktregler sind Temperaturregelung am Heizkessel, Druckregelung am Kompressor, für Dreipunktregler die Positionsregelung mit Stellantrieben.

1. Zweipunktregler mit/ohne Hysterese

Regelkreise, bestehend aus Strecken mit/ohne Ausgleich und Zweipunktreglern mit/ohne Hysterese, zeigen folgendes Verhalten:

α) Strecken ohne Ausgleich

Dem Regelkreis liegt die Struktur gemäß Bild 12.2–49 zugrunde. Die Strecke hat die Übertragungsfunktion

$$G_S(s) = \frac{1}{T_I s} e^{-T_t s} \qquad (12.2\text{–}141)$$

mit T_I als Integrationszeit und T_t als Totzeit. Wird ein Zweipunktregler mit Hysterese der Breite $2\,x_L$ verwendet, dessen Stellgröße y_R bei symmetrischer Amplitude $\pm y_M$,

$$y_R = y_M \operatorname{sgn}(e - x_L \operatorname{sgn} \dot{e}) \qquad (12.2\text{–}142)$$

lautet, so erhält man mit den Anfangsbedingungen $w(t) = w_0\sigma(t)$ und $x(t) = 0$ für $t < 0$, die in Bild 12.2–50 dargestellten Kurven für x, y_R und w.

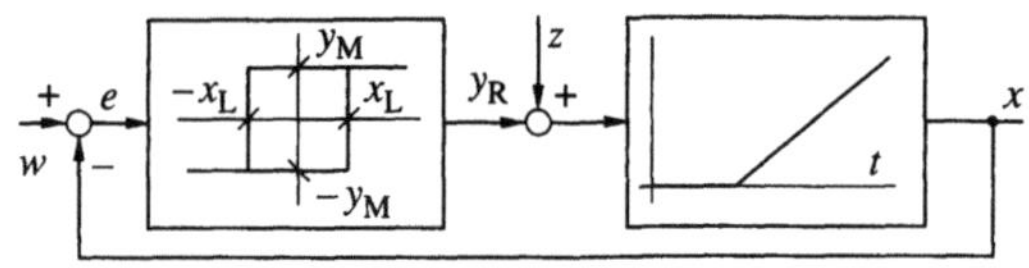

Bild 12.2-49 Zweipunktregler mit Hysterese und Strecke ohne Ausgleich – Blockschaltbild

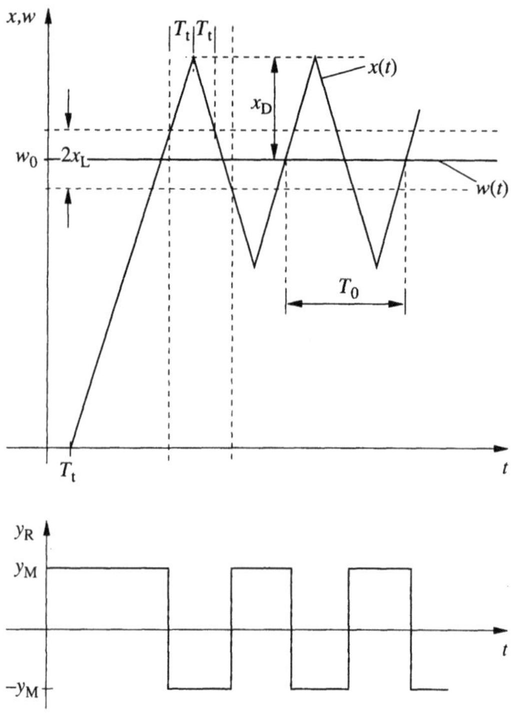

Bild 12.2-50 Zweipunktregler mit Hysterese und Strecke ohne Ausgleich – Verlauf der Systemgrößen x, w, y_R.

Die Schwingung, die die Regelgröße x ausführt, ist typisch für den nichtlinearen Regelkreis und wird als Dauerschwingung bezeichnet. Deren Frequenz $f_D = 1/T_0$ erhält man aus der Periodendauer

$$T_0 = 4\left(T_t + \frac{x_L T_I}{y_M}\right), \qquad (12.2\text{–}143)$$

deren Amplitude x_D, die symmetrisch zum Sollwert w liegt, zu

$$x_D = x_L + y_M \frac{T_t}{T_I}. \qquad (12.2\text{–}144)$$

Die Dauerschwingung nimmt für $T_t \to 0$ endliche Werte für Frequenz und Amplitude an.

Für einem Zweipunktregler ohne Hysterese ist in Gl. (12.2–142) $x_L = 0$ zu setzen. Den Verlauf der Größen x, y_R und w über der Zeitachse zeigt Bild 12.2–51. Frequenz f_D und Amplitude x_D der Dauerschwingung erhält man mit $x_L = 0$ aus den Gln. (12.2–143) und (12.2–144). Geht $T_t \to 0$, strebt $x_D \to 0$ und $f_D \to \infty$. Ein Zustand, der das Schaltvermögen eines Reglers überfordert.

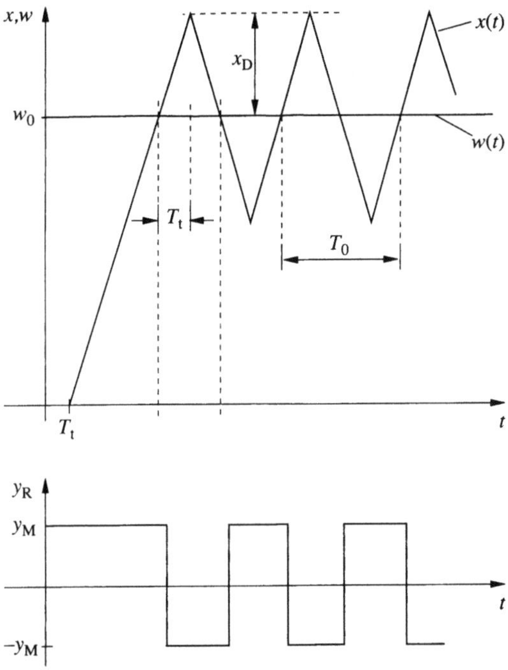

Bild 12.2-51 Zweipunktregler ohne Hysterese und Strecke ohne Ausgleich – Verlauf der Systemgrößen x, w, y_R.

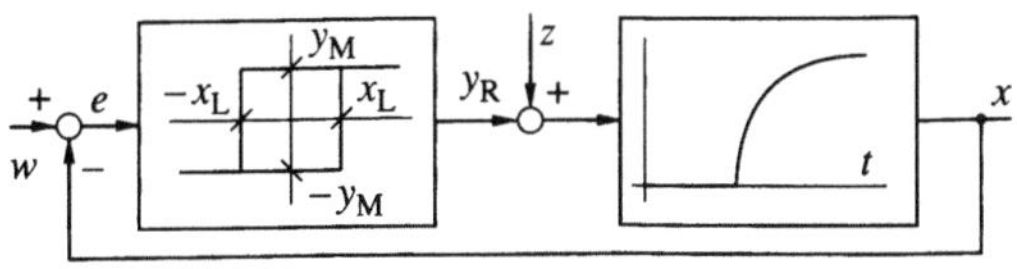

Bild 12.2-52 Zweipunktregler mit Hysterese und Strecke mit Ausgleich – Blockschaltbild

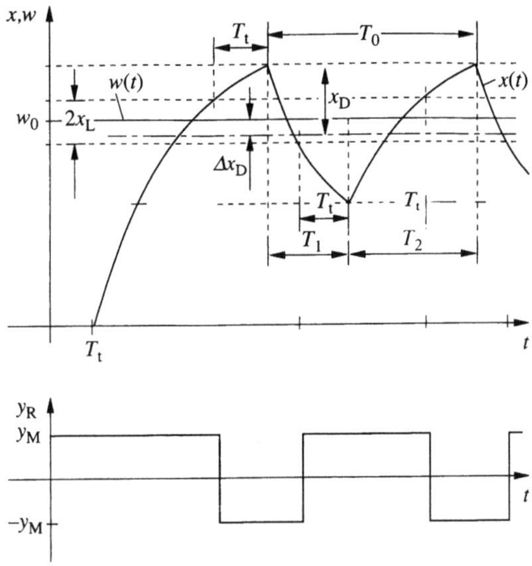

Bild 12.2-53 Zweipunktregler mit Hysterese und Strecke mit Ausgleich – Verlauf der Systemgrößen x, w, y_R

β) Strecken mit Ausgleich

Dem Regelkreis gemäß Bild 12.2–52 liegt eine Strecke mit der Übertragungsfunktion

$$G_S(s) = \frac{K_S}{1 + sT_S} e^{-T_t s} \qquad (12.2\text{–}145)$$

mit K_S als Verstärkung, T_S als Zeitkonstante und T_t als Totzeit zugrunde. Als Regler wird ein Zweipunktregler mit Hysterese der Breite $2\,x_L$ verwendet, dessen Stellgröße bei symmetrischen Amplitudenwerten $y_R = \pm y_M$, Gl. (12.2–142) beschreibt. Mit den Anfangsbedingungen $w(t) = w_0 \sigma(t)$, $x(t) = 0$ für $t < 0$ zeigt Bild 12.2–53 den Verlauf der Größen x, y_R und w. Die Regelgröße x führt eine Dauerschwingung aus, deren Mittelwert $\bar{x}_D$ nicht mit dem Sollwert übereinstimmt. Die Mittelwertabweichung ist verstärkungs- und stellgrößenabhängig. Für beliebige, unsymmetrische Amplituden der Stellgröße (y_R zu $y_M > 0$, $y_N < 0$) gibt es eine Dauerschwingung mit der Periodendauer T_0 zu

$$T_0 = T_1 + T_2 = T_{01} + T_{02} + 2T_t \qquad (12.2\text{–}146)$$

$$T_{01} = T_S \ln \left[\frac{w_0 + x_L - K_S y_M}{w_0 - x_L + K_S y_N} e^{-T_t/T_S} + \frac{K_S(y_M + y_N)}{w_0 - x_L + K_S y_N} \right]$$

$$T_{02} = T_S \ln \left[\frac{w_0 - x_L + K_S y_N}{w_0 + x_L - K_S y_M} e^{-T_t/T_S} - \frac{K_S(y_M + y_N)}{w_0 + x_L - K_S y_M} \right]$$

und der Frequenz $f_D = 1/T_0$. Die Dauerschwingungsamplitude erhält man dann zu

$$x_D = \frac{K_S}{2}(y_M + y_N) \left[1 - e^{-T_t/T_S} \right] + x_L e^{-T_t/T_S} \qquad (12.2\text{–}147)$$

und die Abweichung des Mittelwerts der Dauerschwingung von der Sollgröße w zu

$$\Delta x_D = (1 - e^{-T_t/T_S}) \left[\frac{K_S}{2} (y_M - y_N) - w_0 \right]. \quad (12.2\text{–}148)$$

Die Größen T_0, x_D und Δx_D für spezielle Amplitudenwerte des Zweipunktreglers ($|y_N| = |y_M|$, $y_N = 0$, usw.) können mit diesen Gleichungen berechnet werden. Aufgrund der Hysterese stellt sich bei diesem Streckentyp für $T_t \to 0$ eine Dauerschwingung endlicher Frequenz und Amplitude ein.

Wird ein Zweipunktregler ohne Hysterese verwendet, verlaufen bei einem symmetrischen Zweipunktregler die Größen x, y_R und w wie in Bild 12.2–54 dargestellt. Frequenz f_D, Amplitude x_D und Mittelwertabweichung Δx_D der Dauerschwingung erhält man mit $x_L = 0$ und $y_N = y_M$ aus Gl. (12.2–146) bis Gl. (12.2–148). Die darin enthaltenen Sonderfälle des Zweipunktglieds können ebenfalls anhand dieser Gleichungen berechnet werden.

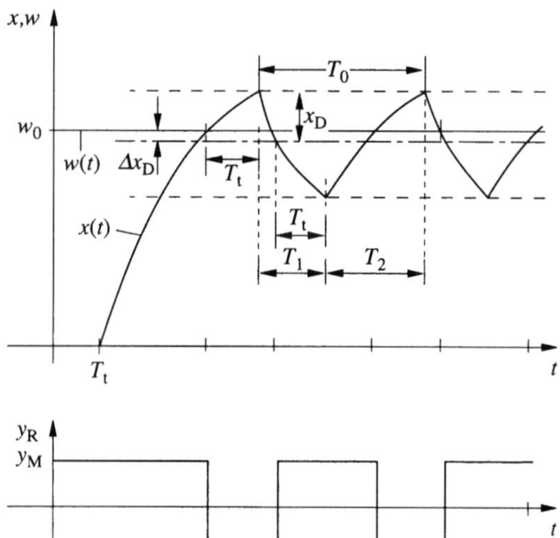

Bild 12.2-54 Zweipunktregler ohne Hysterese und Strecke mit Ausgleich – Verlauf der Systemgrößen x, w, y_R.

Bei Strecken mit $T_t \ll T_S$ können die e-Funktionen in der Schwingung durch ihre Tangenten ersetzt werden [12.36]. Bei einem Zweipunktregler ohne Hysterese vereinfacht sich Gl. (12.2–146) zu

$$T_0 = \frac{K_S(y_M + y_N)T_t}{w_0 + K_S y_N} + \frac{K_S(y_M + y_N)T_t}{K_S y_M - w_0}. \quad (12.2\text{–}149)$$

Wie in [12.36] gezeigt, erhält man ein brauchbares Verhalten derartiger Regelkreise für $0{,}2 \leqslant w_0/K_S \leqslant 0{,}8$.

Für $w_0/K_S = 1/2$ ergibt sich die minimale Schwingungsdauer, wobei $K_S y_M > w_0$ sein muß, da sonst die Regelgröße den Sollwert nicht erreicht. Bild 12.2–55 zeigt die Systemgrößen des Regelkreises für $T_t \ll T_S$.

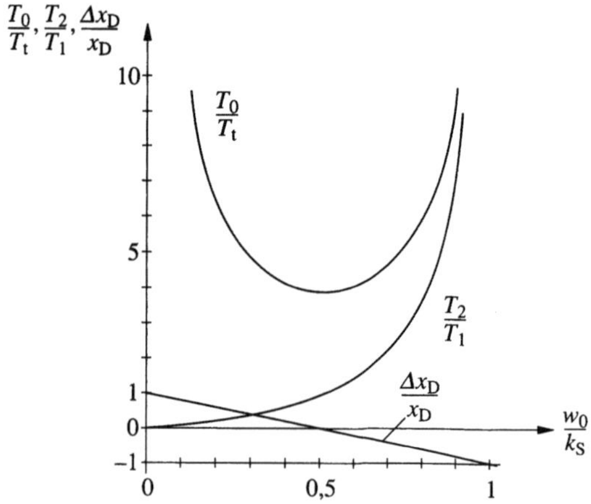

Bild 12.2-55 Zweipunktregler ohne Hysterese und Strecke mit Ausgleich – Kenngrößen zur Regelkreisauslegung

2. Dreipunktregler

Regelkreise, die eine stabile Ruhelage der Regelgröße erfordern (z. B. Stellantriebe), schließen die Anwendung von Zweipunktreglern aus. Die Verwendung eines Dreipunktreglers mit einstellbarer toten Zone x_t erscheint hier von Vorteil.

Bei diesem Reglertyp läßt sich unter gewissen Voraussetzungen eine Dauerschwingung vermeiden.

Die Anwendung eines Dreipunktreglers ohne Hysterese an einer Strecke ohne Ausgleich nach Gl. (12.2–141) zeigt Bild 12.2–56. Die Ausgangsgröße y_R des Reglers nimmt nach Tabelle 12.2–17 die folgenden Werte an

$$y_R = \begin{cases} y_M & \text{für } e > x_T, \\ -y_M & \text{für } e < -x_T, \\ 0 & \text{für } -x_T \leqslant e \leqslant +x_T. \end{cases} \quad (12.2\text{–}150)$$

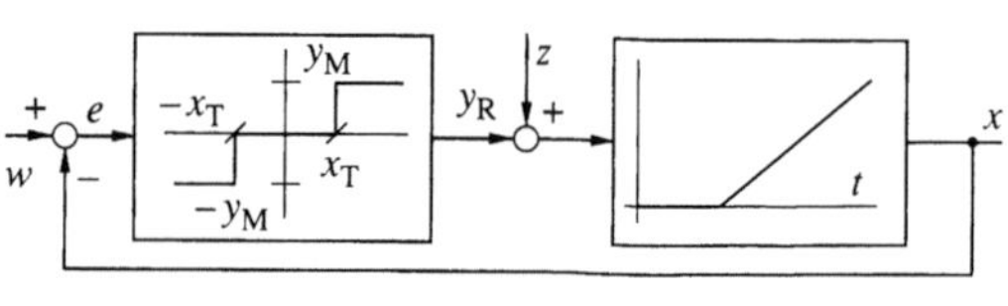

Bild 12.2-56 Dreipunktregler ohne Hysterese und Strecke ohne Ausgleich – Blockschaltbild

Hat die tote Zone die Breite $2x_T$ und ist $w(t) = w_0\sigma(t)$ sowie $x(t) = 0$ für $t < 0$, erhält man den in Bild 12.2–57 dargestellten Verlauf der Größen x, y_R und w.

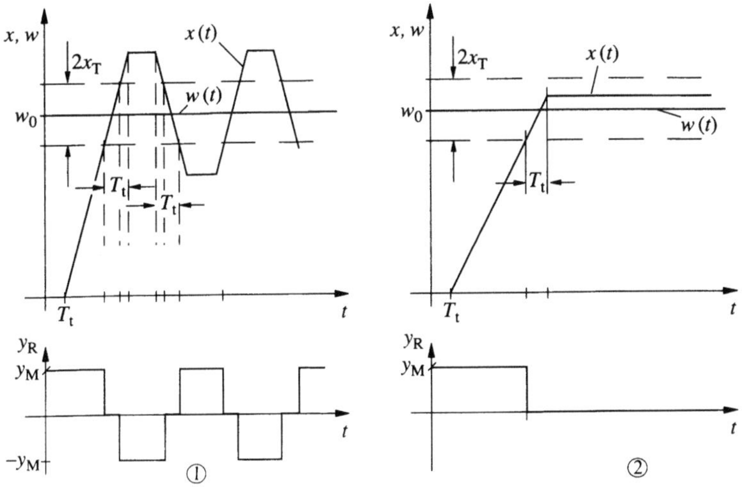

Bild 12.2-57
Dreipunktregler ohne Hysterese und Strecke ohne Ausgleich – Verlauf der Systemgrößen x, w, y_R

Im Fall ① tritt eine Dauerschwingung, im Fall ② dagegen keine Dauerschwingung auf. Das Vorhandensein einer Dauerschwingung wird von den Strecken- und Reglerparametern bestimmt und läßt sich anhand der Bedingung

$$2x_T > y_M \frac{T_t}{T_I} \qquad (12.2\text{–}151)$$

abschätzen. Ist die Bedingung erfüllt, tritt keine Dauerschwingung auf. Nach abgeklungenem Einschwingvorgang liegt die Regelgröße x im Bereich

$$w_0 - x_T \leqslant x \leqslant w_0 + x_T. \qquad (12.2\text{–}152)$$

3. Nichtlineare Regler mit Rückführung

Die bei Verwendung nichtlinearer Regler auftretende Dauerschwingung, die im wesentlichen vom Streckenverhalten bestimmt wird, kann durch Einführung einer linearen Rückführung am Regler beeinflußt werden. Es lassen sich damit Regler, die das Verhalten linearer PI-, PD-, PID-Regler zeigen, aufbauen.

α) Zweipunktregler mit Hysterese und PT_1-Rückführung

Hat die Rückführung die Übertragungsfunktion $G_r(s)$, so erhält man aus der Anordnung nach Bild 12.2–58 die Reglerübertragungsfunktion näherungsweise zu

$$G_R(s) = \frac{\bar{Y}(s)}{E(s)} \approx \frac{1}{G_r(s)} \approx \frac{1}{K_r}(1 + T_r s), \qquad (12.2\text{–}153)$$

also einen Regler mit PD-Verhalten, dessen D-Anteil stark bedämpft ist. Hat die Strecke hinreichend Tiefpaßverhalten, so wird die Regelgröße, falls die Schaltfrequenz des Reglers groß genug ist, nur vom Mittelwert der Stellgröße $\bar{y}(t)$ beeinflußt.

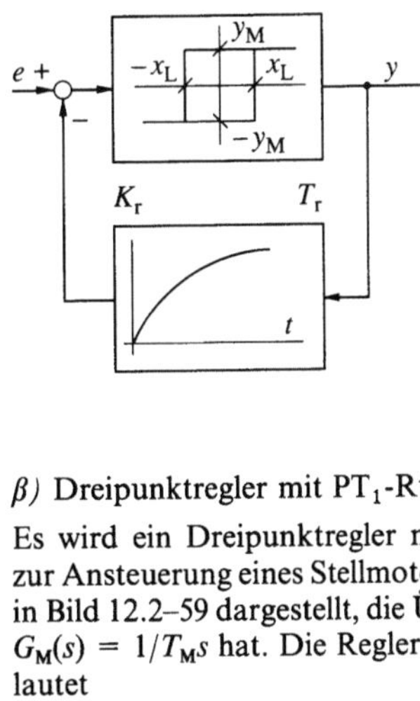

Bild 12.2-58
Zweipunktregler mit Hysterese und PT_1-Rückführung – Blockschaltbild

β) Dreipunktregler mit PT_1-Rückführung

Es wird ein Dreipunktregler mit PT_1-Rückführung zur Ansteuerung eines Stellmotors verwendet, der wie in Bild 12.2–59 dargestellt, die Übertragungsfunktion $G_M(s) = 1/T_M s$ hat. Die Reglerübertragungsfunktion lautet

$$G_R(s) \approx \frac{1}{G_r(s)} G_M(s) \approx \frac{T_r}{K_r T_M}\left(1 + \frac{1}{sT_r}\right), \qquad (12.2\text{–}154)$$

also ein Regler mit PI-Verhalten. Die Ausgangsgröße $y_1(t)$, als Impulsfolge, stellt das Ausgangssignal des Stellglieds $\bar{y}_2(t)$ dahingehend ein, daß es der Übergangsfunktion eines PI-Glieds entspricht. Der Regler verhält sich als Schrittregler, der über seine Stellimpulse auf die Regelgröße einwirkt. Die Schaltfrequenz dieser Regler ist umgekehrt porportional zur Hysteresebreite $2x_L$ beim Zweipunktregler bzw. zur Breite $2x_T$ der toten Zone beim Dreipunktregler. Werden diese Werte groß genug gewählt, so lassen sich die Schwankungen der Regelgröße in Grenzen halten. Bei Verwendung elektromechanischer Schalter, ist die Begrenzung der Schaltfrequenz zu beachten.

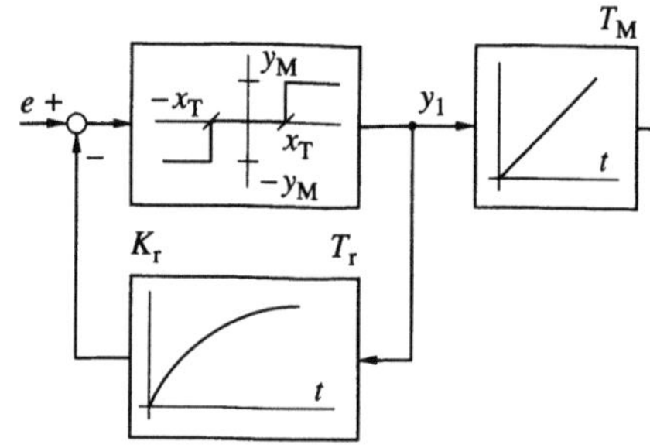

Bild 12.2-59 Dreipunktregler mit PT_1-Rückführung – Blockschaltbild

12.2.7.3 Stabilität nichtlinearer Regelungen

Die bei nichtlinearen Regelkreisen auftretenden Dauerschwingungen können stabil, instabil oder semistabil sein. Dies bedeutet, daß bei Auftreten einer Störung im Regelkreis, die Dauerschwingung, falls stabil, Frequenz und Amplitude beibehält, falls instabil, Frequenz und Amplitude ändert und falls semistabil, abhängig von der Art der Störung sich ändern kann. Mit dem Verfahren der *Harmonischen Balance,* lassen sich Dauerschwingungen bei nichtlinearen Regelkreisen berechnen. Ebenso erlaubt dieses Verfahren die Untersuchung der Stabilität der Schwingungen [12.36], [12.39]. Da es sich um ein Näherungsverfahren handelt, sind die Ergebnisse nur bedingt aussagekräftig.

1. Harmonische Linearisierung

Die Anwendung des Verfahrens soll an dem in Bild 12.2–60 dargestellten Regelkreis gezeigt werden. Er besteht aus einem nichtlinearen Regler beschrieben mittels $y = F(e, \dot{e})$ und der linearen Strecke $G_S(j\omega)$. Wird bei konstantem Sollwert $w = 0$ für die Regeldifferenz $e(t)$ eine Schwingung der Form

$$e(t) = x_e(t) = \hat{x}_e \sin \omega_0 t \qquad (12.2\text{–}155)$$

angenommen, so ist auch $y(t)$ eine Schwingung, deren Form jedoch von der Art der Nichtlinearität abhängt. Hat $G_S(j\omega)$ ausreichend Tiefpaßverhalten, werden alle höherfrequenten Anteile in $y(t)$ beim Durchlaufen des linearen Teilsystems bedämpft und $y(t)$ läßt sich durch seinen Grundanteil

$$\begin{aligned} y_1(t) &= [a_1 \sin \omega_0 t + b_1 \cos \omega_0 t] = \\ &= C_1 \sin (\omega_0 t + \varphi_1) \end{aligned} \qquad (12.2\text{–}156)$$

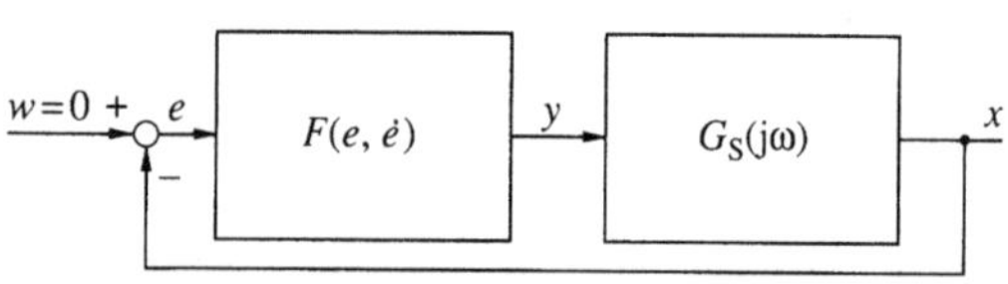

Bild 12.2-60 Anwendung der harmonischen Balance an einem nichtlinearen Regelkreis

beschreiben. Mit komplexen Zeigern ergibt der Quotient

$$\begin{aligned} N(\hat{x}_e) &= \frac{\underline{y}_1}{\underline{x}_e} = \frac{C_1}{\hat{x}_e} \cdot e^{j\varphi^1} = \\ &= \frac{C_1}{\hat{x}_e} (\cos \varphi_1 + j \sin \varphi_1) = \\ &= \frac{a_1}{\hat{x}_e} + j \frac{b_1}{\hat{x}_e} \end{aligned} \qquad (12.2\text{–}157)$$

die Beschreibungsfunktion $N(\hat{x}_e)$, die auch als Ersatzfrequenzgang des nichtlinearen Übertragungsglieds bezeichnet wird. Mit $N(\hat{x}_e)$ und $G_S(j\omega)$ folgt aus dem geschlossenen Regelkreis nach Bild 12.2–60, die Bedingung für die Existenz von Dauerschwingungen zu

$$N(\hat{x}_e) G(j\omega) + 1 = 0. \qquad (12.2\text{–}158)$$

Die Lösungen der Gl. (12.2–158) ergeben die Dauerschwingungen, wobei jedes Lösungspaar x_D, ω_D, Amplitude und Frequenz einer Dauerschwingung kennzeichnet.

Neben der analytischen Lösung der Gl. (12.2–158) läßt sich auch eine graphische Lösung nach dem Zweiortskurvenverfahren durchführen. Definiert man mit $N(\hat{x}_e)$ die nichtlineare Ortskurve

$$N_J(\hat{x}_e) = -\frac{1}{N(\hat{x}_e)} \qquad (12.2\text{–}159)$$

und zeichnet diese in der komplexen Ebene zusammen mit der linearen Ortskurve $G_S(j\omega)$, so erhält man aus den Schnittpunkten der Kurven die Lösungen der Gl. (12.2–158). Beschreibungsfunktion und Ortskurven einiger nichtlinearer Übertragungsglieder sind in Tabelle 12.2–17 zusammengestellt.

In einem Schnittpunkt wird die Frequenz ω_D an der Ortskurve $G_S(j\omega)$, die Amplitude x_D an der nichtlinearen Ortskurve $N_J(\hat{x}_e)$ abgelesen, wobei zu beachten ist:

- Gibt es keine Schnittpunkte gibt es keine Lösungen der Gl. (12.2–158). Es kann jedoch trotzdem Dauerschwingungen geben, wie das Beispiel Zweipunktregler mit Hysterese und PT_1-Strecke zeigt. Aufgrund der niedrigen Ordnung ($n = 1$) dieser Strecke, führt die Anwendung der Harmonischen Balance zu Fehlschlüssen.
- Gibt es mehrere Schnittpunkte, so ist zu klären, inwieweit diese Dauerschwingungen alle entstehen können und ob sie auch alle stabil sind.

■ *Beispiel:*

Zweipunktglied ohne Hysterese und IT_t-Strecke nach Gl. (12.2–141). Gl. (12.2–158) ergibt unendlich viele Dauerschwingungen mit den Frequenzen $\omega_D = \pi/(2T_t) + 2k\pi/T_t$, $k = 0, 1, 2, \ldots$ Wie sich zeigen läßt [12.39], entsteht von selbst nur die Dauerschwingung mit der kleinsten Frequenz und der größten Amplitude, also

$$\omega_{D1} = \frac{\pi}{2T_t}, \; x_{D1} = \frac{8y_M T_t}{\pi^2 T_1}.$$

Der Vergleich mit Gl. (12.2–144) zeigt die Abweichung der Amplitudenberechnung der Harmonischen Balance.

2. Stabilitätsuntersuchung mit dem Zwei-Ortskurven-Verfahren

Eine relativ einfache Stabilitätsaussage folgt aus dem Zwei-Ortskurven-Verfahren. Sie soll am Beispiel eines Regelkreises mit Dreipunktregler ohne Hysterese und PT_3-Strecke nach Bild 12.2–61 gezeigt werden. Bild 12.2–62 enthält die Ortskurven $N_J(\hat{x}_e)$ und $G_S(j\omega)$. Durch Variation der Verstärkung ergeben sich für $G_S(j\omega)$ die Kurven I...III. Wird mit einer gleichfrequenten sinusförmigen Störung die Amplitude $\hat{x}_e$ der Schwingung verändert, so läßt sich folgendes Ergebnis formulieren:

- Ein Schnittpunkt der beiden Ortskurven stellt eine stabile Dauerschwingung dar, wenn mit wachsendem $\hat{x}_e$, $|N_J(\hat{x}_e)|$ zunimmt und mit abnehmendem $\hat{x}_e$, $|N_J(\hat{x}_e)|$ abnimmt (Pkt ①: x_{D1}, ω_{D1}). In diesem Fall durchstößt $N_J(\hat{x}_e)\, G_S(j\omega)$ von rechts nach links.
- Er stellt eine instabile Dauerschwingung dar, wenn mit wachsendem $\hat{x}_e$, $|N_J(\hat{x}_e)|$ abnimmt und mit abnehmendem $\hat{x}_e$, $|N_J(\hat{x}_e)|$ zunimmt (Pkt ②: x_{D2}, ω_{D2}). In diesem Fall durchstößt $N_J(\hat{x}_e)\, G_S(j\omega)$ von links nach rechts.

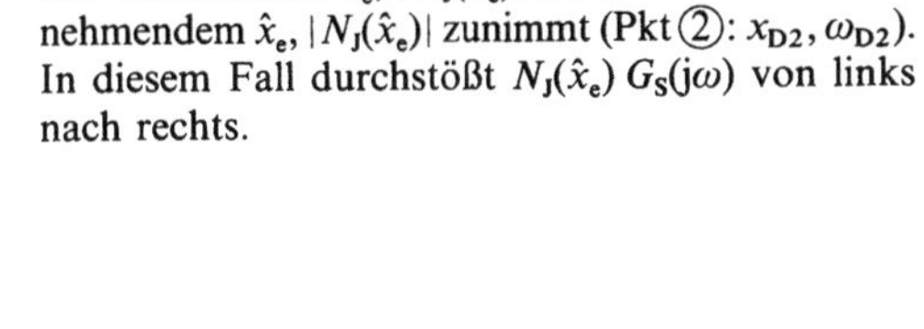

Bild 12.2-61 Dreipunktregler mit PT_3-Strecke – Blockschaltbild

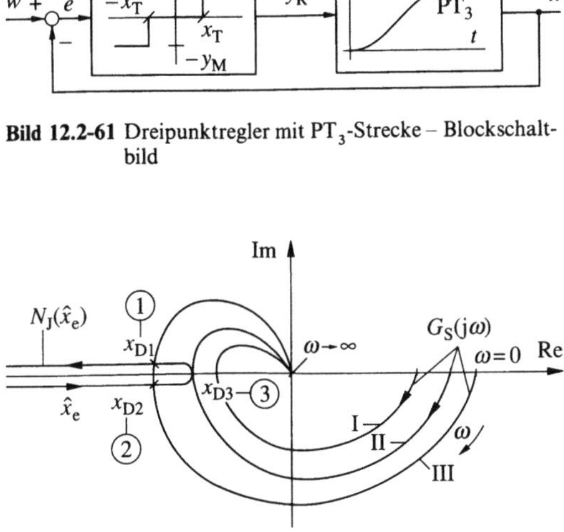

Bild 12.2-62 Frequenzgangortskurve der PT_3-Strecke und Ortskurve des Dreipunktreglers

- Eine semistabile Dauerschwingung tritt auf, wenn für beliebige Änderungen von $\hat{x}_e$, $|N_J(\hat{x}_e)|$ immer zunimmt (Pkt ③: x_{D3}, ω_{D3}). $N_J(\hat{x}_e)$ bleibt dann auf der gleichen Seite von $G_S(j\omega)$. Diese Regel gilt nicht generell, denn treten mehrere Schnittpunkte auf mit unterschiedlichen Frequenzen, so ist sie nur auf den Schnittpunkt mit der kleinsten Frequenz anwendbar.

3. Stabilisierung nichtlinearer Regelkreise

Sollen die durch Nichtlinearitäten bedingten Dauerschwingungen begrenzt bzw. vermieden werden, so lassen sich nach [12.39], [12.46] zwei Verfahren anwenden.

- Vermeidung von Dauerschwingungen mittels linearem Kompensationsglied:

  Wird ein lineares Kompensationsglied $G_k(j\omega)$ so entworfen, daß die Ortskurve des linearen Systems $G_k(j\omega)\, G_S(j\omega)$ die Ortskurve $N_J(\hat{x}_e)$ nicht mehr schneidet, lassen sich Dauerschwingungen verhindern. Damit hat der Regelkreis eine stabile Ruhelage. Eine weitere Möglichkeit besteht in der Absenkung des Verstärkungsfaktors des linearen Teils, wodurch jedoch die stationäre Genauigkeit abnehmen kann.
- Verminderung der Amplitude der Dauerschwingung:

  Bei Regelkreisen mit einer toten Zone als Nichtlinearität läßt sich die Amplitude der Dauerschwingung dadurch reduzieren, daß die Proportionalverstärkung der Strecke erhöht wird. Der Schnittpunkt der Ortskurven $G_S(j\omega)$ und $N_J(\hat{x}_e)$ liegt dann bei Schwingungen mit kleineren Amplitudenwerten. Aus Gründen der Stellgrößenbeschränkung ist bei manchen Strecken dann ein variabler Verstärkungsfaktor zu wählen. Dazu läßt sich ein stetiges Kennlinienglied verwenden, dessen Ausgangsgröße bei abnehmender Regeldifferenz anwächst und mit zunehmender Regeldifferenz die ursprüngliche Verstärkung wieder annimmt.

12.2.8 Adaptive Regelungen

Adaptive Regelungen werden dann erforderlich, wenn die Eigenschaften der Regelstrecke sich ändern. Das können sowohl Parameteränderungen (z. B. Verstärkungen oder Zeitkonstanten) als auch Strukturänderungen sein (z. B. Änderung der Streckenstruktur eines Gleichstromantriebs im Lückbetrieb). Die Regelstrecke ist dann zeitvariant und ein Reglerentwurf für feste Streckenparameter bzw. Streckenstruktur ist dadurch unbrauchbar oder nur noch bedingt brauchbar. Derartige Regelstrecken erfordern, falls ein robuster Regler nicht ausreicht, einen *parameteradaptiven* oder einen *strukturadaptiven Regler*.

Der Aufbau einer parameteradaptiven Regelung erfordert, neben den Standardeinrichtungen für den Regelkreis, zusätzliche Komponenten, nämlich

- eine *Identifikationseinrichtung*, die die zeitvarianten Streckenparameter erfaßt,
- einen *Entscheidungsprozeß*, worin anhand der gemessenen Streckenparameter die Reglerparameter berechnet werden (Algorithmen zur Adaption),
- eine *Modifikationseinrichtung*, die die Änderungen am Regler durchführt.

Diese Einrichtungen verursachen einen erheblichen Realisierungsaufwand. Die verschiedenen Verfahren, die hierzu entwickelt wurden, sind in [12.46], [12.47], [12.51], [12.52] beschrieben.

Parameteradaptive Regelungen lassen sich in 3 Grundstrukturen unterteilen:

1. *Verfahren der geregelten Adaption mit Vergleichsmodell.*

   Anhand eines Parallelmodells mit vorgegebenem Übertragungsverhalten wird der parameteradaptive Regelkreis über eine Adaptionseinrichtung angepaßt (Bild 12.2–63). Als Kriterium für die Adaption dient die Abweichung $\varepsilon(t)$ zwischen Modellausgangssignal $x_m(t)$ und der Regelgröße $x(t)$.

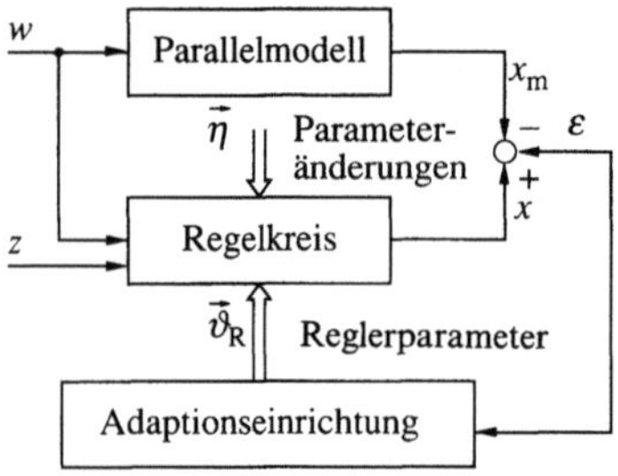

Bild 12.2-63 Geregelte Adaption mit Vergleichsmodell – Blockschaltbild

2. *Verfahren der geregelten Adaption ohne Vergleichsmodell*

   In der Identifikationseinrichtung werden aus der Stellgröße und der Regelgröße die Streckenparameter ermittelt (Bild 12.2–64). In dem Entscheidungsprozeß werden, anhand gespeicherter Algorithmen die Reglerparameter berechnet und über eine Modifikationseinrichtung der Regler eingestellt.

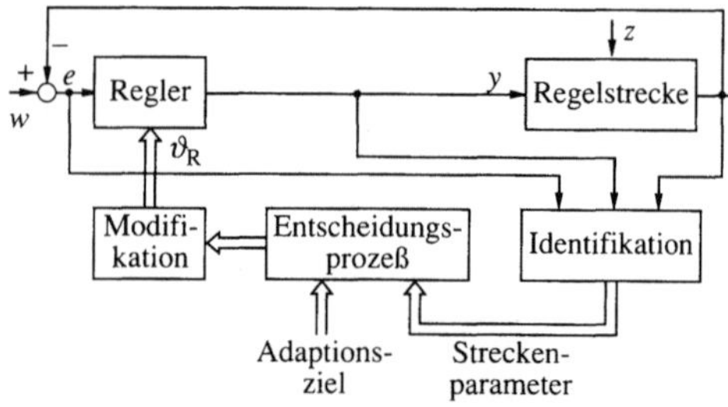

Bild 12.2-64 Geregelte Adaption ohne Vergleichsmodell – Blockschaltbild

3. *Verfahren der gesteuerten Adaption*

   Anhand gemessener Hilfsgrößen, bzw. aufgrund von Änderungen der Regelgröße wird über eine feste Zuordnung, die Änderung der Reglerparameter vorgenommen. Die Auswirkung der Adaption wird nicht überwacht (z. B. Umschaltung der Reglerparameter bei verschiedenen Arbeitspunkten der Strecke).

Diese Verfahren werden im allgemeinen im Online-Betrieb zur kontinuierlichen Regleradaption verwendet, wobei während des Adaptionsvorgangs quasi konstante Streckenparameter vorausgesetzt werden. Bei vielen praktischen Anwendungen erfolgt aus Gründen des Aufwands die Adaption diskontinuierlich, im Offline-Betrieb, manuell angestoßen (z. B. Anfahren eines Prozesses, Einstellung anderer Arbeitspunkte, Variation des Produkts). Diese Adaptionsverfahren bilden den Schwerpunkt industrieller Anwendungen.

12.2.8.1 Identifikationsverfahren

Die Identifikation sich ändernder Streckenparameter erfordert für den Online-Betrieb Verfahren zur Parameterschätzung [12.45], [12.46]. Diese arbeiten mit einem Streckenmodell und berechnen mit einem Algorithmus die Modellparameter derart, daß Modell und Strecke bestmöglich übereinstimmen. Im allgemeinen wird dazu ein Gütekriterium, welches als Funktion der Modellabweichung $\varepsilon(t)$ definiert ist, verwendet.

In der Praxis werden noch vorwiegend die folgenden, einfachen Verfahren, im Offline-Betrieb angewandt.

1. Auswertung der Übergangsfunktion der Strecke

Am offenen Regelkreis wird die Stellgröße $y(t)$ in einem Bereich von 20...80% ihres Maximalwerts sprungförmig geändert und die Übergangsfunktion $h_S(t)$ der Strecke gemessen. Aus der Übergangsfunktion werden mit den Verfahren nach Abschnitt 12.2.3 die Streckenparameter ermittelt. Bei der Auswertung der Übergangsfunktion im Rechner ist es vorteilhaft, mit dem *Zeitprozentkennwert-Verfahren* zu arbeiten, da dieses keine Wendepunktbestimmung benötigt.

2. Auswertung der Dauerschwingung der Strecke

Die Strecke wird zur Identifikation mit einem Zweipunktregler variabler Amplitude y_R betrieben. Die im geschlossenen Regelkreis sich einstellende Dauerschwingung, kann über die Amplitude y_R beeinflußt und mit dem Verfahren der Harmonischen Balance (s. Abschnitt 12.2.7) berechnet werden. Zwischen der kritischen Verstärkung $K_{R\,krit}$ und der Dauerschwingungsamplitude $x_D = \hat{x}_e$ besteht nach [12.53] der Zusammenhang

$$K_{R\,krit} = \frac{4 y_R}{\pi x_D}. \qquad (12.2\text{–}160)$$

Die zugehörige Periodendauer T_{krit} kann durch Auswertung der Dauerschwingung bestimmt werden. Außerdem ist x_D begrenzbar, was oftmals technologiebedingt erforderlich ist.

3. Messung der Streckenverstärkung K_S

Bei einfachen Regelstrecken, bei denen sich ausschließlich die Verstärkung K_S ändert, kann mittels eines Parallelmodells der Übertragungsfunktion $G_m(s) = K_m G_m^*(s)$, an einer Strecke der Form $G_S(s) = K_S G_S^*(s)$, die Änderung der Verstärkung K_S bestimmt werden. Bei gleichbleibender Dynamik $G_S^*(s)$ der Strecke, kann aus der Modellausgangsgröße $x_m(t)$ und der Streckenausgangsgröße $x(t)$ das Verhältnis der Verstärkungen

$$\frac{x_m}{x} = \frac{K_m}{K_S} = \varepsilon \qquad (12.2\text{–}161)$$

berechnet werden. Mit ε wird die Reglermodifikation durchgeführt.

12.2.8.2 Entscheidungs- und Modifikationsverfahren

1. Adaption des Reglers bei variabler Streckenverstärkung

Liegt eine Regelstrecke vor, bei der sich ausschließlich die Streckenverstärkung ändert, kann der Regelkreis durch Adaption der Reglerverstärkung an die sich ändernde Streckenverstärkung angepaßt werden. Das Ziel der Adaption besteht darin, die Verstärkung des offenen Kreises

$$K_0 = K_R(t) K_S(t) \qquad (12.2\text{–}162)$$

konstant zu halten.

Bei Verwendung eines analogen Reglers kann die Anpassung in der Multiplikation der Reglerstellgröße y_R mit dem Vertärkungsverhältnis ε nach Gl. (12.2–161) bestehen. Somit folgt für die Verstärkung des offenen Kreises

$$K_R \frac{K_m}{K_S} K_S = K_R K_m = K_0. \qquad (12.2\text{–}163)$$

Bild 12.2–65 zeigt das Blockschaltbild zur Verstärkungsanpassung. Dieses Verfahren wird z. B. bei geregelten Gleichstromantrieben mit Feldschwächbetrieb angewendet.

Bei Verwendung eines digitalen Reglers wird mit dem Verstärkungsverhältnis ε die Korrektur der Koeffizienten der Regelalgorithmen vergenommen. Sind die Änderungen von K_S langsam im Vergleich zur Eigendynamik der Strecke, erhält man brauchbare Ergebnisse.

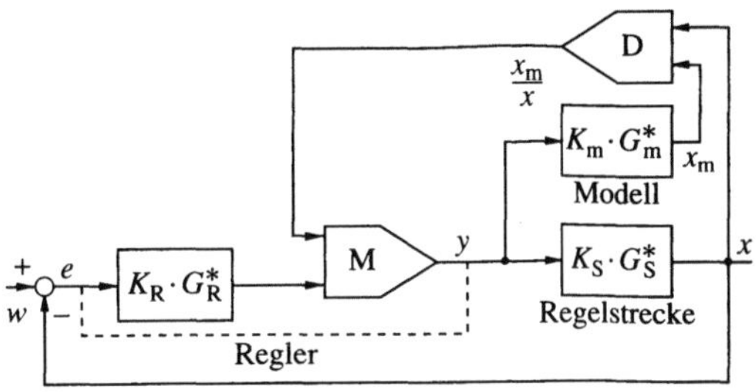

Bild 12.2-65 Adaption der Reglerverstärkung bei zeitvarianter Streckenverstärkung

2. Adaption des Reglers bei Variation der Verstärkung und der Zeitkonstanten

Soll der Regelkreis auf ein bestimmtes, dynamisches Verhalten eingestellt werden und sind die Streckenparameter identifiziert, können die Reglerparameter nach den Verfahren in Abschnitt 12.2.5 berechnet werden. Dazu werden die Einstellregeln dieser Verfahren im Rechner abgespeichert und für den programmierten Regelalgorithmus die Parameter berechnet.

Eine weitere Methode zur Berechnung der Reglerparameter besteht darin, ein Optimierungskriterium, z. B. die *quadratische Regelfläche* (ISE)

$$I_{op} = \int_0^\infty e^2(t)\, dt \qquad (12.2\text{–}164)$$

zu verwenden. Für die Regeldifferenz $e(t)$ werden die Reglerparameter mit numerischen Suchverfahren [12.35], [12.40] so bestimmt, daß I_{op} minimal wird.

3. Adaption des Reglers bei Strukturänderungen

Ändert die Strecke aufgrund des Verhaltens einzelner Prozeßgrößen im Betrieb ihre Struktur, so ist eine Strukturumschaltung des Reglers erforderlich. Anhand der Identifikation der Streckenstruktur wird die dazu entworfene Reglerstruktur zugeschaltet.

■ *Beispiel:*
Bei der Gleichstrommaschine bewirkt lückender Ankerstrom i_A die Änderung der Streckenstruktur. Aus dem PT_1-Verhalten des Ankerkreises wird P-Verhalten der Form $G_S(s) = K_L(i_A, \alpha)$, mit variabler Verstärkung, die von i_A und α, dem Steuerwinkel des Stromrichters, abhängt. Um ein gleichbleibendes Regelverhalten zu erzielen, wird der Ankerstromregler für kontinuierlichen Strom als PI-Regler, für lückenden Strom als I-Regler mit variabler Integrationszeit T_I [12.49] betrieben.

Bild 12.2–66 zeigt das Schaltbild eines derartigen Reglers. Die Strukturänderung wird abhängig vom Ankerstrom i_A über eine Schaltstufe durchgeführt.

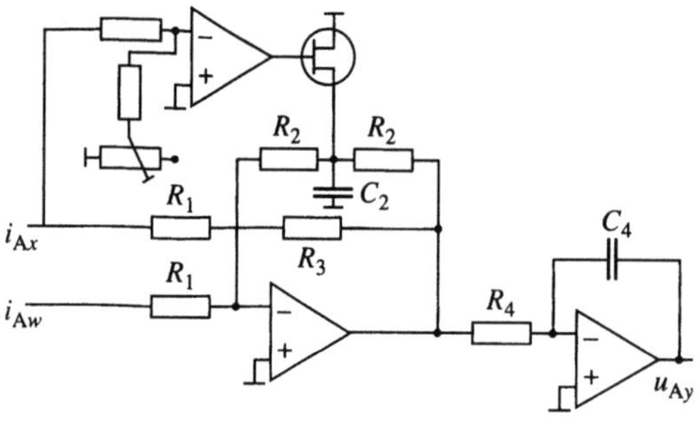

Bild 12.2-66 Strukturadaptiver, analoger Regler

Die Schaltung arbeitet als I-Regler mit dem Frequenzgang

$$G_R(j\omega) = \frac{R_3}{R_1} \frac{1}{j\omega R_4 C_4}$$

als PI-Regler mit dem Frequenzgang

$$G_R(j\omega) = \frac{R_2^2 C_2}{R_1 R_4 C_4} \left(1 + \frac{2}{j\omega R_2 C_2}\right).$$

Wird als Regler ein Rechner verwendet, wird zwischen den beiden Regelalgorithmen umgeschaltet.

12.2.9. Regelungen an Gleichstromantrieben

Die fremderregte Gleichstrommaschine bietet, aufgrund der voneinander unabhängigen Einstellungen der momentenbildenden Größen Ankerstrom und Erregerfluß, ideale Voraussetzungen für eine Drehzahlregelung. Allgemein durchgesetzt hat sich dazu das als Drehzahlregelung nach dem Stromleitverfahren bezeichnete Konzept, bestehend aus Ankerstromregelkreis mit überlagertem Drehzahlregelkreis nach Bild 12.2–67. Als Stellglied zur Steuerung der Ankerspannung kommt im mittleren und oberen Leistungsbereich ein Stromrichter in Drehstrombrückenschaltung zur Anwendung (s. Kap. 8). Die Speisung des Erregerfelds erfolgt über einen Stromrichter, bei konstantem Feld ungeregelt, bei Feldschwächbetrieb geregelt.

1. Drehzahlregelung an der fremderregten Gleichstrommaschine nach dem Stromleitverfahren bei konstantem Feld

Die für den Reglerentwurf relevante Blockstruktur zeigt Bild 12.2–68. Sie enthält das Blockschaltbild der Gleichstrommaschine nach Abschnitt 12.2.3, den Stromrichter SR, den *Ankerstromregler* G_{Ri}, den *Drehzahlregler* G_{Rn} sowie die Glättungsglieder G_{gi} und G_{gn}.

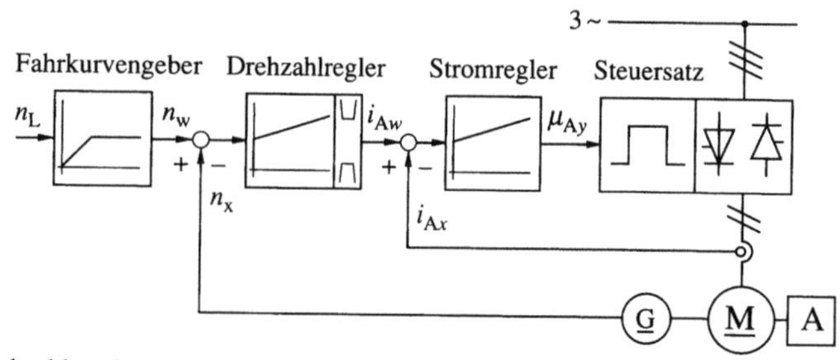

Bild 12.2-67
Übersichtsplan der Drehzahlregelung nach dem Stromleitverfahren (konstantes Feld)

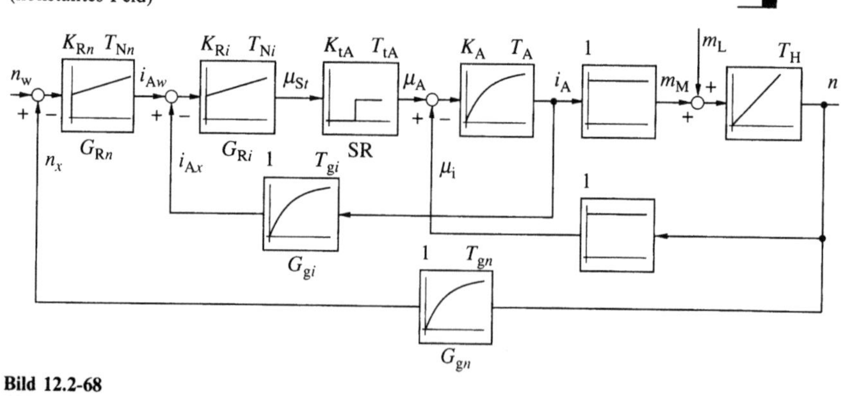

Bild 12.2-68
Blockschaltbild der Drehzahlregelung mit unterlagertem Stromregelkreis (konstantes Feld)

Verstärkung K_A und Zeitkonstanten T_A und T_H der Maschine ergeben sich entsprechend Abschnitt 12.2.3. Der Stromrichter läßt sich näherungsweise als Totzeitglied mit der Verstärkung K_{tA} (abhängig von der Aussteuerung des SR) und der Totzeit T_{tA} zu

$$T_{tA} = \frac{T}{2p} \qquad (12.2\text{–}165)$$

beschreiben, worin p die SR-Pulszahl und T die Periodendauer des Netzes ist.

Als Ankerstromregler G_{Ri} wird aufgrund der Struktur des Stromregelkreises ein PI-Regler gewählt. Für den Fall, daß T_{tA}, $T_{gi} \ll T_A$ ist, werden die Reglerparameter nach dem *Symmetrischen Optimum* berechnet [12.49], daraus resultiert ein schneller Regelkreis mit gutem Störverhalten.

Die Reglerzeitkonstante T_{Ni} wird mit $T_{Si} = T_{tA} + T_{gi}$ zu

$$T_{Ni} = 4T_{Si}, \qquad (12.2\text{–}166)$$

die Reglerverstärkung K_{Ri} mit $K_{Si} = K_{tA}K_A$ zu

$$K_{Ri} = \frac{T_A}{2K_{Si}T_{Si}} \qquad (12.2\text{–}167)$$

berechnet. Ist K_{Si} nicht berechenbar, kann aus der Messung der Übergangsfunktion der Regelstrecke K_{Si} entnommen werden. Für den Fall daß $T_{Si} \approx T_A$ ist, ergibt die Einstellung der Reglerzeitkonstanten nach dem Betragsoptimum zu

$$T_{Ni} = T_A \qquad (12.2\text{–}168)$$

einen schnelleren Regelkreis. Die Erfassung des Ankerstroms i_A erfolgt drehstromseitig über Wandler. Als Drehzahlregler G_{Rn} wird aufgrund der Struktur des Drehzahlregelkreises meist ein PI-Regler verwendet. Der nach dem Symmetrischen Optimum eingestellte Stromregelkreis, einschließlich einer Glättung im Sollwertzweig mit $T_{gwi} = T_{Ni}$, läßt sich mit einem PT_1-Glied mit $K=1$ und $T_{esi} = 4T_{Si}$ annähern. Werden die Reglerparameter, falls T_{esi}, $T_{gn} \ll T_H$, nach dem Symmetrischen Optimum bestimmt, erhält man für die Reglerzeitkonstante T_{Nn}, mit $T_{Sn} = T_{esi} + T_{gn}$,

$$T_{Nn} = 4T_{Sn} \qquad (12.2\text{–}169)$$

und die Reglerverstärkung K_{Rn} zu

$$K_{Rn} = \frac{T_H}{2T_{Sn}}. \qquad (12.2\text{–}170)$$

Damit ergibt sich ein gutes Störverhalten. Das damit verbundene Überschwingen der Drehzahl bei Führungsgrößenänderungen läßt sich mit einem Hochlaufgeber einstellbarer Steigung bedämpfen [12.42]. Die Erfassung der Drehzahl erfolgt über einen Tachogenerator bzw. bei digitaler Drehzahlregelung über einen Inkrementalgeber.

2. Drehzahlregelung an der fremderregten Gleichstrommaschine nach dem Stromleitverfahren bei veränderlichem Feld

Bei Antrieben, die eine konstante Leistung erfordern (Wickler, Prüfstände, Walzwerke), kann der Stellbereich der Drehzahl mittels Feldschwächung bis zu $n_N \leq n \leq n_{max}$ erweitert werden. Dazu ist eine Feldstromregelung mit überlagerter *Ankerspannungsregelung* nach Bild 12.2–69 erforderlich. Im Grundstellbereich $n \leq n_N$ wird über den Ankerkreis die Drehzahl verstellt, im Feldschwächbereich über den Feldkreis. Der u_A*-Regler* G_{Ru} in Bild 12.2–70 erhält als Sollwert $u_{Aw} = |U_{AN}|$ und stellt über den Feldstromsollwert i_{Fw} und den *Feldstromregler* G_{RF} Erregerstrom ein.

Beim Übergang in den Feldschwächbereich ($U_A > U_{AN}$), löst sich G_{Ru} von seiner Begrenzung und reduziert den Feldstromsollwert i_{Fw}. G_{Ru} übernimmt damit die Nachführung des Erregerfelds. Übergangsvorgänge der Drehzahl laufen über den Drehzahlregelkreis, wobei das Feld, falls die Hochlaufzeit T_H groß genug ist, näherungsweise als konstant angenommen werden kann.

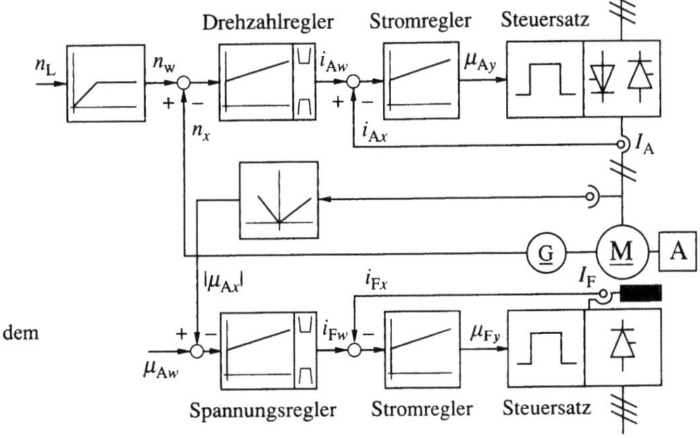

Bild 12.2-69
Übersichtsplan der Drehzahlregelung nach dem Stromleitverfahren (Feldschwächbetrieb)

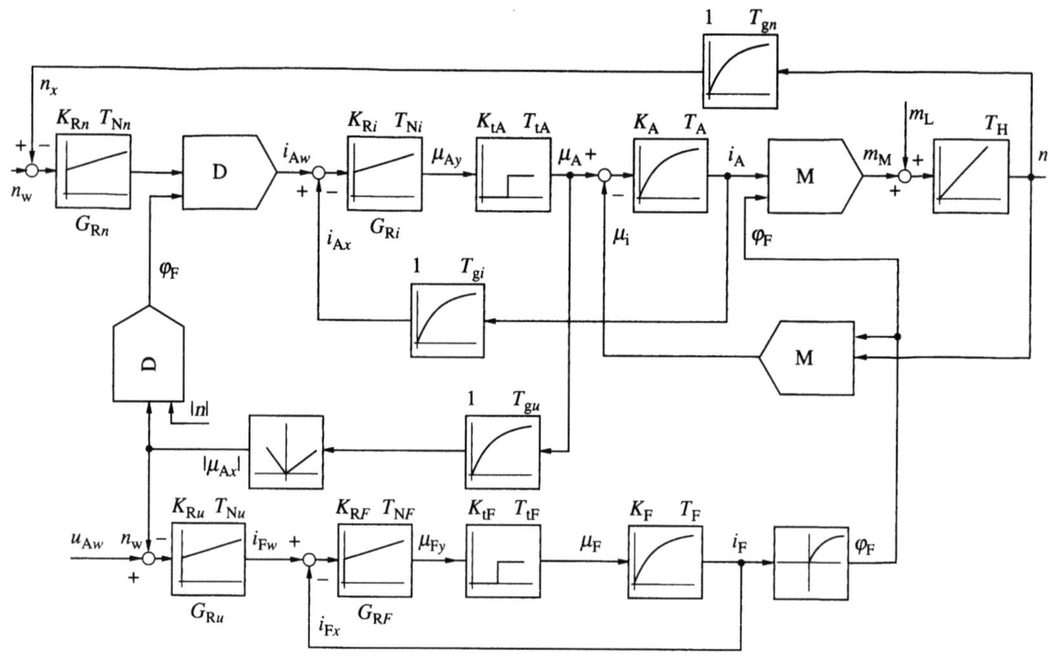

Bild 12.2-70 Blockschaltbild der Drehzahlregelung mit parallelem Feldregelkreis (Feldschwächbetrieb)

Aufgrund der Feldregelung ergibt sich die in Bild 12.2–70 dargestellte Struktur, bestehend aus Drehzahlregelkreis nach Bild 12.2–68, dem Feldstromregelkreis und dem Ankerspannungsregelkreis. Die Regler für Feld- und Ankerkreis lassen sich wie folgt dimensionieren:

1. Der Ankerstromregler G_{Ri} wird wie bei konstantem Feld eingestellt.

2. Der Drehzahlregler G_{Rn} erfordert, damit eine konstante Kreisverstärkung erzielt wird, eine adaptive Verstärkung mit Feldarbeitspunktabhängiger Einstellung zu

$$K_{Rn} = \frac{T_H}{2T_{Sn}} \frac{1}{\varphi_F} \qquad (12.2\text{–}171)$$

und konstanter Nachstellzeit $T_{Nn} = 4T_{Sn}$. Gerätetechnisch kann die Anpassung mittels Dividierglied hinter G_{Rn} erfolgen, φ_F läßt sich aus u_I oder u_A und n berechnen. Wird auf den adaptiven Regler verzichtet, ist K_{Rn} auf einen mittleren Wert φ_F abzugleichen und T_{Nn} geringfügig zu erhöhen.

3. Der Feldstromregler G_{RF} wird, da $T_F \gg T_{tF}$ ist, als PI-Regler nach dem Symmetrischen Optimum mit $K_{SF} = K_{tF} K_F$ zu

$$T_{NF} = 4T_{tF}, K_{RF} = \frac{T_F}{2K_{SF} T_{tF}} \qquad (12.2\text{–}172)$$

eingestellt. Verfügt die Feldeinspeisung über ausreichend Spannungsreserve, läßt sich ein schnelles Übergangsverhalten erzielen.

4. Der u_A-Regler G_{Ru} wird bei U_A-abhängiger Feldschwächung als PI-Regler ausgelegt. Die Reglerparameter lassen sich nach [12.49] zweckmäßig zu

$$T_{Nu} \approx (2 \ldots 3) T_{esF}, \quad K_{Ru} = 1 \qquad (12.2\text{–}173)$$

einstellen, wobei T_{esF} die Ersatzzeitkonstante des Feldstromregelkreises ist.

Bei U_A-abhängiger Feldschwächung tritt ein lastabhängiger Übergang in den Feldschwächbereich auf. Soll der Übergang lastunabhängig sein, ist U_I-abhängige Feldschwächung zu verwenden. Die Meßgröße u_{Ax} ist dann durch $u_{Ix} = u_{Ax} - R_A i_{Ax}$ zu ersetzen.

3. Digitale Drehzahlregelung

Gekoppelte Antriebe erfordern hohe Drehzahlgenauigkeit, die sich mit analogen Regelkreisen nicht sicherstellen läßt. Der Einsatz eines *digitalen Drehzahlreglers* mit einem Regelalgorithmus nach Abschnitt 12.2–6 ermöglicht mit dem entsprechenden Inkrementalgeber diese hohe Genauigkeit. Ein Mikrorechner übernimmt den Drehzahlregelalgorithmus, ein weiterer Mikrorechner den Stromregler und die Stromrichtersteuerung.

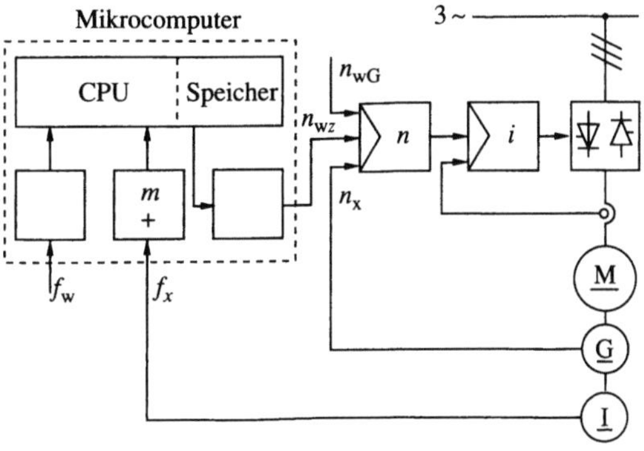

Bild 12.2-71 Digitale Drehzahlregelung – Übersichtsplan

Bild 12.2–71 zeigt ein Konzept für eine digitale Drehzahlregelung zur Überlagerung an einer analogen Drehzahlregelung. Diese digitale Regelung bewirkt den Feinabgleich in einem begrenzten Drehzahlstellbereich, wobei die analoge Regelung für schnelle Regeldynamik sorgt.

Kernstück der Einrichtung ist ein Differenzzähler, der aus der Sollfrequenz $f_w = f_0 z_w$ und der Istfrequenz f_x einen Zusatzsollwert n_{wz} bestimmt, der dem analogen Drehzahlregler zusätzlich zum Drehzahlgrundsollwert n_{wG} aufgeschaltet wird. Da der Differenzzähler I-Verhalten zeigt, ist der Drehzahlregler als P-Regler zu beschalten. Das Konzept läßt sich gleichwohl für eine Wegregelung verwenden. Entscheidend für die Genauigkeit und Konstanz der Drehzahl ist die Frequenz des Impulsgebers und die Auflösung des D/A-Wandlers. Sind diese nicht ausreichend hoch, kann es zu Grenzschwingungen im Drehzahlregelkreis kommen.

12.2.10 Regelungen an Drehstromantrieben

Mit leistungsfähigen Stromrichtern und preisgünstigen, schnellen Mikrorechnern mit 16- bzw. 32-Bit-Struktur ist es möglich geworden, dynamisch hochwertige Regelantriebe auch mit Asynchron- und Synchronmaschinen aufzubauen. Die dabei verwendeten Regelungskonzepte werden im wesentlichen von den verwendeten Umrichtertypen bestimmt (s. Kap. 8) so daß bisher kein einheitliches Konzept zur Regelung der Drehzahl bei Asynchronmaschinen (ASM) vorliegt.

12.2.10.1 Drehzahlregelung an Asynchronmaschinen mit Kurzschlußläufer

Wird die ASM mit einem konstanten U/f-Verhältnis, geführt, um konstanten Fluß Φ zu erhalten, sind Steuerverfahren für die Statorspannung bzw. den Statorstrom und die Statorfrequenz erforderlich. Folgende Regelungs- und Steuerungskonzepte kommen zur Anwendung:

1. Verfahren zur Drehzahlverstellung nach der U_S/f_S-Kennlinie

Die Drehzahleinstellung nach der U_S/f_S -Kennlinie nach Bild 12.2–72 bewirkt im Bereich großer Statorfrequenzwerte f_S einen konstanten Hauptfluß Φ_h. Bei kleinem f_S ist Φ_h von der Belastung abhängig.

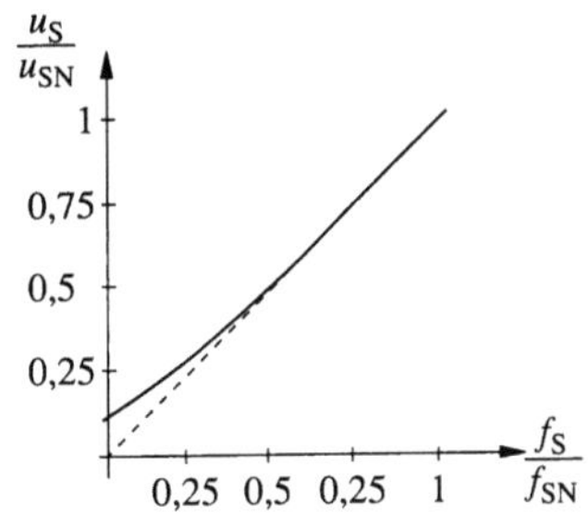

Bild 12.2-72 U_S/f_S-Kennlinie der Asynchronmaschine

Kommt ein *Spannungszwischenkreisumrichter* zum Einsatz, wird über den gesteuerten, netzseitigen Gleichrichter SR1 mit der Regelung der Ausgangsspannung U_a des Umrichters die Zwischenkreisgleichspannung U_d eingeprägt. Der Wechselrichter SR2 schaltet die Zwischenkreisgleichspannung U_d statorfrequenzgesteuert (f_S-), in Blöcken, der Statorwicklung auf.

Wird ein Bremsmoment verlangt, so ist für SR1 eine Gegenparallelschaltung mit Stromregelkreis erforderlich. Der Einsatz liegt bei Einzel- und Gruppenantrieben bis 200 kW.

Kommt ein *Stromzwischenkreisumrichter* zum Einsatz, wird über den gesteuerten netzseitigen Gleichrichter SR1 der Zwischenkreisstrom I_d über eine U_S-Regelung mit unterlagerter I_d-Regelung eingeprägt. Der Wechselrichter SR2 schaltet den Zwischenkreisstrom I_d proportional f_s, in Blöcken, der Statorwicklung auf. Mit gesteuertem SR1 ist 4-Quadrantenbetrieb möglich. Einsatzgebiet: Antriebe bis 1 MW Leistung bei hohem Anlaufmoment.

α) Drehzahlregelung der ASM über den Spannungszwischenkreis

Der Drehzahlregler G_{Rn} im Bild 12.2–73 ermittelt die Stellgröße n_y, woraus im Funktionsgeber FU1 anhand der U_S/f_S-Kennlinie der Spannungssollwert u_{aw} entsteht. Mit u_{aw} wird über den Spannungsregler G_{Ru} die Zwischenkreisspannung U_d verstellt und damit die Umrichterausgangsspannung U_a geregelt. Dem U_a-Regler ist ein Stromregler G_{Ri} zur Strombegrenzung unterlagert.

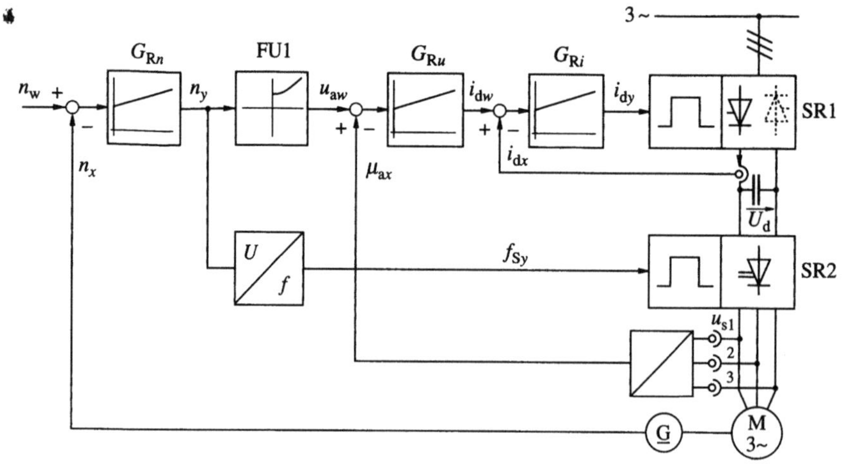

Bild 12.2-73 Drehzahlregelung an der ASM über Spannungszwischenkreisumrichter

Die Stellgröße n_y steuert über einen U/F-Umsetzer die Stellgröße der Frequenz f_{Sy} des Wechselrichters SR2. Die Frequenz f_S der Ausgangsspannung U_a ist damit der Stellgröße f_{Sy} proportional.

β) Drehzahlregelung der ASM über Spannungszwischenkreis und Pulsumrichter

Pulsumrichter ergeben aufgrund der sinusbewerteten Pulsbreitenmodulation der Ausgangsspannung U_a einen annähernd sinusförmigen Statorstrom und bei hoher Taktfrequenz eine schnelle Momentenänderung. Bei Antrieben mittlerer Leistung und hohen Anforderungen an die Drehzahlregelung, hat sich der Pulsumrichter bestehend aus ungesteuertem Gleichrichter, Spannungszwischenkreis mit Konstantspannung und Pulswechselrichter bewährt. Der Wechselrichter SR2 wird mit einem Pulsprogramm angesteuert und damit die Amplitude und die Frequenz der Ausgangsspannung U_a verstellt. Das Regelkonzept entspricht prinzipiell dem nach Bild 12.2–73. Das Pulsprogramm ist in einem Mikroprozessor oder einem integrierten Schaltkreis abgespeichert.

γ) Drehzahlregelung mit dem Stromzwischenkreisumrichter

Die Stellgröße n_y des Drehzahlreglers wird zwei Funktionsgebern FU1 und FU2 zugeführt. FU1 bildet anhand der U_S/f_S-Kennlinie den Sollwert der Statorspannung u_{Sw}, FU2 ermittelt $|n_y|$. Der U/F-Wandler erzeugt daraus, die zur Frequenz f_S proportionale stellgröße f_{Sy}, zur Ansteuerung des Wechselrichters SR2. Die Signumfunktion ermittelt aus n_y die Rich-

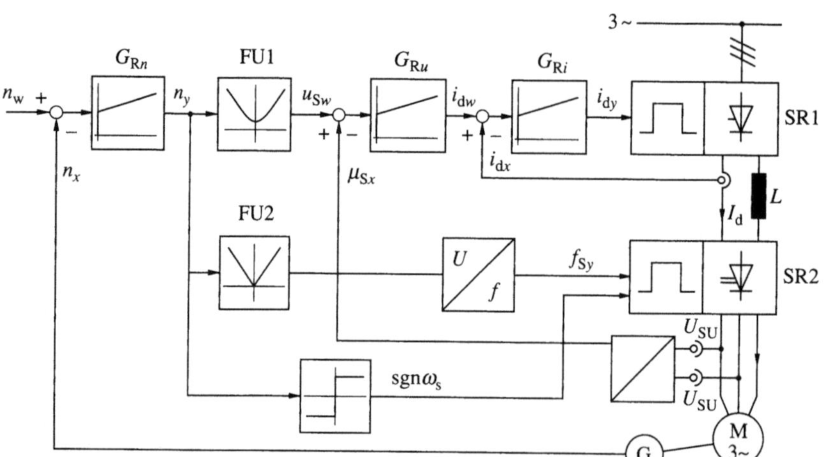

Bild 12.2-74 Drehzahlregelung an der ASM über Stromzwischenkreisumrichter

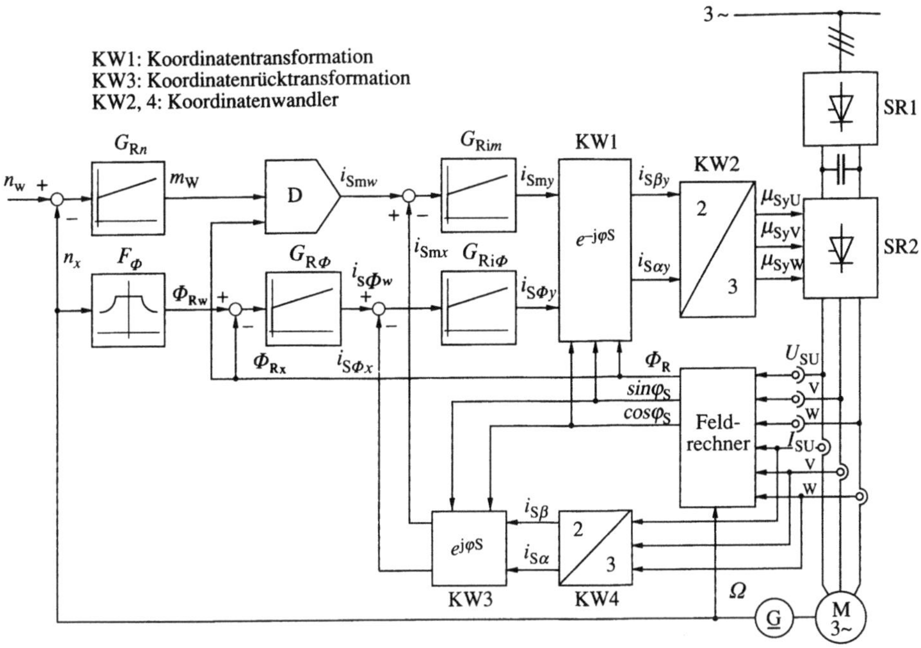

Bild 12.2-75 Drehzahlregelung an der ASM nach dem feldorientierten Verfahren – Prinzipschaltbild

tungsinformation für den Steuersatz. Der Spannungsregler G_{Ru} liefert die Führungsgröße i_{dw} für den Stromregler G_{Ri}, der über den Stromrichter SR1 den Zwischenkreisstrom I_d regelt. Über i_{dw} wird somit die Amplitude, über f_{Sy} die Frequenz des Statorstroms I_S vorgegeben. Die Drehzahlerfassung obliegt einer Tachomaschine bzw einem inkrementalen Geber. Bild 12.2–74 zeigt das Blockschaltbild der Regelung.

2. Drehzahlregelung der ASM mit Pulsumrichter nach dem feldorientierten Verfahren

Erfolgt die Drehzahlregelung der ASM nach dem Verfahren der *feldorientierten Regelung*, so kann die Dynamik der Drehfeldmaschine mit der der fremderregten Gleichstrommaschine verglichen werden [12.50].

Durch Transformation der Gleichungen der ASM in ein mit dem Magnetisierungsstromvektor (Flußvektor) umlaufendes Koordinatensystem läßt sich die Regelung der ASM in *Feldkoordinaten* durchführen. Die Ansteuerung der Maschine erfolgt in *Statorkoordinaten* über die Statorspannung. Die Kopplung beider Systeme erfolgt über die Koordinatentransformation. Das grundsätzliche Regelkonzept Bild 12.2–75 kann wie folgt aussehen:

Drehzahlregelung mit unterlagerter Statorstromregelung in Feldkoordinaten mit den Funktionen:

1. Flußeinstellung über *Flußregler* $G_{R\Phi}$ mit unterlagertem *Magnetisierungsstromregler* $G_{Ri\Phi}$ zur Einstellung der flußbildenden Stromkomponente $i_{S\Phi}$. Der Flußistwert Φ_{Rx} wird im Feldrechner aus U_S, I_S und Ω berechnet. Hierzu wird im Feldrechner ein Spannungsmodell bzw. Strommodell der ASM verwendet [12.2–50]. Der Flußregler liefert als Ausgangsgröße den Magnetisierungsstromsollwert $i_{S\Phi w}$. Der Magnetisierungsstrom $i_{S\Phi x}$ wird aus dem Statorstromzeiger berechnet.

   Der Flußsollwert Φ_{Rw} wird aus der mechanischen Winkelgeschwindigkeit Ω mit dem Funktionsgeber F_Φ ermittelt.

2. Drehzahleinstellung über Drehzahlregler G_{Rn} mit unterlagertem *Wirkstromregler* G_{Rim} zur Regelung der momentenbildenden Stromkomponente i_{Sm}. Der Drehzahlistwert Ω_x wird aus der Tachomaschine bzw. dem Inkrementalgeber gewonnen. Der Drehzahlregler liefert als Ausgangsgröße das Moment m_w. Daraus ergibt sich mit dem Rotorfluß Φ_R der Wirkstromsollwert $i_{Smw} = m_w/\Phi_R$. Der Wirkstromistwert i_{Smx} wird aus dem Statorstromzeiger berechnet.

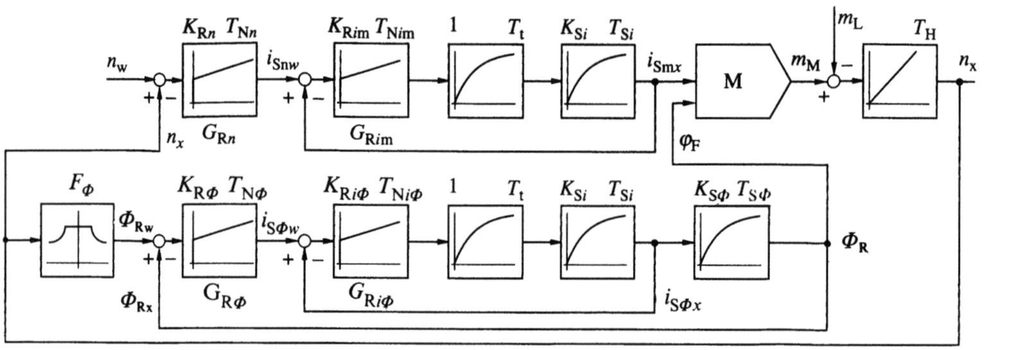

Bild 12.2-76 Blockschaltbild der Drehzahlregelung der ASM nach dem feldorientierten Verfahren

3. Die Regler G_{Rim} und $G_{Ri\Phi}$ erstellen die Stellgrößen i_{Smy}, $i_{S\Phi_y}$, die über den Koordinatenwandler KW1 und den Vektordreher KW2 in die 3 Steuerspannungen $u_{Sy(UVW)}$ für den gepulsten Wechselrichter transformiert werden. Ist der netzseitige Stromrichter SR1 in Gegenparallelschaltung ausgeführt, ist 4-Quadrantenbetrieb möglich.

Einsatz: Leistungsbereich bis 500 kW bei Antrieben mit hohen Anforderungen an die Regeldynamik.

Bild 12.2–76 zeigt das Blockschaltbild der Regelung. Für $G_{Ri\Phi}$ G_{Rim} und $G_{R\Phi}$ liefert die Einstellung nach dem Betragsoptimum brauchbare Ergebnisse. G_{Rn} sollte nach dem Symmetrischen Optimum eingestellt werden.

3. Drehzahlregelung über Direktumrichter

Der *Direktumrichter* besteht aus 3 netzgeführten, 6-pulsigen Stromrichtern in antiparalleler Drehstrombrückenschaltung (DSB). In jeder Phase der Ständerwicklung der ASM wird über eine DSB die Amplitude und die Frequenz der Spannung verstellt. Bei einer Netzfrequenz $f_1 = 50$ Hz liegt der Stellbereich der Frequenz $f_S = 0 \ldots f_1 p/12$, d. h., bei einer Pulszahl $p = 6$ liegt f_S im Bereich $0 \leqslant f_S \leqslant 25$ Hz.

Erfolgt die Drehzahlregelung der ASM mit Direktumrichter nach dem Verfahren der feldorientierten Regelung, so kann als Regelkonzept prinzipiell das Verfahren nach Bild 12.2–76 verwendet werden. Jede Phase des Stators erhält einen Stromregler mit Lückadaption. Diesen überlagert sind $G_{R\Phi}$, G_{Rn}, $G_{R\Phi i}$ und G_{Rim} im Feldorientierten System.

Drehzahlregelungen mit Direktumrichter finden ihren Einsatz bei Walzwerksantrieben, Zementmühlen und Rollgängen hoher Leistung (800 kW…20 MW), niedriger Drehzahl und großem Anfahrmoment.

12.2.10.2 Drehzahlregelung bei Asynchronmaschinen mit Schleifringläufer (untersynchrone Stromrichterkaskade)

Beim Asynchronmotor mit Schleifringläufer (ASM–SL) kann die Drehzahlregelung, wie in Bild 12.2–77 gezeigt, über den Rotorkreis erfolgen. Bei direkter Einspeisung des Stators über das Netz, wird die Rotorgegenspannung mit einem netzgeführten Wechselrichter SR2 verstellt und über einen ungesteuerten Gleichrichter SR1 in den Rotorkreis übertragen. Damit läßt sich eine mit dem Gleichstromantrieb (1-Quadrantenbetrieb) dynamisch vergleichbare Drehzahlregelung aufbauen.

Ein Drehzahlregler G_{Rn} mit unterlagertem Stromregler G_{Rid} verstellt den Zwischenkreisstrom I_d und damit den Rotorstrom. Regelkonzept und Reglereinstellung entsprechend weitgehend dem des fremderregten Gleichstromantriebs.

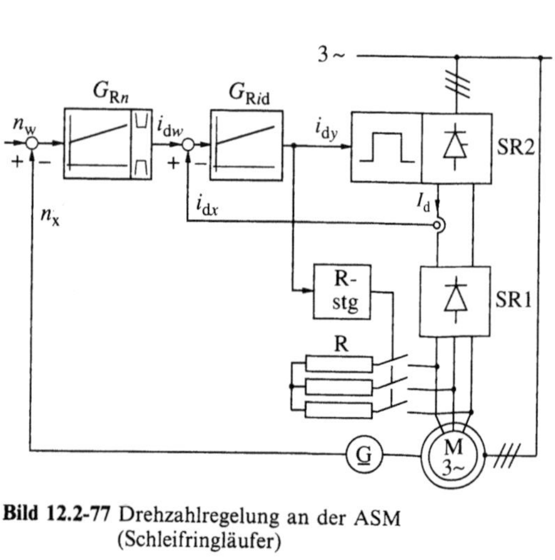

Bild 12.2-77 Drehzahlregelung an der ASM (Schleifringläufer)

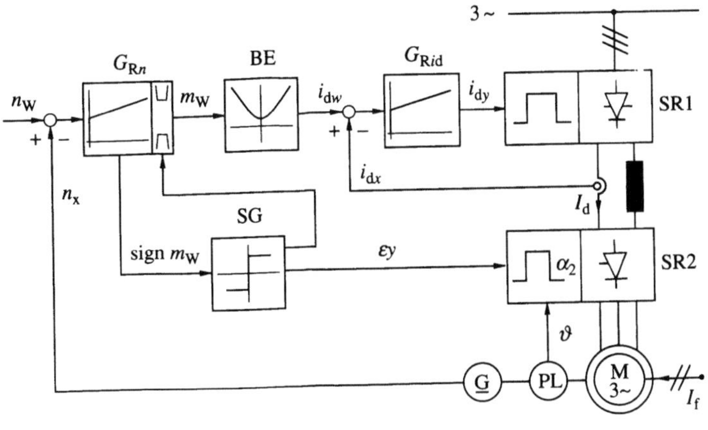

Bild 12.2-78
Drehzahlregelung am Stromrichtermotor

Für den Anfahrvorgang sind im Rotorkreis Widerstände R enthalten, die drehzahlabhängig überbrückt werden bis der Antrieb sich im Drehzahlregelbereich befindet.

Einsatz: Kreiselpumpen und Lüfterantriebe mit quadratischem Gegenmoment, kleinem Drehzahlstellbereich und Leistungen von 200 kW bis einige MW.

12.2.10.3 Drehzahlregelung am Stromrichtermotor

Der stromrichtergespeiste (Gleichstrom-Stromrichter-)Synchronmotor, auch als *Stromrichtermotor* bekannt, findet Anwendung in drehzahlgeregelten Antrieben zum Anfahren von Gasturbinen und Turbogruppen im Leistungsbereich von 100 kW bis 20 MW. Die Einspeisung besteht aus 2 Drehstrombrücken. Die netzseitige DSB SR1 prägt dem Zwischenkreis den Strom I_d ein. Die maschinenseitige DSB SR2 speist als selbstgeführter Stromrichter die Synchronmaschine statorseitig. Der Drehzahlregler G_{Rn} nach Bild 12.2–78 steuert mit seiner Stellgröße $m_w \approx i_{dw}$, über den unterlagerten Stromregler G_{Rid}, den Zwischenkreisstrom I_d entsprechend der Momentenanforderung des Antriebs.

SR2 wird polradorientiert gesteuert [12.50] und schaltet I_d blockförmig auf den Stator. Bei Momentenumkehr wird über den Betragsbildner BE die Polarität des Stromsollwerts i_{dw} beibehalten. Über die Umschaltstufe SG wird die Stellgröße ε_y momentenabhängig umgeschaltet. Damit wird der Winkel ε zwischen Statorstromzeiger I_S und Feldstromzeiger I_F von 90° auf 270° gestellt bzw. zurückgestellt. Während der Umschaltung wird i_{dw} auf Null gesetzt.

Im Steuersatz St2 der DBS SR2 wird aus $\varepsilon \approx \varepsilon_y$ und dem Polradwinkel ϑ der Steuerwinkel α_2 zu

$$\alpha_2 = \frac{3}{2}\pi + \vartheta - \varepsilon \qquad (12.2\text{–}174)$$

berechnet. Die Drehzahlerfassung erfolgt über einen Tachogenerator oder direkt aus dem für die Polradwinkelmessung erforderlichen Inkrementalgeber. Der Feldstrom I_F wird über eine Flußregelung mit unterlagerter Stromregelung eingestellt.

12.2.11 Regelung, Steuerung und Programmierung von Industrierobotern

12.2.11.1 Aufgabenstellung und Modellbildung

Industrieroboter werden in zunehmendem Umfang in der Fertigung und Montage eingesetzt. Sie bilden einen wesentlichen Bestandteil der Gesamtautomatisierung in diesen Bereichen. Unter Industrieroboter (IR) wird ein *freiprogrammierbares Handhabungssystem* verstanden, das mehrere *Freiheitsgrade* (1 bis 6) der Bewegung besitzt und mit Greifern (Effektoren) oder Werkzeugen ausgestattet ist [12.61].

Ein Industrieroboter besteht aus

- dem mechanischen Aufbau mit den Antrieben und Sensoren,
- den Regelkreisen für die Positionen und Geschwindigkeiten der Achsen und des Greifers,
- der Steuerung zur Ausführung der Bewegungen und Aktionen (Steuerungsrechner),
- dem Programmiersystem, mit dem der Anwender dem IR mitteilt, welche Aktionen auszuführen sind [12.57].

Die Aufgaben für einem Industrieroboter sind u. a.:

- Fahren einer Bahnkurve mit hoher Genauigkeit bei Schweiß- und Verbindungsprozessen,
- Transport von Werkzeugen und Werkstücken,
- Handhabungsaufgaben mit starken Lastschwankungen bei hoher Bahntreue (Fräsen von Werkstücken).

Der Bewegungsraum eines IR ist durch die Grundbewegungen der Achsen, die Freiheitsgrade, bestimmt. Die Freiheitsgrade sind abhängig vom mechanischen Aufbau des IR. Es sind dies im allgemeinen drei Rotationen und drei Translationen, aufgeteilt auf die Hauptachsen und die Hand.

Bild 12.2–79 stellt die Grundkonfigurationen von IR mit jeweils drei Freiheitsgraden der Hauptachsen dar [12.57]. Die Modellbeschreibung des mechanischen Aufbaus eines IR nach Bild 12.2–80 läßt sich über eine Energiebetrachtung mit Hilfe der Lagrange-Funktionen gewinnen. Zugrunde liegen dabei häufig die *Rotationsfreiheitsgrade* $q_1 = \varphi_1$, $q_2 = \varphi_2$ und $q_3 = \varphi_3$ der Hauptachsen sowie die 3 Rotationsfreiheitsgrade $q_4 = \varphi_4$, $q_5 = \varphi_5$, $q_6 = \varphi_6$ der Hand, beschrieben durch den *Achsvektor*

$$\vec{q}^T = (\varphi_1, \varphi_2, \varphi_3, \varphi_4, \varphi_5, \varphi_6). \qquad (12.2\text{–}175)$$

Hinzu kommen die zeitlichen Ableitungen der Achskoordinaten, die *Achsgeschwindigkeiten* $\dot{\varphi}_1, \ldots, \dot{\varphi}_6$, als *Geschwindigkeitsvektor*

$$\dot{\vec{q}}^T = (\dot{\varphi}_1, \dot{\varphi}_2, \dot{\varphi}_3, \dot{\varphi}_4, \dot{\varphi}_5, \dot{\varphi}_6). \qquad (12.2\text{–}176)$$

Damit wird der interne Zustand des IR in Achskoordinaten beschrieben. Achskoordinaten und Geschwindigkeiten werden mit Winkelcodierern und Tachogeneratoren gemessen. Der überwiegende Teil der heutigen Robotersteuerungen geht von diesen Achskoordinaten aus.

Von primärem Interesse für die Aufgaben eines IR ist allerdings der Vektor $\vec{p}$ mit den *Handkoordinaten*, im kartesischen Koordinatensystem mit dem Ortsvektor $\vec{r} = (r_x, r_y, r_z)$ des Effektors und der Orientierung der Hand, zu

$$\vec{p} = (r_x, r_y, r_z, \alpha, \beta, \gamma) \qquad (12.2\text{–}177)$$

und deren zeitlichen Ableitungen, die Geschwindigkeiten $\dot{p}_i$

$$\dot{\vec{p}}^T = (\dot{r}_x, \dot{r}_y, \dot{r}_z, \dot{\alpha}, \dot{\beta}, \dot{\gamma}), \qquad (12.2\text{–}178)$$

die mit optischen Sensoren erfaßbar sind. Mit Hilfe der Koordinatentransformation ist die Umrechnung der internen Koordinaten in die Handkoordinaten möglich.

Bei schnellen IR, mit einem Nutzlast/Gesamtlast-Verhältnis $> 1/20$ und mit aus Geschwindigkeitsgründen reduzierten Massen und Getrieben kleiner Übersetzung, wirken sich die Massenträgheitsmomente auf die Antriebe aus. Die aus den Lagrange-Funktionen gewonnenen Bewegungsgleichungen für den elastischen IR, stellen ein nichtlineares Gleichungssystem mit Kopplungen zwischen den Roboterachsen dar [12.55], [12.56], [12.57], [12.58], [12.63] In [12.63] wird gezeigt, daß der elastische IR mit dem Starrkörpermodell

$$F = \boldsymbol{M}(q)\ddot{q} + \boldsymbol{H}\dot{q} + f(q, \dot{q}) + g(q) \qquad (12.2\text{–}179)$$

beschrieben werden kann, worin $M(q)$ die n, n-Massenmatrix, H die n, n-Diagonalmatrix für die viskose Reibung ist, f die Coriolis- und Zentrifugalkräfte und g die Gravitationskräfte beschreibt.

F beschreibt die Antriebskräfte als Stellgrößen für die Geschwindigkeiten. Hinzu kommen die auf bestimmte Punkte der IR-Mechanik konzentrierten Federkonstanten c_i, Dämpfungsglieder d_i und Nichtlinearitäten. Bild 12.2–81 zeigt für eine Achse i das Feder–Masse-Modell eines elastischen Roboters. Dabei kennzeichnet m_{1i} die innere Motormasse, $\ddot{u}_i$ die Getriebeübersetzung, k_{di} die Motordämpfung, d_i die Federdämpfung, K_{Ai} die Motorverstärkung, T_{Ai} die Motorzeitkonstante und F_{ri} die Reibungskraft.

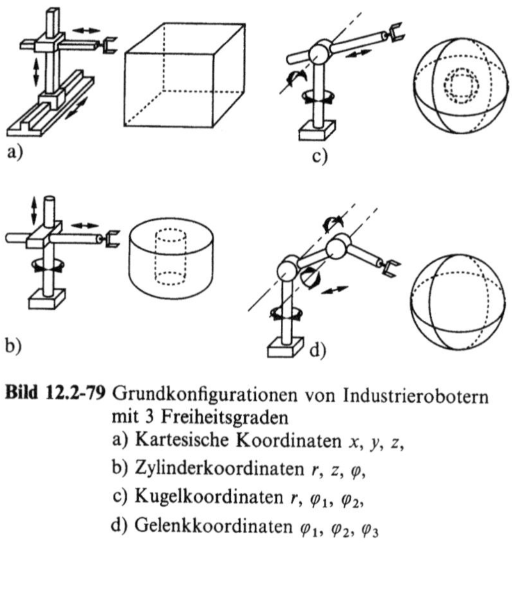

Bild 12.2-79 Grundkonfigurationen von Industrierobotern mit 3 Freiheitsgraden
a) Kartesische Koordinaten x, y, z,
b) Zylinderkoordinaten r, z, φ,
c) Kugelkoordinaten r, φ_1, φ_2,
d) Gelenkkoordinaten φ_1, φ_2, φ_3

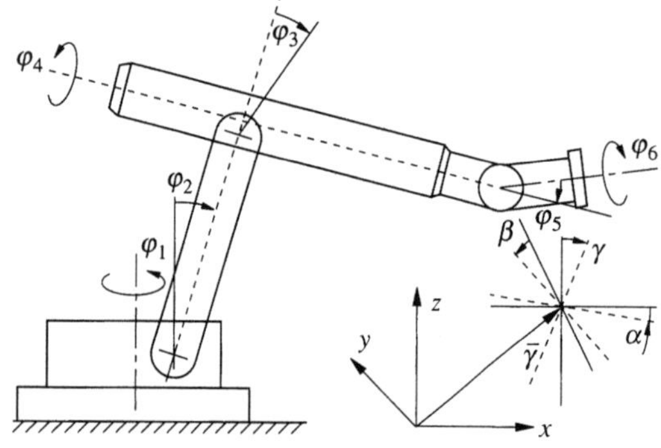

Bild 12.2-80 Sechsachsiger Industrieroboter des Typs VW R30 [12.59], mit den Achskoordinaten $\varphi_1 \ldots \varphi_6$ und den Handkoordinaten r_x, r_y, r_z, α, β, γ.

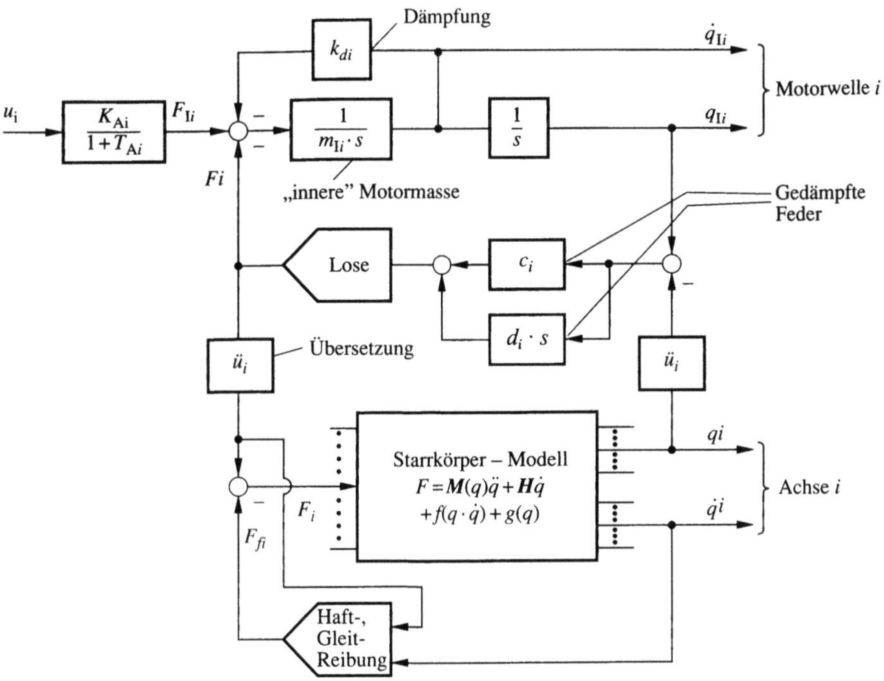

Bild 12.2-81 Nichtlineares, elastisches Industrierobotermodell [12.60]

Bei Industrierobotern, deren Achsantriebe mit hochübersetzenden Getrieben ausgerüstet sind ($\ddot{u} \approx 200$) und deren Verhältnis Nutzlast/Gesamtlast $< 1/20$ ist, kann die Auswirkung der Trägheitsmomente der äußeren Massen auf den Antrieb vernachlässigt werden. Das resultierende Massenträgheitsmoment konzentriert sich auf das konstante Motorträgheitsmoment. Bleiben auch die Bahngeschwindigkeiten unter bestimmten Grenzen, kann jede Achse als entkoppeltes System betrachtet werden. Als Stellgrößen y_i dienen die Achsgeschwindigkeiten des IR $\dot{q}_i$ [12.58], [12.60], die durch Aufschalten der Momente M_i und Kräfte F_i beeinflußt werden. Die Kopplungen zwischen den Achsen werden dann vernachlässigt. Ihr Einfluß auf das Systemverhalten wird als Störgröße ausgeregelt.

Das Übertragungsverhalten jeder einzelnen Achse kann in stark vereinfachter Form bei Einbeziehung der Motordämpfung nach [12.58] mit einem IT_1-Glied beschrieben werden, mit M_i bzw. F_i als Eingangsgröße und q_i als Ausgangsgröße. In vielen Fällen werden, wie in [12.63] gezeigt, für die Strecke 2 in Reihe geschaltete Integrierer verwendet.

12.2.11.2 Antriebskonzept

Der Antrieb von Industrierobotern erfolgt in steigendem Maße mit elektrischen Antrieben (Stabankermotor, Elektronik-Motor und Scheibenläufermotor). Der Scheibenläufermotor ist aufgrund seiner kleinen elektrischen und mechanischen Zeitkonstanten T_A und T_M gut geeignet für schnellen Anlauf und ruckfreien Betrieb. Die Motorleistungen liegen bei 30 W bis 5 kW und bei Drehzahlen bis 4500 1/min.

Über Harmonic-Drive-Getriebe ($\ddot{u} = 60 \ldots 300$) bzw. Kugelrollspindel ist der Motor mit der Mechanik verbunden. Die Ansteuerung des Motors erfolgt über Frequenzumrichter (siehe Kap. 8 und 9).

12.2.11.3 Sensorik

Die *Sensorik* im Bereich der Roboteranwendungen besteht aus *taktilen* und *visuellen Sensoren.* Taktile Sensoren werden im Handbereich installiert, wenn es darum geht, einstellbare Kräfte auf ein Werkstück auszuüben, z. B. zerspanende Bearbeitung von Metalloberflächen, Fügen von Passungen, Einführen von Bolzen in Bohrungen. Kontaktbehaftete und kontaktlose, visuelle Sensoren werden im Handbereich zur Abstandserfassung und Bahnverfolgung installiert.

Zur Kollisionsvermeidung, zur Erkennung von Werkstücken und deren Position finden auch *Bildsensoren* Verwendung. Sie werden ortsfest über dem Roboteraktionsbereich installiert. Die Bildinformation derartiger Kameras wird im Steuerungsrechner digitalisiert, ausgewertet und zur Bahnkurvensteuerung dem Industrieroboter übertragen [12.62]. Visuelle Sensoren arbeiten vorwiegend im kartesischen Koordinatensystem. Damit wird eine Koordinatentransformation im Steuerungsrechner erforderlich.

12.2.11.4 Regelungskonzepte

Das verwendete Regelungskonzept wird von dem Verhalten des IR (starr/elastisch) und den Anforderungen an den IR bestimmt. Anforderungen an einen IR bestehen aus

- Fahren entlang vorprogrammierter Bahnen,
- Fahren entlang zufälliger Bahnen,
- Fahren von Bahnen unter Wechselbelastung.

1. Algorithmen zur Positionsregelung

Beim Bahnfahren und Punkt-zu-Punkt-Fahren ohne Kontaktkräfte wird, falls sich der IR als starres Gebilde erweist, was bei der Mehrzahl der gegenwärtigen industriellen Anwendungen der Fall ist, für jede Achse ein Reglerentwurf vorgenommen. Bei der Wahl der Regelungsalgorithmen bieten sich

- die Zustandsregelung oder
- die Kaskadenregelung

der entkoppelten Achsen an.

a) Zustandsregelung

Wird die *Zustandsregelung* verwendet, so wird ein ideales Führungsverhalten erzielt, wenn als Zusatzsollwerte die Führungsgeschwindigkeit $\dot{q}_{wi}$ und die Führungsbeschleunigung $\ddot{q}_{wi}$ in die Zustandsregelung einbezogen werden.

b) Kaskadenregelung

Wird eine *Kaskadenregelung* verwendet, bestehend aus einer Positionsregelung mit unterlagerter Geschwindigkeitsregelung und Stromregelung, so ergibt die PI-Positions- und P-Geschwindigkeitsregelung (PI-P-Struktur) ein besseres Führungsverhalten als die P-PI-Struktur [12.60]. Wird der IR zur spanenden Bearbeitung verwendet, kommt die P-PI-Struktur zum Einsatz, wobei ein Schleppfehler gegenüber einem Überschwingen zugelassen wird. Das Führungsverhalten kann verbessert werden, wenn aus dem Führungsgrößengenerator $\dot{q}_{wi}$ und $\ddot{q}_{wi}$ zur Vorsteuerung in die Kaskadenregelung einbezogen werden. Mit der Vorsteuerung wird eine Verminderung der dynamischen Lagefehler erreicht. Bild 12.2–82 zeigt ein Regelungskonzept für die Achskoordinaten φ_1 und φ_2 eines IR mit $\dot{\varphi}_{iw}$- und $\ddot{\varphi}_{iw}$-Vorgabe ($i=1{,}2$).

Bei Handhabungsaufgaben mit höheren Anforderungen an die Regelgüte müssen beim Reglerentwurf die Nichtlinearitäten und dynamischen Kopplungen der Achsen berücksichtigt werden. Hierzu wurden verschiedene Verfahren entwickelt,

- die Regelung mit Entkopplung und
- die adaptive Regelung.

c) Regelung mit Entkopplung

Ein in [12.61] dargestelltes Verfahren benutzt eine *nichtlineare Systementkopplung*. Das die IR-Mechanik beschreibende nichtlineare Zustandsdifferentialgleichungssystem wird über eine nichtlineare Zustandsvektorrückführung entkoppelt. Die on-line-Anwendung dieses Verfahrens stellt hohe Anforderungen an die Rechenzeit.

Ein in [12.59] vorgestelltes Verfahren schaltet vor den Eingang der nichtlinearen Regelstrecke ein *Entkopplungsfilter* der Form

$$F = \boldsymbol{M}_F(q)\ddot{q} + \boldsymbol{H}_F\dot{q} + f_F(q, \dot{q}) + g_F(q), \qquad (12.2\text{–}180)$$

in dem das Systemverhalten vollständig invertiert wird und das die gleiche Struktur wie das Starrkörpermodell Gl. (12.2–179) aufweist.

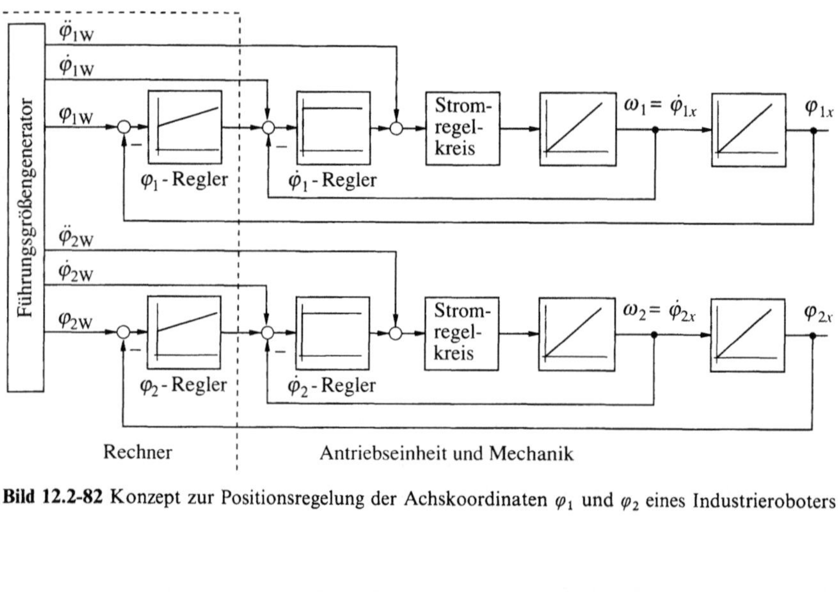

Bild 12.2-82 Konzept zur Positionsregelung der Achskoordinaten φ_1 und φ_2 eines Industrieroboters

Zur Realisiserung des Verfahrens gibt es 2 Möglichkeiten:

- Feedbackentkopplung

  Das Prinzip der *Feedbackentkopplung* zeigt Bild 12.2–83. Der Stellgrößenvektor $\vec{F}$ wird abhängig von den gemessenen Positionen q, den Geschwindigkeiten $\dot{q}$ und den Sollbeschleunigungen $\ddot{q}_w$, berechnet. Sind Modell Gl. (12.2–179) und Filter Gl. (12.2–180) vollständig identisch, erhält man ein entkoppeltes System, in dem jede Achse mittels Zweifachintegrierer beschreibbar ist. Damit läßt sich für jede Achse zur Positionsregelung ein PID-Regler bzw. ein zeitoptimaler Regelalgorithmus oder, falls mehrere Gütekriterien zu berücksichtigen sind, ein strukturumschaltbarer Regler einsetzen. Bei geringen Bahngeschwindigkeiten reicht eine unvollständige Entkopplung mit einem reduzierten Filter, in dem der Zentrifugalterm $f(q, \dot{q})$ vernachlässigt wird, aus. Auch die Feedbackentkopplung bedingt einen hohen Rechenaufwand.

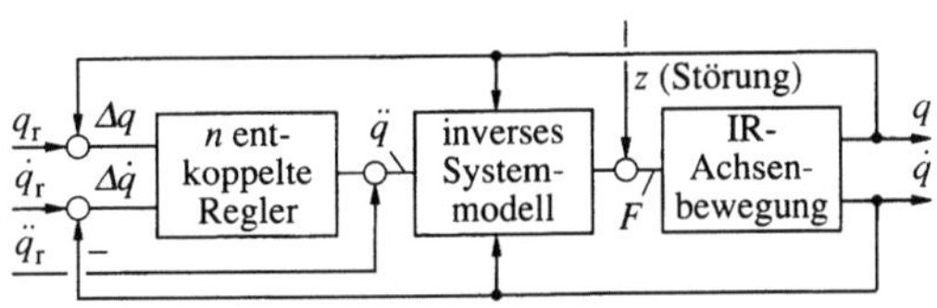

Bild 12.2-83 Konzept zur Positionsregelung der Achsen eines Industrieroboters mit Feedbackentkopplung

- Feedforwardentkopplung

  Besteht die Möglichkeit, am IR mit vertretbarem Aufwand die Beschleunigungen und Antriebskräfte zu messen, so bietet sich die *Feedforwardentkopplung* [12.59] nach Bild 12.2–84 an. Aus q_w, $\dot{q}_w$ und $\ddot{q}_w$ wird im Filter die Referenzstellkraft F_w berechnet.

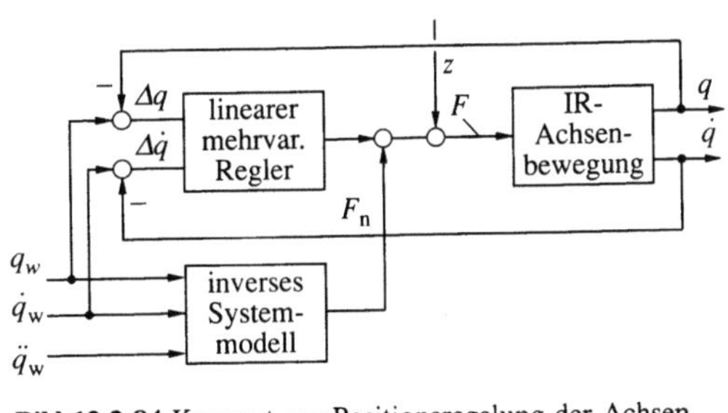

Bild 12.2-84 Konzept zur Positionsregelung der Achsen eines Industrieroboters mit Feedforwardentkopplung

d) Adaptive Achsregelungen

Adaptive Verfahren zur Positionsregelung der IR-Achsen, gehen vorwiegend von einem linearen, zeitvarianten Systemmodell zur Beschreibung der Robotermechanik aus. Während bei starken Koppelkräften ein Systemmodell mit mehreren Variablen eingesetzt wird, ist es bei schwacher Kopplung ausreichend, jede Achse getrennt mit einem einfachen Systemmodell, z. B. einer Übertragungsfunktion zu beschreiben [12.59]. Bild 12.2–85 zeigt das Konzept einer adaptiven Positionsregelung. In vielen Fällen zeigt sich, daß die Parameterbestimmung auf die Erfassung der veränderlichen Masse des Handhabungsobjekts beschränkt werden kann.

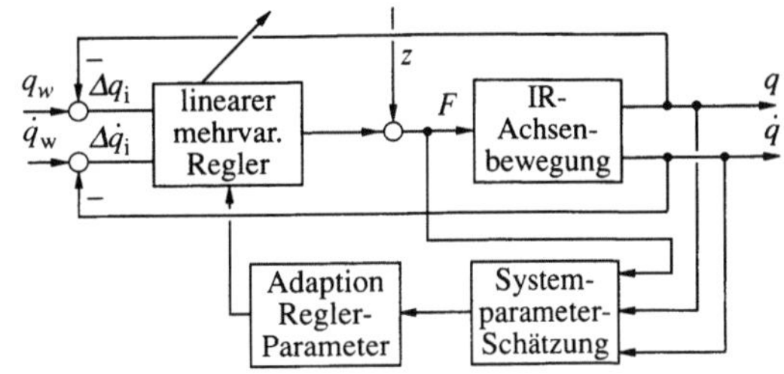

Bild 12.2-85 Konzept zur adaptiven Positionsregelung der Achsen eines Industrieroboters

2. *Algorithmen zur Positionsregelung und versteifender Regelung*

Das Bahnfahren unter Wechselbelastung und das Fügen von Paßverbindungen erfordert einen kraftschlüssigen Kontakt der IR-Hand mit ihrer Umgebung.

In der Literatur sind Verfahren angegeben, die die Kraft F_p in der IR-Hand messen und die notwendigen Korrekturkräfte in der Regelung einführen [12.65].

In [12.60] wird ein Verfahren vorgeschlagen, die nachgiebige IR-Struktur mit einer Positionsregelung zu versteifen. Bei niedrigen Geschwindigkeiten und hoher Getriebeübersetzung kann auf eine Entkopplung des IR-Modells mit Hilfe des Filters verzichtet werden und es wird ein entkoppeltes Modell verwendet, in dem jede Achse als IT_1-Glied, bzw. bei Einbeziehung des Motorkreises als IT_2-Glied, beschrieben wird. In Bild 12.2–86 ist dieses Streckenmodell dargestellt. Wie bei herkömmlichen Verfahren wird davon ausgegangen, die Position q_{Ii} und die Geschwindigkeit $\dot{q}_{Ii}$ der inneren Masse jeder Achse i, an der Motorwelle zu messen und mit einer PI-P-Kaskadenregelung zu regeln. Die versteifende Regelung erfaßt, mittels hochauflösender Winkelcodierer, zusätzlich die externe Position q_i am elastischen Getriebeausgang, um q_i zu regeln. Damit ergibt sich folgendes Konzept für die versteifende Regelung:

- Vorgabe der äußeren Referenzposition q_{wi} und q_i-Regelung mit einem PID-Algorithmus $G_{Rp}(s)$ mit den Parametern K_{0i}, K_{1i}, K_{2i},
- Geschwindigkeitsregelung für $\dot{q}_{Ii}$ mit einem P-Regler $G_{Rv}(s)$ mit K_{4i}.

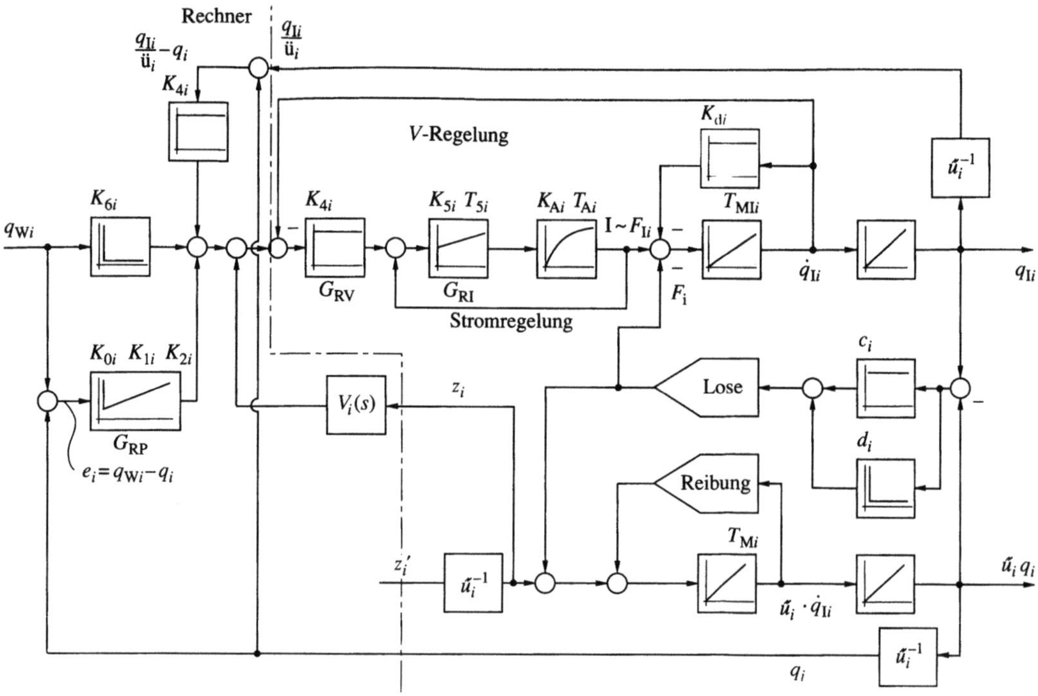

Bild 12.2-86 Blockschaltbild der versteifenden Positionsregelung der Achsen eines Industrieroboters

- Motorstromregelung mit einem PI-Regler $G_{RI}(s)$ mit K_{5i}.
- Verbesserung der Steifigkeit durch Aufschalten der mit dem Faktor K_{3i} bewerteten Differenz $q_{1i}/ü - q_i$,
- Geschwindigkeitsvorsteuerung mit $K_{6i}\dot{q}_{wi}$.

Zur Messung von q_{1i} wird ein Resolver verwendet, für $\dot{q}_{1i}$ ein Tachogenerator.

Das Konzept zeigt im Störverhalten eine höhere stationäre Genauigkeit als die Regelung der inneren Position q_{1i}.

Die Reglerauslegung kann nach der Methode der Polvorgabe erfolgen, wobei über das charakteristische Polynom das Einschwingverhalten und die Stabilität des geschlossenen Kreises berücksichtigt werden. Auf die Stellsignalbegrenzung ist zu achten. Die Kaskadenstruktur läßt die Anwendung empirischer Verfahren (Einstellregeln nach Ziegler-Nichols) zur Reglerauslegung zu. Dabei werden beginnend mit der inneren Regelschleife die Parameter K_{0i} bis K_{6i} so eingestellt, daß das jeweilige Teilsystem optimales Führungsverhalten zeigt. Das Störverhalten kann bei Einführung einer Störgrößenaufschaltung verbessert werden. Mit einem taktilen Sensor wird die Störkraft an der IR-Hand gemessen und über ein Vorfilter $V_i(s)$, z. B. 3. Ordnung, aufgeschaltet [12.60].

Die Abtastzeit für den PID-Algorithmus liegt im Bereich 3 ms $\leqslant T \leqslant$ 20 ms. Der Einsatz einer hybriden Regelung (digitale Positions-analoge v-Regelung) zeigt sich bei der Wahl der Abtastzeit vorteilhafter gegenüber einer vollständigen, digitalen Regelung.

12.2.11.5 Programmierung von Industrierobotern

Das Programm eines Roboters steuert die Bahn, die der Endeffektor und die Achsen des IR bei einer Bewegung im Raum ausführen, sowie die im Verlauf der Bahn durchzuführenden Aktionen.

Zur Programmerstellung werden im wesentlichen die Methoden

- Programmierung durch Beispiele (Teach-in-Programmierung),
- Programmierung mit textorientierten Sprachen,

verwendet. Bei einfachen Bewegungen kommt gelegentlich die manuelle Programmierung zur Anwendung, wobei die Haltepunkte der Achsbewegungen mit Grenzschaltern eingestellt werden.

1. Programmierung durch Beispiele (Teach-in)

Der Industrieroboter wird im Lernmodus mit einem Steuergerät auf der gewünschten Bewegungsbahn geführt [12.57], [12.65]. Parallel zur Bewegung werden die Bahnpunktkoordinaten gemessen und im Speicher des Steuerungsrechners abgelegt. Das Steuergerät enthält Taster und Schalter zum Verstellen der IR-Hand und der Achsen. Die Folge der im Raum angefahrenen Punkte wird mit Tastendruck erfaßt.

Zusätzlich kann die Geschwindigkeit und die Zeitdauer der Bewegung abgespeichert werden. Aufgrund der eingespeicherten Bahnpunkte ist eine anschließende Ablaufkontrolle des Programms im Bearbeitungsmodus möglich. Anhand der Bahnpunkte werden die Achskoordinaten berechnet und die Achsen angesteuert.

Bei der mit dem Teach-in vergleichbaren Variante, der *Master-Slave-Programmierung,* wird an Stelle des Steuergeräts der IR mit einem Master-Arm geführt. Die Bewegungen des Masters werden auf den Slave (IR) übertragen und abgespeichert. Das Verfahren wird in Bereichen mit hoher Strahlungsbelastung eingesetzt, da es die räumliche Trennung von Master und Slave ermöglicht.

2. Programmierung mit textorientierten Sprachen

Die Anwendung textorientierter Sprachen besteht in der symbolischen Beschreibung von Operationen und Daten mit einer für den IR spezifischen Syntax. Derartige Sprachen sind z. B: AL, AUTOPASS, VAL, AML, RAIL. Sie enthalten Anweisungen zur

- Definition der Logik und der Schritte des IR (WAIT≡Zeitdauer warten, SIGNAL≡Signalabfrage usw.),
- Integration der Sensordaten,
- Beschreibung der Geometrie der Werkstücke,
- Ausführung arithmetischer Operationen,
- Realisierung von Datenbankzugriffen.

Einen Vergleich der Eigenschaften dieser Sprachen zeigt [12.57]. Bei der Programmerstellung mit einer textorientierten Sprache, ist bei der Formulierung der Anweisungen zur Bahn- und Aktionsbeschreibung, die Geometrie des IR und seiner Umgebung zu beachten, damit die Steuerung die Bewegung ausführen kann. Annäherungs- und Abrückpunkte sind einzuhalten, so daß bei Paßvorgängen das Objekt in seiner Lage nicht verändert wird. Schwierigkeiten ergeben sich bei der textorientierten Programmierung bei der Beschreibung komplexer Bewegungsabläufe im Raum mittels Koordinaten. In diesen Fällen wird das Teach-in-Verfahren in die Programmierung mit einbezogen.

12.2.11.6 Programmiersysteme für Industrieroboter

Die Programmierung von IR erfolgt heute noch weitgehend im Offline-Verfahren auf einem Hintergrundrechner. Dazu werden die in der Programmentwicklung bekannten Komponenten Textverarbeitungssystem, Compiler, Interpreter, Betriebssystem und Testhilfsmittel verwendet (Bild 12.2–87). Einige Programmiersysteme arbeiten sowohl mit einem Compiler als auch dem Interpreter, wobei der Compiler aus dem Programm einen Programmzwischencode erzeugt, der vom Interpreter im Steuerungsrechner in Steuercode umgesetzt und ausgeführt wird (AL-System) [12.64].

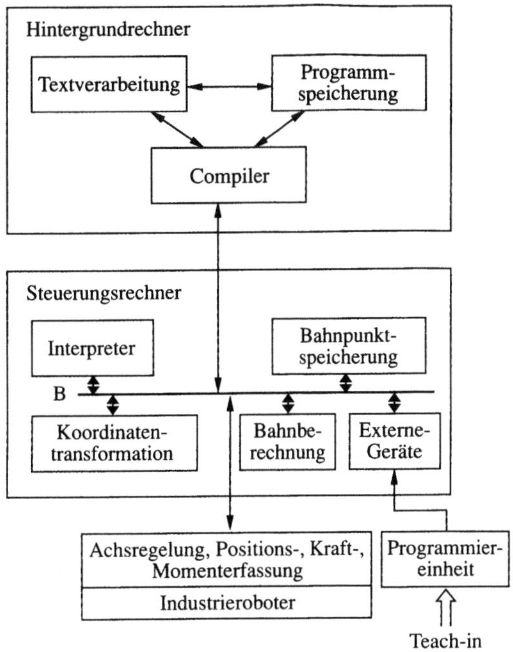

Bild 12.2-87 Struktur eines Programmiersystems für Industrieroboter

In vielen Programmiersystemen wird das FRAME-Konzept realisiert. Ein FRAME beschreibt in kartesischen Koordinaten die Position eines Punkts im Raum, einschließlich des darin enthaltenen Koordinatensystems. Damit können identische Bahnkurven an unterschiedlichen Positionen eines Werkstücks, durch Änderung der FRAME-Position, mit dem gleichen Programm durchfahren werden [12.57], [12.65] (Bild 12.2–88).

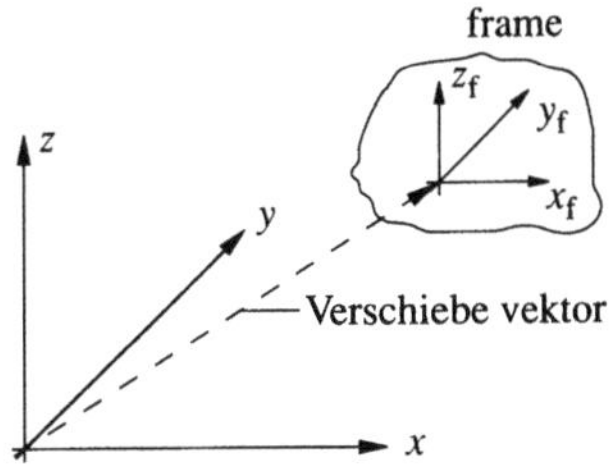

Bild 12.2-88 Geometrische Darstellung eines FRAMES im kartesischen Koordinatensystem

Die explizite Programmierung auf dem Hintergrundrechner, die der Vorgehensweise der konventionellen DV entspricht, erfordert Detailarbeit bei der Programmierung und den Einbau von Prüfroutinen. Einige Systeme arbeiten mit der impliziten Programmierung. Der Compiler enthält ein Umweltmodell, das aus den Daten der Lage, der Orientierung, des Materials und der Objekteigenschaften generiert wird. Bei der Compilation des IR-Programms werden die Anweisungen anhand des Umweltmodells auf Verträglichkeit geprüft. Das Modell selbst wird mittels Anweisungen aktualisiert (AL-System).

In der IR-Programmierung und Steuerung sind unterschiedliche Betriebssysteme in der Anwendung. Steuerungsrechner arbeiten mit Realzeitbetriebssystemen, da ständig auf sich ändernde Sensordaten und Meßwerte reagiert werden muß. Außerdem erfordern Sicherheitsschaltungen und Prüfroutinen eine sofortige Reaktion auf Ereignisse. Hinzu kommen die aufgrund der unterschiedlichen Betriebsarten Lernen – Ausführen usw., unterschiedlichen Betriebsmodi. Im Positioniermodus (Lernmodus) können die Bahnpunkte definiert werden, im Programmodus wird die Bewegungsfolge ausgeführt. Ist die Teach-in-Programmierung enthalten, werden im Kommandomodus die Befehle der Programmiereinheit verarbeitet.

12.2.11.7 Steuerungen für Industrieroboter

Anhand der vorgegebenen Bahn und Aktion der IR-Hand, berechnet der Steuerungsrechner die Winkel und Transferwege der Achsen. Da die Bahnvorgabe in kartesischen Koordinaten erfolgt, ist die Transformation in Achskoordinaten erforderlich. Die Sollwerte übergibt der Steuerungsrechner an die unterlagerten Regelkreise, deren Regelalgorithmen in einem separaten Mikroprozessor pro Achse realisiert sind. Auch die Überwachung und Ansteuerung der Antriebe liegt im Aufgabenbereich dieser Mikroprozessoren.

Bei Punkt-zu-Punkt-Bewegungen (PTP-Steuerungen) bewegen sich die Achsen mit maximaler Geschwindigkeit in die Endstellung. Aufgrund der unterschiedlichen Wege (Winkel) ergeben sich mehrere mögliche Bahnkurven zu einer Bewegung. Zum Durchfahren einer Bahnkurve (Bahnsteuerung) ist eine Folge von Achsbewegungen vorzugeben, wobei eine gleichmäßige Achsverstellung angestrebt wird. Ein gleichmäßiger Bewegungsablauf wird mit der Achsinterpolation erreicht. Die Achse mit der größten Verfahrzeit bestimmt die Bewegungszeit. Alle Achsen beginnen und beenden ihre Bahn zum gleichen Zeitpunkt. Daraus resultieren unterschiedliche Achsgeschwindigkeiten $\dot{q}_i$ (Bild 12.2–89), während der Greiferpunkt sich auf der vorgegebenen Bahn bewegt.

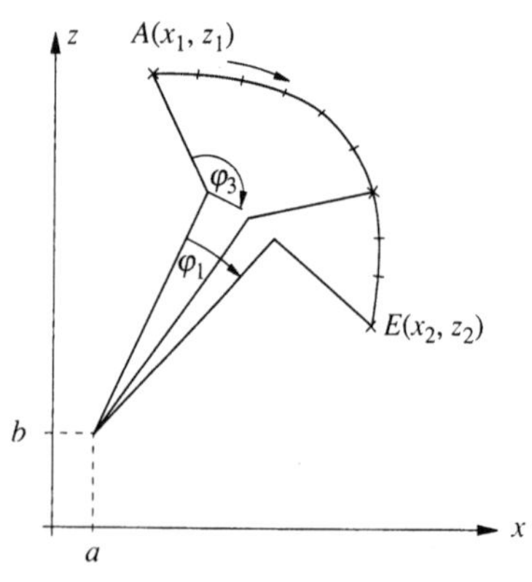

Bild 12.2-89 Bewegungsbahn des Greifers bei der Achsinterpolation

An Eckpunkten mit Richtungs- und Geschwindigkeitsänderungen werden, falls der Punkt außerhalb der Bahn liegen darf, Interpolationsverfahren (quadratische-, Splineverfahren-) benutzt, um abgerundete Übergänge zu erreichen (v- und b- Vorgabe). Bei bewegten Gegenständen (Greifen auf das laufende Band), wird die Lage und Bewegung des Objekts mit einem Bildsensor erfaßt. Die Bahn der IR-Hand ist in der Steuerung mit dem bewegten Objekt zu koordinieren, wobei die kartesischen Handkoordinaten auf Achskoordinaten umzurechnen sind. Hierzu sind schnelle Steuerungsrechner erforderlich.

12.2.12 Fuzzy-Regelung

In der Praxis stößt man oft auf das Problem, daß sich ein Regelstreckenmodell wegen der Komplexität des Prozesses oder infolge Nichtlineritäten kaum oder nur unter enormen Aufwand erstellen läßt. Hier bietet die *Fuzzy-Regelung,* bei der das Wissen des Bedieners über die Führung des Prozesses, unter Verwendung der von Zadeh [12.66] formulierten unscharfen Logik in eine Regelbasis umgesetzt wird, die Möglichkeit, einen Regler zu entwerfen, der ein zufriedenstellendes Regelergebnis erzielt.

In seiner Realisierung stellt der Fuzzy-Regler einen robusten, nichtlinearen Kennfeldregler dar.

12.2.12.1 Unscharfe Mengen (Fuzzy-Mengen) und ihre Verknüpfungen

In der klassischen (scharfen) Mengenlehre nimmt die Zugehörigkeitsfunktion $\mu(x)$ den Wert 1 an, falls ein Element x zu einer definierten Menge $M (M \in G$, $G \equiv$ Grundmenge) gehört, ansonsten ist $\mu(x) = 0$. Bei unscharfen Mengen (Fuzzy-Mengen) kann $\mu(x)$ Werte im Bereich $0 \leq \mu(x) \leq 1$ annehmen.

■ *Beispiel:*
Die Prozeßgröße Temperatur T im Meßbereich $0 \leq T \leq 100$ °C zeigt den Meßwert $T_1 = 45$ °C. Nach den Regeln der scharfen Mengenlehre, in der z. B. eine Menge „Hohe Temperatur" HT die Werte T größer 50 °C beinhaltet, ergibt $\mu_{HT}(T_1 = 45\ °C) = 0$ (Bild 12.2–90). Modelliert man diese Menge als unscharfe Menge, dargestellt in Bild 12.2–91, so hat T_1 den Zugehörigkeitswert $\mu_{HT}(T_1 = 45\ °C) = 0{,}4$.

Die Meßgröße T in diesem Beispiel stellt somit eine linguistische Variable dar.

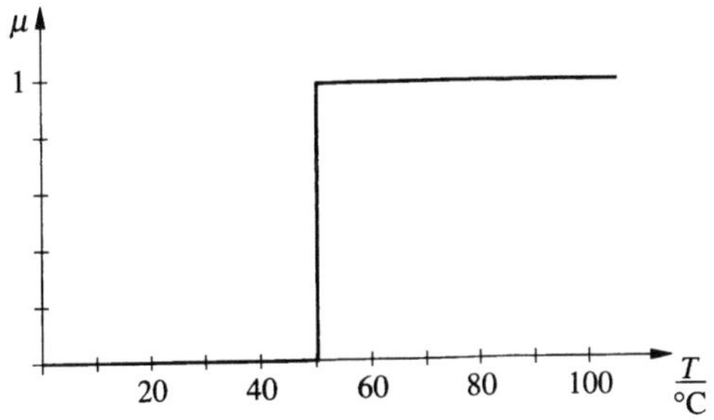

Bild 12.2-90 Modellierung der scharfen Menge „Hohe Temperatur" für Temperaturwerte T größer 50 °C

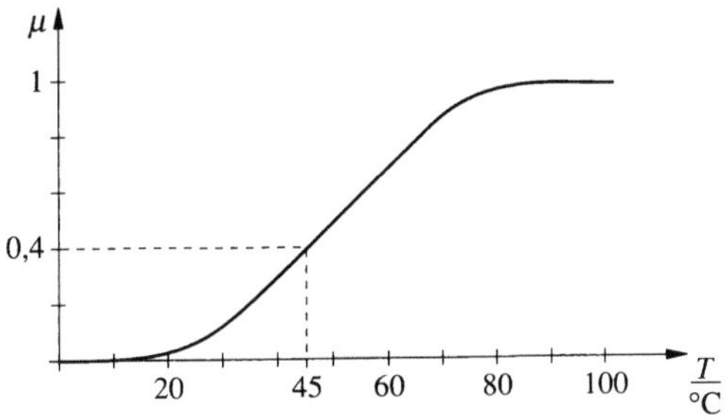

Bild 12.2-91 Modellierung der unscharfen Menge „Hohe Temperatur" (Fuzzy-Menge)

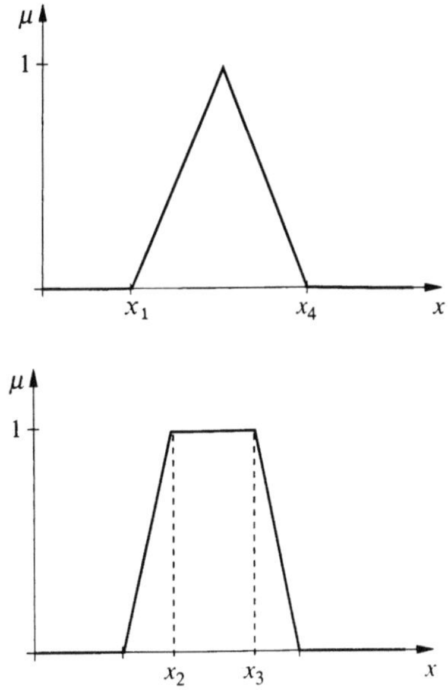

Bild 12.2-92 Dreieckförmige Fuzzy-Menge (a) mit der Kenngröße Einflußbreite und trapezförmige Fuzzy-Menge (b) mit der Kenngröße Toleranz

Im allgemeinen lassen sich Fuzzy-Mengen, die durch Zuordnung von Wertebereichen linguistischer Variablen zu linguistischen Termen (z. B. Niedrig, Mittel, Hoch) entstehen, anhand beliebiger Kennlinien skizzieren. In der Praxis verwendet man jedoch häufig dreieck- und trapezförmige Kennlinien zur Darstellung der Zugehörigkeitsfunktionen. Bild 12.2–92a–b zeigt Beispiele für Fuzzy-Mengen (-Sets) mit den Kenngrößen Einflußbreite (Intervall $x_1 \leq x \leq x_4$ mit $\mu(x) > 0$) und Toleranz (Intervall $x_2 \leq x \leq x_3$ mit $\mu(x) = 1$), wobei normale Fuzzy-Mengen ($\mu_{\text{Max}}(x) = 1$) zugrundegelegt werden [12.67].

Die Verknüpfung derartiger unscharfer Mengen über die logischen Operatoren UND bzw. ODER ist sowohl mit gleichen als auch mit verschiedenen Grundmengen G_i (z. B. $G_1 \equiv$ Druckmeßbereich, $G_2 \equiv$ Temperaturmeßbereich) möglich und führt bei $G_i \neq G_k$ zu Relationen. Die Verknüpfungen können mit dem MIN – bzw. MAX – Operator realisiert werden, der dem Durchschnitt bzw. der Vereinigung der zugehörigen Fuzzy-Mengen entspricht.

Bild 12.2–93 zeigt die UND-Verknüpfung der Fuzzy-Mengen „Mittel" und „Hoch" der Temperatur T. Bild 12.2–94 die ODER-Verknüpfung der Mengen.

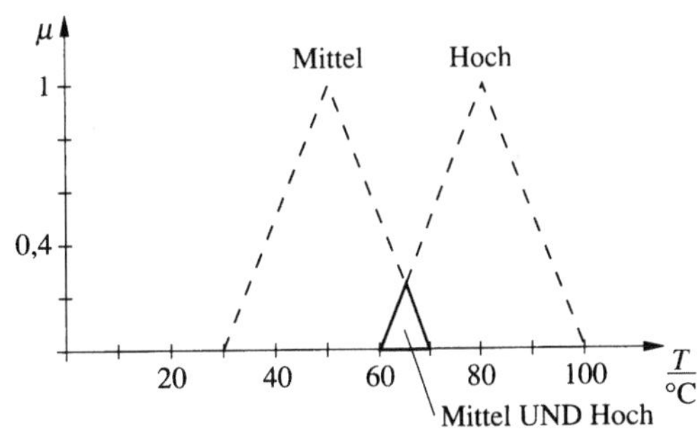

Bild 12.2-93 Anwendung der UND-Verknüpfung auf die Fuzzy-Mengen „Mittel" und „Hoch" der Temperatur T

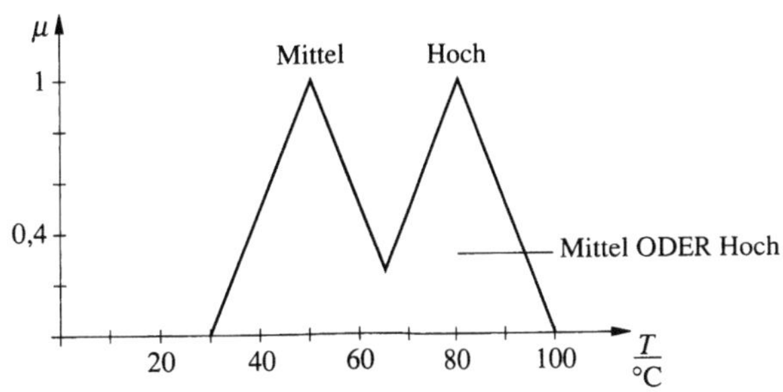

Bild 12.2-94 Anwendung der ODER-Verknüpfung auf die Fuzzy-Mengen „Mittel" und „Hoch" der Temperatur T

Relationen eignen sich zur Modellierung von

WENN (Prämisse) DANN (Konklusion) Regeln,

welche zum Aufbau der Regelbasis im Fuzzy-Regler verwendet werden.

Die Gesamtheit der Konklusionen der Regeln erzeugt die Fuzzy-Menge der Ausgangsgröße (Ergebnismenge) des Reglers.

Da konventionelle Stellglieder jedoch scharfe Stellgrößen erwarten, muß eine solche aus der Ergebnismenge berechnet werden. Zur Verfügung stehen verschiedene Verfahren wie z. B. die Maximum-Mittel-Methode, die Schwerpunkt-Methode.

Bei der Maximum-Mittel-Methode wird die Stellgröße y_s als arithmetischer Mittelwert der zu den Maxima der aktiven Regeln ($H_r > 0$) gehörenden Ausgangsgrößen berechnet. H_r einer Regel r ist das Minimum der μ_k

$$H_r = \mathrm{MIN}(\mu_1(e_1^*), \mu_2(e_2^*), \ldots, \mu_k(e_i^*)) \qquad (12.2\text{–}181)$$

dieser Regel. Darin ist i die Anzahl der Variablen und k die Anzahl der Terme.

Bei der Schwerpunkt-Methode wird die Abszisse des Flächenschwerpunkts $S(y_s, \mu_s)$ der Ergebnismenge $\mu = \mu(y)$ im Bereich der Einflußbreite y_1, y_2 zu

$$y_s = \frac{\int_{y_1}^{y_2} y\mu(y)\,\mathrm{d}y}{\int_{y_1}^{y_2} \mu(y)\,\mathrm{d}y} \qquad (12.2\text{–}182)$$

berechnet [12.67]. Eine ausreichende Näherung liefert bei dreieck- und trapezförmigen Mengen die Formel

$$y_s = \frac{\sum_i y_i H_i}{\sum_i H_i} \qquad (12.2\text{–}183)$$

mit den Abzissenwerten y_i der Schwerpunkte der Ausgangsmengen und den Erfüllungsgraden H_i der aktiven Regeln.

Zur Vereinfachung der Berechnung wird vielfach bei Rechnerrealisierung eine Look up-Tabelle abgespeichert [12.70].

12.2.12.2 Struktur eines Fuzzy-Reglers

Analog zu konventionellen Reglern kann auch der Fuzzy-Regler als Übertragungssystem mit scharfen Eingangs- und Ausgangsgrößen interpretiert werden. Die ihn unterscheidende Unschärfe liegt in seinem Innenleben.

Bild 12.2–95 zeigt die logische Struktur des Fuzzy-Reglers mit den Komponenten *Fuzzifizierung, Inferenz* und *Defuzzifizierung*. Eingangs- und Stellgröße des Reglers (e_i, y_i) sind linguistische Variablen und durch die Zugehörigkeitsfunktionen $\mu(e_i)$, $\mu(y_i)$ der ihnen zugeordneten linguistischen Terme charakterisiert.

Bei der Fuzzifizierung wird jedem scharfen Wert der Eingangsgröße e_i anhand der zugehörigen linguistischen Terme k ein Vektor von Zugehörigkeitsgraden

$$e_i^* = (\mu_1(e_i), \mu_2(e_i), \mu_3(e_i), \ldots, \mu_k(e_i)) \qquad (12.2\text{–}184)$$

zugeordnet.

■ *Beispiel:*
Eingangsgröße sei die Temperatur T mit dem Meßwert T_1. Bei $k = 3$ linguistischen Termen lautet der Vektor nach Gl. (12.2–184)

$$T^* = (\mu_1(T_1), \mu_2(T_1), \mu_3(T_1)).$$

Die *Inferenz* generiert auf der Basis der vorgegebenen

WENN (Prämisse) DANN (Konklusion) Regeln

unter Anwendung der Operatoren UND bzw. ODER auf die fuzzifizierten Eingangsgrößen die aktiven Regeln und daraus die Ausgangs-Fuzzy-Mengen.

Eine Ausgangs-Fuzzy-Menge entsteht, indem die Menge der Konklusion in der Höhe des Erfüllungsgrads der Prämisse abgeschnitten wird.

Der Weg:

- Ermittlung des Erfüllungsgrades jeder Prämisse (WENN-Teil) unter Verwendung des Vektors von Zugehörigskeitsgraden.
- Verknüpfung der einzelnen Erfüllungsgrade mittels MIN- bzw. MAX-Operator.
- Aussortieren der Regeln mit einem Erfüllungsgrad >0.

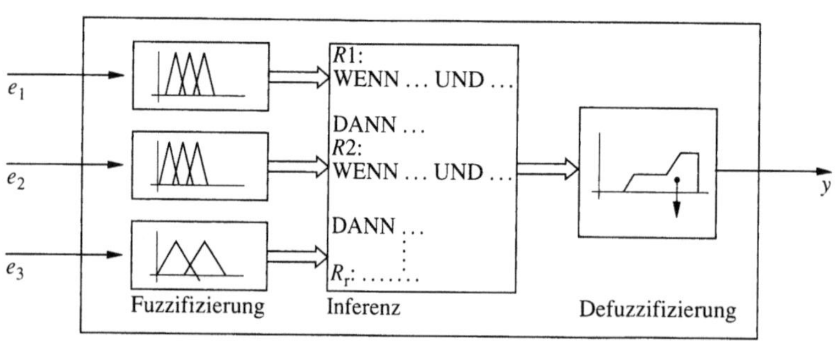

Bild 12.2-95 Logische Struktur eines Fuzzy-Reglers mit drei Eingangsgrößen e_i und einer Ausgangsgröße y

– Abschneiden der Ausgangs-Fuzzy-Menge r in der Höhe H_r.

■ *Beispiel:*
Ventilstromsteuerung abhängig von der Druckmessung. Regel: WENN Druck $P=K$ (Klein) DANN Ventilstrom $VS=G$ (Groß) Bild 12.2–96 zeigt den Inferenzvorgang für $p=25\%$.

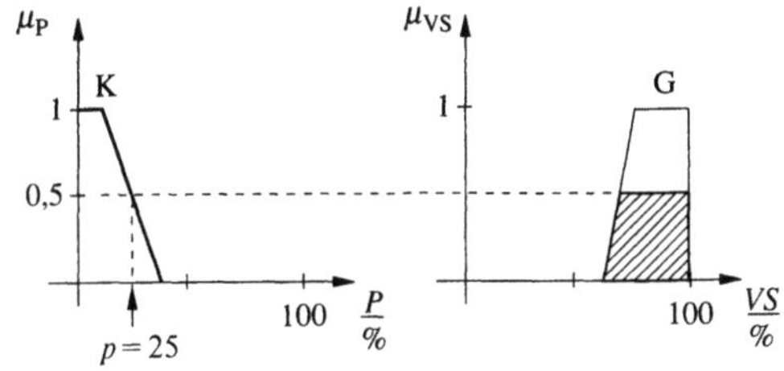

Bild 12.2-96 Ergebnis des Inferenzvorgangs einer Regel zur Steuerung des Ventilstromes abhängig vom Erfüllungsgrad der Prämisse beim Druck $P = 25\%$.

Aus den Ausgangs-Fuzzy-Mengen wird über die ODER-Verknüpfung die resultierende Stellgrößen-Fuzzy-Menge (Ergebnismenge) gebildet.

Die *Defuzzifizierung* erzeugt aus der Stellgrößen-Fuzzy-Menge ein scharfes Stellgrößensignal mittels einem geeigneten Verfahren (Maximum-Mittel- oder Schwerpunkt-Methode).

■ *Beispiel:*
Fuzzy-Regler mit 2 Eingangsgrößen e_1, e_2 und der Stellgröße y. Für die Eingangsgrößen und die Stellgrößen werden 3 linguistische Terme (Klein (K), Mittel (M), Groß (G)) gewählt. Es sollen lediglich zwei Regeln aktiv sein.

Sie lauten:

R1: WENN $e_1=K$ UND $e_2=M$ DANN $y=M$,
R2: WENN $e_1=M$ UND $e_2=G$ DANN $y=G$.

Die linguistischen Variablen seien auf den Bereich $0 \rightarrow 10$ normiert, die aktuellen Eingangsgrößenwerte seien $e_1=3$, $e_2=6$.

Bild 12.2–97 zeigt die Vorgehensweise.

R1: Prämisse 1: $e_1=K$ zeigt $\mu_K(3)=0.6$.
Prämisse 2: $e_2=M$ zeigt $\mu_M(6)=0.7$.

Somit folgt für R1 der Erfüllungsgrad $H_1=\text{MIN}(0.6, 0.7)=0.6$.

Die Inferenz liefert die in der Höhe 0.6 abgeschnittene Menge $y=M$ als Ausgangs-Fuzzy-Menge.

R2: Prämisse 1: $e_1=M$ zeigt $\mu_M(3)=0.2$.
Prämisse 2: $e_2=G$ zeigt $\mu_G(6)=0.3$.

Somit folgt für R2 der Erfüllungsgrad $H_2=\text{MIN}(0.2, 0.3)=0.2$. Die Inferenz liefert die in der Höhe 0.2 abgeschnittene Menge $y=G$ als Ausgangs-Fuzzy-Menge.

Die beiden Ausgangs-Fuzzy-Mengen werden nun mit dem MAX-Operator zur resultierenden Stellgrößen-Menge verknüpft. Die Defuzzifizierung der am rechten Rand erweiterten Ergebnismenge nach der Schwerpunkt-Methode liefert für das scharfe Stellsignal den Wert $y_s=6{,}3$.

12.2.12.3 Entwurf eines Fuzzy-Reglers

Beim Entwurf eines Fuzzy-Reglers kommt es darauf an, das gesammelte Wissen des Anlagenbetreibers über das Prozeßverhalten in das Fuzzy-Regelwerk umzusetzen.

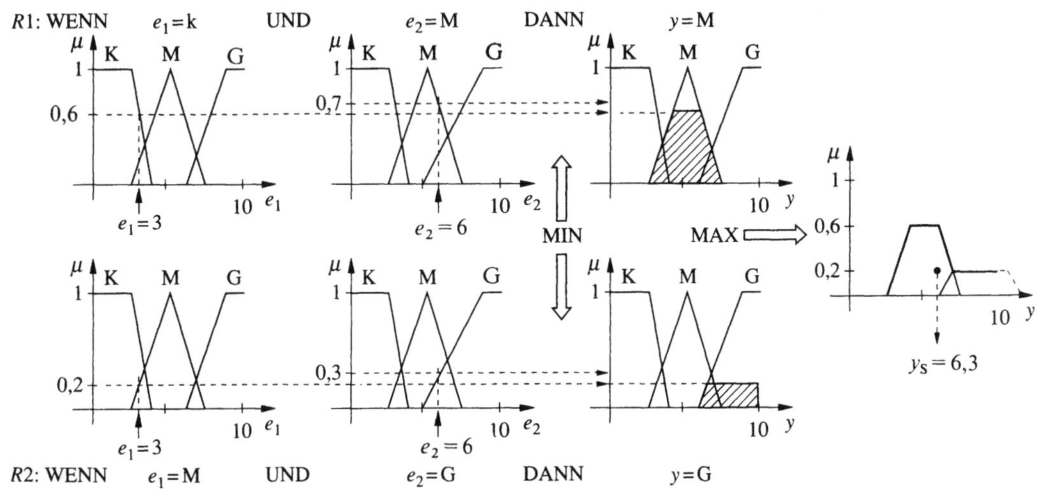

Bild 12.2-97 Funktionsweise eines Fuzzy-Reglers mit MAX-MIN-Inferenz und Defuzzifizierung nach der erweiterten Schwerpunktmethode bei zwei aktiven Regeln

Der Entwurf kann nach folgendem Ablauf durchgeführt werden:

1. Auswahl der Meßgrößen und daraus abgeleiteten Größen als Eingangsgrößen sowie der Stellgröße als Ausgangsgröße des Fuzzy-Reglers.

   Erhöhung der Meßgrößenanzahl verbessert die Regelung, erhöht aber auch den Aufwand. Die Genauigkeit der Messung ist von nachrangiger Bedeutung.

2. Skalierung der linguistischen Variablen anhand der prozeßbedingten Meßbereiche.

3. Definition der linguistischen Terme und deren Zugehörigkeitsfunktionen für alle linguistischen Variablen. Sinnvoll sind zwei bis sieben Terme pro Variable, dreieck- bzw. trapezförmige (vorwiegend am Rand des Stellbereichs) Verläufe erfüllen weitgehend die Anforderungen.

   Die Bezeichnung der Terme sollte sich weitgehend standardisierter Abkürzungen bedienen ($NB \equiv$ Negative Big, $NM \equiv$ Negative Medium, ..., $PB \equiv$ Positive Big) [12.70].

   Die symmetrische Erweiterung der linguistischen Terme der Stellgröße im Randbereich ermöglicht eine bessere Nutzung des Stellgrößenbereichs bei der Berechnung der scharfen Ausgangsgröße nach der Schwerpunkt-Methode.

4. Aufstellen der Regelbasis. Der entscheidende Schritt beim Reglerentwurf ist die Erstellung der Regelbasis, da deren Struktur die Fähigkeiten des Reglers gestaltet. Das Prozeßwissen ist in WENN...DANN Regeln umzusetzen, wobei die Anzahl der Regeln r von der Anzahl der linguistischen Variablen n und der Terme k begrenzt wird zu

   $$r_{\text{Max}} = k^n \qquad (12.2\text{–}185)$$

   Aufwandsbedingt wird r immer wesentlich geringer gehalten, häufig reichen wenige Regeln, bei Bedarf wird ergänzt, Redundanz stört weiter nicht.

12.2.12.4 Übertragungsverhalten von Fuzzy-Reglern

Das Übertragungsverhalten eines Fuzzy-Reglers mit einer Eingangs- und einer Ausgangsgröße läßt sich mit einer statischen, nichtlinearen Kennlinie beschreiben (Kennlinienregler). Bei mehreren Eingangsgrößen erhält man einen Kennfeldregler. Somit besteht die Möglichkeit sowohl Zweipunkt-, Dreipunkt- als auch Proportionalverhalten einzustellen.

In Anlehnung an konventionelle Regler lassen sich ebenso Fuzzy-P-,-PI-,-PD-Regler realisieren (Bild 12.2–98), worin e die Regeldifferenz, $\dot{e}$ deren Änderungsgeschwindigkeit und y die Stellgröße sind. Derartige Regler haben in zahlreichen Aufgabenstellungen [12.68] entsprechend Bild 12.2–99 ihre Anwendung gefunden.

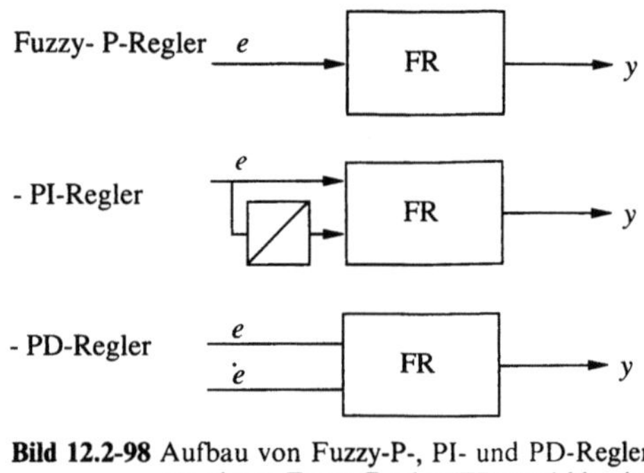

Bild 12.2-98 Aufbau von Fuzzy-P-, PI- und PD-Reglern aus einem Fuzzy-Regler (FR) und klassischen Übertragungsgliedern

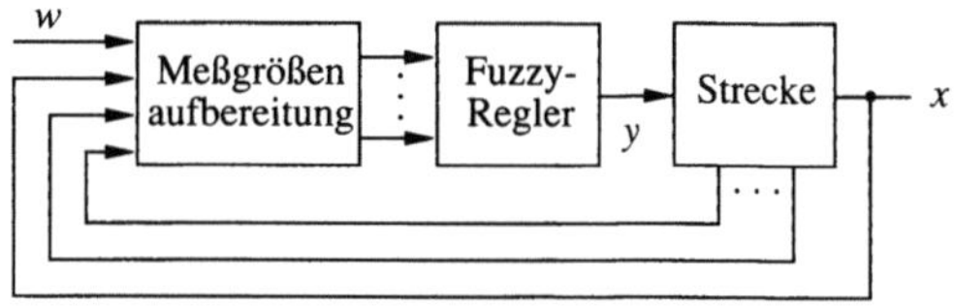

Bild 12.2-99 Struktur einer Fuzzy-Regelung bei Verwendung zusätzlicher Meßgrößen aus der Strecke

Einflußgrößen für das Übertragungsverhalten sind:

- Einflußbreiter:

  Die Variation der Einflußbreite verändert die Steilheit der Kennlinie und verändert die Auflösung (geringe Einflußbreite bewirkt eine hohe Auflösung).

- Überlappungsgrad:

  Ein hoher Überlappungsgrad der linguistischen Terme verringert die Stufigkeit der Reglerkennlinie.

12.3 Literatur

[12.1] *Kielhorn, Müller, Peitzmeier,* Speicherprogrammierbare Steuerungen für jedermann SUCOS PS21, Anleitungen zum Selbst-Studium, Firmenschrift Klöckner-Moeller

[12.2] *Berger, Hans,* Automatisieren mit Simatic S5 155 u, Firmenschrift Siemens Aktiengesellschaft, Berlin/München 1989

[12.3] dto. 3. Aufl., 1989

[12.4] *Berger, Hans,* Programmieren von Funktionsbausteinen in Step 5; 3. überarbeitete und erw. Auflage Siemens Aktiengesellschaft, Berlin/München 1985

[12.5] *Ritter, Walter,* Simatic S5: speicherprogrammierbares Automatisierungsgerät S5–110 A; ein Lehrprogramm aus der Schule für Industrieelektronik und Sinumerik, 4. Aufl., Siemens Aktiengesellschaft, Berlin/München 1983

[12.6] *Demmelmeier, Franz,* Fehlertolerante Multimikrorechnersysteme für die Prozeßautomatisierung, Oldenbourg, München Wien 1988

[12.7] *Lauber, Rudolf,* Prozeßautomatisierung, Band 1: Automatisierungsstrukturen, Prozeßrechnersysteme, Echtzeit-Programmierung, Zuverlässigkeits- und Sicherheitstechnik. – 2., vollständig überarb. Auflage, Springer-Verlag, Berlin/Heidelberg/New York/Paris/Tokyo 1989

[12.8] *Frei, Bleicher, Decker,* Speicherprogrammierbare Steuerungen, Hüthig, Heidelberg 1985

[12.9] *Holder, Manfred,* SPS-Programmierung mit lofiCAD, Hüthig, Heidelberg 1989

[12.10] *Böhm, Werner,* Elektrische Steuerungen: Grundlagen und Einf. in die Anwendung, Vogel, Würzburg 1982

[12.11] *Klein, Martin,* Einführung in die DIN-Normen 10. Auflage, Beuth Verlag, Berlin/Köln 1989

[12.12] *Schanz, Günter W.,* Sensoren – Fühler der Meßtechnik, e. Handbuch d. Meßwertaufnahne f. d. Praktiker, Hüthig, Heidelberg 1986

[12.13] *Edinger, Egon,* Simatic S5: Programmierhandbuch für Ablaufsteuerungen mit 110 A, Siemens Aktiengesellschaft, Berlin/München 1983

[12.14] *Schönfeld, Rolf,* Grundlagen der automatischen Steuerung, Leitfaden und Aufgaben aus der Elektrotechnik, Hüthig, Heidelberg 1984

[12.15] *Johannsen, Klaus,* (Hrsg.), Hilfsbuch der Elektrotechnik, Band 1, 2, 3. verb. Auflage, Frankfurt/Main: AEG-Telefunken-Aktiengesellschaft, Frankfurt/M 1984

[12.16] *Klöckner-Moeller,* Technische Informationen, Zusatz zum Katalog, Bonn,

[12.17] Siemens Firmenschrift, Simatic S5- Automatisierungsgerät S5 100u, Katalog St52.1 1991

[12.18] Siemens Firmenschrift, Simatic S5- Automatisierungsgerät S5 115u, Katalog St52.3 1990

[12.19] Siemens Firmenschrift, Automatisierungsgeräte S5–135U, S5–155u und S5–155H Katalog StS4.1. 1990

[12.20] Siemens Firmenschrift, SINEC-Industielle Kommunikationsnetze, Katalog 1990

[12.21] Siemens Firmenschrift, COROS Bedien-und Beobachtungsgeräte Katalog St80, 1989

[12.22] *Kucera, Gerd,* Automatisieren mit SPS: techn. Übersicht über 230 Steuerungen, Markt- u. Technik-Verlag, Haar bei München 1988

[12.23] *Dünte, Karsten,* eigene Vortragsfolien Simatic STEP 5, 1991

[12.24] *Dünte, Karsten,* eigene Vortragsfolien des Vortrages an der IHS Mittweida, Juni 1991

[12.25] Siemens AG Trainings-Center für Automatisierung, Lehrgang S20 – Programmieren von Simatic-S5-Geräten, interne Kursordner; Nürnberg-Moorenbrunn 1989

[12.26] Siemens AG Trainings-Center für Automatisierung:
Lehrgang S21 – Aufbaukurs Programmieren, interne Kursordner, Nürnberg-Moorenbrunn 1989

[12.27] *Geitner, U. W.,* CIM-Handbuch, 2. Auflage; Friedr. Vieweg & Sohn Braunschweig/Wiesbaden 1991

[12.28] *Baumgartner, Horst,* CIM-Basisbetrachtungen, Siemens Aktiengesellschaft Berlin/München 1989

[12.30] Siemens Firmenschrift, Gerätehandbuch Automatisierungsgerät S5 100 Siemens Aktiengesellschaft, Berlin/München 1988

[12.31] Siemens Firmenschrift, Gerätehandbuch Automatisierungsgerät S5 135u Siemens Aktiengesellschaft, Berlin/München 1989

[12.32] Siemens Firmenschrift, Gerätehandbuch Automatisierungsgerät S5 155u Siemens Aktiengesellschaft, Berlin/München 1990

[12.33] *Wellenreuther, Zastrow,* Steuerungstechnik mit SPS, Friedr. Vieweg & Sohn, Braunschweig/Wiesbaden 1991

[12.34] *Wolfram, Fritz,* Regelungstechnik mit SPS Vogel-Verlag, Würzburg 1991

[12.35] *Unbehauen, H.,* Regelungstechnik I., Friedr. Vieweg & Sohn, Braunschweig/Wiesbaden 1987

[12.36] *Unbehauen, H.,* Regelungstechnik II, Friedr. Vieweg & Sohn, Braunschweig/Wiesbaden 1987

[12.37] *Föllinger, O.,* Regelungstechnik, AEG-Telefunken Berlin/Frankfurt 1980

[12.38] *Föllinger O.,* Lineare Abtastsysteme, R. Oldenbourg Verlag, München 1986

[12.39] *Föllinger, O.,* Nichtlineare Regelungen Band I, R. Oldenbourg Verlag, München 1989

[12.40] *Dörrscheidt, F.,* und *W. Latzel,* Grundlagen der Regelungstechnik, B. G. Teubner Verlag, Stuttgart 1989

[12.41] *Gassmann, H.,* Einführung in die Regelungstechnik, Verlag H. Deutsch, Frankfurt/M 1986

[12.42] *Orlowski, P. F.,* Praktische Regeltechnik, R. Oldenbourg Verlag, München 1985

[12.43] *Isermann, R.,* Digitale Regelsysteme, Band I, Springer Verlag, Heidelberg 1988

[12.44] *Takahashi, M., C. S. Chan* und *D. M. Auslander,* Parametereinstellung bei linearen DDC – Algorithmen, Regelungstechnik 1971, H. 6, S. 237–244

[12.45] *Unbehauen, H:* Regelungstechnik Band III, Friedr. Vieweg & Sohn, Braunschweig/Wiesbaden 1988

[12.46] *Böcker J., I. Hartmann* und *C. Zwanzig,* Nichtlineare und adaptive Regelungssysteme, Springer Verlag, Heidelberg 1986

[12.47] *Föllinger, O.,* und *D. Franke,* Einführung in die Zustandsbeschreiung dynamischer Systeme, R. Oldenbourg Verlag, München 1982

[12.48] *Pfaff, G.,* Regelung elektrischer Antriebe I, R. Oldenbourg Verlag, München 1971

[12.49] *Pfaff, G.,* und *C. Meyer,* Regelung elektrischer Antriebe II, R. Oldenbourg Verlag, München 1982

[12.50] *Meyer, M.,* Elektrische Antriebstechnik, Band 2, Springer Verlag, Heidelberg 1987

[12.51] *Isermann, R.,* Digitale Regelsysteme, Band II, Springer Verlag, Heidelberg 1987

[12.52] *Weber, W:* Adaptive Regelungen I, R. Oldenbourg Verlag, München 1971

[12.53] *Aström, K. J.,* und *T. Hägglund,* Automatic Tuning of Simple Regulators with Specification on Phase and Amplitude Margins, Automatica Vol. 20, No 5, pp. 645–651, 1984

[12.54] DIN 19221: Formelzeichen der Regelungstechnik (1981)
DIN 19225: Regelungstechnik und Steuerungstechnik. Benennung von Reglern (1981)
DIN 19226: Funktionelle Begriffe (1989)

[12.55] *Paul, R. P.,* Modelling, trajectory calculation and servoing of a computer controlled arm, PhD dissertation, Stanford University 1972

[12.56] *Pieper, D. L.,* The kinematics of manipulators under computer control, PhD dissertation, Stanford University 1968

[12.57] *Blume, C.,* und *R. Dillman,* Freiprogrammierbare Manipulatoren, Vogel Verlag, Würzburg 1981

[12.58] *Desoyer, K., P. Kopacek* und *I. Troch,* Industrieroboter und Handhabungsgeräte, R. Oldenbourg Verlag, München 1985

[12.59] *Kuntze, H.-B.,* Regelungsalgorithmen für rechnergesteuerte Industrieroboter, Regelungstechnik 32. Jhg 1984 Heft 7.

[12.60] *Kuntze, H.-B.,* und *A. Jacubasch,* Algorithmen zur versteifenden Regelung von elastischen Industrierobotern, Robotersysteme 1, 99–109, Springer Verlag, Heidelberg 1985

[12.61] *Freund, E.* und *H. Hoyer,* Das Prinzip nichtlinearer Systementkopplung mit der Anwendung auf Industrieroboter, Regelungstechnik, 28. Jhg, Heft 3+4, 1980

[12.62] *Haass, U. L., H.-B. Kuntze* und *W. Schill,* A surveillance system for obstacle recognition and collision avoidance control in robot environment, IITB, Karlsruhe 1982

[12.63] *Olomski, J.,* Bahnplanung und Bahnführung von Industrierobotern, Friedr. Vieweg & Sohn, Braunschweig/Wiesbaden 1989

[12.64] *Blume, C.,* und *W. Jakob,* Programmiersprachen für Industrieroboter, Vogel Verlag Würzburg 1983

[12.65] *Groover, M. P., M. Weiss, R. N. Nagel* und *N. G. Odrey,* Robotik umfassend, McGraw-Hill Book Company 1987

[12.66] *Zadeh, L. A.,* Fuzzy Sets, Information and Control 1965

[12.67] *Kahlert, J.,* und *H. Frank,* Fuzzy-Logik und Fuzzy-Control, Friedr. Vieweg & Sohn, Braunschweig/Wiesbaden 1993

[12.68] *v. Altrock, C.,* Fuzzy-Logic, Bd. 1, Bd. 2, Oldenbourg Verlag, München 1993/94

[12.69] *Böhme, G.,* Fuzzy-Logik, Springer Verlag, Berlin 1993

[12.70] *Preuß, H.-P.,* Fuzzy-Control-heuristische Regelung mittels unscharfer Logik, atp, 34. 49, Heft 4/5, 1992

13 Elektrowärme

13.1 Allgemeine Grundlagen

13.1.1 Definitionen

13.1.1.1 Wärme, Temperatur

Nach der heute anerkannten *kinetischen Wärmetheorie* wird die Wärme eines Stoffes als Bewegung seiner Moleküle gedeutet. Die Intensität der Molekularbewegung entspricht der gemessenen Temperatur. Um die Moleküle eines Körpers in den Zustand einer intensiveren Bewegung zu bringen – also zu erwärmen – gibt es grundsätzlich drei Möglichkeiten:

- Berühren mit Molekülen eines Zustandes intensiverer Bewegung,
- Aufprall mit wesentlich schnelleren Elektronen und
- Beeinflussung durch elektromagnetische Wechselfelder geeigneter Wellenlänge.

13.1.1.2 Elektrowärme

Wird ein widerstandsbehafteter elektrischer Leiter vom elektrischen Strom durchflossen, entsteht in diesem Leiter nach dem *Jouleschen Gesetz* ($P = I^2 R$) Wärme. Verwendet man diese Wärme in einem Herstellungsprozeß, so spricht man von *Elektrowärme*.

13.1.1.3 Mittelbare und unmittelbare Erwärmung

Wird die Wärme in dem zu erwärmenden Medium erzeugt, so handelt es sich um eine *unmittelbare Erwärmung*. Wird dagegen die Wärme durch Moleküle eines weiteren Stoffes dem zu erwärmenden Medium übertragen, nennt man sie *mittelbare Erwärmung*.

13.1.1.4 Direkte und indirekte Erwärmung

Wird der elektrische Netzstrom in das zu erwärmende Medium eingeleitet, so ist es eine *direkte Erwärmung*. Ist dagegen der zu erwärmende Körper nicht mit dem Netz galvanisch verbunden, so nennt man sie *indirekte Erwärmung*.
Bild 13.1–1 zeigt einige elektrische Erwärmungsverfahren nach obengenannten Erwärmungsarten.

13.1.2 Wärmeübertragung

Unter der *Wärmeübertragung* versteht man die Zusammenfassung von Wärmeleitung, Konvektion und Strahlung. Nach dem *2. Hauptsatz der Thermodynamik* kann die Wärme ohne Zufuhr von mechanischer Arbeit nur von einem wärmeren Stoff auf einen kälteren Stoff übergehen. *Temperaturgefälle* ist damit die Voraussetzung für eine selbsttätige Wärmeübertragung.

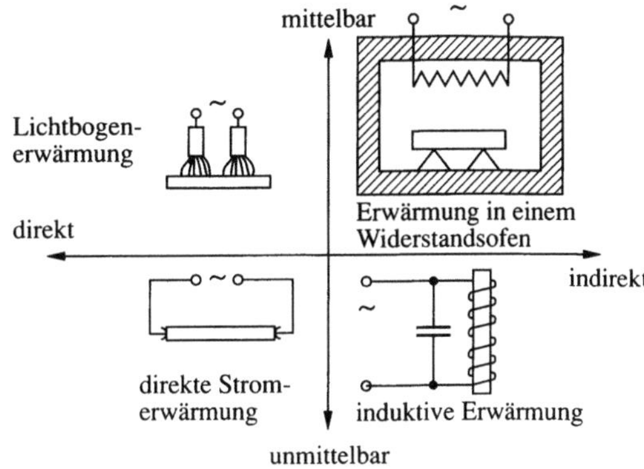

Bild 13.1-1 Elektrische Erwärmungsverfahren

13.1.2.1 Wärmeleitung

Wärmeleitung ist eine stoffgebundene Wärmeübertragung und findet in festen, unbewegten flüssigen und gasförmigen Körpern statt. Der Wärmeaustausch entsteht durch Zusammenstöße der Moleküle verschiedener mittlerer Geschwindigkeiten. Durch diese Zusammenstöße werden die Moleküle des wärmeren Körperteiles verlangsamt und die des kälteren Teiles beschleunigt. Dadurch findet ein Temperaturausgleich über alle Teile des Körpers statt.

Die Wärmeleitung ist von den physikalischen Eigenschaften des betreffenden Stoffes abhängig. Das Wärmeleitvermögen wird durch die Wärmeleitfähigkeit des Stoffes λ ausgedrückt. Die temperaturabhängige Wärmeleitfähigkeit wird experimentell ermittelt. Sie ist bei Gasen außerdem druckabhängig. Tabelle 13.1–1 gibt die Wärmeleitfähigkeit einiger Stoffe bei 20 °C an.

1. Eindimensionale Wärmeleitung durch ebene Wände (stationärer Fall)

Wird eine ebene Wand mit der Fläche A und Dicke d von einem konstanten Wärmestrom P durchflossen, so stellen sich in den beiden die Wand begrenzenden Oberflächen die unterschiedlichen Temperaturen ϑ_1 und ϑ_2 ein. Die Temperaturen sind zeitlich und örtlich konstant (Bild 13.1–2).

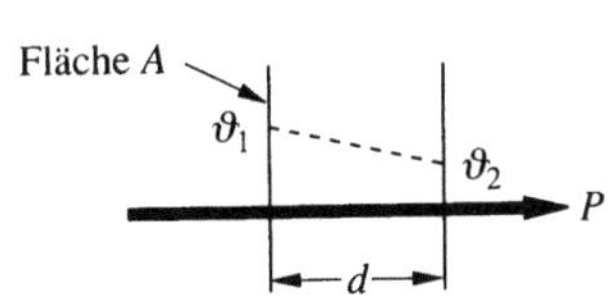

Bild 13.1-2 Wärmeleitung durch eine ebene Wand

Tabelle 13.1–1: Wärmeleitfähigkeit einiger Stoffe bei 20 °C

Material	Wärmeleitfähigkeit in W/Km
Aluminium	209,3
Beton	1,28
Erde (feucht)	0,465... 0,698
Erde (trocken)	0,349
Glas	0,698... 0,756
Glaswolle	0,035... 0,046
Holz (längs zur Faser)	0,349
Holz (quer zur Faser)	0,093... 0,163
Kupfer	407,1
Luft	0,026
Mauerwerk	0,698... 0,872
Öle	0,128... 0,174
Papier	0,139
Porzellan	0,93... 1,05
Silber	418,7
Stahl (0,1% C)	53,50
Stahl (0,6% C)	41,87
V2A-Stahl	15,12
Wasser	0,581

Die Temperaturdifferenz zwischen den Außenflächen der Wand ist durch den Wärmestrom P und den Wärmewiderstand R_w der Wand nach der Gleichung:

$$\vartheta_1 - \vartheta_2 = \Delta\vartheta = P \cdot R_w \qquad (13.1\text{–}1)$$

ϑ_1, ϑ_2, $\Delta\vartheta$	P	R_w
K	W	K/W

gegeben, mit

$$R_w = \frac{d}{\lambda A}. \qquad (13.1\text{–}2)$$

R_w	d	λ	A
K/W	m	W/Km	m²

Für die in der Zeit t durch Wärmeleitung übetragene Wärme Q gilt:

$$Q = \lambda \frac{A}{d} (\vartheta_1 - \vartheta_2) t = \frac{\Delta\vartheta}{R_W} t. \qquad (13.1\text{–}3)$$

Q	ϑ_1, ϑ_2, $\Delta\vartheta$	t	R_W	λ	A	d
J	K	s	K/W	W/Km	m²	m

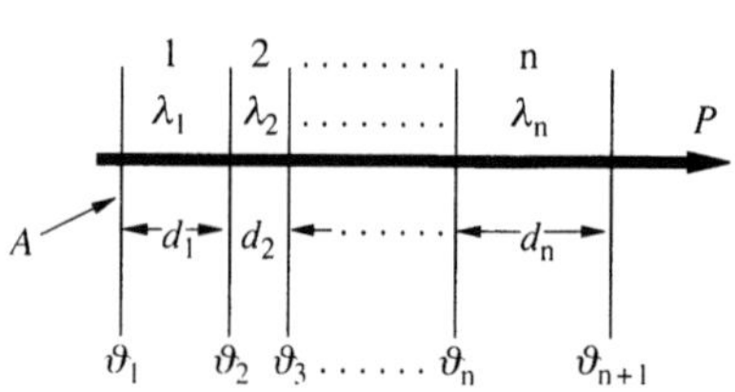

Bild 13.1-3 Wärmeleitung durch mehrere Schichten

Bei der Berechnung der Temperaturverteilung bei Wärmeleitung durch mehrere Schichten der Fläche A gemäß Bild 13.1–3 können die Grenzschichttemperaturen ϑ_1 bis ϑ_{n+1} mit den Wärmewiderständen berechnet werden:

$$\vartheta_1 - \vartheta_{n+1} = P \cdot \sum_1^n R_{Wn} = \frac{P}{A} \sum_1^n \frac{d_n}{\lambda_n},$$

$$= P' \cdot \sum_1^n \frac{d_n}{\lambda_n}. \qquad (13.1\text{–}4)$$

ϑ_1, ϑ_{n+1}	P	P'	R_{wn}	A	d_n	λ_n	n
K	W	W/m²	K/W	m²	m	W/Km	1

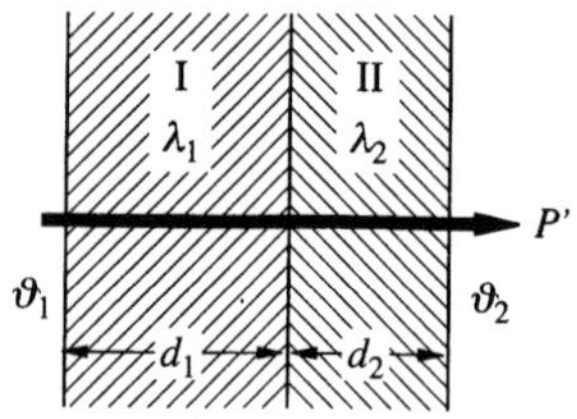

Bild 13.1-4 Dimensionierung einer Zweischicht-Isolierung

■ *Beispiel:*
Es ist eine Zweischicht-Isolierung nach Bild 13.1–4 zu bemessen, die bei einer gegebenen Temperaturdifferenz $\vartheta_1 - \vartheta_2$ einen vorgebbaren Wärmefluß $P' = 10$ W/m² zuläßt.

Wie groß müssen d_1 und d_2 gewählt werden, damit die Gesamtdicke der Isolierung möglichst klein wird?

$\vartheta_1 = 120$ °C, $\vartheta_2 = 20$ °C.

Isolierstoff I: $\lambda_1 = 5 \cdot 10^{-3}$ W/Km, zulässige Temperatur 400 °C,
Isolierstoff II: $\lambda_2 = 10^{-3}$ W/Km, zulässige Temperatur 70 °C.

Lösung:

Damit die Gesamtdicke der Isolierung möglichst klein wird, nimmt man an der Trennschicht der Isolierungen die zulässige Temperatur des Isolierstoffes II an, damit ist $\Delta\vartheta_{II} = 50$ K. Nach den Gln. (13.1–1) und (13.1–2) gilt:

$$\Delta\vartheta_{II} = P \frac{d_2}{\lambda_2 A} = \frac{P}{A} \frac{d_2}{\lambda_2} = P' \frac{d_2}{\lambda_2},$$

daraus folgt:

$$d_2 = \frac{\lambda_2}{P'} \Delta\vartheta_{II}$$

mit den Zahlenwerten:

$$d_2 = \frac{10^{-3}\ \text{W/Km}}{10\ \text{W/m}^2} \cdot 50\ \text{K} = 5 \cdot 10^{-3}\ \text{m}.$$

Da P' konstant ist, folgt für d_1 mit $\Delta\vartheta_1 = 50$ K und $\lambda_1 = 5\lambda_2$:

$$d_1 = 5d_2 = 25 \cdot 10^{-3} \text{ m}.$$

2. Radiale Wärmeleitung durch ein Rohr (stationärer Fall)

In einem Hohlzylinder vom Radius r und der sehr kleinen Dicke dr nach Bild 13.1–5 kann eine lineare Temperaturverteilung angenommen werden.

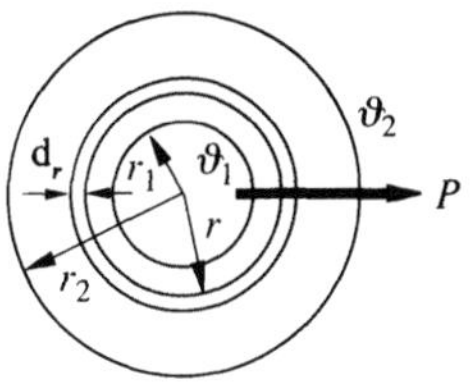

Bild 13.1-5
Radiale Wärmeleitung durch ein Rohr

Der Wärmewiderstand des Teilzylinders berechnet sich zu:

$$\mathrm{d}R_w = \frac{\mathrm{d}r}{\lambda 2\pi r l}. \qquad (13.1\text{–}5)$$

R_w	r	l	λ
K/W	m	m	W/Km

In dieser Gleichung ist l die Länge des Rohres. Die Integration dieser Gleichung liefert den Wärmewiderstand des gesamten Rohres:

$$R_w = \int_{r_1}^{r_2} \mathrm{d}R_w = \frac{1}{2\pi\lambda l}\ln\frac{r_2}{r_1}. \qquad (13.1\text{–}6)$$

R_w	r_1, r_2	λ	l
K/W	m	W/Km	m

Aus den Gln. (13.1–1) und (13.1–6) folgt dann für die Temperaturdifferenz zwischen Rohrinnenwand mit dem Radius r_1 und Rohraußenwand mit dem Radius r_2:

$$\vartheta_1 - \vartheta_2 = \Delta\vartheta = \frac{P}{2\pi\lambda l}\ln\frac{r_2}{r_1}. \qquad (13.1\text{–}7)$$

$\vartheta_1, \vartheta_2, \Delta\vartheta$	P	λ	l	r_1, r_2
K	W	W/Km	m	m

13.1.2.2 Konvektion

Ein Wärmeaustausch zwischen einem festen Körper (Solid) und einem flüssigen oder gasförmigen Stoff (Fluid) durch *Konvektion* setzt eine Bewegung des Stoffes voraus. Diese kann entweder durch äußere Kräfte (Pumpen, Ventilatoren usw.) erzwungen werden – *erzwungene Konvektion* – oder sie kann durch Dichteunterschiede der solidnahen und solidfernen Schichten des Fluids verursacht werden, die von Temperaturunterschieden dieser Schichten herrühren – *freie Konvektion.*

Praktische Berechnungen bei Problemen des konvektiven Wärmeübergangs werden fast ausschließlich mit der *Ähnlichkeitstheorie* durchgeführt. Eine grobe aber viel verwendete Beschreibung des Wärmeübergangs durch Konvektion gibt die Gleichung:

$$P = \alpha\Delta\vartheta A, \qquad (13.1\text{–}8)$$

P	α	$\Delta\vartheta$	A
W	W/Km^2	K	m^2

wobei P der Wärmestrom, α der Wärmeübergangskoeffizient, $\Delta\vartheta = \vartheta_S - \vartheta_F$ die Temperaturdifferenz zwischen Solidtemperatur ϑ_S und mittlerer Fluidtemperatur ϑ_F und A die Körperoberfläche ist.

α ist von vielen Größen wie spezifische Wärmekapazität, Wärmeleitfähigkeit, Dichte, Viskosität, räumlichem Wärmedehnungskoeffizient, Druck, Temperatur, Geschwindigkeit, Form und Oberflächenbeschaffenheit des festen Körpers abhängig. Seine Berechnung ist schwierig und für bestimmte Fälle öfters umstritten. Für den praktischen Gebrauch der Gl. (13.1–8) kann man wie folgt vorgehen. Man setzt:

$$\alpha = \frac{\lambda}{\delta}, \qquad (13.1\text{–}9)$$

α	λ	δ
W/Km^2	W/Km	m

mit λ Wärmeleitfähigkeit und δ Dicke einer (fiktiven) äquivalenten Widerstandsschicht des Fluids. Da δ eine fiktive Größe ist, ist sie nicht meßbar. Für die definierten physikalischen oder technischen Anordnungen kann δ bestimmt werden, indem man bei bekannter Wärmeleitfähigkeit λ den Wärmeübergangskoeffizienten α mißt. Setzt man jeweils die charakteristische Länge l der jeweiligen Anordnung zu δ ins Verhältnis, so ergibt sich die Ähnlichkeitskennzahl *Nu (Nußelt-Zahl)*:

$$Nu = \frac{l}{\delta} = \frac{l\alpha}{\lambda}. \qquad (13.1\text{–}10)$$

Nu	l	α	λ	δ
1	m	W/Km^2	W/Km	m

Eine weitere Kennzahl ist die *Prandtl-Zahl Pr*, sie ist das Verhältnis von zwei molekularen Transportgrößen, nämlich das Verhältnis von kinematischer Viskosität ν zu der Temperaturleitfähigkeit a, wobei

$$a = \frac{\lambda}{c\gamma} \qquad (13.1\text{–}11)$$

a	λ	c	γ
m^2/s	W/Km	J/kg · K = W/kg · K · s	kg/m^3

ist mit c spezifischer Wärmekapazität und γ Dichte. Für die Prandtl-Zahl gilt also:

$$Pr = \frac{\nu}{a}. \qquad (13.1\text{–}12)$$

Pr	ν	a
1	m^2/s	m^2/s

Für die freie Konvektion erfolgt die Fluid-Strömung durch thermischen Auftrieb.
Das Verhältnis von Auftriebskraft zur Trägheitskraft nennt man *Archimedes-Zahl Ar*. Mit dieser Kennzahl kann man allerdings nicht viel anfangen, weil meist die Geschwindigkeit v des aufsteigenden Fluids unbekannt ist. Multipliziert man aber die Archimedes-Zahl Ar mit dem Quadrat der *Reynolds-Zahl Re*

$$Re = \frac{vl}{\nu}, \qquad (13.1\text{–}13)$$

Re	v	l	ν
1	m/s	m	m²/s

so wird die nicht bekannte Fluidgeschwindigkeit v eliminiert. Die durch diese Multiplikation erhaltene Kennzahl wird *Grashof-Zahl Gr* genannt:

$$Gr = Ar\ Re^2 = \frac{g\beta\Delta\vartheta l^3}{\nu^2}, \qquad (13.1\text{–}14)$$

Gr	Ar	Re	g	β	$\Delta\vartheta$	l	ν
1	1	1	m/s²	1/K	K	m	m²/s

worin g die Fallbeschleunigung, β der Ausdehnungskoeffizient und $\Delta\vartheta$ die kennzeichnende Temperaturdifferenz ist.
Für den praktischen Gebrauch hat man, um die in der Mehrzahl der Fälle anzuwendende Nußelt-Zahl zu erhalten, Tabellenwerke aufgestellt. Nach einem Vorschlag von Nußelt läßt sich diese Zahl wie folgt angeben:

$$Nu = C Re^p Gr^q Pr^r. \qquad (13.1\text{–}15)$$

Ehe auf C und die Exponenten p, q und r eingegangen werden kann, müssen noch die von Reynolds entdeckten beiden grundsätzlich zu unterscheidenden Strömungsarten beschrieben werden, nämlich die *laminare* und die *turbulente Strömung*. Überwiegen die Reibungskräfte gegenüber den Trägheitskräften – kleine Reynolds-Zahlen – bildet sich eine laminare Strömung aus. Bei dieser Strömung verlaufen die Stromfäden parallel zueinander, ohne Wirbelung oder Schwankungsbewegungen zu entwickeln. Die turbulente Strömung dagegen ist durch die unregelmäßige Bahn der einzelnen Fluidteilchen gekennzeichnet. Die wirbelnden Mischbewegungen begünstigen im allgemeinen den Wärmeaustausch durch Konvektion. Hierbei überwiegen die Trägheitskräfte gegenüber den Reynolds-Kräften – große Reynolds-Zahlen –.

Um die Nußelt-Zahl nach Gl. (13.1–15) zu bestimmen, muß man außer Re, Gr, Pr und C noch die Exponenten p, q und r ermitteln. Für die *erzwungene Konvektion* wird die Grashoff-Zahl ohne Einfluß, so daß für $Gr^q = 1$ gesetzt werden kann. Für *freie Konvektion* kann der Einfluß der Reynolds-Zahl vernachlässigt werden, so daß $Re^p = 1$ wird. Für wichtige Stoffwerte λ, ν, β, c und γ, die von der Temperatur abhängig sind, müssen vernünftige Mittelwerte eingesetzt werden. Tabelle 13.1–2 gibt nach [13.1] die Werte von C, q und r für einige technische Probleme der freien Konvektion an.

Tabelle 13.1–2: Zur Berechnung der Nußelt-Zahl bei einigen speziellen Problemen der freien Konvektion

Problem	Strömung laminar	Strömung turbulent	Kennzeichnung Länge	Bezugs-Temperatur	C	q	r	Gültigkeitsbereich
isotherme senkrechte Wand	X		Höhe	$\frac{\vartheta_S+\vartheta_F}{2}$	0,52	$\frac{1}{4}$	$\frac{1}{4}$	$1700 < GrPr < 10^9$
isotherme senkrechte Wand in Luft		X	Höhe	$\frac{\vartheta_S+\vartheta_F}{2}$	0,10	$\frac{1}{3}$	$\frac{1}{3}$	$10^9 < GrPr < 10^{12}$
gleichmäßig beheizte senkrechte Wand	X		Höhe	$\frac{\vartheta_S+\vartheta_F}{2}$	0,65	$\frac{1}{4}$	$\frac{1}{4}$	$1700 < GrPr < 5.10^8$
gleichmäßig beheizte senkrechte Wand in Luft		X	Höhe	$\frac{\vartheta_S+\vartheta_F}{2}$	0,122	$\frac{1}{3}$	$\frac{1}{3}$	$5.10^8 < GrPr < 10^{12}$
waagerechter Zylinder	X		Durchmesser	$\frac{\vartheta_S+\vartheta_F}{2}$	0,41	$\frac{1}{4}$	$\frac{1}{4}$	$10^5 < GrPr$
gleichmäßig beheizte waagerechte Wand Wärme ↑		X	kleinere Seitenlänge	$\frac{\vartheta_S+\vartheta_F}{2}$	0,14	$\frac{1}{3}$	$\frac{1}{3}$	$5.10^8 < GrPr < 10^{12}$
gleichmäßig beheizte waagerechte Wand Wärme ↓	X		kleinere Seitenlänge	$\frac{\vartheta_S+\vartheta_F}{2}$	0,19	$\frac{1}{4}$	$\frac{1}{4}$	$10^9 < GrPr < 10^{11}$

13.1.2.3 Wärmedurchgang

Sind Flüssigkeiten oder Gase der Temperaturen ϑ_1 und ϑ_2 durch eine feste ebene Wand getrennt (wie z. B. eine Ofenwand), so bezeichnet man diesen Vorgang der Wärmeübertragung, der sich aus Wärmeleitung und Konvektion zusammensetzt, als *Wärmedurchgang*.

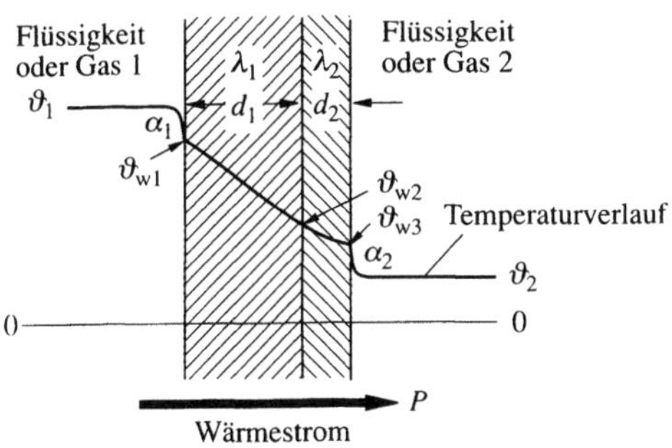

Bild 13.1-6 Wärmedurchgang durch eine zweischichtige, ebene Wand

Betrachtet man eine ebene Wand aus mehreren Schichten (hier 2 Schichten) unterschiedlichen Wärmeleitvermögens gemäß Bild 13.1–6 mit der Fläche A und wird der Wärmestrom P übertragen, so erhält man in einzelnen Schichten durch Konvektion und Wärmeleitung folgende Temperaturdifferenzen

$$\begin{aligned} \vartheta_1 - \vartheta_{w1} &= \frac{1}{\alpha_1}\frac{P}{A}, \\ \vartheta_{w1} - \vartheta_{w2} &= \frac{d_1}{\lambda_1}\frac{P}{A}, \\ \vartheta_{w2} - \vartheta_{w3} &= \frac{d_2}{\lambda_2}\frac{P}{A}, \\ \vartheta_{w3} - \vartheta_2 &= \frac{1}{\alpha_2}\frac{P}{A}. \end{aligned} \qquad (13.1\text{–}16)$$

$\vartheta_1, \vartheta_2, \vartheta_{w1}, \vartheta_{w2}, \vartheta_{w3}$	P	α_1, α_2	d_1, d_2	A
K	W	W/Km²	m	m²

Die Addition dieses Gleichungssystems ergibt:

$$\vartheta_1 - \vartheta_2 = \left(\frac{1}{\alpha_1} + \frac{d_1}{\lambda_1} + \frac{d_2}{\lambda_2} + \frac{1}{\alpha_2}\right)\frac{P}{A}. \qquad (13.1\text{–}17)$$

Definiert man

$$k = \frac{1}{\dfrac{1}{\alpha_1} + \dfrac{d_1}{\lambda_1} + \dfrac{d_2}{\lambda_2} + \dfrac{1}{\alpha_2}} \qquad (13.1\text{–}18)$$

k	α_1, α_2	d_1, d_2	λ_1, λ_2
W/Km²	W/Km²	m	W/Km

als *Wärmedurchgangskoeffizient* und

$$R_D = \frac{1}{kA} \qquad (13.1\text{–}19)$$

R_D	k	A
K/W	W/Km²	m²

als *Wärmedurchgangswiderstand*, so folgt für den *Wärmestrom*:

$$P = \frac{1}{R_D}(\vartheta_1 - \vartheta_2). \qquad (13.1\text{–}20)$$

P	R_D	ϑ_1, ϑ_2
W	K/W	K

Die in der Zeit t durchgehende Wärme Q beträgt:

$$Q = kA(\vartheta_1 - \vartheta_2)t. \qquad (13.1\text{–}21)$$

Q	k	A	ϑ_1, ϑ_2	t
J = Ws	W/Km²	m²	K	s

13.1.2.4 Wärmestrahlung

Im Gegensatz zu den bisher behandelten Arten der Wärmeübertragung vollzieht sich der Wärmetransport durch Strahlung ohne materielle Träger. Die *Wärmestrahlen* gehören zu den elektromagnetischen Wellen und breiten sich durch den Raum nach den Gesetzen des Lichtes aus (Ausbreitung, Reflexion, Brechung). Wärmestrahlung entsteht in der Oberfläche aller Körper bei der Bewegung der Moleküle. Diese Bewegung ist von der Temperatur abhängig. Mit sich ändernder Temperatur des Strahlers ändert sich die Wellenlänge bzw. die Frequenz der Strahlung. Die Wärmestrahlung umfaßt den Wellenlängenbereich 0,8 μm bis 0,8 mm. In der Technik wird die Wärmestrahlung als Infrarot- oder (seltener) Ultrarotstrahlung bezeichnet, da sie sich im elektromagnetischen Spektrum unmittelbar an den Strahlungsbereich des sichtbaren Lichtes und zwar das langwellige Rot anschließt.

Trifft Wärmestrahlung auf einen Körper, so kann dieser die Strahlung entweder teilweise oder ganz reflektieren, absorbieren oder durchlassen. Man bezeichnet mit

$$\begin{aligned} r &= \frac{\text{reflektierte Energie}}{\text{auftreffende Energie}} = \textit{Reflexionsgrad}, \\ a &= \frac{\text{absorbierte Energie}}{\text{auftreffende Energie}} = \textit{Absorptionsgrad}, \\ t_r &= \frac{\text{durchgelassene Energie}}{\text{auftreffende Energie}} = \textit{Transmissionsgrad}. \end{aligned} \qquad (13.1\text{–}22)$$

Nach dem Energieerhaltungssatz gilt:

$$r + a + t_r = 1. \qquad (13.1\text{–}23)$$

Wird von einem Körper alle auftreffende Strahlung reflektiert, so wird dieser Körper in Anlehnung an die Definitionen der Optik als *weißer Körper* bezeichnet.

Dagegen bezeichnet man einen Körper als *schwarzen Körper,* wenn er alle auftreffende Strahlung absorbiert. Absorbiert und reflektiert ein Körper die Strahlung teilweise, so wird der Körper als *grauer Körper* bezeichnet, wenn der Absorptionsgrad für alle Wellenlängen der gleiche ist. Hingegen bezeichnet man einen Körper als *farbigen Körper,* wenn er eine ganz bestimmte Wellenlänge der auftreffenden Strahlung besonders stark reflektiert.

Jeder Körper, der Strahlung zu absorbieren vermag ($a \neq 0$), kann auch Strahlung aussenden. Ein schwarzer Körper sendet entsprechend seiner Temperatur den größtmöglichen Energiebetrag aus. Einen absolut schwarzen Körper gibt es nicht. Jeder wirkliche Körper sendet demnach weniger Energie aus als der schwarze Körper.

Das Verhältnis der ausgesendeten Energie eines Körpers zu der ausgesendeten Energie des schwarzen Körpers bei gleicher Temperatur wird als *Emissionsgrad* ε bezeichnet

$$\varepsilon = \frac{\text{ausgesendete Energie}}{\text{Energie der schwarzen Strahlung}} = \text{Emissionsgrad} \qquad (13.1\text{–}24)$$

Nach dem Kirchhoffschen Gesetz stehen das Strahlungsvermögen und das Absorptionsvermögen wirklicher Körper zu den Werten des schwarzen Körpers im gleichen Verhältnis. Der Emissionsgrad bezeichnet also nicht nur das Ausstrahlungsvermögen, sondern auch die Absorptionsfähigkeit eines angestrahlten Körpers. Beträgt z. B. der Emissionsgrad 30%, so werden 30% der auftreffenden Strahlung absorbiert und 70% reflektiert. Der Emissionsgrad (<1) ist von dem Material und der Temperatur des strahlenden Körpers, sowie von seiner Oberflächenbeschaffenheit abhängig. Er wird bei Metallen mit zunehmender Temperatur größer. Tabelle 13.1–3 gibt den Emissionsgrad einiger Metalle wieder.

Tabelle 13.1–3: Emissionsgrad

Material	Temperatur	ε
Al-poliert	20 °C 230 °C 580 °C	0,039 0,019 0,057
Fe-poliert	180 °C 230 °C	0,052 0,064
Gold	130 °C	0,018
Silber	100 °C	0,020

Die von einem Körper mit der Fläche A in den freien Raum ausgestrahlte Wärmeleistung P ist nach dem Gesetz von Stefan–Bolzmann gemäß Gl. (13.1–25) von der absoluten Temperatur T abhängig:

$$P = \varepsilon A C_s \left(\frac{T}{100}\right)^4 . \qquad (13.1\text{–}25)$$

P	ε	A	C_s	T
W	1	m^2	W/m^2K^4	K

In dieser Gleichung ist C_s die Strahlungskonstante des schwarzen Körpers

$C_s = 5{,}67\ W/m^2K^4$.

Die Stefan–Bolzmann-Konstante ist

$\sigma = 5{,}67 \cdot 10^{-8}\ W/m^2K^4$.

Für C_s kann man dann σ schreiben, wenn $\left(\frac{1}{100}\right)^4$ nicht mehr berücksichtigt wird. In der Elektrowärme ist jedoch die Strahlungskonstante

$C_s = 5{,}67\ W/m^2K^4$

üblich.

Für den Wärmeleistungsaustausch zwischen einem Körper der Fläche A und der Temperatur T_1 und einer weit entfernten Fläche der Temperatur T_2, die zurückstrahlt, gilt:

$$P = \varepsilon A C_s \left(\left(\frac{T_1}{100}\right)^4 - \left(\frac{T_2}{100}\right)^4\right). \qquad (13.1\text{–}26)$$

P	ε	A	c_s	T_1, T_2
W	1	m^2	W/m^2K^4	K

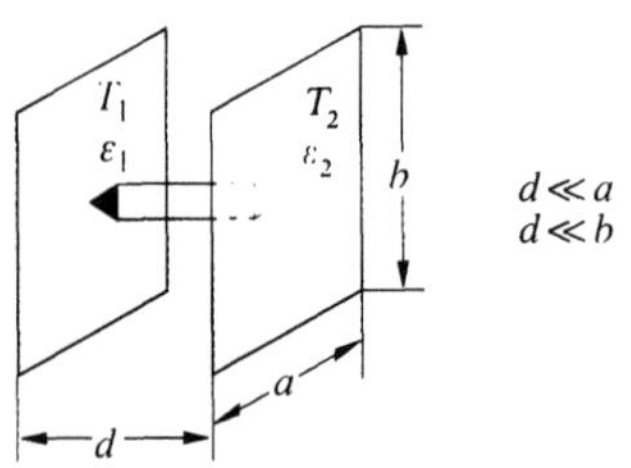

Bild 13.1-7 Strahlungsaustausch zwischen zwei parallelen Flächen

Stehen gemäß Bild 13.1–7 zwei reflektierende Flächen gleicher Abmessungen jedoch unterschiedlicher Temperaturen und Emissionsgrade in einer Entfernung d, die wesentlich kleiner als die Flächenabmessungen ist, parallel zueinander, so gilt für den Strahlungsaustausch:

$$P = \frac{C_s}{\frac{1}{\varepsilon_1} + \frac{1}{\varepsilon_2} - 1} A \left(\left(\frac{T_1}{100}\right)^4 - \left(\frac{T_2}{100}\right)^4\right). \qquad (13.1\text{–}27)$$

Sind Flächen verschieden groß aber umschließen sie sich (ein Zylinder mit der Fläche A_1 in einem Hohlzylinder mit der Fläche A_2 oder Werkstück mit der Fläche A_1 in einem Ofen mit der Innenfläche A_2), so erhält man für den ausgetauschten Wärmestrom:

$$P = \frac{C_s}{\frac{1}{\varepsilon_1} + \frac{A_1}{A_2}\left(\frac{1}{\varepsilon_2} - 1\right)} A_1 \left(\left(\frac{T_1}{100}\right)^4 - \left(\frac{T_2}{100}\right)^4\right). \qquad (13.1\text{-}28)$$

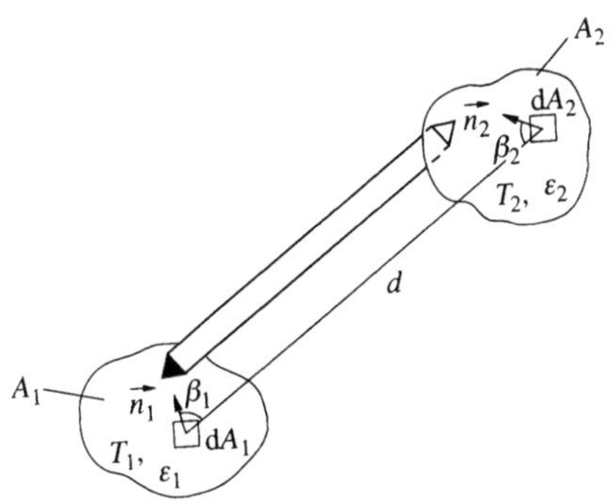

Bild 13.1-8 Strahlungsaustausch zwischen zwei schräg zueinanderstehenden Flächen

Für die schräg zueinander stehenden Flächen in einem großen Abstand d nach Bild 13.1-8 gilt:

$$P = A_1 \cos\beta_1 A_2 \cos\beta_2 \frac{C_s\varepsilon_1\varepsilon_2}{\pi d^2} \left(\left(\frac{T_1}{100}\right)^4 - \left(\frac{T_2}{100}\right)^4\right). \qquad (13.1\text{-}29)$$

P	A_1, A_2	C_s	$\varepsilon_1, \varepsilon_2$	T_1, T_2	d
W	m²	W/m²K⁴	1	K	m

13.1.3 Erwärmungs- und Abkühlungsvorgänge

Es werden hier die thermischen Verhältnisse in einem Körper des Volumens V und der Oberfläche A betrachtet, der durch eine sehr große Wärmeleitfähigkeit λ bzw. sehr kleine charakteristische Abmessungen gekennzeichnet ist. Dies bedeutet, daß innerhalb dieses Körpers keine Temperaturdifferenzen bestehen, oder anders ausgedrückt, bei einer Wärmeabgabe durch die Körperoberfläche an die Umgebung stellt sich überall im Körper dieselbe Temperatur augenblicklich, d. h. unendlich schnell, ein (thermisch homogener Körper). Bei der Berechnung des zeitlichen Temperaturverlaufs T in einem solchen Körper geht man der Einfachheit halber von einer Wärmebilanz aus.

Mit der im Körper während der Zeit dt erzeugten Wärme

$$Q_1 = P\,dt, \qquad (13.1\text{-}30)$$

Q_1	P	t
J = Ws	W	s

der gespeicherten Wärme

$$Q_2 = c\gamma V \frac{dT}{dt} dt, \qquad (13.1\text{-}31)$$

Q_2	c	γ	V	T	t
J	J/kg K	kg/m³	m³	K	s

mit c spezifische Wärmekapazität und γ Dichte, und der über die Oberfläche durch Konvektion an die Umgebung abgegebenen Wärme

$$Q_3 = \alpha A(T - T_u)\,dt = \frac{1}{R_w}(T - T_u)\,dt, \qquad (13.1\text{-}32)$$

Q_3	α	A	T, T_u	t	R_w
J = Ws	W/Km²	m²	K	s	K/W

mit α Wärmeübergangskoeffizient, $R_w = \frac{1}{\alpha A}$ Wärmewiderstand des Übergangs Körper/Umgebung und T_u Umgebungstemperatur, erhält man über

$$Q_1 = Q_2 + Q_3 \qquad (13.1\text{-}33)$$

die Differentialgleichung

$$\frac{dT}{dt} = \frac{1}{CR_w}(PR_w - (T - T_u)), \qquad (13.1\text{-}34)$$

die den zeitlichen Verlauf der Temperatur T in einem beheizten Körper beschreibt. In dieser Gleichung ist $C = c\gamma V$ die Wärmekapazität.

Die Integration dieser einen Aufheizvorgang beschreibenden Gleichung liefert mit der Anfangsbedingung $T(0) = T_0$

$$T_ü = T_{ü0}e^{-t/\tau} + PR_w(1 - e^{-t/\tau}) \qquad (13.1\text{-}35)$$

mit den Übertemperaturen $T_ü = T - T_u$, $T_{ü0} = T_0 - T_u$ und der thermischen Zeitkonstante

$$\tau = CR_w. \qquad (13.1\text{-}36)$$

τ	C	R_w
s	Ws/K = J/K	K/W

Für $T_0 = T_u$ wird daraus (Bild 13.1-9 Kurve a)

$$T_ü = T_{üe}(1 - e^{-t/\tau}) \qquad (13.1\text{-}37)$$

mit der Endübertemperatur

$$T_{üe} = PR_w, \qquad (13.1\text{-}38)$$

$T_{üe}$	P	R_w
K	W	K/W

die praktisch bereits nach $t = 3 \ldots 4\,\tau$ erreicht wird.

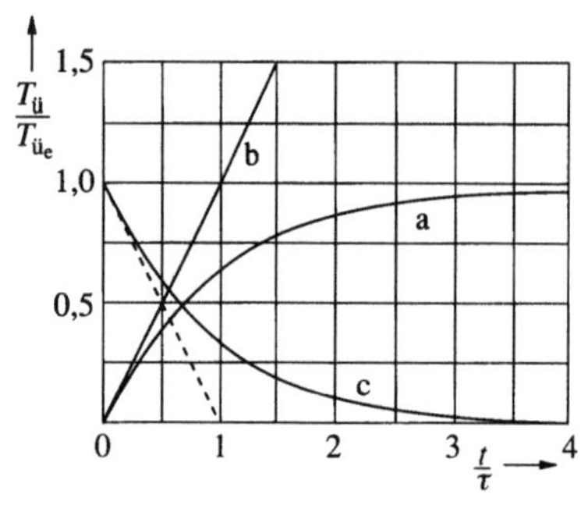

Bild 13.1-9 Aufheiz- und Abkühlvorgang
a) Aufheizvorgang,
b) Aufheizvorgang bei vollständiger Wärmeisolation,
c) Abkühlvorgang

Erfolgt die Aufheizung dieses Körpers bei vollständiger Wärmeisolation oder in so kurzer Zeit, daß eine Wärmeabgabe an die Umgebung nicht möglich ist, so gilt:

$$Q_1 = Q_2 \tag{13.1-39}$$

oder

$$\frac{dT}{dt} = \frac{P}{C} \tag{13.1-40}$$

mit der Lösung

$$T_ü = T - T_0 = \frac{P}{C} t \tag{13.1-41}$$

Q	$T, T_ü, T_0$	t	P	C
J = Ws	K	s	W	J/K = Ws/K

als Kurve b in Bild 13.1–9 dargestellt.

Betrachtet man den Abkühlungsvorgang eines Körpers, der seine gespeicherte Wärmeenergie an die Umgebung abgibt, so gilt wegen $P = 0$

$$T_ü = T_{ü0} e^{-t/\tau}. \tag{13.1-42}$$

Dieses Ergebnis folgt unmittelbar aus Gl. (13.1–35); es ist in Bild 13.1–9 Kurve c dargestellt. $T_{ü0}$ bedeutet die Anfangsübertemperatur, die in der Zeichnung mit $T_{üe}$ gleichgesetzt worden ist.

13.2 Widerstandserwärmung

13.2.1 Unmittelbare Widerstandserwärmung

Zur *unmittelbaren Widerstandserwärmung* zählen Einrichtungen, in denen entweder das zu erwärmende Gut direkt vom elektrischen Strom durchflossen wird oder bei denen ein das Gut umschließendes Medium durch den elektrischen Strom direkt erwärmt wird.

13.2.1.1 Erwärmung elektrisch leitender Materialien im direkten Stromdurchgang

Zum Entspannen und Richten von Rohren bzw. Profilen nach dem Walzen sowie Erwärmung von Knüppeln auf Walztemperatur wird das Prinzip der *Standerwärmung* angewendet, wobei der Strom über Kontakte auf das zu erwärmende Material übertragen wird. Bei der *Durchlauferwärmung* von Drähten und Bändern wird der Strom mit Hilfe von Rollenkontakten dem Gut zugeführt. Bild 13.2–1 zeigt das Prinzip der Stand- und Durchlauferwärmung.

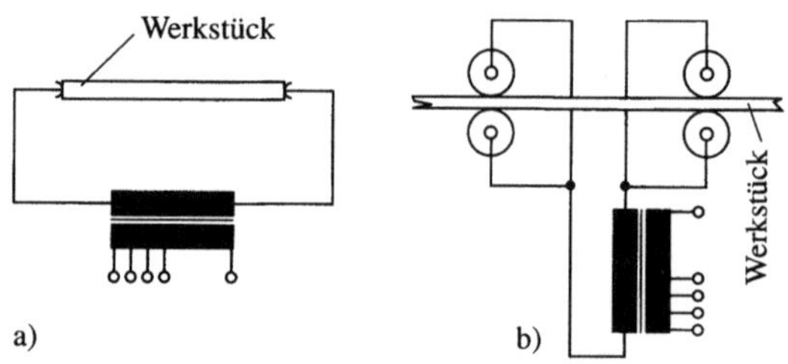

Bild 13.2-1 Erwärmung durch direkten Stromdurchgang
a) Standerwärmung,
b) Durchlauferwärmung

Wird das Werkstück vom Strom durchflossen, so wird nach dem *Jouleschen Gesetz* die elektrische Energie in Wärme umgewandelt. Für die zugeführte elektrische Leistung bzw. den Wärmestrom gilt:

$$P = \frac{U^2}{R} = I^2 R, \tag{13.2-1}$$

P	U	R	I
W = VA	V	Ω = V/A	A

wobei R nach Gl. (13.2–2) der *ohmsche Widerstand* ist.

$$R = \varrho \frac{l}{q}, \tag{13.2-2}$$

R	ϱ	l	q
Ω	Ωm	m	m²

ϱ spezifischer Widerstand, l Länge, q Querschnitt. Wird die Wärmeleitung im Gut vernachlässigt, so kann unter Anwendung der Gl. (13.1–34), ausgedrückt in Celsius-Temperatur, die Erwärmung des Werkstückes durch die Differentialgleichung

$$c\gamma V \frac{d\vartheta}{dt} + \alpha A(\vartheta - \vartheta_u) = \frac{U^2}{R} = \frac{U^2}{\varrho l/q} \tag{13.2-3}$$

c	γ	V	ϑ, ϑ_u	α
J/kg K = Ws/kgK	kg/m³	m³	K	W/K m²

A	t	U	R	ϱ	l	q
m²	s	V	Ω = V/A	Ωm = Vm/A	m	m²

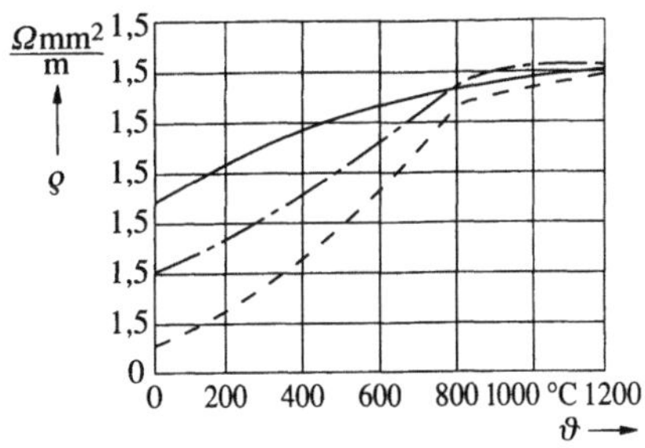

Bild 13.2-2 Temperaturabhängigkeit des spezifischen Widerstandes von Stahl
——— legierter Edelstahl 18 Cr Ni 8,
–·–·– Schnellstahl,
- - - unlegierter Stahl, 0,06% C

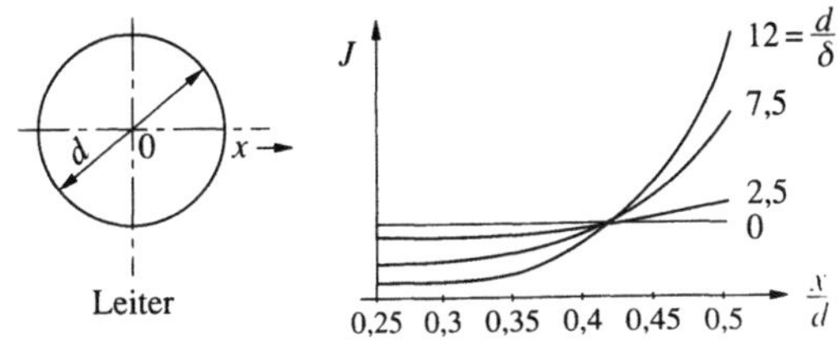

Bild 13.2-3 Prinzipielle Stromdichteverteilung in einem kreiszylindrischen Leiter

beschrieben werden. Da die Größen c, γ, α und ϱ temperaturabhängig sind, ist die Lösung dieser Differentialgleichung nur numerisch möglich. Bild 13.2–2 zeigt nach [13.2] als Beispiel die Temperaturabhängigkeit des spezifischen Widerstandes ϱ verschiedener Stahlqualitäten. Zum Beispiel wächst bei Erwärmung von unlegiertem Stahl von der Raumtemperatur auf 1200 °C der spezifische Widerstand fast auf das sechsfache. Demzufolge nimmt der elektrische Widerstand zu, und bei einer konstanten Spannung sinkt der Wärmestrom nach Gl. (13.2–1) im gleichen Verhältnis. Daher muß der Wärmestrom groß genug angenommen werden, so daß die Verringerung seines Wertes während des Erwärmungsvorgangs keine Abnahme der Temperaturanstiegsgeschwindigkeit hervorruft oder gar den Temperaturanstieg gänzlich hemmt.

Erfolgt die unmittelbare Widerstandserwärmung durch Wechselstrom, so tritt bei großen Querschnitten der Skineffekt auf. Demzufolge wird die Wärmequellenverteilung im Werkstück ungleichmäßig, Sie wird nach dem Eindringmaß des Stromes beurteilt. Das Eindringmaß δ ist definiert:

$$\delta = \sqrt{\frac{\varrho}{\pi f \mu}}, \quad \frac{\delta}{\mathrm{m}} \left| \frac{\varrho}{\Omega\mathrm{m} = \mathrm{Vm/A}} \right| \frac{f}{\mathrm{s}^{-1}} \left| \frac{\mu}{\mathrm{Vs/Am}} \right. \qquad (13.2\text{–}4)$$

mit f Frequenz und $\mu = \mu_0 \mu_r$ Permeabilität.

Bild 13.2–3 zeigt die prinzipielle Stromdichteverteilung in einem kreiszylindrischen Leiter. Die Stromdichte fällt vom Rand her nach einer e-Funktion ab. Mit dem Eindringmaß δ wird der Abstand vom Rand bezeichnet, zu dem die Stromdichte auf den 1/e-fachen Randwert abgefallen ist.

Im Verlauf der Erwärmung ändern sich die Stoffwerte. Bei ferromagnetischen Materialien nimmt die Permeabilitätszahl ab und nach Überschreiten des magnetischen Umwandlungspunktes (Curie-Punkt) wird $\mu = \mu_0$. Der Curie-Punkt liegt bei Kohlenstoff-Stahl bei 768 °C. Oberhalb dieser Temperatur ist die Stromdichteverteilung und damit die Wärmequellendichteverteilung über dem gesamten Querschnitt nahezu gleichmäßig. Bild 13.2–4 zeigt den Verlauf der Kern- und Manteltemperatur eines kreiszylindrischen Kohlenstoffstahls mit einem Radius von 35 mm. Zunächst ist aufgrund des Skineffekts und geninger Wärmeverluste die Kerntemperatur niedriger als die Manteltemperatur. Nach dem Erreichen des Curie-Punktes steigt die Kerntemperatur als Folge der gleichmäßigen Wärmequellenverteilung und des steigenden Wärmeverlustes über die Mantelfläche bis über die Manteltemperatur an. Unmittelbare Widerstandserwärmung mit Gleichstrom wird in Sonderfällen eingesetzt, wo die Anwendung von Wechselstrom aufgrund des Skineffekts zu einer ungleichmäßigen Erwärmung führen kann, z. B. bei Werkstücken mit unregelmäßigen Querschnitten. Der Einsatz von Wechselstrom zur Erwärmung ist bei Werkstücken gleichen Querschnitts vorteilhaft, da die Änderung des Widerstandes und damit die Wirkleistungsänderung unterhalb des Curie-Punktes geringer ist als bei der Erwärmung mit Gleichstrom.

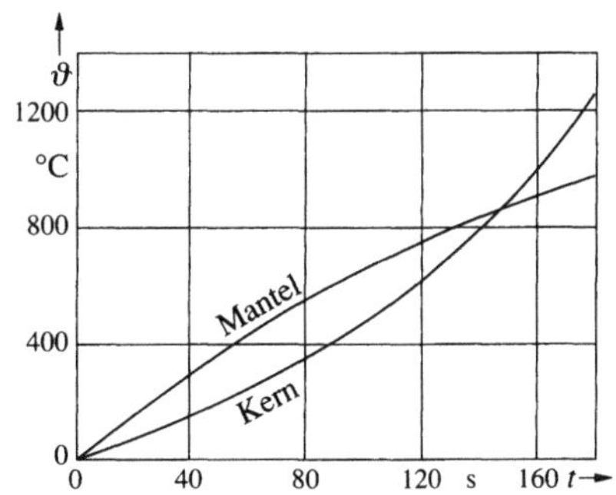

Bild 13.2-4 Mantel- und Kerntemperatur eines kreiszylindrischen Kohlenstoffstahls mit einem Radius von 35 mm in Abhängigkeit von der Zeit

13.2.1.2 Erwärmung von Elektrolyten

Werden Elektrolyten vom elektrischen Strom durchflossen, so werden diese nach dem Jouleschen Gesetz erwärmt. Nachfolgend werden einige Prozesse, die auf diesem Prinzip der Erwärmung beruhen, behandelt.

1. Thermische Elektrolyse

Bei der *thermischen Elektrolyse* (auch *Schmelzfluß-elektrolyse* genannt) wird der Elektrolyt durch direkte Widerstandserwärmung über Elektroden auf Arbeitstemperatur gehalten und gleichzeitig ein chemischer Prozeß (Elektrolyse, Raffination) durchgeführt. Es findet grundsätzlich Gleichstrom Verwendung. Dieses Verfahren ist bei der Gewinnung des Aluminiums von größter Bedeutung. Auch der größte Teil der Gewinnung von Natrium und Magnesium erfolgt mit Hilfe der thermischen Elektrolyse. Bild 13.2–5 zeigt das Prinzip einer Anlage zur Schmelzflußelektrolyse von Aluminium nach [13.1]. Die Arbeitstemperatur liegt im stationären Betrieb bei 930...1000 °C. Je nach Wanne beträgt der Strom 10...100 kA bei einer Spannung von 4,3...5,0 V. Tabelle 13.2–1 nach [13.3] zeigt, daß der spezifische Energieverbrauch mit zunehmendem Strom sinkt.

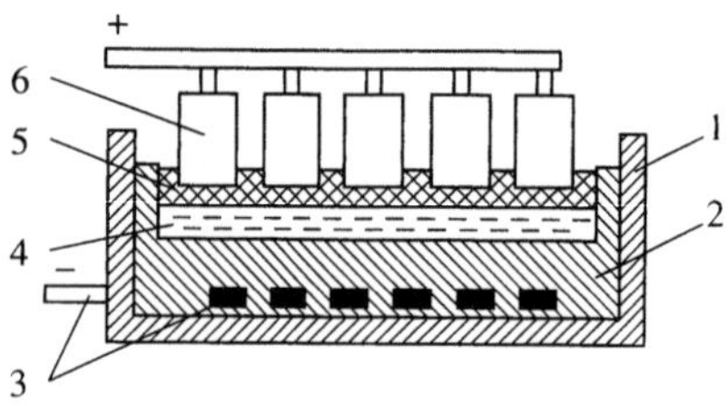

Bild 13.2-5 Anlage zur Schmelzflußelektrolyse von Aluminium
1 Gehäuse,
2 Kathodenblock,
3 stählerne Stromzuführungen,
4 abgeschiedenes Al,
5 Elektrolyt (Tonende und Kryolith),
6 Kohleanode

Tabelle 13.2–1: Spezifischer Energieverbrauch bei Gewinnung von Al in Abhängigkeit von der Stromstärke

Strom in kA	spezifischer Energieverbrauch in kWh/kg
24	22
25	18
100	16,5...15,0

Die zugeführte elektrische Energie dient zur

- Erwärmung der Wanne und des Elektrolyten,
- Aufrechterhaltung der Arbeitstemperatur,
- Deckung des Wärmeverlustes,
- Durchführung der elektrolytischen Trennung (Dissoziationsarbeit).

Während 60...70% der zugeführten elektrischen Energie zur Erwärmung benötigt werden, dient die restliche Energie zur Dissoziation.

2. Elektrolytische Erwärmung von Metallen

Durch direkten Stromdurchgang wird der als Wärmeträger dienende Elektrolyt erwärmt. Die zu erwärmenden Werkstücke werden dann in den geschmolzenen Elektrolyten getaucht. Die als *Salzbadöfen* bekannten Anlagen werden meist bei Härteprozessen eingesetzt. Bild 13.2–6 zeigt einen dreiphasigen Salzbadofen mit abgesondertem Nutzraum.

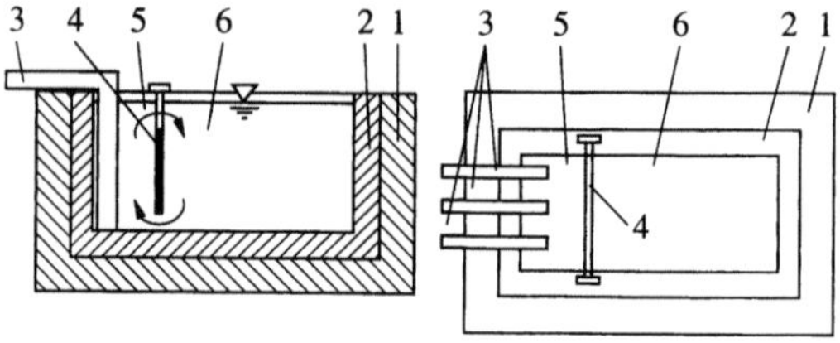

Bild 13.2-6 Drehstrom-Salzbadofen
1 Isoliersteine,
2 Tiegel (Keramik),
3 Elektroden,
4 Trennwand,
5 Heizraum,
6 Nutzraum

Der mit Hilfe einer Zwischenwand geschaffene getrennte Heiz- und Nutzraum bietet den Vorteil, daß sich das Werkstück außerhalb des elektrischen Strömungsfeldes befindet und damit nicht vom Strom durchflossen wird. Andernfalls kann durch eine zu hohe Erwärmung das Werkstück beschädigt werden.

Heutige Salzbadöfen werden bis zu einer Temperatur von 1350 °C gebaut. Wegen der Zusammensetzung der für Salzbadöfen verwendeten Salzgemische sei auf weiterführende Literatur verwiesen [13.1]. Bei Raumtemperatur sind die Salzgemische (meist Chloride) Nichtleiter. Um die Salzgemische elektrisch leitend zu machen, werden im Salz Rohrheizkörper untergebracht, die das Salz bis zu der Temperatur erwärmen bei der eine genügende elektrische Leitfähigkeit des Gemisches zu erwarten ist. Da der elektrische Widerstand des Salzbades mit zunehmender Temperatur abnimmt, werden die Öfen mit einer regelbaren Wechselspannung von 8...25 V eingespeist.

3. Glasschmelzöfen

Wannenöfen zur Glasschmelze wurden früher mit Öl oder Gas beheizt. Man hat nach vielen Versuchen zunächst elektrische Zusatzheizungen mit direktem Stromdurchgang unter Verwendung von Molybdän-Elektroden eingeführt; dies ergab ein besseres blasenfreies Glas. Allmählich ging man dann dazu über, die Schmelzöfen voll elektrisch zu betreiben, wobei nur noch in der Anheizphase fossile Brennstoffe verwendet werden, bis das Glas, das bei Raumtemperatur elektrisch nichtleitend ist, mit steigender Temperatur (bei ca. 200 °C) die notwendige elektrische Leitfähigkeit erreicht hat (das Glas kann daher als reiner Elektrolyt angesehen werden).

13.2.2 Mittelbare Widerstandserwärmung

Widerstandsöfen zur *mittelbaren Erwärmung* sind Erwärmungsaggregate, in denen mit Hilfe stromdurchflossener elektrischer Widerstände gemäß dem Jouleschen Gesetz aus elektrischer Energie Wärme erzeugt wird. Die Wärme wird in einem Ofenraum durch Wärmeleitung, Konvektion und Strahlung von Widerständen an diesen Ofenraum, seine Wände und das in ihm untergebrachte Gut übertragen.

Das Anwendungsspektrum der mittelbaren Widerstandserwärmung ist besonders groß. Im folgenden sind einige Anwendungsgebiete kurz aufgeführt:

- Schmelzen und Warmhalten von Metallen (Al, Pb, Zn, Sn usw.),
- Wärmebehandlung von Metallen unter definierter Atmosphäre (Härten, Glühen usw.),
- Behandlung unter Vakuum (Wärmebehandlungen, Trocknen, Imprägnieren usw.),
- Brennen von Keramik,
- Backen und Rösten von Nahrungsmitteln,
- Trocknen verschiedener Stoffe (Farben, pharmazeutische Artikel, Papier usw.).

13.2.2.1 Ofentypen und Ofenaufbau

Der Ofenraum wird im allgemeinen von wärmegedämmten temperaturfesten Wänden umschlossen, enthält einen Herd um das zu erwärmende Gut aufzunehmen, sowie Einrichtungen, mit denen die Widerstände gehalten bzw. gelagert werden und sie mit dem Netz zu verbinden, außerdem ist noch eine gut wärmegedämmte Tür zur Beschickung des Ofens mit dem Gut erforderlich. Da die Möglichkeit besteht, diese Öfen vollkommen gasdicht auszuführen, ist die Wärmebehandlung unter einer bestimmten Atmosphäre möglich. Dieser Vorteil ist von besonderer Bedeutung, wenn die Wärmebehandlung von der Ofenatmosphäre direkt abhängig ist, wie beim Zementieren, Nitrieren, Glühen, Anlassen usw.

Die für den Aufbau des Ofens und der Heizelemente verwendeten Materialien sind auf die zur Wärmebehandlung erforderliche Ofentemperatur ausgelegt. Für Temperaturen bis ca. 600 °C ist der meistens aus Metall hergestellte Ofenmantel mit einem Isolationsmaterial ausgekleidet. Für höhere Temperaturen wird dieser zusätzlich mit feuerfesten Steinen ausgemauert. Bild 13.2–7 zeigt den prinzipiellen Aufbau eines solchen Ofens. *Elektrische Widerstandsöfen* werden in verschiedensten Ausführungsformen hergestellt. Die große Verbreitung dieses Ofentyps ist

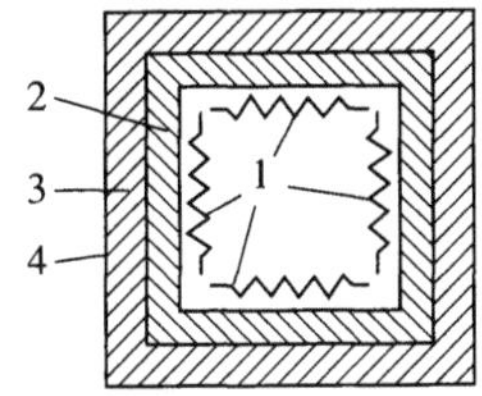

Bild 13.2-7 Aufbau eines Widerstandsofens
1 Heizelemente,
2 feuerfeste Steine,
3 Isolation,
4 Metallmantel

durch den einfachen technischen Aufbau, die problemlose Funktion und die Umweltfreundlichkeit zu erklären.

Man unterscheidet zwischen *Standöfen*, bei denen das Gut nicht bewegt wird und ein konstantes Temperaturfeld im Ofen herrscht, und *Durchlauföfen*, bei denen das Gut kontinuierlich bewegt wird und Heizzonen verschiedener Temperaturen möglich sind. Es gibt folgende Hauptformen der Öfen:

- *Standöfen:* Kammerofen, Muffelofen, Schachtofen, Wannenofen, Haubenofen, Überkopf- oder Elevatorofen;
- *Durchlauföfen:* Durchziehofen, Band- oder Kettenförderofen, Rollenherdofen, Stoßofen, Hubbalkenofen, Tunnelofen, Karusselofen, Schüttelherdofen, Drehrohrofen, Trommelofen, Paternosterofen, Turmofen.

Bild 13.2–8 zeigt nach [13.4] einige Ausführungsformen elektrischer Widerstandsöfen.

13.2.2.2 Wandmaterialien

Die äußere Umhüllung eines Widerstandsofens ist meist ein Metallgehäuse. Bei Öfen mit einer Betriebstemperatur von 250...350 °C, z. B. bei Labor- und Trockenöfen, besteht die Innenauskleidung des Ofens aus Metall. Zwischen Innen- und Außenwand befindet sich die Wärmedämmung. Im Temperaturbereich oberhalb 350 °C bis etwa 650 °C werden im Inneren des Ofens Metall- wie auch Keramikwände benutzt. Das *Wandmaterial* muß folgende Eigenschaften haben: hochwertige Wärmedämmung, feuerfest bei höheren Temperaturen, formbeständig und temperaturwechselbeständig, besonders im Bereich der Heizleiter frei von Schwefel und Eisenoxiden, Verträglichkeit der Heizleitertragelemente oder -einbettungen mit dem Heizleitermaterial und Gewährleistung des hohen elektrischen Isolationswiderstandes bei hohen Temperaturen. In VDE 0335 und DIN 40685 werden

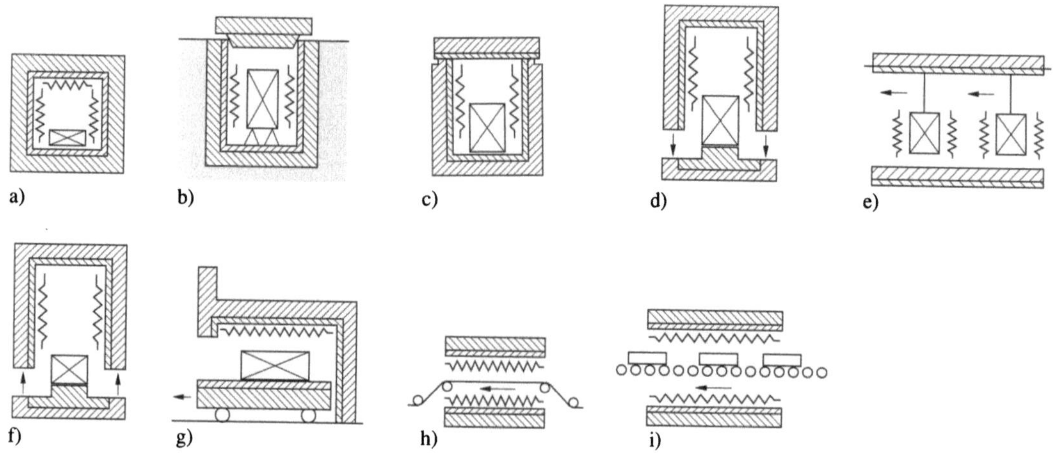

Bild 13.2-8 Einige Ausführungsformen elektrischer Widerstandsöfen
a) Kammerofen, b) Schachtofen, c) Topfofen, d) Haubenofen, e) Förderbandofen, f) Elevatorofen, g) Herdwagenofen, h) Durchziehofen, i) Rollenherdofen

die keramischen Baustoffe in zwei Anwendungstemperaturbereiche unterteilt:

- Bereich 20...600 °C: Glimmer, Schamotte (halbporös), Glasglimmer (Mikkalex), Steatit (porös und dicht), Porzellan, Asbestprodukte;
- Bereich 300...1600 °C: reine Tonerde (Al_2O_3), reines Magnesiumoxid (MgO), $Al_2O_3 + MgO$, dichtes Sondersteatit (KER 221), poröse Kaolinschamotte (KER 510), Al_2O_3-Faserprodukte.

Zwischen Ofeninnenraum und Umgebung muß eine gute Wärmedämmung vorhanden sein. Als Wärmedämmaterialien kommen nach steigenden Temperaturen in Frage:

Styropor, Moltopren, Polyurethan	80...100 °C,
Glasfasern, Mineralwolle	400...900 °C,
Schamotte ($Al_2O_3 + SiO_2$)	bis 1460 °C,
Al_2O_3-Fasern, -Matten, -Karton	bis 1500 °C,
Zirkonoxid, Berylliumoxid	bis 2200 °C,
Graphit als Wolle, Filze oder poröse Platten	bis 3000 °C,
Strahlungsschirme	bis 3000 °C.

13.2.2.3 Heizelemente

Die *Heizleiter* werden in verschiedenen Ausführungen in den Ofen eingebracht und in ihm montiert. Heizleiter gibt es als Wendel aus Runddraht, Mäander aus Bändern, Stäbe mit Rund- oder Rechteckprofil, Haarnadeln und Rohrheizkörper. Bild 13.2-9 zeigt nach [13.3] die Ausführung von zweischenkligen Draht- bzw. Bandelementen.

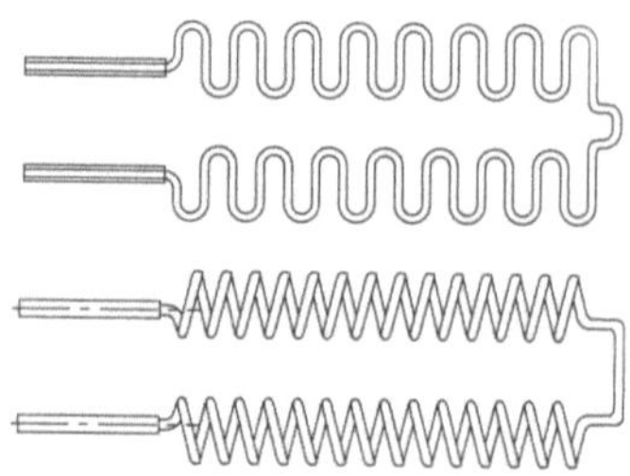

Bild 13.2-9 Zweischenklige Draht- bzw. Bandheizelemente

Heizwendel werden bei Drahtdurchmessern bis ca. 4 mm auf keramische Tragrohre oder Stäbe gewikkelt. Das Keramikmaterial darf keine Eisenoxide und andere Fremdstoffe enthalten, die die Heizleiter angreifen können. Heizleiterwendel größerer Drahtdurchmesser werden in Formsteine oder Kanäle eingezogen oder in Galerien verlegt. Bild 13.2–10 zeigt solche Galeriesteine.

Für die Auswahl von Heizleiterwerkstoffen sind folgende physikalischen, chemischen und technischen Gesichtspunkte maßgebend:

- hoher spezifischer elektrischer Widerstand,
- geringer Temperaturkoeffizient des spezifischen Widerstandes,
- gute mechanische Festigkeit im Arbeitstemperaturbereich,

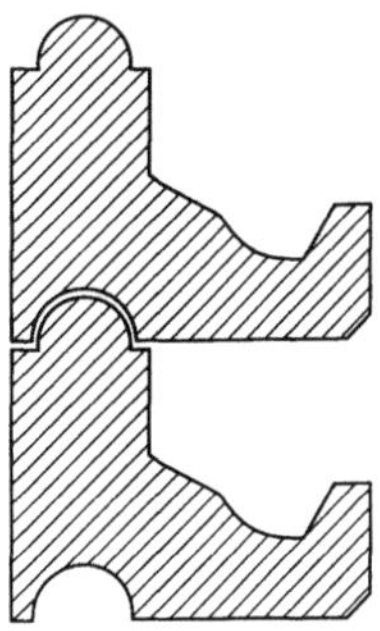

Bild 13.2-10
Galeriesteine

- Beständigkeit gegen umgebende Atmosphäre, Ofenbaustoffe und Einbettmaterialien,
- Korrosions- und Zunderbeständigkeit,
- hohe Lebensdauer.

Als *Heizleiterwerkstoffe* dienten früher leichtlegiertes Eisen und Platin. Tabelle 13.2–2 gibt einige heute angewendete Heizleitermaterialien mit den dazugehörigen Gebrauchstemperaturen.

Tabelle 13.2–2: Heizleiterwerkstoffe
a) metallische Werkstoffe

Werkstoff	Gebrauchstemperatur in °C
CrNi-Legierungen	ca. 1000
CrFeSi-Legierungen	ca. 1000
Molybdändisilizid	≤ 1650
Platin	1600
Molybdän	1910
Niob	2230
Rhenium	2380
Tantal	2400
Wolfram	2560

b) nichtmetallische Werkstoffe

Werkstoff	Gebrauchstemperatur in °C
Siliziumkarbid	ca. 1500
Graphit	> 2200
Kohle	> 2000

13.3 Induktionserwärmung

13.3.1 Theorie der induktiven Erwärmung

Wird ein elektrisch leitender Körper in ein elektromagnetisches Wechselfeld gebracht, so werden in ihm elektrische Spannungen induziert. Diese Spannungen verursachen Wirbelströme, die ihrerseits Wärme im Körper erzeugen. Die *induktive Erwärmung* beruht auf diesem physikalischen Effekt. Die Wärme wird dabei also nicht durch Strahlung, Konvektion oder Leitung auf das Heizgut übertragen, sondern entsteht in ihm selbst.

Das elektromagnetische Wechselfeld wird z. B. in einer wassergekühlten Spule, die aus mehreren Windungen besteht, erzeugt. Die Spule, auch *Induktor* genannt, besteht aus einem Kupferhohlprofil. Der Induktor soll das Heizgut möglichst eng umschließen, um eine gute magnetische Kopplung zu erhalten. Ist die Kopplung zwischen Heizgut und Induktor schlecht, so ist der induktive Widerstand groß, d. h., eine entsprechend große Induktivität hat zur Folge, daß der Aufwand an Kondensatoren zur Erzielung eines guten $\cos\varphi$ bei geringer magnetischer Kopplung größer wird.

Die Wärmequellen im Heizgut sind nicht gleichmäßig über den Querschnitt des Einsatzes verteilt. Sie sind infolge des Skineffektes unmittelbar an der Oberfläche des Heizgutes am größten. Bezogen auf den Einsatzradius bzw. den Einsatzquerschnitt verläuft die Stromdichte J entsprechend Bild 13.3–1 nach einer Exponentialfunktion.

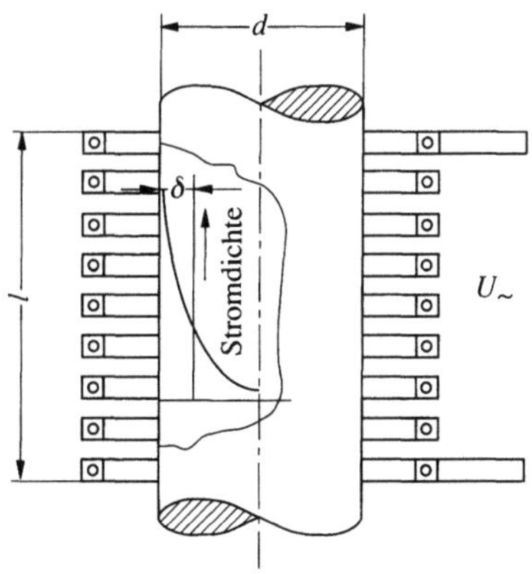

Bild 13.2-1 Stromdichteverteilung in einem zylindrischen Block mit dem Durchmesser d

Für die rechnerische Erfassung der Erwärmung wird der bereits von Abschnitt 13.2.1.1 her bekannte Begriff „Eindringmaß δ" benutzt. Das Eindringmaß wird mit der Zahlenwertgleichung

$$\delta = 50{,}3\sqrt{\frac{\varrho}{\mu_r f}} \qquad \frac{\delta}{\mathrm{cm}}\Bigg|\frac{\varrho}{\Omega\mathrm{mm}^2/\mathrm{m}}\Bigg|\frac{\mu_r}{1}\Bigg|\frac{f}{\mathrm{Hz}} \qquad (13.3\text{–}1)$$

beschrieben. Darin ist ϱ der spezifische elektrische Widerstand, μ_r die relative magnetische Permeabilität und f die Frequenz der speisenden Spannung. Die Größen ϱ und μ_r sind bei einer festen Temperatur für jeden Werkstoff vorgegeben. Das Eindringmaß δ hängt damit bei einem bestimmten Werkstoff nur von der Frequenz f ab. In der Praxis bedeutet das, daß das bei einem Verfahren geforderte Eindringmaß δ die Wahl der Frequenz bestimmt.

Wird wie beim induktiven Härten ein geringes Eindringmaß gefordert, so muß die Frequenz sehr hoch sein. Sollen dagegen Knüppel mit kleinerem Querschnitt zum anschließendem Schmieden erwärmt werden, so muß man eine mittlere Frequenz wählen. Sollen Stahlblöcke mit einem großen Durchmesser für das anschließende Strangpressen erwärmt werden, so wählt man zweckmäßigerweise die Netzfrequenz von 50...60 Hz. Eine weitere wichtige Beziehung ist die induzierte Leistung P_i. Ihre Zahlenwertgleichung lautet:

$$P_i = 1{,}987 \cdot 10^{-9} H^2 A m \sqrt{\varrho \mu_r f}, \qquad (13.3\text{–}2)$$

P_i	H	A	ϱ	f	m	μ_r
kW	A/cm	cm^2	$\Omega mm^2/m$	Hz	1	1

wobei A die Mantelfläche des Heizgutes und H die magnetische Feldstärke sind. Der Faktor m berücksichtigt, daß die vom Werkstück aufgenommene Leistung vom Verhältnis zwischen dem Werkstückdurchmesser d und dem Eindringmaß δ abhängig ist. Bild 13.3–2 zeigt die Funktion $m = f(d/\delta)$. Diese Abhängigkeit besagt, daß der Werkstückdurchmesser d etwa 3,5 mal so groß wie das Eindringmaß δ sein soll. Dann erst kann die optimale Leistung im Werkstück induziert werden. Diese Forderung ist neben der Frequenzwahl die zweite wichtige Größe, die bei der Auswahl einer induktiven Erwärmungsanlage berücksichtigt werden muß. In der Praxis wird meist eine hohe induzierte Leistung angestrebt.

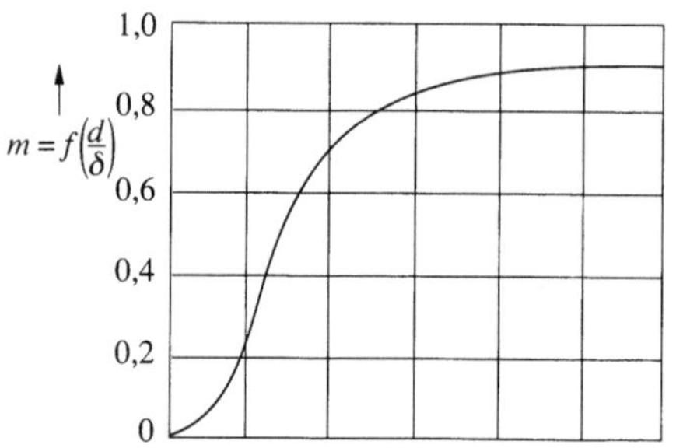

Bild 13.3-2 Einfluß des Verhältnisses Einsatzdurchmesser d zum Eindringsmaß δ auf die induzierte Leistung

Wie bereits erwähnt, ensteht der größte Teil der Wärme an der Oberfläche entsprechend dem Eindringmaß δ im Einsatzmaterial. Der Kern wird in erster Linie durch Wärmeleitung aufgeheizt. Als Ergebnis stellt sich eine Temperaturdifferenz zwischen Oberfläche und Kern ein, die im wesentlichen vom Produkt der Leistungsdichte (d. h. die Leistung bezogen auf die Einsatzoberfläche) und dem Verhältnis des Durchmessers zur Wärmeleitfähigkeit des Einsatzmaterials abhängig ist. Nur in wenigen Fällen wird diese Temperaturdifferenz ausgenutzt. In der Regel wird eine möglichst homogene Erwärmung über den ganzen Materialquerschnitt verlangt. Man muß bei der Konstruktion des Spulensystems Maßnahmen treffen, um diese homogene Erwärmung zu erreichen.

Die induktive Erwärmung kann eingeteilt werden in *induktives Erwärmen* und *induktives Schmelzen*. Induktives Erwärmen umfaßt alle Anwendungsgebiete, die in den Temperaturbereich unterhalb des Schmelzpunktes des jeweilig behandelten Werkstoffes fallen. Dazu gehören die Wärmebehandlungen Glühen, Härten und Anlassen, das Löten, Schweißen und Sintern, das Erwärmen zum anschließenden Warmumformen und zahlreiche Sonderanwendungen wie die induktive Kesselbeheizung oder das Zonenziehen und Reinigen von Halbleitern. Auch in der Medizin wird induktive Erwärmung in einigen Fällen angewendet, z. B. zur Ganzkörpererwärmung bei bestimmten Formen von Paralyse oder zur Nachbehandlung der Schüttelähmung und bei schwer heilenden Knochenbrüchen.

13.3.2 Induktions-Schmelzöfen

In den letzten Jahrzehnten hat sich der *Induktions-Schmelzofen* aufgrund zunehmender Anforderungen an die Qualität der Gußwerkstoffe sowie wegen seines umweltfreundlichen Betriebes einen bedeutenden Marktanteil in den Eisen-Gießereien erobert. In der Bundesrepublik Deutschland werden heute bezogen auf das Endprodukt die Hälfte des Eisens im Induktionsofen erschmolzen.

Die ersten Induktionsöfen wurden Ende des 19. Jahrhunderts aus dem Einphasentransformator entwickelt. Wird die Sekundärwicklung eines Transformators gemäß Bild 13.3–3a durch eine keramische Rinne, die das zu schmelzende Material aufnimmt, ersetzt, so erhält man einen Induktions-Schmelzofen (Bild 13.3–3b). Damit ist der Induktionsofen als ein

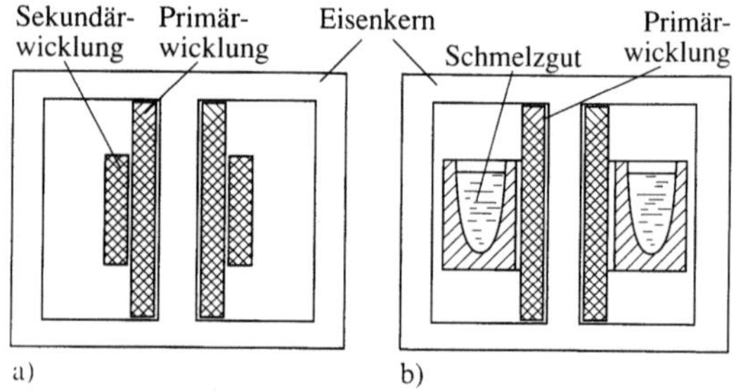

Bild 13.3-3 Entwicklung eines Induktionsofens aus einem Transformator
a) Transformator,
b) Induktionsofen

Transformator mit kurzgeschlossener Sekundärwicklung anzusehen. Diese Wicklung hat nur eine Windung. Man unterscheidet vom Prinzip her zwei Arten von Induktions-Schmelzöfen:

- Induktions-Rinnenofen,
- Induktions-Tiegelofen.

Beide unterscheiden sich in Form und Wirkungsweise in wesentlichen Punkten. Während beim Tiegelofen der gesamte mit zu schmelzendem Material gefüllte Ofen von der Primärwicklung umschlossen ist, wird beim Rinnenofen nur in der angesetzten Rinne elektrische Energie induziert.

13.3.2.1 Induktions-Rinnenofen

Der erste von Ferranti aus dem Prinzip des Einphasentransformators abgeleitete *Rinnenofen* wurde 1899/1900 von Kjellin in Schweden konzipiert. Dieser Ofen wurde von einem mit Wasserkraft betriebenen Generator ohne Blindleistungskompensation gespeist. Der Ofen hatte ein Fassungsvermögen von 2,5 t. Er war mit Schrott gefüllt. Das Endprodukt war Gußeisen bzw. Gußstahl. Während dieser erste Ofen mit einer Frequenz von 16 Hz betrieben wurde, arbeiten die heutigen Öfen mit 50 Hz.

Bedingt durch die konzentrische Anordnung der Primärwicklung und der Schmelzrinne um den Eisenkern wird eine gute magnetische Kopplung zwischen Primär- und Sekundärkreis erzielt. Man erhält einen guten Leistungsfaktor und einen relativ hohen elektrischen Wirkungsgrad.

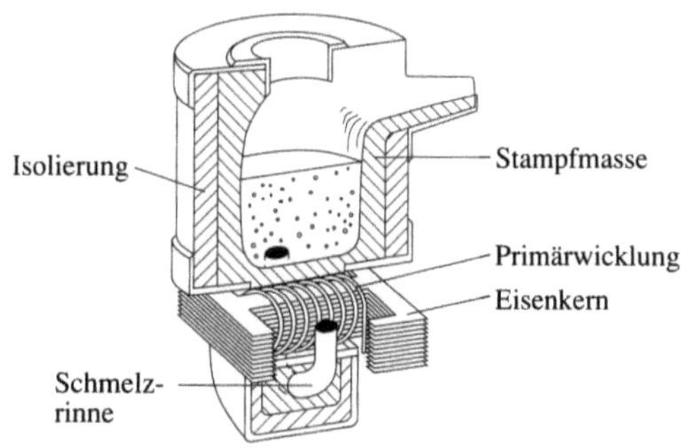

Bild 13.3-4 Induktions-Rinnenofen in Kesselform

Bild 13.3–4 zeigt nach [13.5] einen Induktions-Rinnenofen in Kesselform. Die als geschlossene Bauelemente konstruierten Schmelztransformatoren (Induktor) werden unter dem Schmelzgefäß oder seitlich daran angeordnet. Damit eine induktive Energieübertragung in der Schmelzrinne stattfindet, muß der Stromkreis in der Rinne elektrisch geschlossen sein. Daher muß immer ein flüssiger Sumpf im Ofen vorhanden sein, der außerhalb der Arbeitszeit durch Zufuhr von Warmhalteenergie in flüssiger Form gehalten wird. Zwischen Tiegelinhalt und Rinne besteht stets eine Temperaturdifferenz, die so hoch sein soll, daß ein optimaler Metallumlauf zwischen Tiegel und Rinne gewährleistet ist, und dabei das Schmelzgut in der Rinne nicht zu hoch erwärmt wird. Dies ist ein Maß für die in dem Rinnenteil bzw. dem Induktor installierte Leistung. Der Querschnitt der Rinne ist auch von diesem Zusammenhang abhängig. Neben der Wärmeleitung und Konvektion wird die Übertragung der in der Schmelzrinne in Wärme umgesetzten elektrischen Energie an das in dem Ofengefäß befindliche Metall durch eine geringe, durch elektrodynamische Kräfte hervorgerufene, Badbewegung unterstützt.

In der Rinne können Kräfte entstehen, die das flüssige Metall in der Rinne einschnüren und damit eine kurzzeitige periodische Stromunterbrechung bewirken (Pinch-Effekt). Man muß daher bei diesem Ofen durch einen genügend großen hydrostatischen Druck dafür sorgen, daß der Pinch-Effekt in der Rinne nicht zur Stromunterbrechung führt. Da der Pinchdruck quadratisch mit dem Strom zunimmt, muß man beim Anfahren, solange der Ofen noch nicht ganz gefüllt ist, die Leistung herabsetzen. Infolge des Pinch-Effektes setzen sich außerdem Schlackenteilchen oder Metalloxide leicht an der Rinnenwand ab. Bei gleicher Leistungseinstellung hat die Verengung der Rinne eine Vergrößerung der Leistungsdichte zur Folge, die zu weiterem Temperaturanstieg in der Rinne führt.

Während der Rinnenofen in der Eisenindustrie fast ausschließlich als Warmhalteofen im sogenannten Duplexbetrieb dem eigentlichen Schmelzaggregat nachgeschaltet wird, findet er in der NE-Metallindustrie auch als Schmelzaggregat weitgehend Verwendung.

Prinzipiell ist es möglich, in diesen Öfen auch Stahl zu schmelzen. Die feuerfeste Auskleidung der Rinne würde aber bei den hohen Temperaturen (bis 1750 °C) zu schnell verschleißen, so daß der Betrieb unwirtschaftlich wäre. Erst seit einigen Jahrzehnten werden Rinnenöfen mit speziell ausgekleideten Rinnen und höheren spezifischen elektrischen Leistungen zum Einschmelzen von Gußeisen wirtschaftlich betrieben. Tabelle 13.3–1 gibt die wesentlichen Daten von Rinnenöfen an, die zum Schmelzen eingesetzt werden.

Tabelle 13.3–1: Daten von Rinnenöfen

zu schmelzendes Material	Ofenleistung in kW	Fassungsvermögen in t	Schmelzleistung in t/h
Kupfer	70...2000	0,3... 93	0,2... 8
Messing	70...2300	0,3... 93	0,3...11
Zink	40...2550	0,7...150	0,3...15
Aluminium	40...2000	0,3... 38	0,1... 5
Gußeisen	400...2500	7,5... 50	0,5... 6

13.3.2.2 Induktions-Tiegelofen

Der *Induktions-Tiegelofen* wird auch *kernloser Induktionsofen* genannt. Wie beim Rinnenofen kann dieser Ofentyp aus dem Einphasentransformator abgeleitet werden. Der Schenkel des Transformators wird durch das Schmelzgut ersetzt, das auch die Rolle der Sekundärwicklung übernimmt. Die Primärwicklung ist eine einlagige wassergekühlte Zylinderspule. Zwischen der Primärwicklung und der Sekundärwicklung (Schmelzgut) befindet sich der feuerfeste Tiegel. Bild 13.3–5 zeigt das Prinzip eines solchen Ofens. Ausgehend von dem Ersatzschaltbild eines Lufttransformators mit kurzgeschlossener Sekundärwicklung nach Bild 13.3–6 erhält man folgende Spannungsgleichungen:

$$\underline{U}_1 = \underline{I}_1(R_1 + \mathrm{j}\omega L_1) + \underline{I}_2\mathrm{j}\omega L_{12}\,, \qquad (13.3\text{–}3)$$

$$0 = \underline{U}_2 = \underline{I}_2(R_2 + \mathrm{j}\omega L_2) + \underline{I}_1\mathrm{j}\omega L_{12}.$$

Aus Gl. (13.3–4) folgt:

$$\underline{I}_2 = \frac{-\mathrm{j}\omega L_{12}}{R_2 + \mathrm{j}\omega L_2}\underline{I}_1, \qquad (13.3\text{–}5)$$

$\underline{U}_1$, $\underline{U}_2$	$\underline{I}_1$, $\underline{I}_2$	R_1, R_2	ω	L_1, L_{12}, L_2
V	A	Ω = V/A	s^{-1}	H = Vs/A

wobei

$$p = \frac{-\mathrm{j}\omega L_{12}}{R_2 + \mathrm{j}\omega L_2} \qquad (13.3\text{–}6)$$

p	ω	L_{12}, L_2	R_2
1	s^{-1}	H	Ω

die Rolle des Übersetzungsverhältnisses der Ströme spielt. Im Gegensatz zu den Vereinfachungen beim eisengeschlossenen Transformator ist p hier komplex. p wird erst dann reell, wenn ein supraleitendes Material als Einsatz vorliegt.

Im allgemeinen ist der Einsatz widerstandsbehaftet. Steigt der Widerstand des Einsatzes, so wird p kleiner. Ein weiterer Unterschied zum eisengeschlossenen Transformator besteht in der Gegeninduktivität L_{12}. Hier ist die Gegeninduktivität kleiner als der Wert $\sqrt{L_1 L_2}$. Damit gilt für den Kopplungsfaktor

$$k = \frac{L_{12}}{\sqrt{L_1 L_2}} < 1. \qquad (13.3\text{–}7)$$

k	L_{12}, L_1, L_2
1	H = Vs/A

Je kleiner der Kopplungsfaktor wird, desto größer wird der Streufaktor

$$\sigma = 1 - k^2. \qquad (13.3\text{–}8)$$

σ	k
1	1

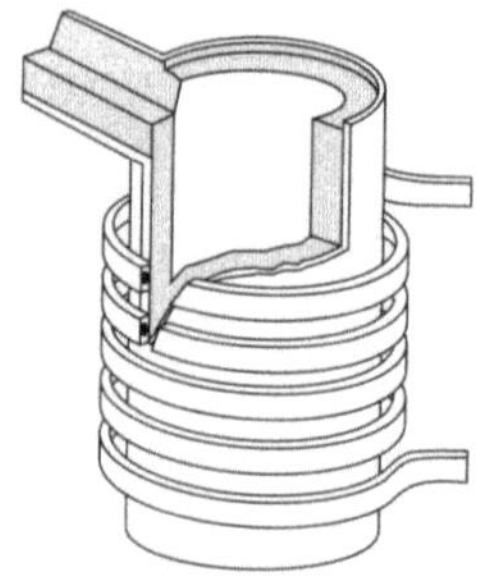

Bild 13.3-5 Induktions-Tiegelofen

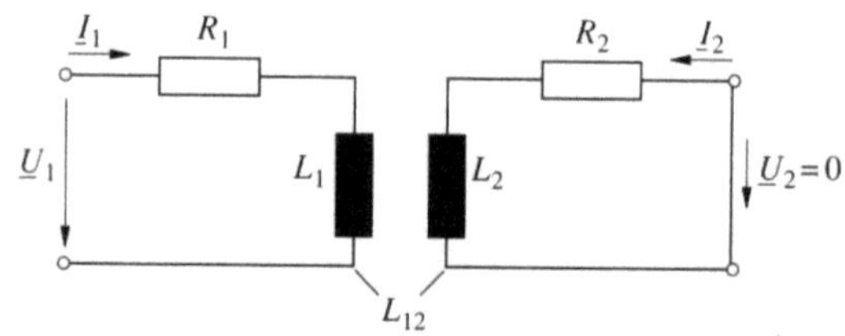

Bild 13.3-6 Ersatzschaltbild eines Lufttransformators mit sekundärseitigem Kurzschluß

Mit wachsendem Streufaktor σ wird daher über die kleiner werdende Gegeninduktivität L_{12} die Zahl p ebenfalls kleiner.

Bild 13.3–7 zeigt das Zeigerbild des Induktions-Tiegelofens. Aus dem Zeigerbild ist deutlich zu erkennen, daß das Maximum der im Einsatz umgesetzten Wirkleistung bei einem Phasenwinkel von 135° zwischen $\underline{I}_1$ und $\underline{I}_2$ auftritt, wobei $R_2 = \omega L_2$ gilt. Während R_2 eine Funktion der Geometrie, der Frequenz und des Materials ist, ist ωL_2 nur von der Geometrie und der Frequenz abhängig. Bezeichnet man mit p^2 die reelle Größe

$$p^2 = p \cdot p^* = \frac{\omega^2 L_{12}^2}{R_2^2 + \omega^2 L_2^2}, \qquad (13.3\text{–}9)$$

so folgt aus Gl. (13.3–3) mit Hilfe der Gl. (13.3–4):

$$\underline{U}_1 = (R_1 + p^2 R_2 + \mathrm{j}\omega(L_1 - p^2 L_2))\underline{I}_1 \qquad (13.3\text{–}10)$$

$$= \underline{I}_1\,(R_{\mathrm{ges}} + \mathrm{j}\omega L_{\mathrm{ges}}).$$

p, p^*	ω	L_{12}, L_1, L_2, L_{ges}	R_1, R_2, R_{ges}	$\underline{U}_1$	$\underline{I}_1$
1	s^{-1}	H = Vs/A	Ω = V/A	V	A

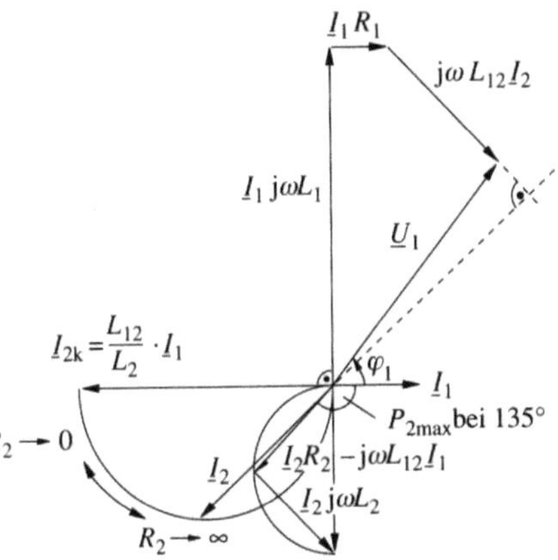

Bild 13.3-7 Zeigerbild des Induktions-Tiegelofens

Ist der Einsatz ein gutleitendes Material, so ist bei besonders großem Streuanteil mit einem sehr starken induktiven Verhalten der Anordnung zu rechnen. Der Zeiger $\underline{I}_2$ befindet sich dann in der Nähe von $\underline{I}_{2k}$. Damit wird $|\underline{I}_2|$ relativ unabhängig vom Einsatzmaterial. Geht man von einem zylindrischen Einsatz der Länge l und Durchmesser d und Leitfähigkeit κ aus, so wird die im Einsatz verbrauchte Wirkleistung in erster Näherung proportional dem Wechselstromwiderstand eines gedachten stromführenden Hohlzylinders der Dicke δ nach Gl. (13.2–4):

$$P_2 = |\underline{I}_2|^2 R_{2\sim} = |\underline{I}_2|^2 \frac{\pi(d-\delta)}{l\delta\kappa}. \qquad (13.3\text{–}11)$$

P_2	$\underline{I}_2$	$R_{2\sim}$	d, δ	l	κ
W=VA	A	Ω=V/A	m	m	S/m=A/Vm

Mit $d \gg \delta$, $|\underline{I}_2| \approx$ const. und bei unveränderten Abmessungen verschiedener Einsätze sowie konstant gebliebener Spannung und Frequenz gilt:

$$P_2 \sim \sqrt{\frac{\mu_r}{\kappa}}. \qquad (13.3\text{–}12)$$

P_2	μ_r	κ
W=VA	1	S/m = A/Vm

In der Schmelze, die auch Bad genannt wird, wirken infolge des induzierten elektrischen Stromes und des magnetischen Feldes der Spule Kräfte. Durch diese elektrodynamischen Kräfte werden eine ausgeprägte Badkuppe und eine mit Wirbeln behaftete Badströmung erzeugt. Diese Durchmischung ist, solange sie in Grenzen bleibt, sehr vorteilhaft, um ein gleichmäßiges Schmelzgut zu erhalten. Nachteilig wirkt sie jedoch, wenn die Durchmischung so stark wirkt, daß Schlacke von der Badabdeckung in der Schmelze verteilt wird. Hinzu kommen die Nachteile der

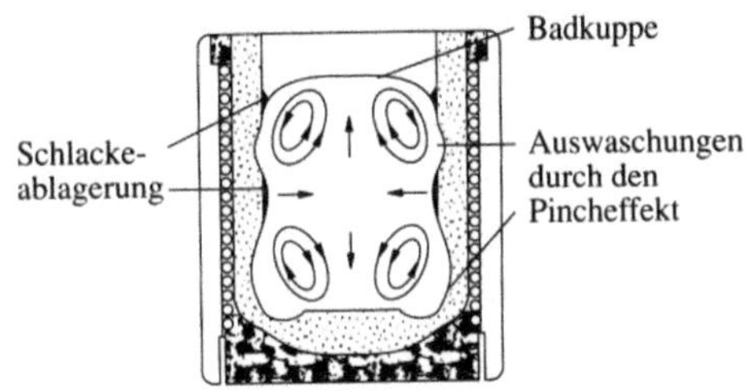

Bild 13.3-8 Badkuppe und Badbewegung

Tiegelauswaschung sowie Schlackenablagerung (Bild 13.3–8).

Der Induktions-Tiegelofen wird je nach dem Verwendungszweck und der Größe mit Frequenzen zwischen 50 Hz und einigen kHz betrieben. Bei *Netzfrequenz-Tiegelöfen* ist aufgrund des verhältnismäßig großen Stromeindringmaßes das Kaltanfahren häufig nur mit sogenannten Anfahrblöcken oder mit flüssigem Material möglich. Bedingt durch die Fahrweise mit einem flüssigen Sumpf ist der Netzfrequenz-Tiegelofen das ideale Schmelzaggregat für das Einschmelzen kleinstückigen Materials und geringen Legierungswechsel. Im Vergleich zu Induktions-Rinnenöfen haben die Netzfrequenz-Tiegelöfen einen geringeren Leistungsfaktor, so daß man mit höheren Investitionskosten an Kompensationskondensatoren rechnen muß. (Netzfrequenz-Tiegelofen: $\cos\varphi = 0{,}15 \ldots 0{,}25$; Rinnenofen: $\cos\varphi = 0{,}3 \ldots 0{,}7$). Bild 13.3–9 zeigt das Prinzipschaltbild der Ofenstromversorgung.

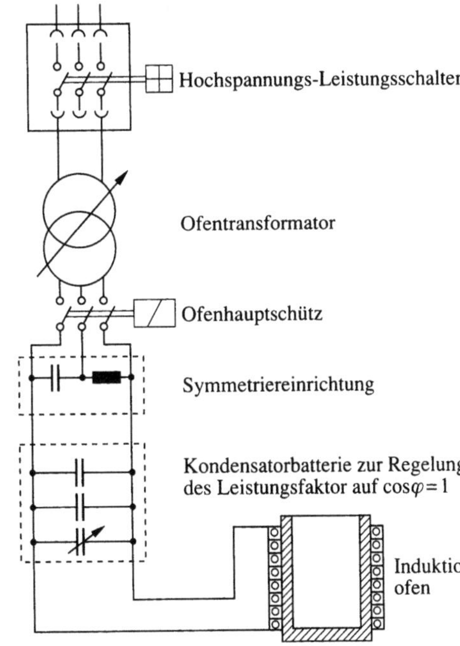

Bild 13.3-9 Prinzipschaltbild der Stromversorgung eines Netzfrequenz-Tiegelofens

Gegenüber den *Mittelfrequenzöfen* zeichnen sich Netzfrequenzöfen durch geringere Anschaffungskosten sowie geringeren spezifischen Energieverbrauch aus. Vornehmlich kommen daher die Netzfrequenzöfen in Grau-, Aluminium- und Schwermetallgießereien zum Einsatz. Tabelle 13.3–2 gibt einige technische Daten von Netzfrequenz-Tiegelöfen für Gußeisen an:

Tabelle 13.3–2: Technische Daten von Netzfrequenz-Tiegelöfen für Gußeisen

Ofenleistung in kW	Fassungsvermögen in t	Schmelzleistung in t/h
740	2	1,25
1 310	4	2,45
2 850	10	5,7
6 500	22,5	12,5
12 000	43	23
17 000	60	32

Bei häufigem Legierungswechsel und bei Öfen mit hoher spezifischer elektrischer Leistung werden Mittelfrequenzöfen eingesetzt. In erster Linie dienen diese Öfen zur Erzeugung von Edelstählen, Eisen-, Kupfer- und Aluminiumlegierungen, Edelmetallen sowie legiertem Grauguß. Beim Mittelfrequenzofen wird zur Erzeugung der Arbeitsfrequenz (150... 2000 Hz je nach Ofengröße und -leistung, Einsatzgut sowie erforderlicher Badbewegung) zwischen Transformator und Ofen ein Frequenzumwandler – heute in der Regel ein Thyristorumrichter – installiert.

13.4 Lichtbogenerwärmung

13.4.1 Arten der Lichtbogenerwärmung

Bei der *Lichtbogenerwärmung* werden zwei Elektroden (bzw. Elektrode und Schmelzgut) unter Anlegung einer genügend hohen Spannung in Berührung gebracht. An den Kontaktstellen kommt es aufgrund des auftretenden Kurzschlußstromes zu einer starken Überhitzung. Diese führt bei der Trennung der Elektroden zum Zünden eines Lichtbogens. Die elektrisch zugeführte Energie wird dann hauptsächlich durch den Stromfluß im ionisierten Gas des Lichtbogens in Wärme umgesetzt.

Grundsätzlich wird zwischen *indirekter* und *direkter Lichtbogenerwärmung* unterschieden (Bild 13.4–1). Brennt der Lichtbogen zwischen den Elektroden ohne Berührung des Schmelzgutes, so spricht man von indirekter Lichtbogenerwärmung. Der Lichtbogen erwärmt durch Strahlung und Konvektion das Gut. Diese Erwärmungsart ist heute nicht mehr gebräuchlich. Früher wurde jedoch diese Erwärmungsart in Einphasen-Trommelöfen angewendet. Diese Öfen arbeiteten aufgrund des hohen Stromverbrauches sowie

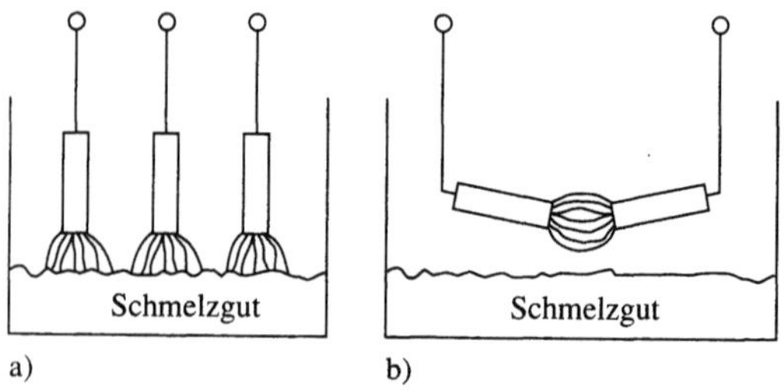

Bild 13.4-1 Direkte (a) und indirekte (b) Lichtbogenerwärmung

starker Beanspruchung der Ofenausmauerung sehr unwirtschaftlich.

Bei der direkten Lichtbogenerwärmung wird die Wärme durch Leitung, Konvektion und Strahlung auf das Schmelzgut übertragen. Dabei brennt der Lichtbogen zwischen Elektrode und Schmelzgut. Hauptanwendungsgebiet des Drehstrom-Lichtbogenofens ist Stahlschmelzen.

Zur Herstellung von Phosphor, Kalziumkarbid und Ferrolegierungen werden *Reduktionsöfen* eingesetzt. Es handelt sich dabei um eine kombinierte Lichtbogen-Widerstandserwärmung, wobei die Elektroden im Schmelzgut stehen. Die Wärmeübertragung erfolgt teilweise durch Strahlung (Lichtbogen) und hauptsächlich durch indirekte Widerstandserwärmung im Schmelzgut.

Zur Hersellung von Sonderstählen höchster Ansprüche werden *Elektroschlackeumschmelzöfen* (ESU-Öfen) eingesetzt. Hierbei handelt es sich um eine ähnlich kombinierte Erwärmung. Der Strom fließt von einer umzuschmelzenden Stahlelektrode durch eine elektrisch leitende Schlacke zum Boden eines wassergekühlten Tiegels. Dabei führt die in der Schlacke erzeugte Wärme zum Abschmelzen der Elektrode. Es kommt außerdem zur chemischen Reaktion zwischen geschmolzenem Elektrodenmaterial und erhitzter Schlacke.

Die Lichtbogenerwärmung wird auch zum *Schweißen* von Metallen eingesetzt. Dabei unterscheidet man Lichtbogenschweißen mit Schmelzelektroden, Lichtbogenschweißen in innerter Atmosphäre und Unterschlackeschweißen.

13.4.2 Lichtbogenstahlschmelzöfen

13.4.2.1 Allgemeines

Wer zum erstenmal einen Lichtbogen erzeugt hat, ist bisher noch unklar. Sicher ist, daß Sir Humphrey Davy 1808 Metalle im Lichtbogen geschmolzen hat. Erst im letzten Drittel des 19. Jahrhunderts konnte man elektrische Maschinen ausreichender Leistung fertigen, um mit dem Lichtbogen ernsthaft weiter zu experimentieren. Damit begann die intensive Forschung, das Wesen und den Mechanismus des Lichtbogens zu ergründen.

Der 1888 von Paul Héroult zum Patent angemeldete Ofen enthielt das Grundkonzept für eine Reihe verschiedener Lichtbogenöfen. Die grundlegenden Ideen zum heutigen Lichtbogenofen hatte Héroult 1899 und wurde ihm auch mehrfach patentiert.

Im Jahre 1905 wurde erstmalig in Deutschland ein Lichtbogenofen nach Héroult konzipiert. Dieser *Zweiphasenofen* mit einem Fassungsvermögen von 500 kg und einer Transformatorleistung von 250 kVA wurde 1906 in Betrieb genommen. Heutige Hochleistungsöfen haben einen Inhalt bis 360 t und eine Transformatorleistung bis 160 MVA. In den letzten Jahrzehnten sind Lichtbogenöfen zum Stahlschmelzen nicht nur in immer größeren Einheiten entwickelt worden, sondern auch die Schmelzleistung ist durch den Einsatz von *UHP-Öfen* (Ultra High Power Furnaces) entscheidend verbessert worden. Die Bezeichnung UHP-Ofen kennzeichnet dabei nicht ein grundsätzlich neues Prizip, sondern bringt im wesentlichen nur zum Ausdruck, daß die Schmelzleistungsdichte bei diesem Ofen wesentlich größer als beim herkömmlichen Ofen älterer Bauart ist. Als Merkmal für den UHP-Betrieb kann das Verhältnis von Anschlußleistung und Fassungsvermögen angesehen werden, das bei UHP-Öfen 0,5 MVA/t übersteigt.

Mit der Leistungssteigerung der Lichtbogenöfen ist eine stetige Vergrößerung ihres Anteils an der Stahlproduktion einhergegangen. Ursache dieser Entwicklung ist, daß Lichtbogenöfen früher vorzugsweise zur Erzeugung höherwertiger Stahlsorten eingesetzt wurden, während sich heute die Tendenz abzeichnet, trotz der hohen Energiekosten Lichtbogenöfen nicht nur zur Stahlproduktion auf Schrottbasis zu verwenden, sondern sie in Konkurrenz zu den herkömmlichen Verfahren mit Hochöfen und Konvertern auch zur Erzeugung von Stahl aus Eisenerz über vorreduziertes Material in Form von Eisenschwamm einzusetzen. Die weltweite Zunahme der Elektrostahlkapazität beruht auf der wesentlich verbesserten Technologie, mit der heute die modernen Elektrolichtbogenöfen betrieben werden und wodurch die Produktionskosten für Elektrostahl gesenkt werden konnten.

13.4.2.2 Aufbau des Drehstrom-Lichtbogenofens und seine Symmetrierung

Der Lichtbogenofen besteht aus dem Ofengefäß, einer Stahlblechkonstruktion mit einer feuerfesten Ausmauerung, ferner einem Ofendeckel mit den Dekkeldurchführungen für die Elektroden und dem Absaugstutzen, den Elektrodentragarmen und der Halterung für die drei Graphitelektroden zur Stromzuführung. Die Ofenausmauerung besteht im wesentlichen aus Dolomitstampfmasse oder -steinen oder aus Magnesitsteinen. Den prinzipiellen Aufbau des Lichtbogenofens zeigt Bild 13.4.-2.

Als Hochstromleitung zwischen Elektrodenfassung und Hochstromtransformator werden luftgekühlte Kupferschienen, wassergekühlte Kupferrohre und luft- und wassergekühlte flexible Kupferseile verwendet.

Eine obere Grenze hinsichtlich der Leistung eines Lichtbogenofens setzen die Graphitelektroden, die bei dem heute maximal möglichen Durchmesser von 700 mm einen Elektrodenstrom von etwa 90...100 kA zulassen. Die Stromdichten liegen zwischen 0,1 A/mm^2 und 0,3 A/mm^2, wobei die zulässige Stromdichte mit zunehmendem Elektrodenquerschnitt abnimmt. Einige Kenndaten von Lichtbogenöfen sind der Tabelle 13.4–1 zu entnehmen.

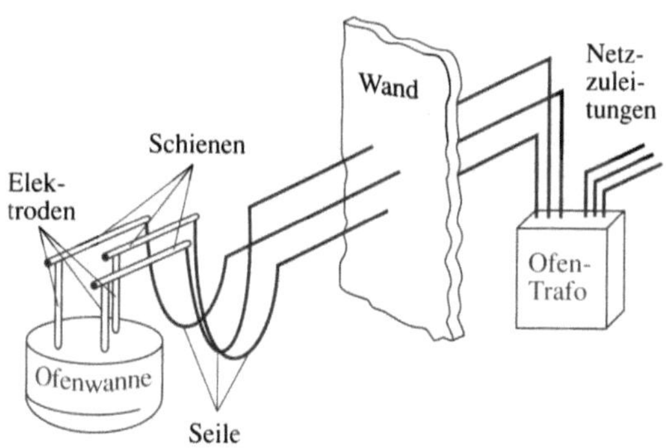

Bild 13.4-2 Aufbau des Lichtbogenofens

Tabelle 13.4–1: Technische Kennwerte der Lichtbogenöfen

Fassungs-vermögen t	Gefäß-durch-messer m	Elektroden-durch-messer cm	Zuleitungen Reak-tanz mΩ	Zuleitungen Wider-stand mΩ	Ofentransformator Schmelz-/Nennleistung MVA	Ofentransformator Spannung V
32	4,3	45,7	2,35	0,45	19,2/16	300...115
60	5,1	50,8	2,43	0,44	30/25	440...100
96	5,8	55,9	2,44	0,40	48/40	490...158
126	6,4	61	2,70	0,38	60/50	590...164

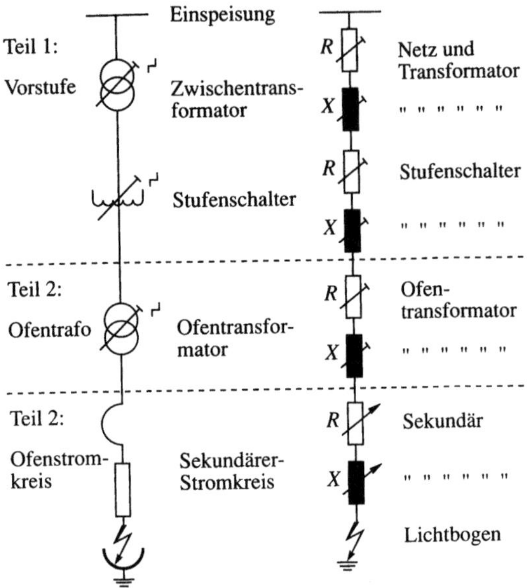

Bild 13.4-3 Typische Stromversorgung eines Lichtbogenofens

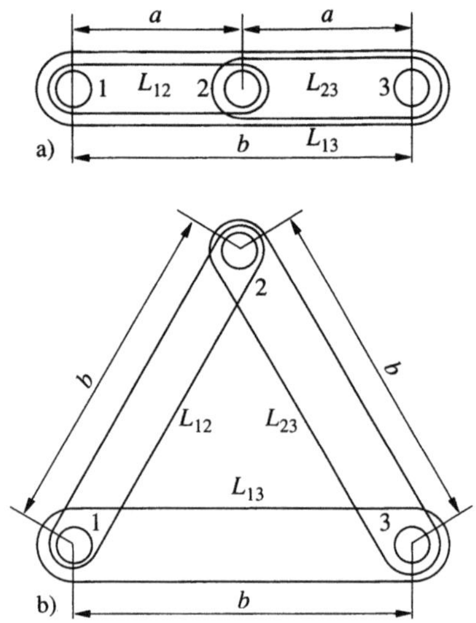

Bild 13.4-4 Leitungsführung im Ofenstromkreis
a) koplanare Anordnung: $L_{12} = L_{23} > L_{31}$,
b) Triangulierung: $L_{12} = L_{23} = L_{31}$

Bild 13.4–3 zeigt die typische Stromversorgung eines Lichtbogenofens. Das elektrische Versorgungssystem ist in drei Abschnitte unterteilt:

- die primärseitige Einspeisung einschließlich des Abspanntransformators,
- den Ofentransformator und
- den sekundären Stromkreis.

Von der ankommenden Versorgungsleitung bis hin zu den sekundärseitigen Klemmen des Ofentransformators sind die Kenndaten des Stromkreises nahezu immer symmetrisch. Die Verteilung auf die drei Stränge wäre ausgeglichen, wenn man den Lichtbogenstrom an diesem Punkt entnehmen könnte. Der Strom wird aber von den sekundärseitigen Klemmen des Ofentransformators aus über den sekundärseitigen Ofenstromkreis verteilt.

Grundsätzlich gibt es für die Leitungsführung im sekundären Stromkreis zwei Möglichkeiten:

1. die auf einer Höhe liegende parallele Anordnung der Leiter *(koplanare Anordnung)* und
2. die gleichseitige Dreiecksanordnung der Leiter *(Triangulierung)*.

Siehe hierzu Bild 13.4–4. Während die Öfen aus der Zeit von 1960 koplanare Leiteranordnung haben, werden die modernen Lichtbogenöfen trianguliert gebaut.

Die koplanare Anordnung der flexiblen Kabel und der Stromrohre ergibt eine unsymmetrische Netzimpedanz. Die Gründe hierfür sind:

1. Die Längen sind verschieden.
2. Die Koeffizienten der gegenseitigen Induktion L_{12} ($= L_{23}$) und L_{31} sind ungleich und somit auch die Ofenreaktanzen.

Die beiden Außenstränge haben gleiche Induktivität, die größer als die des Mittelstranges ist.

Wird ein Lichtbogenofen solcher Bauweise an ein symmetrisches Drehstromnetz angeschlossen, entstehen unter der Voraussetzung gleicher Lichtbogenlängen im allgemeinen infolge ungleicher Reaktanzen unsymmetrische Ofenströme und Lichtbogenleistungen. Die unterschiedliche Strahlungswärme der Lichtbögen kann bei eingeschmolzenem Einsatz zu ungleichem Verschleiß der Ofenwand und des Dekkels führen und damit die Wirtschaftlichkeit des Verfahrens beeinträchtigen. Außerdem stellt der Ofen eine unsymmetrische Belastung für das versorgende Hochspannungsnetz dar. Die unsymmetrische Ofenanlage kann hinsichtlich der gesamten Ofenleistung nicht optimal ausgenutzt werden. Über Maßnahmen zur Symmetrierung von Lichtbogenöfen liegt umfangreiche Literatur vor, so daß an dieser Stelle nur kurz darauf eingegangen werden soll. Für den Anwender ist die Symmetrie der drei Lichtbögen, insbesondere gleicher Strom und gleicher Verschleißkoeffizient (das ist die Ursache für den Verschleiß der feuerfesten Zustellung bzw. Ausmauerung) interessant. Wenn diese beiden Größen symmetrisch eingestellt werden, sind automatisch durch die Lichtbogenspannung der Lichtbogenwiderstand und die Lichtbogenleistung symmetrisch. Um diese ideale Symmetrie zu erreichen, gibt es grundsätzlich zwei verschiedene Wege:

1. *Passive Symmetrierung*

Die Leitungsführung zum Ofen wird so gestaltet, daß die Induktivitäten symmetrisch, d. h. gleich groß, werden. Diese Art Symmetrierung kann bei Öfen mit der koplanaren Anordnung der Leitungen unter bestimmten Voraussetzungen dadurch erzielt werden, daß man um den mittleren Strang einen entsprechend dimensionierten geblechten Eisenkern legt, so daß die in diesem Strang wirksame Gegeninduktivität um das gegenüber den äußeren Strängen fehlende Maß erhöht wird. Nachteilig ist außer dem erhöhten Blindleistungsbedarf der erhebliche bauliche Aufwand.

Bei einer andere Methode werden durch Einschalten von Kondensatoren, die induktiven Blindwiderstände der Stränge mit höherer Induktivität herabgesetzt. Diese Verfahren ist aber nur unter bestimmten konstruktiven Voraussetzungen für den Ofentransformator realisierbar, hat aber den Vorteil einer geringeren Gesamtimpedanz des Ofens, wobei der Leistungsfaktor verbessert wird.

Ein Ausgleich der Reaktanzen eines Lichtbogenofens ist auch erreichbar, wenn entweder durch unterschiedlichen Aufbau der einzelnen Zuleitungen die Eigenreaktanzen verändert oder wenn die Gegeninduktivitäten angeglichen werden (Triangulierung).

2. *Aktive Symmetrierung*

Der Ofentransformator erlaubt die Einstellung unsymmetrischer Ofenspannungen, um die Unsymmetrien der Ofenzuleitungen anzugleichen. Diese Art der Symmetrierung hat die Nachteile, daß die Baugröße des Transformators nur in einem Strang spannungsmäßig voll ausgenutzt werden kann und trotz symmetrierten Ofenbetriebs eine unsymmetrische Belastung des Hochspannungsnetzes bestehen bleibt.

13.4.2.3 Arbeitsablauf in einem Lichtbogenofen und das Verhalten des Lichtbogens

Lichtbogenöfen werden normalerweise mit Drehstrom gespeist. Es werden aber auch, besonders in Frankreich, die nach Girod gebauten Lichtbogenöfen einphasig betrieben.

Man kann den Arbeitsablauf in einem Lichtbogenofen wie folgt beschreiben: Der Ofen wird mit dem Schrott unterschiedlicher Stückgröße chargiert. Man fährt die Elektroden auf den Schrott. Dadurch wird zwischen Schrott und Elektroden ein Lichtbogen gezündet. Die Wärme wird nun vom Lichtbogen auf das zu schmelzende Gut und auch auf die Ofenwände vornehmlich durch Strahlung übertragen. Außerdem wird vom Fußpunkt des Lichtbogens ausgehend, Wärme direkt im Schrott erzeugt. In geringen Umfang wird auch Wärme durch Widerstandserwärmung innerhalb der Stahlcharge erzeugt.

Zwischen den Elektroden und dem Schrott brennt der Lichtbogen im Takt der Netzfrequenz während jeder Halbschwingung des Stromes und zündet nach jedem Nulldurchgang wieder. Es kann infolge der atmosphärischen Bedingungen innerhalb der Lichtbogenstrecke vorkommen, daß der Lichtbogen gelegentlich nicht mehr zündet. Der Lichtbogen kann aber nach einigen Perioden wieder von selbst zünden, wenn die Ionisierungsbedingungen im Raum zwischen Schrott und Elektroden hinreichend gut sind. Zündet der Lichtbogen nicht von selbst, wird der Bogen durch Verstellen der Elektrode auf den Schrott (Kurzschluß) neu gezündet.

Der Lichtbogen bleibt während des normalen Brennablaufs nicht an einer Stelle stehen, sondern wandert mit einer verhältnismäßig hohen Geschwindigkeit unter der Elektrode und auf dem Schrott hin und her. Die Länge des Lichtbogens ist sowohl von der Wanderung des Bogens als auch von den magnetischen Bedingungen abhängig. Diese Länge ist auch im wesentlichen von dem Ionisationszustand der Strecke Elektrode-Bad und der Lichtbogenspannung abhängig. Sie kann ein Mehrfaches des Abstandes zwischen Bad und Elektrode betragen. Die Schwankungen des Lichtbogenstromes sind eine Folge der Lichtbogenbewegung. Aus diesem Grunde erhält man an den Leitungsimpedanzen und ohmschen Widerständen der Anlage veränderliche Spannungsabfälle, die sich auf das Speisenetz auswirken und andere Stromabnehmer erheblich stören können. Diese Störungen sind als *Flickererscheinung* bekannt.

13.4.2.4 Ersatzschaltbild des Drehstrom-Lichtbogenofens

Unter der Annahme, daß der Boden des Lichtbogenofens (Bad) absolut leitend ist, kann das räumliche Strömungsfeld der Elektroden durch drei von der Elektrodenunterkante zum Ofenboden gerichtete homogene Strömungen ersetzt werden. Jedem Strang kann man einen bestimmten Lichtbogenwiderstand

$$R_{\mathrm{LB}\nu} = \frac{u_{\mathrm{LB}\nu}}{i_\nu}, \quad \nu = 1, 2, 3 \qquad (13.4\text{–}1)$$

zuordnen, wobei $u_{\mathrm{LB}\nu}$ die Lichtbogenspannungen sind. Damit wird der Lichtbogen durch einen veränderlichen ohmschen Widerstand ersetzt, der eine Funktion der Lichtbogenlänge ist.

Das übliche Ersatzschaltbild eines dreiphasigen Lichtbogenofens ist im Bild 13.4–5 wiedergegeben. Die Widerstände R_1, R_2 und R_3 setzen sich aus den konstanten ohmschen Widerständen der Zuleitungen und dem veränderlichen Lichtbogenwiderstand jedes Stranges zusammen. Mit L_{11}, L_{22} und L_{33} sind die Selbstinduktionskoeffizienten und mit L_{12}, L_{23} und L_{31} die Koeffizienten der gegenseitigen Induktion der drei Stränge bis zum Laststernpunkt bezeichnet.

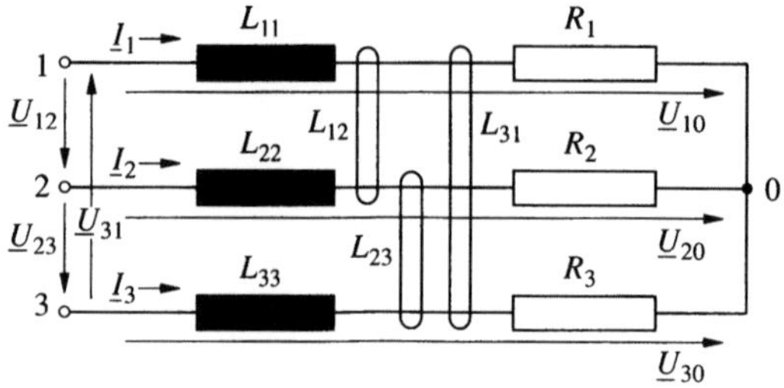

Bild 13.4-5 Übliches Ersatzschaltbild für den dreiphasigen Lichtbogenofen

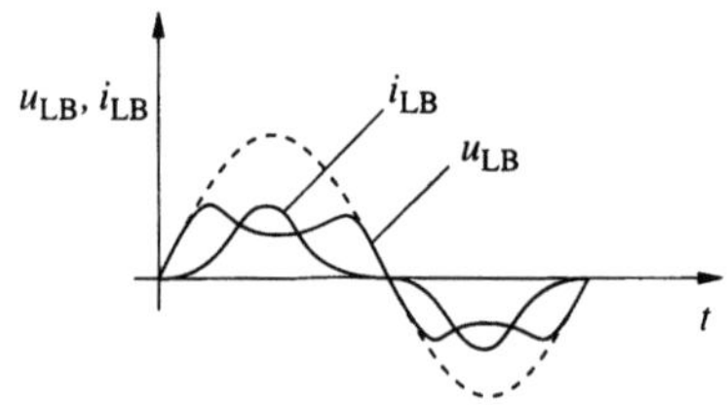

Bild 13.4-7 Strom- und Spannungsverlauf vom Wechselstromlichtbogen

Durch eine einfache Rechnung unter Benutzung der Kirchhoffschen Sätze lassen sich die drei magnetisch gekoppelten Stränge entkoppeln. Die entkoppelten Stränge haben die Ersatzinduktivitäten

$$\begin{aligned} L_1 &= L_{11} - L_{12} + L_{23} - L_{31}, \\ L_2 &= L_{22} - L_{23} + L_{31} - L_{12}, \\ L_3 &= L_{33} - L_{31} + L_{12} - L_{23}. \end{aligned} \tag{13.4–2}$$

Damit erhält man das vereinfachte Ersatzschaltbild des Drehstrom-Lichtbogenofens (Bild 13.4–6).

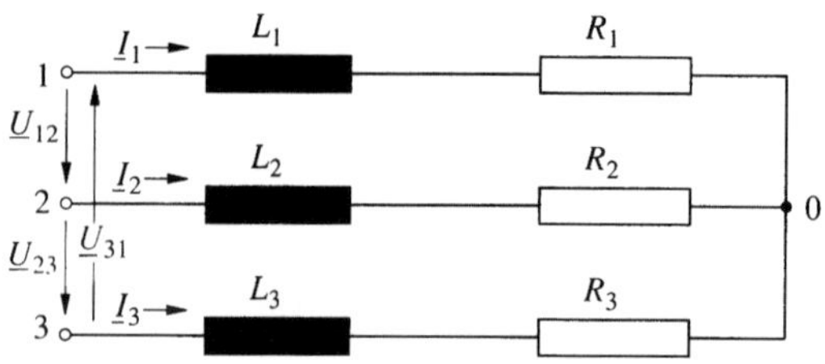

Bild 13.4-6 Vereinfachtes Ersatzschaltbild für den dreiphasigen Lichtbogenofen

Die Annahme eines ohmschen Ersatzwiderstandes für den Lichtbogen eines mit sinusförmiger Spannung gespeisten Lichtbogenofens setzt einen zeitlich sinusförmigen Verlauf der Lichtbogenspannung voraus, da der Lichtbogenstrom in diesem Fall einen zeitlich sinusförmigen Verlauf hat. Die Untersuchungen zeigen jedoch, daß die Kurvenformen der Lichtbogenspannung und des Lichtbogenstromes nicht annähernd durch Sinuskurven zu ersetzen sind. Bild 13.4–7 zeigt Strom- und Spannungsverlauf eines Wechselstromlichtbogenes. Zeichnet man die Lichtbogenspannung und den Lichtbogenstrom über der Zeit an einem Lichtbogenofen, so stellt man fest, daß sich der zeitliche Verlauf der Lichtbogenspannung fast während der gesamten Chargendauer der Rechteckform nähert.

Unter Berücksichtigung des nichtlinearen Zusammenhanges zwischen Lichtbogenspannung und Lichtbogenstrom erhält man für den Lichtbogenofen das Ersatzschaltbild nach Bild 13.4–8. Darin stellen L_1, L_2 und L_3 die Induktivitäten nach dem Gleichungssystem (13.4–2) sowie R'_1, R'_2 und R'_3 die ohmschen Widerstände der Zuleitungen einschließlich Elektroden dar. Für die als Spannungsquellen dargestellten Lichtbogenspannungen u_{LB1}, u_{LB2} und u_{LB3} wird ein zeitlich rechteckförmiger Verlauf angenommen.

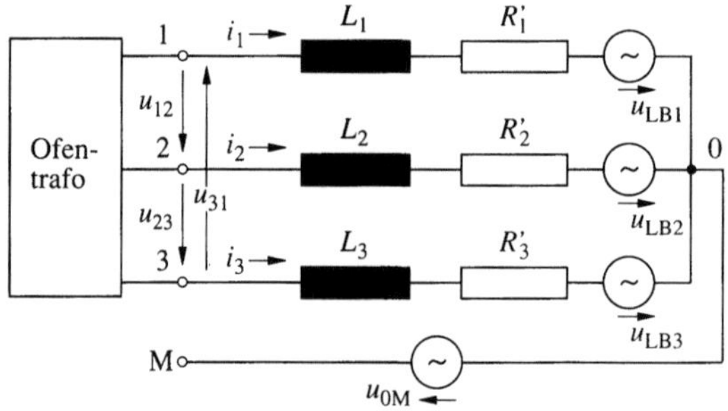

Bild 13.4-8 Ersatzschaltbild eines Drehstrom-Lichtbogenofens unter Berücksichtigung der Nichtlinearität zwischen Lichtbogenstrom und Lichtbogenspannung

13.4.2.5 Optimale elektrische Anpassung

Zur Erzielung eines hohen thermischen Wirkungsgrades wird an den Betrieb eines Lichtbogenofens die Forderung gestellt, den in den Ofenkessel eingefüllten Schrott in möglichst kurzer Zeit zu schmelzen, soweit es die Haltbarkeit der Ausmauerung zuläßt. Darum ist der Lichtbogenofen während der Einschmelzzeit mit der größtmöglichen Lichtbogenleistung zu betreiben.

Um die maximale Lichtbogenleistung zu berechnen, geht man einfachheitshalber von einem einphasigen Ersatzschaltbild gemäß Bild 13.4–9 aus, wobei ein linearer Zusammenhang zwischen Lichtbogenspannung und Lichtbogenstrom zugrunde gelegt wird. In diesem Bild stellt R den ohmschen Widerstand der Zuleitungen einschließlich Elektrode, X den induktiven Widerstand der Zuleitungen einschließlich Elek-

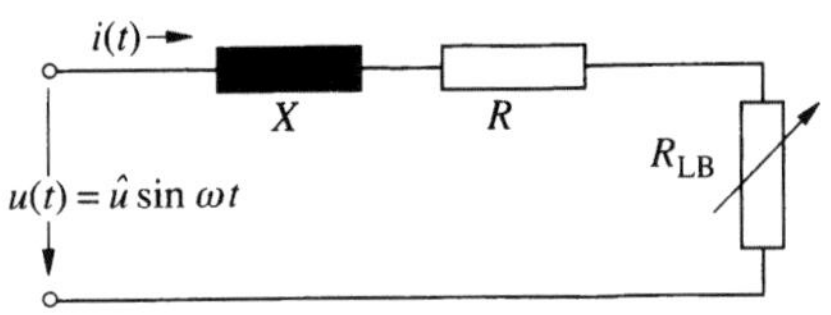

Bild 13.4-9 Einphasiges Ersatzschaltbild eines Lichtbogenofens unter Annahme eines sinusförmigen Verlaufs der Lichtbogenspannung

trode und R_{LB} den durch die Lichtbogenlänge veränderlichen Lichtbogenwiderstand dar. Die Lichtbogenleistung ist:

$$P_{LB} = I^2 R_{LB}\,. \tag{13.4–3}$$

P_{LB}	I	U	R_{LB}, R, X
W = VA	A	V	Ω = V/A

Mit

$$I = \frac{U}{\sqrt{(R+R_{LB})^2 + X^2}} \tag{13.4–4}$$

folgt aus der Gl. (13.4–3):

$$P_{LB} = \frac{U^2}{(R+R_{LB})^2 + X^2}\, R_{LB}. \tag{13.4–5}$$

Die maximale Lichtbogenleistung stellt sich bei einem bestimmten Wert des Lichtbogenwiderstandes ein. Dieser Wert ergibt sich durch Nullsetzen des Differentialquotienten dP_{LB}/dR_{LB}. Daraus folgt:

$$R_{LB} = \sqrt{R^2 + X^2}. \tag{13.4–6}$$

Somit ist:

$$P_{LBmax} = \frac{U^2}{2} \cdot \frac{1}{\sqrt{R^2 + X^2} + R}. \tag{13.4–7}$$

Für den Leistungsfaktor des Stromkreises nach Bild 13.4–9 gilt:

$$\cos\varphi = \frac{R + R_{LB}}{\sqrt{(R+R_{LB})^2 + X^2}}. \tag{13.4–8}$$

Wird in Gl. (13.4–8) für R_{LB} der Wert aus Gl. (13.4–6) eingesetzt, so erhält man für den $\cos\varphi_m$, bei dem maximale Lichtbogenleistung zu erwarten ist, den Ausdruck:

$$\cos\varphi_m = \frac{1}{\sqrt{2}} \sqrt{1 + \frac{R}{\sqrt{R^2 + X^2}}}. \tag{13.4–9}$$

Die maximale Leistung im ohmschen Ersatzwiderstand tritt bei einem Phasenwinkel zwischen Strom und angelegter Spannung auf, der halb so groß ist wie beim Wert Null des Ersatzwiderstandes. Im Falle der maximalen Leistung im Ersatzwiderstand liegt damit die Größe des Leistungsfaktors $\cos\varphi_m$ des Ersatzstromkreises je nach Größe der Widerstände der Zuleitung zwischen 0,707 und 1.

Der Sollwert der Regelgröße für die Erzielung der größtmöglichen Lichtbogenleistung während der Einschmelzzeit wird dann so festgelegt, daß auf der Hochspannungsseite des Ofentransformators der Leistungsfaktor, der durch Messung der Leistung und der Effektivwerte des Stromes und der Strangspannung bestimmt wird, den Wert $\cos\varphi_m$ nach Gl. (13.4–9) besitzt. Da die Annahme eines ohmschen Ersatzwiderstandes für den Lichtbogen jedoch meist nicht gerechtfertigt ist, muß man zur Berechnung der maximalen Lichtbogenleistung von dem einphasigen Ersatzschaltbild nach Bild 13.4–10 ausgehen. In diesem Bild stellt R alle in dem Kreis vorhandenen ohmschen Widerstände dar. L ist die Induktivität des Kreises. Die als Spannungsquelle dargestellte Lichtbogenspannung hat über der Zeit einen rechteckförmigen Verlauf. Die Spannungsgleichung in diesem Fall lautet:

$$Ri(t) + L\frac{di(t)}{dt} + u_{LB}(t) = \hat{u}\sin(\omega t + \varphi_u). \tag{13.4–10}$$

R	i	t	u_{LB}, $\hat{u}$	ω	φ_u
Ω = V/A	A	s	V	s^{-1}	1

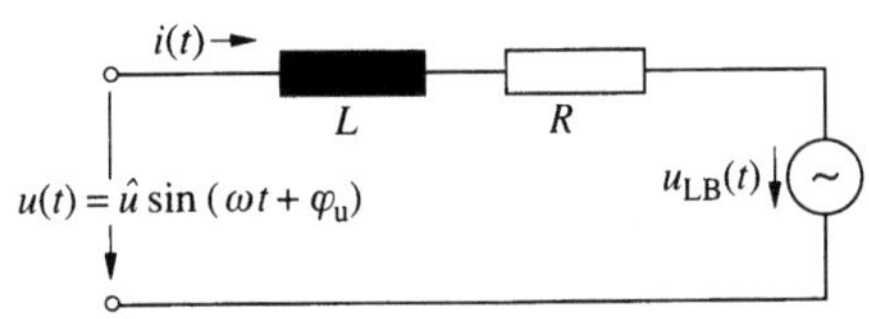

Bild 13.4-10 Einphasiges Ersatzschaltbild eines Lichtbogenofens unter Annahme eines rechteckförmigen Verlaufs der Lichtbogenspannung

Um den Ofenstrom berechnen zu können, wird die Lichtbogenspannung in ihre Grund- und Oberschwingungen zerlegt. Mit Hilfe dieses Ansatzes kann nach [13.6] die Lichtbogenleistung und damit auch der Leistungsfaktor bei der größtmöglichen Lichtbogenleistung bestimmt werden. Die Rechnung ergibt, daß bei linearem Zusammenhang zwischen Lichtbogenstrom und Lichtbogenspannung der ermittelte Leistungsfaktor zu groß ist. Dieser Wert kann daher bei einem realen Ofen mit rechteckförmiger Lichtbogenspannung gar nicht erreicht werden. Beim Optimum der Lichtbogenleistung stellt sich ein niedrigerer Leistungsfaktor ein, der angestrebt werden muß.

Wegen der Doppeldeutigkeit des Funktionszusammenhanges zwischen Lichtbogenleistung und Leistungsfaktor kann der Leistungsfaktor nicht allein als Regelgröße benutzt werden. In der Praxis wird daher die Lichtbogenspannung als Regelgröße angewendet, die primär auf die Änderung der Lichtbogenlänge reagiert. Durch eine geeignete Meß- und Rechenschaltung stehen die Lichtbogenspannungswerte zur Verfügung, die durch hydraulische oder elektrische Verstellung der Elektroden verändert werden können.

13.5 Dielektrische Erwärmung und Mikrowellenerwärmung

13.5.1 Dielektrische Erwärmung

Die *dielektrische Erwärmung* ist ein Verfahren, bei dem Stoffe mit sehr hohem spezifischen Widerstand in einem elektrischen Wechselfeld hoher Frequenz erwärmt werden.

Betrachtet wird ein Plattenkondensator, der gemäß Bild 13.5–1 mit einer Wechselspannung mit dem Effektivwert U gespeist wird. Die Kreisfrequenz wird mit ω und der Effektivwert des Stromes wird mit I bezeichnet. Der Kondensator habe die Fläche A und der Elektrodenabstand betrage d. Für das Dielektrikum wird die relative Permitivität ε_r angenommen. Die im Dielektrikum in Wärme umgesetzte Leistung ist:

$$P = UI_w = UI\cos\varphi, \qquad (13.5\text{–}1)$$

P	U	I	φ
W	V	A	1

wobei φ die Phasenverschiebung zwischen Strom und Spannung ist. Für die Anordnung nach Bild 13.5–1 kann das Zeigerbild sowie das Ersatzschaltbild gemäß Bild 13.5–2 angegeben werden.

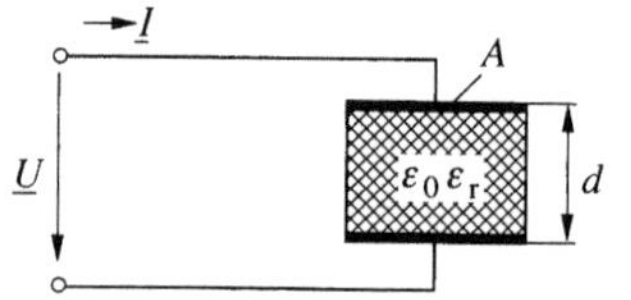

Bild 13.5-1 Verlustbehaftetes Dielektrikum in einem Wechselfeld

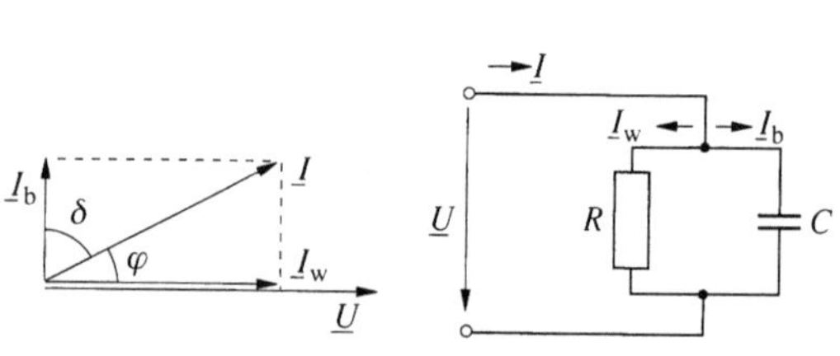

Bild 13.5-2 Zeigerbild (a) und Ersatzschaltbild (b) der Anordnung nach Bild 13.5-1

Der Kondensator mit verlustbehaftetem Dielektrikum läßt sich durch einen idealen verlustlosen Kondensator mit der Kapazität C

$$C = \varepsilon_0 \varepsilon_r \frac{A}{d} \qquad (13.5\text{–}2)$$

C	ε_0	ε_r	A	d
F = As/V	As/Vm	1	m²	m

und durch einen dazu parallelgeschalteten ohmschen Widerstand ersetzen.

Nach dem Zeigerbild gilt für den durch den ohmschen Widerstand fließenden Strom:

$$I_w = I\cos\varphi = I_b \tan\delta. \qquad (13.5\text{–}3)$$

$\tan\delta$ bezeichnet man als Verlustfaktor. Er wird in der Praxis durch zahlreiche Einflußgrößen wie Temperatur, elektrische Feldstärke und Frequenz bestimmt.

Für den Verlustfaktor gilt:

$$\tan\delta = \frac{I_w}{I_b}. \qquad (13.5\text{–}4)$$

Mit

$$I_w = \frac{U}{R} \qquad (13.5\text{–}5)$$

und

$$I_b = U\omega C \qquad (13.5\text{–}6)$$

folgt dann:

$$\tan\delta = \frac{1}{R\omega C}. \qquad (13.5\text{–}7)$$

$\tan\delta$	I_w, I_b	U	R	C	ω
1	A	V	Ω = V/A	F = As/V	s⁻¹

Mit Hilfe der Gln. (13.5–3) und (13.5–6) läßt sich die Gl. (13.5–1) umformen:

$$P = U^2\omega C \tan\delta. \qquad (13.5\text{–}8)$$

P	U	ω	C	$\tan\delta$
W = VA	V	s⁻¹	F = As/V	1

Nach dem Ersatzschaltbild gilt:

$$P = \frac{U^2}{R}. \qquad (13.5\text{–}9)$$

Aus den Gln. (13.5–8) und (13.5–9) folgt für den äquivalenten Ersatzwiderstand:

$$R = \frac{1}{\omega C \tan\delta} \qquad (13.5\text{–}10)$$

Mit der elektrischen Feldstärke

$$E = \frac{U}{d} \qquad (13.5\text{–}11)$$

E	U	d
V/m	V	m

und

$$\omega = 2\pi f \qquad (13.5\text{–}12)$$

sowie Gl. (13.5–2) kann für die Verlustleistung nach Gl. (13.5–8) angegeben werden:

$$P = 2\pi\varepsilon_0\varepsilon_r f A d E^2 \tan\delta. \qquad (13.5\text{–}13)$$

P	ε_0	ε_r	f	A	d	E
W = VA	As/Vm	1	Hz = 1/s	m²	m	V/m

Für die je Volumeneinheit in Wärme umgesetzte Leistung gilt dann:

$$p = \frac{P}{V} = \frac{P}{Ad} = 2\pi\varepsilon_0\varepsilon_r f E^2 \tan\delta. \qquad (13.5\text{–}14)$$

Im Gegensatz zu den in der Elektrotechnik verwendeten Kondensatoren mit geringen Verlusten in den Dielektrika, die aus Kunststoff, Papier, Öl, Keramik usw. bestehen, versucht man bei der dielektrischen Erwärmung die vom Behandlungsgut, das die Rolle des Dielektrikums in einem Kondensator übernimmt, aufgenommene Leistung möglichst groß zu machen. Durch Einbringen eines Stoffes mit der ausreichend großen Verlustziffer $\varepsilon_r \tan\delta$ in ein elektrisches Wechselfeld mit hoher Frequenz und großer Feldstärke, wird dieser schnell erwärmt. Die erforderliche Feldstärken erhält man durch Anlegen einer hohen Spannung an die Elektroden.

Es gilt als Anhalt, daß $\varepsilon_r \tan\delta \geq 0{,}005$ sein soll, da sonst eine Erwärmung des Materials fast unmöglich ist. Ein guter Erwärmungseffekt ist bereits ab einem Wert $\varepsilon_r \tan\delta = 0{,}01$ zu erzielen. Die elektrische Feldstärke E soll 400 V/mm nicht überschreiten. Mit diesen Werten kann man ungefähr die unterste Betriebsfrequenz bestimmen. Der Frequenzbereich liegt zwischen 1 MHz und 100 MHz. Die in diesem Bereich genormten Frequenzen sind:

13,56 MHz ± 0,06%,
27,120 MHz ± 0,6%,
40,68 MHz ± 0,05%.

Die gebräuchlichste Frequenz ist, auch im Hinblick auf die größte Toleranz 27,120 MHz. Die erforderlichen hohen Frequenzen werden in der Regel durch Röhrengeneratoren mit einem Leistungsbereich zwischen 200 W und 500 kW erzeugt. Die elektrischen Erwärmungsanlagen dürfen keine Störungen verursachen. Es sind daher entsprechende Abschirmungsmaßnahmen erforderlich.

Für die Behandlung großvolumiger Güter werden plattenförmige Elektroden eingesetzt. Eine gleichmäßige Wärmeerzeugung in einem homogenen Dielektrikum setzt ein möglichst homogenes elektrisches Feld im Kondensator voraus. Darum müssen die Querschnittsabmessungen des Behandlungsguten gegenüber der Wellenlänge der HF-Schwingung sehr klein sein. Ist die Ausdehnung des zu erwärmenden Materials normal zu den Feldlinien groß, kommt es zur Ausbildung stehender Wellen. Maßnahmen gegen stehende Wellen sind Mehrfacheinspeisung mit dem Nachteil der aufwendigen induktiven Koppel-Netzwerke sowie Vielfachabstimmung.

Für eine Durchlauferwärmung (Bild 13.5–3) werden stabförmige Elektroden eingesetzt. Keilförmige Elektroden zeichnen sich durch Feldkonzentrations-Eigenschaften aus.

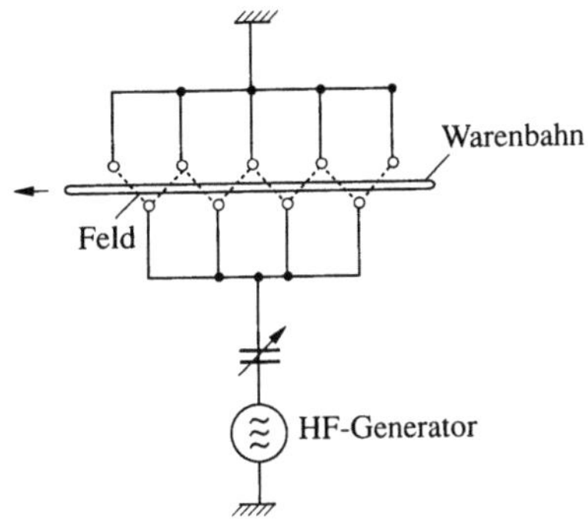

Bild 13.5-3 Dielektrische Durchlauferwärmung

Die dielektrische Erwärmung wird in verschiedenen technischen Bereichen und in der Medizin verwendet. Die hauptsächlichen Arbeitsgebiete sind:

- Erwärmung von Kunststoffen zum Formen und Schweißen,
- Verleimen von Holz,
- Trocknen von Textilien, Holz und Papier,
- Vorwärmen von Gummi zum Vulkanisieren,
- Trocknen von Gußformen und Gußkernen in Metallgießereien,
- Auftauen tiefgefrorener Produkte,
- Lebensmittelsterilisation,
- Diathermie.

13.5.2 Mikrowellenerwärmung

Eine genügende Erwärmung von Materialien mit kleiner Verlustziffer $\varepsilon_r \tan\delta$ ist in einem Kondensatorfeld bei Frequenzen im MHz-Bereich nicht möglich. Aus der Gl. (13.5–13) geht hervor, daß die in Wärme umgesetzte elektrische Leistung proportional mit der Betriebsfrequenz und dem Quadrat der elektrischen Feldstärke zunimmt. Um den Energieumsatz pro Volumeneinheit zu erhöhen, kann man die Feldstärke jedoch nicht beliebig steigern, da durch auftretende Durch- und Überschläge die Qualität des Produktes nachteilig beeinflußt wird. Zur weiteren Steigerung des Energieumsatzes kommt daher nur eine Erhöhung der Betriebsfrequenz in Betracht.

Das Gebiet der Mikrowellentechnik umfaßt den Frequenzbereich von 1 GHz bis über 30 GHz. Für die ultrahochfrequente Erwärmung dielektrischer Materialien ist nur die Frequenz 2,45 GHz, entsprechend einer Freifeldwellenlänge λ_0 von 122,4 mm, freigegeben. Der übrige Frequenzbereich ist der Radar- und Nachrichtentechnik vorbehalten.

In *Mikrowellenerwärmungsanlagen* sind üblicherweise Magnetrons als Generatoren eingesetzt. Dabei wird die kinetische Energie der Elektronen, die im elektrischen Feld beschleunigt und im magnetischen Feld abgelenkt worden sind, durch Abbremsen im bereits aufgebauten hochfrequenten Feld in HF-Energie umgewandelt. Die Umwandlung der Mikrowellenenergie in Wärme findet im Arbeitskreis statt. Durch die Gestaltung des Arbeitskreises lassen sich in Anpassung an das Erwärmungsgut verschiedene Arbeitsverfahren realisieren, nämlich Erwärmung im

- Antennenstrahlungsfeld,
- Wanderwellen-Hohlleitersystem und
- Strahlungsfeld stehender Wellen in abgeschlossenen Arbeitsräumen (Resonanzhohlraum).

Bei der Mikrowellenerwärmung unterscheidet man auch zwischen *Stand-* und *Durchlauferwärmung*. Die Geräte für die Standerwärmung mit Leistungen unter 5 kW werden im Haushalt sowie in Kantinen eingesetzt. Das Problem der ungleichmäßigen Erwärmung bei Standerwärmung im inhomogenen Mikrowellenfeld wird durch rotierende Reflektoren (Feldrührer) gelöst. Bei der Durchlauferwärmung in Erwärmungskanälen werden mehrere Magnetrons mit je 5 kW Leistung eingesetzt, so daß sich hier Anlagen mit sehr hohen Leistungen realisieren lassen.

Aufgrund kurzer Erwärmungszeit, geringen Platzbedarfes und guter Steuerbarkeit werden Mikrowellenerwärmungsanlagen zunehmend in der Textil-, Lebensmittel-, Kunststoff-, Gummi und chemischen Industrie zum Vorwärmen, Trocknen, Härten, Schweißen, Kochen, Backen, Auftauen, Sterilisieren und Pasteurisieren eingesetzt.

13.6 Literatur

[13.1] *Kegel, K. u. a.*, herausgegeben von der Union Internationale d'Electrothermie (UIE) Paris, Elektrowärme Theorie und Praxis, Verlag W. Girardet, Essen 1974

[13.2] *Arelmann, F. u. a.*, herausgegeben von BBC Mannheim, Industrielle Elektrowärme, Verlag W. Girardet, Essen 1968

[13.3] *Philippow, E.*, Taschenbuch Elektrotechnik Bd. 6 Systeme der Elektroenergietechnik, Carl Hanser Verlag, München/Wien 1982

[13.4] Herausgegeben von RWE Essen, Die industrielle Elektrowärmeverfahren, RWE-Information

[13.5] *Fasholz, J.*, herausgegeben von RWE Essen, Induktive Erwärmung-Physikalische Grundlagen und technische Anwendungen, Energie-Verlag, Heidelberg 1984

[13.6] *Khoramnia, G.*, Erzielung hoher thermischer Wirkungsgrade durch optimale elektrische Anpassung von Lichtbogen-Schmelzöfen, Dissertation TU Hannover 1977

Sachwortverzeichnis

B

C

D

G

M

T

U

W

X

Z

MIX
Papier aus verantwortungsvollen Quellen
Paper from responsible sources
FSC® C105338

If you have any concerns about our products,
you can contact us on
ProductSafety@springernature.com

In case Publisher is established outside the EU,
the EU authorized representative is:
Springer Nature Customer Service Center GmbH
Europaplatz 3, 69115 Heidelberg, Germany

Printed by Libri Plureos GmbH
in Hamburg, Germany